NOUVELLE
GRAMMAIRE
FRANÇAISE

GREVISSE · GOOSSE

Avec la collaboration de Fr. TASSET

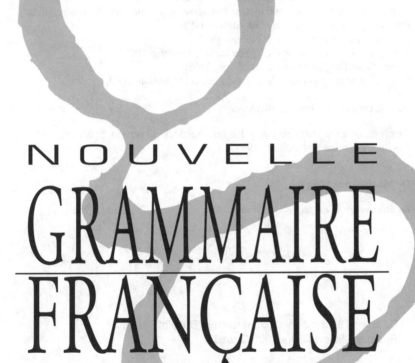

NOUVELLE

GRAMMAIRE
FRANÇAISE

CORRIGÉ DES APPLICATIONS

de boeck

CHEZ LE MÊME ÉDITEUR

De Maurice Grevisse et André Goosse

Le bon usage. Grammaire française, 13ᵉ édition refondue par André Goosse, 1993.
Nouvelle grammaire française, 3ᵉ édition revue, 1995.
Nouvelle grammaire française. Applications, 2ᵉ édition revue, 1989.
Nouvelle grammaire française. Corrigé des Applications, avec la collaboration de Françoise Tasset, 1989.

De Maurice Grevisse

Le français correct. Guide pratique, 5ᵉ édition revue par M. Lenoble, 1998.
La force de l'orthographe. 300 dictées progressives commentées, 3ᵉ édition, 1996.
Précis de grammaire française, 30ᵉ édition, 1995.
Nouveaux exercices français, 2ᵉ édition, 1977.
Nouveaux exercices français. Livre du maître, 2ᵉ édition, 1977.
Cours d'analyse grammaticale, 7ᵉ édition, 1968.
Cours d'analyse grammaticale. Livre du maître, 6ᵉ édition, 1969.

Dans la collection « Entre guillemets »

Savoir accorder le participe passé. Règles, exercices et corrigés, 5ᵉ édition, 1996.
Quelle préposition ?, 4ᵉ édition, 1996.

De Marie-Anne Grevisse

La grammaire, c'est facile ! Code grammatical français, 2ᵉ édition, 1986.

© De Boeck & Larcier s.a. (Département Duculot), 1989
    Rue des Minimes 39 – 1000 Bruxelles

Printed in Belgium

D. 1989/0035/23
ISBN 2-8011-0821-9

Chapitre préliminaire

1. — Que signifient les gestes et les signaux suivants ?　　　(Gr. § 1)

a) 1. Soulever son chapeau : *saluer.* — 2. Se tapoter la tempe avec l'index : *traiter de fou.* — 3. Lever l'index : *demander la parole* ou *attirer l'attention.* — 4. Lever l'index et le majeur de la main droite : *saluer, chez les scouts.* — 5. Joindre les mains : *prier, supplier.* — 6. Se passer l'index sous le nez : *l'interlocuteur n'aura pas la chose dont il est question, elle lui passera sous le nez.* — 7. Se frotter la joue du revers de la main : *exprimer son ennui.* — 8. Remuer la tête de droite à gauche : *non.* — 9. Remuer la tête de bas en haut : *oui.* — 10. Étendre la main, doigts écartés, en appuyant le pouce sur le bout du nez : *faire un pied de nez, se moquer.*

b) 1. Une barre blanche à l'intérieur d'un cercle rouge : *sens interdit pour tout conducteur.* — 2. Un vélo blanc sur un fond bleu cerclé de blanc : *obligation d'emprunter la piste cyclable.* — 3. Un vélo noir sur un fond blanc cerclé de rouge : *accès interdit aux bicyclettes et aux cyclomoteurs.* — 4. Un cercle blanc bordé de rouge : *accès interdit, dans les deux sens, à tout conducteur.* — 5. Un triangle blanc bordé de rouge et posé sur sa pointe : *carrefour où le conducteur doit céder le passage à ceux qui circulent sur la voie qu'il va aborder.* — 6. Un Z gris dans un cercle blanc barré de noir en oblique : *fin d'une zone bleue avec disque obligatoire.*

2. — Par quel geste indique-t-on :　　　(Gr. § 1)

1. Que quelqu'un est prié de s'approcher ? *On tend l'index horizontalement, paume fermée vers le haut, puis on le replie vers soi.* — 2. Que quelqu'un est prié de s'en aller ? *On tend l'index horizontalement, paume fermée vers le bas.* — 3. Que quelque chose est bon à manger ? *On se frotte la main sur l'estomac.* — 4. Que l'on est rassasié ? *On déplace la main horizontalement à hauteur de la gorge.* — 5. Que l'on tourne un autre en dérision (geste des enfants ; quelle formule l'accompagne ?) ? *On frotte l'index droit sur l'index gauche tendu vers celui dont on veut se moquer ; aflûte, aflûte !; bis, bis, bis !; achlîpe, achlîpe ! etc.* — 6. Que l'on approuve une proposition mise aux voix, dans une assemblée ? *On lève le bras.* — 7. Que l'on

prête serment ? *On lève la main droite, paume vers l'extérieur.* — 8. Que l'on menace quelqu'un ? *On ferme le poing et on le tend dans sa direction.*

3. — Signes divers. (Gr. § 1)

1. Pourquoi l'agent de police a-t-il un sifflet ? *Pour signaler qu'il va donner un ordre.* — 2. Pourquoi sonne-t-on les cloches ? *Pour annoncer un événement religieux (messe, mariage, enterrement, baptême, ...)* — 3. Comment un bateau annonce-t-il qu'il approche de l'embarcadère ? *Il fait retentir sa sirène.* — 4. Comment les scouts se saluent-ils ? *Ils lèvent l'index et le majeur de la main droite.* — 5. Comment reconnaît-on un caporal, un capitaine, un colonel ? *Le caporal a deux galons à la manche ; le capitaine a au col trois étoiles au-dessous d'une barrette ; le colonel a au col trois étoiles au-dessus d'une barrette.* — 6. Comment les militaires se saluent-ils ? *Ils portent la main à leur béret ou à leur képi.* — 7. Comment reconnaît-on un ecclésiastique ? *Il porte une petite croix.* — 8. Comment reconnaît-on un aveugle ? *Il a une canne blanche.* — 9. Comment reconnaît-on un pompier ? *À son casque et à sa voiture rouge.*

4. — Par quoi se distinguent les unes des autres les expressions suivantes ? (Gr. § 4)

a) 1. Faire dodo (*familier*), pioncer (*argotique*), dormir (*courant*), roupiller (*familier*), reposer (*soigné*). — 2. Vélocipède (*archaïque* ou *administratif*), vélo (*courant*), bicyclette (*courant*), bécane (*familier*), clou (*très familier*). — 3. S'en ficher (*familier, mais vieilli*), s'en fiche (*familier*), s'en moquer (*courant*), s'en foutre (*vulgaire*), s'en désintéresser (*soigné*), en faire litière (*soutenu*), s'en balancer (*familier*). — 4. Quand est-ce qu'il partira ? (*courant.*) Quand il partira ? (*très familier.*) Il partira quand ? (*familier.*) Quand est-ce que c'est qu'il partira ? (*très familier.*) Quand partira-t-il ? (*soigné.*) Quand c'est qu'il partira ? (*populaire.*) Quand ç' qu'il partira ? (*populaire.*) Quand qu'il partira ? (*populaire.*)

b) 1. Se suicider (*courant*), se tuer (*courant*), mettre fin à ses jours (*soigné*), se donner la mort (*soigné*), attenter à sa vie (*soutenu*), se défaire (*archaïque*), se supprimer (*familier*), se détruire (*familier*), se périr (*populaire*). — 2. Flic (*très familier*), policier (*courant*), gardien de l'ordre (*soigné*), cogne (*argotique*), gardien de la paix (*soigné*), sergent de ville (*vieilli*), agent de police (*courant*). — 3. Postérieur (*courant*), arrière-train (*familier*), séant (*soigné*), bas du dos (*soigné*), cul (*vulgaire*), siège (*soigné, surtout médical*), pépette (*en Belgique, familier*), croupe (*familier*), lune (*familier*), popotin (*très familier*). — 4. N'y va point (*soigné ou régional*). N'y va pas (*courant*). Y va pas (*populaire*). N'y va mie (*archaïque*). Vas-y pas (*populaire*).

N.B. — Dans cet exercice et dans le suivant, il est normal qu'il y ait certaines divergences dans le choix des étiquettes.

5. — Donner diverses façons d'exprimer les idées suivantes, en précisant le registre ou le niveau. (Gr. § 4)

a) 1. Dépourvu d'intelligence : *sot (courant), bête (courant), borné (soutenu), imbécile (courant), bêta (familier), etc.* — 2. Celui qui fait profession de prévenir et de soigner les maladies des gens : *médecin (courant), docteur (familier), toubib (très familier).* — 3. Quitter un lieu : *partir (courant), foutre le camp (vulgaire), se barrer (familier), s'éloigner (courant), se tailler (familier), etc.* — 4. Mourir : *décéder (soigné), trépasser (soutenu), crever (vulgaire), clamecer (argotique), passer l'arme à gauche (familier), etc.*

b) 1. Véhicule automobile : *bagnole (familier), tacot (très familier), auto (courant), automobile (soigné), voiture (courant), etc.* — 2. Enfant : *marmot (familier), mouflet (très familier), loupiot (très familier), petit (courant), môme (familier), etc.* — 3. Tuer : *occire (soutenu), liquider (familier), bousiller (populaire), crever (vulgaire), zigouiller (très familier), etc.* — 4. Grand bruit : *vacarme (soigné), chambard (très familier), boucan (familier), chahut (courant), tintamarre (soigné), etc.*

6. — Quelle est la désignation régionale et, éventuellement, la désignation en français commun pour les réalités suivantes ? (Gr. § 3)

a) 1. Le responsable de l'administration d'une commune et ceux qui l'assistent ou le suppléent : *en Belgique, bourgmestre et échevins ; en Suisse, syndic ou président ; maire et adjoints au maire.* — 2. L'employé qui, dans un train, vérifie les titres de transport : *en Belgique, chef-garde ; contrôleur.* — 3. Celui qui conduit une locomotive : *en Belgique, machiniste ; conducteur, mécanicien.* — 4. Un établissement public d'enseignement secondaire : *en Belgique, athénée ; en Suisse, gymnase ; lycée.* — 5. Un petit amas de poussière sous un meuble : *minou, en Belgique.*

b) 1. Un morceau de toile servant à laver le sol : *drap de maison, loque à reloqueter, wassingue, panosse, torchon, etc. ; serpillière.* — 2. Travailler assidûment (en parlant d'un étudiant) : *en Belgique, bloquer ; bûcher, potasser.* — 3. Les réjouissances organisées chaque année pour fêter le patron de la paroisse : *ducasse, en Belgique ; kermesse, fête paroissiale.* — 4. Le fruit que les enfants s'amusent à se lancer parce qu'il s'accroche aux vêtements : *bouton de soldat, plaque-madame, plèque-madame, etc. ; bardane.* — 5. Le petit animal bombé qui vit sous les pierres : *cochon de cave, pou de bois, cochon gras, etc. ; cloporte.*

7. — Quel est l'équivalent, en français commun, des phrases suivantes ?

(Gr. § 3)

a) *Nord de la France et Belgique* : 1. *« Mettez-vous »* / *« Asseyez-vous »*, m'a-t-elle dit en me montrant le fauteuil. — 2. L'année s'achève en *courreries / courses*, en agitations sans but. (L. Bertrand.) — 3. Il est *trop poli que pour / trop poli pour* être honnête. — 4. Quand on a mangé trop de fruits, on doit souvent aller *à la cour / aux toilettes*. — 5. Son père a loué un appartement de cinq *places / pièces*. — 6. Le notaire a proposé de faire *une ajoute / un complément, une addition, etc.* au contrat. — 7. Il y a toujours des *fritures / friteries* aux environs des gares. — 8. Citez la phrase dans son *entièreté / intégralité* (ou *entier* ou *totalité*). — 9. *Renseignez / Indiquez*-moi l'adresse d'un restaurant à prix modérés. — 10. Vous devez répondre *endéans / dans* les quinze jours.

b) *Est de la France et Suisse* : 1. Cette revue publie un roman policier *dès / à partir de* la page 40. — 2. Cet enfant est *un meulard / une personne agaçante*. — 3. Elle essuie les verres avec *une patte / un chiffon*. — 4. Ma grand-mère a *huitante / quatre-vingts* ans passés. — 5. Une jeune fille est demandée tout de suite pour *s'aider / aider* au ménage. — 6. Clou alla tout de suite à l'auberge se commander trois *décis de goutte / décilitres d'alcool*. (Ramuz.) — 7. Je me console en jouant de *la musique à bouche / l'harmonica*. — 8. *Qu'est-ce que c'est pour un fromage ? / Quel genre de fromage est-ce ?* — 9. *La votation / Le vote* (ou *L'élection*) aura lieu dimanche. — 10. Il faisait *grand / très* beau ce jour-là.

c) *Midi de la France* : 1. Il a fait si chaud qu'on a dû *se mettre le / mettre son* chapeau. — 2. Vous me feriez *devenir chèvre / tourner en bourrique*. — 3. Je voyais ma mère environnée, depuis mon enfance, de ruisseaux de *savonnade / d'eau savonneuse*, tordant le linge. (P. Guth.) — 4. *« Adieu » / « Bonjour »*, m'a-t-il dit en entrant. — 5. *Il promène / se promène* au lieu de travailler. — 6. Il a plus de *septante / soixante-dix ans*, et regarde comme il est gaillard ! (Pagnol.) — 7. Il faut *plier / ranger* soigneusement la vaisselle. — 8. Le chien est rentré tout *trempe / trempé*.

d) *Ouest de la France* : 1. Je *m'encourus / me sauvai*, comme un fuyard, chez mon colonel. (Barbey d'Aurevilly.) — 2. Il y avait toujours des *mogettes* (ou *mougettes*) / *haricots secs* au menu. — 3. Les gendarmes sont tous des *horsains / étrangers à la région*. (La Varende.) — 4. Il ramassa les morceaux de la tasse avec la pelle à *bourrier(s) / détritus* (ou *balayures*). — 5. Nous retournerons *de / à* pied. — 6. Dans les crêperies bretonnes, on mange des *galettes de blé noir / crêpes à la farine de sarrasin*. — 7. Tu m'*éluges / ennuies* à la fin ! — 8. *Pouille-moi / Mets* ce tricot de laine. (Botrel.) — 9. Ma mère a mis le linge à blanchir sur *la prée / le pré*. — 10. Venez *quand et / avec* nous.

e) *Région parisienne* : 1. Il est *rien / très* bête, celui-là ! — 2. Après l'accident, on a dû le conduire à l'*hosto / hôpital*. — 3. Nous allions ainsi, chaque *tantôt / après-midi*, prospecter les terrains en friche. (Céline.) — 4. Il est aussi grand *comme / que* moi. — 5. On s'en va ? *Gy / Oui*. — 6. *Eux autres / Eux*, ils sont bien embêtés. — 7. *J'y / Je lui* ai dit qu'on s'en aille. — 8. Je *licherais / boirais* bien un verre de vin. — 9. C'est un mec *balès / costaud*.

f) *Centre de la France* : 1. J'ai ri *un petit / un peu*. — 2. Piquée par un taon, la vache *daille / court* à travers la prairie. — 3. Le bûcheron était *cheti / chétif* d'apparence, mais il était fort tout de même. — 4. Les *hargnes / giboulées* (ou *averses*) sont fréquentes en mars. — 5. Ma marraine habite près *du carroir / de la place*. — 6. Je l'ai fait, *après comme après ! / advienne que pourra !* — 7. Ma chatte est très *amitieuse / caressante* (ou *affectueuse*). — 8. Je suis rentré tout *enfondu / trempé*. — 9. Il a mangé tout son *las / saoul*. — 10. La fermière est allée *tirer / traire* les vaches.

g) *Canada* : 1. Il achète ses cigarettes *à la tabagie / au tabac* du coin. — 2. L'an 2000 c'est dans pas *grand temps / longtemps*. — 3. Chacun va avoir *sa job / son travail* (ou *sa besogne*) à faire. — 4. Elle avait *de la misère / de la difficulté* à répondre. — 5. Quand on ira *magasiner / faire des emplettes*, on te choisira un manteau. — 6. C'est plus *sécuritaire / rassurant* d'avoir ces machines-là. — 7. C'est *achalant / fatigant* de voyager par un temps pareil. — 8. Une morale personnelle, *en autant / pour autant* qu'elle permet de faire du bien et de ne pas faire la guerre, c'est parfait. — 9. Il porte un chandail *plain / uni*. — 10. Il s'est mis sur son *trente-six / trente et un* pour aller voir sa fiancée.

h) *Afrique* : 1. N'oublie pas de donner un *matabiche / pourboire* au chauffeur. — 2. J'ai mal aux yeux, j'ai peut-être attrapé *l'apollo / une conjonctivite*. — 3. Mon frère n'a *fréquenté / été* à l'école que jusqu'à dix ans. — 4. Les étudiants *font le gros dos / prennent un air important* dans leur village. — 5. On a engagé une *boyesse / bonne* pour s'occuper des enfants. — 6. Je t'invite *à l'ambiance / au bal* de samedi soir. — 7. L'enfant travaille *ensemble avec / avec* son père. — 8. Je vais vous annoncer une nouvelle *assourdissante / extraordinaire*. — 9. Je le connais *depuis / depuis longtemps*. — 10. Le chasseur a *fusillé / tué à coup de fusil* l'antilope.

CHAPITRE I

Des lettres et des mots

8. — Classer par ordre alphabétique : (Gr. § 27)

a) Les noms des pays d'Europe : Albanie, Allemagne occidentale, Allemagne orientale, Andorre, Autriche, Belgique, Bulgarie, Danemark, Espagne, Finlande, Grande-Bretagne, Grèce, Hongrie, Irlande, Islande, Italie, Liechtenstein, Luxembourg, Monaco, Norvège, Pays-Bas, Pologne, Portugal, Roumanie, Saint-Marin, Suède, Suisse, Tchécoslovaquie, Turquie (en partie), U.R.S.S. (en partie), Vatican (cité du) et Yougoslavie. (On acceptera aussi : République démocratique allemande, République fédérale d'Allemagne, Russie.)

b) Les prénoms des élèves de la classe ;

c) Les noms de douze marques de voiture : Audi, Citroën, Fiat, Ford, Honda, Mazda, Mercedes, Opel, Peugeot, Renault, Toyota, Volkswagen, etc.

9. — Classer par ordre alphabétique les mots des phrases suivantes. (Gr. § 27)

1. C'était dans la nuit brune, / Sur le clocher jauni, / La lune, / Comme un point sur un i (Musset) : Brune, c', clocher, comme, dans, était, i, jauni, la, la, le, lune, nuit, point, sur, sur, un, un. — 2. Ce n'est point parce qu'il y a une rose sur le rosier que l'oiseau s'y pose : c'est parce qu'il y a des pucerons (J. Renard) : A, a, c', ce, des, est, est, il, il, l', le, n', oiseau, parce qu', parce qu', point, pose, pucerons, que, rose, rosier, s', sur, une, y, y, y. — 3. Celui qui mange trop du pain quotidien n'a plus aucun goût au pain éternel (Péguy) : A, au, aucun, celui, du, éternel, goût, mange, n', pain, pain, plus, qui, quotidien, trop.

10. — Diviser les mots en syllabes graphiques. (Gr. § 17)

a) Oh ! com-me ils sont heu-reux les mu-si-ciens du 3ᵉ ! L'œil fixé sur les dou-bles cro-ches, i-vres de ryth-me et de ta-pa-ge, ils ne son-gent à rien qu'à comp-ter leurs me-su-res. Leur â-me, tou-te leur â-me tient dans ce car-ré de pa-pier lar-ge com-me la main, qui

trem-ble au bout de l'ins-tru-ment (ou in-stru-ment) en-tre deux
dents de cui-vre. (A. Daudet.)

b) Ha-bi-le-té, tex-te, cons-truc-tion (ou con-struc-tion), im-
per-méa-ble, pres-by-tè-re, con-trai-re, in-cons-ti-tu-tion-nel-le-
ment (ou in-con-sti-tu-tion-nel-le-ment), struc-tu-re, taxa-tion,
pay-sa-ge. — 2. Per-son-ni-fi-ca-tion, beau-té, dé-noue-ment, ap-
pa-raî-tre, phi-lo-so-phie, voya-ge, trans-cri-re, bap-tê-me, sur-
pren-dre, a-rai-gnée. — 3. Ob-ses-sion, mer-veil-leux, ec-clé-sias-
ti-que, ar-rhes, traî-tre, domp-ter, fâ-cheux, poé-sie, ar-chi-tec-tu-re,
bai-gna-de.

c) 1. Psy-cho-lo-gie, mar-brier, syn-chro-nie, moyen, so-cié-té,
fixa-teur, af-fir-mer, il-lus-trer, cham-pi-gnon, ex-po-si-tion. —
2. Au-toch-to-ne (ou au-to-chto-ne), dah-lia, ma-gno-lia, myo-so-
tis, exis-ter, fuch-sia, res-truc-tu-rer (ou re-struc-tu-rer), a-na-chro-
ni-que, pers-pi-ca-ce (ou per-spi-ca-ce), diph-té-rie.

11. — Indiquer le nombre de pieds des vers suivants.   (Gr. § 16)

a) Je ne parlerai pas, je ne penserai rien :
Mais l'amour infini me montera dans l'âme,
Et j'irai loin ; bien loin, comme un bohémien,
Par la Nature, — heureux comme avec une femme. (Rim-
baud.)

Vers de douze pieds. (Ne pas oublier d'établir la diérèse pour
bohémien : cf. Gr., § 15.)

b) Dors, mon petit, afin que l'herbe pousse,
Ferme les yeux : les herbes et la mousse
N'aiment pas dans le fossé
Qu'on les regarde pousser. (M. Noël.)

Vers 1 et 2 : dix pieds ; vers 3 et 4 : 7 pieds.

c) Que ton vers soit la bonne aventure
Éparse au vent crispé du matin
Qui va fleurant la menthe et le thym...
Et tout le reste est littérature. (Verlaine.)

Vers de neuf pieds.

d) En chasse, amis ! je vous invite.
Vite !
En chasse ! allons courre les cerfs,
Serfs ! (Hugo.)

Vers 1 et 3 : 8 pieds ; vers 2 et 4 : un pied.

12. — Remplacer, quand il y a lieu, la voyelle finale par une apostrophe dans les mots en italiques.   (Gr. §§ 23, 24, 26)

a) *Le* houblon. — Je *le* harcelle. — Ce ne sont *que* huttes. — Une pointe *d'*hameçon. — Un fauteur *d'*hérésie. — Il *se* hâte. — Il *s'*habille. — Une aile *de* héron. — Une peau *d'*hermine. — Une écaille *d'*huître. — Un seau *de* houille. — Se faire annoncer par *l'*huissier. — Il *n'*hésite pas. — Il *ne* heurte pas. — *L'*héroïne. — *La* hernie. — Une conduite *d'*hurluberlu. — Du fromage *de* Hollande.

b) Une *presqu'*île. — *J'*en ai entendu parler. — *Quelque* erreur. — *S'*ils le savaient. — Je veux *qu'*Émile le sache. — *Entre* amis. — Un gâteau *presque* entier. — Laissons-*le* approcher. — *Même* un enfant.

c) Si *elle* veut. — *Presque* instantanément. — Ai-*je* eu raison ? — *Quelque* autre personne. — *Jusqu'*alors. — *Le* handicap. — *Quelqu'*un de haut placé. — *La* hiérarchie. — Prends-*le* entier. — Demander *le* huis clos.

13. — Même exercice.   (Gr. §§ 23, 24, 26)

a) 1. *Puisqu'*on plaide et *qu'*on devient malade, il faut des avocats et des médecins, observe La Fontaine. — 2. De vrais amis doivent s'aider *entre* eux, et non *se* harceler. — 3. Ce *n'*est pas *lorsqu'*un ouvrage est *presque* achevé *qu'*il faut songer à en déterminer *l'*organisation. — 4. *Le* oui a été prononcé sans arrière-pensée. — 5. *S'*il est des jours amers, il en est de si doux. (A. Chénier.) — 6. Une flottille *de* yachts sillonne le golfe.

b) Le feu dévora *quatre* énormes maisons, *entre* autres celle du pharmacien. — 2. *Le* Yang-tsé-Kiang ou fleuve Bleu *forme* un vaste delta. — 3. Les toits des maisons de ce pays descendent *presque* au ras de terre. — 4. Notre sort ne nous contente jamais ; nous en envions toujours *quelque* autre. — 5. *C'*est *la* huitième merveille du monde. — 6. Votre phrase contient un *que* inutile.

14. — Remplacer les trois points par la forme convenable.   (Gr. §§ 25, 26)

a) *Mon* ou *ma* : 1. *Mon* affection vous est acquise. — 2. *Ma* hernie me fait souffrir. — 3. Je ne te dirai pas quelle est *mon* héroïne préférée. — 4. J'ai mangé *ma* huitième noisette. — 5. J'ai gardé *mon* habitude.

b) *Ce* ou *cet* : 1. *Cet* hiatus est désagréable. — 2. Je passerai *ce* week-end à la maison. — 3. Chassez *ce* hideux animal. — 4. Il a surmonté *ce* handicap. — 5. *Ce* hérisson va se faire écraser. — 6. J'apprécie *cet* aimable jeune homme.

c) *Beau* ou *bel* : 1. Un *bel* avenir. — 2. Un *beau* hêtre. — 3. Dessiner un *beau* huit. — 4. Mettre un *bel* habit. — 5. Planter un *beau* haricot.

d) *Du* ou *de l'* : 1. La veille *du* 11 décembre. — 2. La mort *du* héros. — 3. La sortie *de l'*huissier. — 4. La pointe *de l'*hameçon. — 5. Les règles *du* hand-ball. — 6. Le nid *du* hibou.

e) *Tout* ou *toute* : Elle était *tout* ébahie et *toute* honteuse. — 2. Marie est tombée *tout* habillée dans la rivière. — 3. *Toute* Hollandaise qu'elle est, elle n'aime pas les harengs. — 4. La chatte est *toute* hargneuse quand on s'approche de ses petits. — 5. Le scandale n'est pas de dire la vérité, c'est de ne pas la dire *tout* entière. (Bernanos.)

15. — Ranger les mots suivants en deux colonnes, selon qu'ils commencent ou non par un *h* aspiré.   (Gr. § 26)

a) Commencent par un *h* aspiré : haïr — héraut — hangar — hernie — handicapé — huppe — hideux — haricot.

Commencent par un *h* muet : héroïque — huissier — héraldique — habilitation — humidifier — Horace.

b) Commencent par un *h* aspiré : hareng — Hollandais — hausser — Habsbourg — havre — hors-d'œuvre — hussard — homard.

Commencent par un *h* muet : habitude — Homère — hiverner — huître — Henriette — homicide.

*16. — Indiquer le nombre de lettres et le nombre de phonèmes des mots suivants.   (Gr. § 30)

a) *Piano* : 5 lettres ; 5 phonèmes — *fard* : 4 lettres ; 3 phonèmes — *phare* : 5 lettres ; 3 phonèmes — *rond* : 4 lettres ; 2 phonèmes — *poule* : 5 lettres ; 3 phonèmes — *corps* : 5 lettres ; 3 phonèmes — *quart* : 5 lettres ; 3 phonèmes — *cour* : 4 lettres ; 3 phonèmes — *chagrin* : 7 lettres ; 5 phonèmes — *peau* : 4 lettres ; 2 phonèmes — *pot* : 3 lettres ; 2 phonèmes — *Caen* : 4 lettres ; 2 phonèmes — *mixité* : 6 lettres ; 7 phonèmes — *hardi* : 5 lettres ; 4 phonèmes — *outil* : 5 lettres ; 3 phonèmes.

b) *Macaroni* : 8 lettres ; 8 phonèmes — *action* : 6 lettres ; 5 phonèmes — *rythme* : 6 lettres ; 4 phonèmes — *aboyer* : 6 lettres ; 6 phonèmes — *Laon* : 4 lettres ; 2 phonèmes — *chrysanthème* : 12 lettres ; 8 phonèmes — *applaudir* : 9 lettres ; 7 phonèmes — *soir* : 4 lettres ; 4 phonèmes — *homme* : 5 lettres ; 2 phonèmes — *houille* : 7 lettres ; 2 phonèmes — *loyal* : 5 lettres ; 6 phonèmes — *conscient* : 9 lettres ; 5 phonèmes — *dompter* : 7 lettres ; 4 phonèmes — *trahir* : 6 lettres ; 5 phonèmes — *monsieur* : 8 lettres ; 5 phonèmes.

17. — Faire une phrase avec chacun des mots suivants en veillant à les écrire correctement. (Gr. § 30)

a) Cet élève a une très bonne *orthographe*. — Il a versé des *arrhes* en réservant sa chambre d'hôtel. — Le *philatéliste* collectionne les timbres. — Le *fuchsia* est un bel arbrisseau aux fleurs roses ou pourpres. — S'il ne se montre pas plus raisonnable, il court à la *catastrophe*. — Il a bénéficié d'un *legs* maternel. — Le *chrysanthème* est une plante ornementale qui fleurit en automne. — Ce *vieillard* marche difficilement.

b) Les fleurs du *dahlia* ont des couleurs riches et variées. — Il est mort d'un *infarctus* du myocarde. — « Complet » et « entier » sont des *synonymes*. — Il change d'avis selon les *occurrences*. — La *rhétorique* est l'art de bien parler. — Cette *caricature* est particulièrement déplaisante. — L'*oxygène* est indispensable à la plupart des êtres vivants.

c) L'orage avait un peu rafraîchi l'*atmosphère*. — L'*almanach* est une publication ayant vaguement pour base le calendrier. — Si vous ne le reconnaissez pas, vous n'êtes pas *physionomiste*. — Le canal de Corinthe traverse l'*isthme* du même nom. — Flanqué de ses deux *acolytes*, le président entra dans la salle. — Le *nénuphar* est une jolie plante aquatique. — Les soldats avancent au *rythme* de la musique.

18. — Remplacer les trois points par *c* ou *ç* ou *cu* ou *ce* ou *qu*. (Gr. § 31)

a) 1. Le pont du Gard est le plus célèbre des *aqueducs* romains. — 2. N'oubliez pas de mettre la *cédille* sous le *c* là où il faut. — 3. Par *cette* démonstration *convaincante* vous aurez *immanquablement* le dernier mot. — 4. Savez-vous que les mots *cercueil* et *sarcophage* ont la même origine ? — 5. Le *clavecin* est l'*ancêtre* du piano. — 6. Le ministre des *finances* rêve de lever le secret *bancaire*.

b) 1. On enveloppe les morts dans un *linceul*. — 2. Avoir son *encensoir*, toujours, dans *quelque* barbe ? Non merci. (E. Rostand.) — 3. La *mascarade* battait son plein : les *masques*, le visage *noirci*, avaient des allures *provocantes*. — 4. En me *provoquant* comme cela, vous passez les bornes *cette* fois-*ci*. — 5. Les chansons *douceâtres* trouvent toujours un public *docile*. — 6. La rumeur *publique* peut devenir *suffocante*. — 7. Savez-vous votre *leçon* ?

19. — Remplacer les trois points par *g* ou *gu* ou *ge*. (Gr. § 32)

a) 1. Il y a deux degrés d'*orgueil* : l'un où l'on s'approuve soi-même ; l'autre où l'on ne peut s'accepter. (Amiel.) — 2. Je le regardais arpenter le jardin avec une grâce un peu *dégingandée*. (S. de Beauvoir.) — 3. L'employé se tenait de *guingois* derrière son *guichet* avec un air *engageant*. — 4. L'ivrogne s'avançait en *tanguant* et finit par faire le *plongeon*. — 5. La Meuse est *navigable* à partir de Sedan.

b) 1. Le *geôlier* est une autre sorte de captif. (Nerval.) — 2. Le pêcheur se repose en *fatiguant* le poisson. — 3. Dans le *langage* des fleurs, la *marguerite* symbolise la simplicité. — 4. Votre *suggestion* est une *gageure extravagante*. — 5. Que cet exercice est *fatigant*!

20. — Mettre les majuscules qui conviennent.   (Gr. § 33)

a) 1. Pascal a dit : « L'homme est un roseau pensant. » — 2. La mer Méditerranée communique avec la mer Rouge par le canal de Suez. — 3. Il y a deux églises dans la ville. — 4. Le pape est le chef de l'Église. — 5. Le sire de Joinville accompagna saint Louis en Égypte pour la septième croisade. — 6. Du Capitole à la roche Tarpéienne il n'y a, hélas ! qu'un pas. — 7. Dans la mythologie des anciens Romains, Vulcain était le dieu du feu. — 8. Un traité de commerce a été signé entre les deux États.

b) 1. Georges Duhamel a obtenu le prix Goncourt en 1918 pour son livre intitulé *Civilisation*, livre publié sous le pseudonyme de Denis Thévenin. — 2. « Il n'y a plus de Pyrénées », aurait dit Louis XIV au moment où son petit-fils, Philippe V, devenait roi d'Espagne. — 3. Un chroniqueur liégeois du XVe siècle a dit que les Liégeois aiment naturellement les Français. — 4. Quand je dis de quelqu'un : « Il fera cela à Pâques ou à la Trinité », je doute qu'il le fasse jamais. Cette expression vient de la chanson de Malbrough. — 5. Il vaut mieux s'adresser à Dieu qu'à ses saints. — 6. Où est né Charlemagne ? Certains disent que c'est à Aix-la-Chapelle.

c) Flânerie dans Paris

J'ai renoncé à voir de plus près la tour Eiffel et j'ai préféré une promenade à l'aventure. J'ai d'abord suivi les quais de la Seine, puis, passant le Pont-Neuf, je suis allé visiter Notre-Dame. Pour me désaltérer, j'ai pris un verre de bordeaux au café du Palais. Mes forces revenues, j'ai traversé l'autre bras de la Seine et j'ai remonté le boulevard Saint-Michel. Je pénétrais ainsi dans le Quartier latin, où se trouvent quelques-unes des plus célèbres écoles parisiennes : le Collège de France, la Sorbonne, l'École normale supérieure, etc. Place de la Sorbonne s'élève le Panthéon, qui porte l'inscription : « Aux grands hommes, la patrie reconnaissante. » Les restes de quelques-uns de ces grands hommes reposent à l'intérieur : des écrivains comme Victor Hugo ; des hommes politiques comme Jean Jaurès.

21. — Compléter les phrases suivantes, en mettant les majuscules qui conviennent.   (Gr. § 33)

a) 1. Je m'appelle (*Jean*). Je suis né à (*Liège*). J'habite à (*Bruxelles*), rue des (*Écoles*), numéro (*quatre*). — 2. La Belgique comprend neuf provinces : *le Brabant, le Hainaut, le Luxembourg, le*

Limbourg, la Flandre occidentale, la Flandre orientale, la province de Liège, la province de Namur et la province d'Anvers. — 3. La langue officielle des États-Unis est l'*anglais.* — 4. La *Meuse* prend sa source sur le plateau de Langres, passe à Sedan et à Givet; peu après, elle entre en *Belgique;* elle reçoit la *Sambre* à Namur et l'Ourthe à *Liège;* elle pénètre ensuite aux *Pays-Bas;* elle se jette enfin dans la mer *du Nord.*

b) 1. L'océan *Pacifique* sépare les États-Unis du Japon. — 2. On appelle les habitants de Bordeaux des *Bordelais.* — 3. Le 6 décembre, c'est la *Saint-Nicolas.* Ce jour-là, en Belgique et dans d'autres régions, *saint Nicolas* apporte des jouets aux enfants sages. En général, en France, cet événement important se passe le 25 décembre, et c'est le *père Noël* qui vient choyer les enfants. — 4. La bise est un vent qui souffle généralement du *nord.* — 5. Les personnages les plus célèbres des albums d'Hergé sont : *Tintin* et son fidèle *Milou,* le capitaine *Haddock,* le professeur *Tournesol,* les détectives *Dupond* et *Dupont;* en outre, une cantatrice, la *Castafiore,* qui chante toujours le même air de Gounod : « Ah ! je ris de me voir si belle en ce miroir. »

22. — Lire les mots et les phrases en observant attentivement les accents, puis écrire ces mots ou ces phrases sous la dictée.

(Gr. §§ 35 et 36)

a) Je révèle — mère — crème — régner — accélérer — persévérer — barème — un bohème — poème — poésie — Québécois — Genevois — sécréter.

b) Pâlir — il plaît — gâteau — rêve — diplôme — empêcher — poêle — piqûre — infâme — îlot — trêve — croûte — chapitre — épître.

c) 1. La tempête se déchaîne sur le coteau. — 2. La violette est l'emblème de la modestie. — 3. Les extrêmes se touchent. — 4. La fenêtre, en province, remplace les théâtres et la promenade. (Flaubert.) — 5. L'art ne fait que des vers; le cœur seul est poète. (A. Chénier.) — 6. Dès l'aube, à l'heure où blanchit la campagne, / Je partirai. (Hugo.)

23. — Faire entrer chacun des mots dans une expression, en prenant garde aux accents.

(Gr. § 36)

a) 1. Une *infâme* trahison. — 2. Couvrir quelqu'un d'*infamie.* — 3. Une *grêle* d'injures. — 4. *Ratisser* une allée. — 5. L'*arôme* du café. — 6. *Bâiller* d'ennui. — 7. Être au bord de l'*abîme.* — 8. La *cime* d'une montagne. — 9. *Compatir* aux maux d'autrui. — 10. Utiliser des ustensiles de *pâtisserie.*

b) 1. Accorder une *grâce.* — 2. Avoir un maintien *gracieux.* — 3. *Gracier* un criminel. — 4. Il va *grêler.* — 5. Un *égout* débordant à cause de l'orage. — 6. Un *dégoût* pour la viande. — 7. Une *boîte* à ouvrage. — 8. Les béquilles d'un *boiteux*. — 9. Monter un *bateau* à quelqu'un. — 10. Tirer un poignard de sa *gaine*.

c) 1. Le *jeûne* du carême. — Être trop *jeune* pour comprendre. — 2. S'appliquer à la *tâche*. — Faire une *tache* d'encre. — 3. Un *pêcheur* attrapant un beau poisson. — Le pardon d'un *pécheur* repentant. — 4. Avoir *dû* renoncer à un projet. — Avoir *du* mérite. — 5. Avoir voulu qu'il *vînt* plus tard. — Penser qu'il *vint* trop tard. — 6. Être *sûr* de soi. — Marcher *sur* la glace.

24. — Faire entrer dans de petites phrases les mots suivants, en prenant garde aux cédilles.

(Gr. § 38)

a) Il s'est *aperçu* trop tard de son erreur. — *Merci* pour votre gentille lettre. — Le temps étant *menaçant,* le départ dut être retardé. — Le poisson s'est pris à l'*hameçon*. — L'épidémie a *décimé* la population. — Cet enfant a les mains couvertes de *gerçures*. — Sophie est au-dessus de tout *soupçon*. — Adressez-vous à la *réception* de l'hôtel.

b) *En traçant* ce chemin, il abîme les champs. — *Ç'a été* pour moi une grande joie d'apprendre que vous aviez réussi. — *Avançons* plus vite de peur d'arriver en retard. — Nous étions surchargés de travail et nous n'*avancions* pas. — Il ne manquait plus que *ça* ! — Ce *tronçon* d'autoroute sera achevé au printemps. — Il cherche *çà* et là ses affaires. — Il a garni ses tartines de tranches de *saucisson*. — Le professeur est *déçu* des résultats de ses élèves.

25. — Faire entrer dans de petites phrases les expressions suivantes, en prenant garde aux traits d'union.

(Gr. § 40)

a) 1. *Va-t'en* avant qu'il ne soit trop tard. — 2. L'*hôtel de ville* de Bruxelles est une merveille d'architecture gothique. — 3. Il ne comprend pas *grand-chose* à la géométrie. — 4. Il est honnête, *croyez-le*. — 5. *Voit-on* beaucoup de gens contents de leur sort ? — 6. *Nous-mêmes* étions chargés de cette enquête. — 7. *Ce livre-là* est plus intéressant que celui-ci. — 8. Un orage éclata *tout à coup*.

b) 1. Ma *grand-mère* a cinq petits-enfants. — 2. *Va-t-on* devoir supporter ce bruit toute la journée ? — 3. Je préfère ce roman-là à *celui-ci*. — 4. Il est *tout à fait* rassuré à présent. — 5. Le *Saint-Laurent* est un grand fleuve d'Amérique du Nord. — 6. Le *supplice de saint Laurent* fut un réel martyre : il fut brûlé sur un gril. — 7. Tu trouveras l'église *à mi-chemin* entre la gare et la boulangerie. — 8. Si Christine demande où je suis, *dites-le-lui*.

c) 1. Certaines gens ne voient rien *au-delà* de leurs intérêts personnels. — 2. Le train entre en gare dans une *demi-heure*. — 3. *Tout à l'heure*, nous irons poster cette lettre. — 4. Le kirsch est une *eau-de-vie* de cerises aigres et de merises. — 5. *Jusque-là*, je comprends ton raisonnement. — 6. *Est-ce* que l'avion a déjà atterri ? — 7. Le *basket-ball* est un sport d'équipe. — 8. Si vous avez perdu quelque chose, je vous conseille de *prier saint Antoine*.

26. — Écrire en abrégé les mots suivants.   (Gr. §§ 41, 42, 44)

a) Jésus-Christ : J.-C. — troisième : 3e — Monsieur : M. — et cetera : etc. — c'est-à-dire : c.-à-d. — Madame : Mme (ou Mme) — tertio : 3° — Organisation des Nations unies : ONU — première : 1re — 200 mètres : 200 m — Maître : M^e — s'il vous plaît : s.v.p.

b) Messieurs : MM. — numéro : n^o — Docteur : D^r — Mademoiselle : Mlle (ou Mlle) — premier : 1er — 20 kilos : 20 kg — Union des républiques socialistes soviétiques : U.R.S.S. — Mesdames : Mmes (ou Mmes) — page : p. — primo : 1° — Confédération générale du travail : C.G.T. — numéros : n^{os}.

27. — Écrire en chiffres romains.   (Gr. § 44)

32 : XXXII — 65 : LXV — 91 : XCI — 524 : DXXIV — 1673 : MDCLXXIII — 1968 : MCMLXVIII.

28. — Un presbytère porte sur le linteau de la porte le chronogramme suivant. En quelle année ce presbytère a-t-il été construit ?

(Gr. § 44)

ᴇCCᴇ DᴏMVs ᴘᴀꜱᴛᴏʀIs ; ᴘᴏꜱꜱVɴᴛ Iɴᴛʀᴀʀᴇ VᴏLᴇɴᴛᴇꜱ.

(= C'est ici la maison du pasteur ; peuvent entrer ceux qui le veulent.)

N.B. — Un chronogramme est une phrase (souvent en latin) qui indique une date si l'on additionne les nombres exprimés par les lettres ayant la valeur de chiffres romains.

Le presbytère a été construit en 1767 (CCDMVIVIVL = 100 + 100 + 500 + 1 000 + 5 + 1 + 5 + 1 + 5 + 50).

29. — Écrire en chiffres arabes et utiliser les symboles voulus pour les mots en italiques.   (Gr. §§ 43-44)

1. Dix mille trois cent quatre : 10 304 — 2. Quarante-six mille sept cent vingt-cinq : 46 725 — 3. Soixante-quatre unités cinquante-deux centièmes : 64,52 — 4. Cent cinquante-huit *kilos* trois cent deux grammes : 158,302 kg — 5. Quatre mille trois cent vingt-sept *mètres cubes* cent vingt-six décimètres cubes : 4 327,126 m^3.

LA PONCTUATION

30. — Diviser chacun de ces textes en trois alinéas.   (Gr. § 45)

a) Où cacher le hibou blessé ?

Le hibou emmailloté semble craindre les arrêts de Fabrice. Il n'a pas crié, ne s'est pas débattu tant que l'enfant avançait dans les bois. Son cri apeuré résonne à présent dans la nuit. Fabrice reprend sa marche, descend la colline vers le village. Le hibou se tait. La ferme Maillote, le mur du château... Fabrice débouche sur la place devant l'église, s'immobilise, aux aguets, devant le monument aux morts. Un oiseau s'échappe d'un pin et volette vers le clocher où un abat-son mal joint grince et frappe la pierre par à-coups. Fabrice frissonne. Osera-t-il monter jusque là-haut ?

Comme il s'y attendait, la porte de l'église est fermée. Mais la sacristie demeure ouverte ! Fabrice se glisse entre les tombes qui bordent l'église, jusqu'au transept. Doucement, il dégage le pêne. Hélas ! cette porte-là aussi est fermée.

Découragé, Fabrice se laisse choir sur les marches de pierre et retire de dessous sa veste le hibou silencieux. Il caresse les plumes autour du bec, passe le doigt sous le cou si soyeux de l'oiseau.

France BASTIA (*Le cri du hibou*, Duculot, édit.).

b) La fiancée du duc de Chartres

Le fiancé connaissait à peine la cousine qu'il allait épouser. Sur le moment, elle ne lui déplut pas. À la vérité, Marie-Adélaïde de Penthièvre n'était pas une beauté irréprochable : mais elle avait seize ans, le teint laiteux, des yeux pervenche assez expressifs, une chevelure blonde qui tombait jusqu'à ses chevilles, une jolie bouche bien dessinée, des mains superbes et une démarche très gracieuse.

Ces avantages physiques relatifs étaient d'ailleurs fort discutés ; dans les mémoires des contemporains on lit également que la princesse était ridiculement petite, que son visage manquait de mutinerie, que ses cheveux étaient fâcheusement crêpelés. Les portraits, tous officiels, ne permettent pas de se faire une opinion exacte. Ils donnent l'image d'une jolie poupée, sans charme éclatant ni grand caractère.

Sur l'âme, les témoignages concordent : c'est une créature faible, « ployante », dépourvue de qualités de commandement, avec un excès de sensibilité poussant aux larmes trop faciles pour les motifs les plus futiles. Elle est sincèrement pieuse, trop résignée, très effacée. Son ignorance est grande en tous les domaines et elle ne sait pratiquement rien parce qu'on ne lui a rien demandé d'apprendre.

Duc de CASTRIES (*Louis-Philippe*, Tallandier, édit.).

31. — Mettre, à l'endroit marqué par un trait vertical, soit un point, soit un point d'interrogation, soit un point d'exclamation. (Gr. §§ 46-48)

a) Qui peut le plus peut le moins. — 2. Qui sait ce qui lui arrivera demain ? — 3. Comme je suis content de vous voir ! — 4. Il m'a demandé où j'habitais. — 5. Qui a raison ? Celui qui méprise toutes les nouveautés ou celui qui considère que l'on n'a rien fait de bien avant notre époque ? — Aucun des deux n'a raison. — 6. Pourvu que je réussisse !

b) 1. Dieu ! que le son du cor est triste au fond des bois ! (Vigny.) — 2. Le cœur d'un homme d'État doit être dans sa tête. (Napoléon.) — 3. Vous retrouverez votre parapluie, qui sait ? peut-être même aujourd'hui. — 4. Béni soit celui qui a préservé du désespoir un cœur d'enfant ! (Bernanos.) — 5. Pourquoi ne viens-tu pas avec nous ? m'a-t-il demandé. — 6. À quoi bon se déranger pour si peu !

32. — Justifier l'emploi de la virgule. (Gr. § 49)

a) 1. Chacun a une mission à accomplir, selon ses possibilités personnelles, selon les besoins de la société, selon les nécessités du temps (les virgules séparent des termes coordonnés sans conjonction ; la première isole l'ensemble de ces trois compléments). — 2. Le soir venu, nous avons fait halte (la virgule isole une proposition participe). — 3. À bon vin, dit le proverbe, pas d'enseigne (les virgules isolent une phrase ou sous-phrase incidente). — 4. Je t'écris, cher ami, pour apprendre de tes nouvelles, car je m'inquiète de ta santé (les deux premières virgules isolent *cher ami* mis en apostrophe ; la virgule se place devant la conjonction de coordination *car*). — 5. Mon père, ce héros au sourire si doux, / Suivi d'un seul housard [= hussard] qu'il aimait entre tous / Pour sa grande bravoure et pour sa haute taille, / Parcourait à cheval, le soir d'une bataille, / Le champ couvert de morts sur qui tombait la nuit (les deux premières virgules isolent l'apposition ; la troisième isole une épithète détachée suivie de son complément ; les deux autres isolent un complément adverbial qui n'est pas à sa place ordinaire). (Hugo.)

b) 1. Le combat reprend, la mort plane, le sang ruisselle (les virgules isolent des phrases ou sous-phrases coordonnées sans conjonction). — 2. L'égoïste ne sent que ses maux ; que lui font, à lui, les souffrances des autres ? (les virgules isolent *à lui*, formant pléonasme avec *lui*.) — 3. Dutilleul voulut protester, mais M. Lécuyer, la voix tonnante, le traita de cancrelat routinier, et, avant de partir, froissant la lettre qu'il avait en main, la lui jeta au visage (la première virgule est requise devant la conjonction de coordination *mais* ; les deux suivantes isolent une proposition participe ; la quatrième, devant la conjonction de coordination *et*, s'explique parce qu'il y a coordination de deux longues phrases ; les deux suivantes isolent un complément adverbial placé en tête de phrase ; la dernière isole l'épithète détachée). (M. Aymé.) — 4. Ils oubliaient le jour, et la vie, et le monde ! (il y a souvent une virgule devant la conjonction *et*, quand elle est répétée) (Musset.) — 5. Il n'est jamais trop tard, me semble-t-il, pour bien faire (les virgules isolent une phrase ou sous-phrase incidente).

c) 1. Sous ce poudroiement de rayons, les maisons de la rue de Rome se brouillaient, légères (la première virgule isole le complément adverbial placé en tête de phrase ; la deuxième isole une épithète détachée). (Zola.) — 2. Plus on est de fous, plus on rit (la virgule sépare deux phrases ou sous-phrases coordonnées sans conjonction, mais s'appelant par des termes corrélatifs). — 3. Je me révolte, donc je suis (la virgule est placée devant la conjonction de coordination *donc*). (A. Camus.) — 4. Quand tout le monde fut rentré, mon vigneron, qui était brave, s'approcha doucement et, regardant par la porte cassée, eut un singulier spectacle (la première virgule isole un complément adverbial placé en tête de phrase ; les deux suivantes isolent une proposition non déterminative ; les deux dernières isolent une épithète détachée). (A. Daudet.) — 5. Ce film était beau, mais trop court (la virgule est placée devant la conjonction de coordination *mais*).

33. — Mettre les virgules où il convient.   (Gr. § 49)

a) 1. Frère Jacques, sonnez les matines. — 2. Entrez, je vous prie, et asseyez-vous quelques minutes. — 3. Nous sommes amis, mon voisin et moi. — 4. Lorsque la colère nous saisit, notre jugement est obscurci. — 5. En entrant dans la cuisine, Pierre déposa sur la table le pain, le saucisson et la bouteille de bière. — 6. Hérodote, qu'on appelle le père de l'histoire, a raconté sur les mœurs des Anciens des faits très curieux. — 7. J'en ai assez, assez, assez !

b) 1. Et lui, le chat, il penchait la tête, heureux d'être bon. (M. Aymé.) — 2. Charlemagne visitait, dit-on, les écoles. — 3. Dans la fraîcheur du soir, des souffles tièdes, des rumeurs, des parfums subtils[1] circulent doucement. — 4. Comme les animaux sont sensibles à la douleur, il est indigne de les maltraiter, de les frapper, de leur imposer des souffrances inutiles. — 5. Alfred Nobel, inventeur de la dynamite, a fondé, en mourant, des prix destinés à des œuvres scientifiques, littéraires et philanthropiques.

c) 1. Quelques martinets qui, durant l'été, s'enfonçaient en criant dans les trous des murs, étaient mes seuls compagnons. (Chateaubriand.) — 2. L'Allemagne et la Suisse, l'Italie et le midi de la France étant momentanément exclus, Monsieur et Madame de C. se cher-

---

1. On peut aussi mettre une virgule devant le verbe.

chaient une demeure qui ne fût qu'à eux. (M. Yourcenar.) —
3. Jamais ni les halliers [2], ni le taillis, ni la futaie n'avaient pépié et
sifflé de cette manière. (B. Clavel.)

d) 1. Je ne puis dire que la visite des cratères en activité soit
exempte de tout danger, même lorsque l'on prend les précautions
élémentaires de noter au préalable le rythme et la direction des
explosions, de se munir d'un casque et de savoir se défendre des gaz
que le volcan dégage. (H. Tazieff.) — 2. Il me semble que je pouvais
dire, dans quelque rue qu'on s'engageât, à quelle hauteur sur la
droite, sur la gauche, ces boutiques apparaîtraient. (A. Breton.) —
3. Ce soir-là, quand il sortit du travail, il vint rôder autour de la
Maison des Syndicats, où était le comité de grève. (Aragon.)

e) 1. Bien sûr, cela vous a fait plaisir de le boire, ce café au lait
qu'elle vous avait fait chauffer, mais il était bien inutile, elle le savait,
puisque de toute façon vous aviez l'intention de profiter du wagon-
restaurant pour prendre un petit déjeuner. (Butor.) — 2. Dès que
j'ouvre la porte usée, dès que les deux marches branlantes ont remué
sous nos pieds, ne sens-tu pas cette odeur de terre, de feuilles de
noyer, de chrysanthèmes et de fumée ? (Colette.)

34. — Mettre, à l'endroit marqué par un trait vertical, soit un point-
virgule, soit deux points, soit des points de suspension, soit des guillemets.   (Gr. §§ 50-52, 55)

a) 1. Chaque homme a trois caractères : celui qu'il a, celui qu'il
montre et celui qu'il croit avoir. (A. Karr.) — 2. Napoléon s'écria :
« Allons ! faites donner la garde ! » — 3. Quand nous cherchons la
vérité, méfions-nous de nos sens : il n'est pas toujours sûr, par exemple, que nous ayons bien vu et entendu ; de là des erreurs sur les
faits et les personnes. — 4. Si nous en croyons l'épitaphe que La
Fontaine composa pour lui-même, le fabuliste faisait de son temps
deux parts : l'une, il la passait à dormir ; l'autre, il la passait à ne rien
faire.

b) 1. L'accusé avoua qu'il « travaillait » dans le cambriolage et
dans le vol à main armée. — 2. Il répétait sans cesse : « Ah ! si j'avais
pu prévoir... » — 3. En Allemagne, « professeur » vaut un titre de
noblesse. (Fr. Mauriac.) — 4. De temps à autre, on entendait des
coups de fouet derrière la haie ; bientôt la barrière s'ouvrait : c'était
une carriole qui entrait. (Flaubert.) — 5. Au moment de s'endormir,
il songeait : « L'Uruguay, capitale... ? Mon Dieu, j'ai oublié la capitale
de l'Uruguay ! » (M. Aymé.)

---

2. *Hallier* : groupe de buissons touffus.

35. — Mettre, aux endroits indiqués par des traits verticaux, les signes de ponctuation convenables.   (Gr. §§ 45-56)

a) 1. Hélas ! si j'avais su... Mais que ferai-je à présent ? — 2. Ce que nous savons, c'est une goutte d'eau ; ce que nous ignorons, c'est un océan. — 3. Quand je rends un service, disait Franklin, je ne crois pas accorder une faveur, mais payer une dette. — 4. Connaissez-vous le proverbe oriental : « Ne laissons pas croître l'herbe sur le chemin de l'amitié » ? — 5. Les carillons des cloches, au milieu de nos fêtes, semblaient augmenter l'allégresse publique ; dans des calamités, au contraire, ces mêmes bruits devenaient terribles. (Chateaubriand.)

b) 1. Je suis retourné à Lascaux [3]. Depuis que les hommes y ont pénétré librement, la grotte est condamnée : d'infimes champignons y prolifèrent, écaillent les bisons et les chevaux magdaléniens. (Malraux.) — 2. Mais, comme Jacques jetait un coup d'œil en arrière, il s'aperçut que Séverine, penchée elle aussi, regardait de son côté, d'un air anxieux. Ah ! la chère créature ! qu'elle devait être inquiète... et quel crève-cœur il éprouvait, à la savoir là, si près et si loin de lui, dans ce danger. (Zola.)

36. — Diviser ce texte en deux alinéas et mettre la ponctuation qui convient.   (Gr. §§ 45-56)

Le cirque au village

Pendant le dîner du soir, la grosse caisse, pour annoncer la séance, tonna sous nos fenêtres et fit trembler les vitres. Bientôt après [4] passèrent, avec un bourdonnement de conversations, les gens des faubourgs, par petits groupes, qui s'en allaient vers la place de l'église. Et nous étions là, tous deux, forcés de rester à table, trépignant d'impatience [5] !

Vers neuf heures, enfin, nous entendîmes des frottements de pieds et des rires étouffés à la petite grille : les institutrices venaient nous chercher. Dans l'obscurité complète [6] nous partîmes en bande vers le lieu de la comédie. Nous apercevions de loin le mur de l'église illuminé comme par un grand feu. Deux quinquets allumés devant la porte de la baraque ondulaient au vent...

ALAIN-FOURNIER (*Le grand Meaulnes*, Émile-Paul, édit.).

---

3. Grotte où il y a des dessins préhistoriques.

4. L'auteur a mis ici une virgule, mais, lorsqu'il y a inversion du sujet, on se passe ordinairement de la virgule.

5. Ce point d'exclamation ne peut être considéré comme indispensable.

6. On pourrait mettre ici une virgule.

*37. — Diviser ce texte en deux alinéas et mettre la ponctuation qui convient.
(Gr. §§ 45-56)

Jeanne d'Arc entend une voix

Un jour d'été, jour de jeûne, à midi, Jeanne étant au jardin de son père, tout près de l'église, elle vit de ce côté une éblouissante lumière, et elle entendit une voix : « Jeanne, sois bonne et sage enfant ; va souvent à l'église. » La pauvre fille eut grand-peur.

Une autre fois, elle entendit encore la voix, vit la clarté, mais dans cette clarté de nobles figures dont l'une avait des ailes et semblait un sage prud'homme. Il lui dit : « Jeanne, va au secours du roi de France, et tu lui rendras son royaume. » Elle répondit, toute tremblante : « Messire, je ne suis qu'une pauvre fille ; je ne saurais chevaucher ni conduire les hommes d'armes. » La voix répliqua : « Tu iras trouver M. de Baudricourt, capitaine de Vaucouleurs, et il te fera mener au roi. Sainte Catherine et sainte Marguerite viendront t'assister. » Elle resta stupéfaite et en larmes, comme si elle eût déjà vu sa destinée tout entière.

MICHELET (*Histoire de France*).

38. — Composer un récit, accompagné de dialogues, sur un des thèmes suivants.
(Gr. § 56)

   a) Après le match de football.

   b) Marie a gagné le gros lot.

   c) Chez le pharmacien.

   d) Un marchandage.

ORIGINE DES MOTS

*39. — Distinguer les mots populaires et les mots savants.
(Gr. §§ 65, 68)

   a) 1. Auguste (sav.), août (pop.). — 2. Sacrement (sav.), serment (pop.). — 3. Mâcher (pop.), mastiquer (sav.). — 4. Frêle (pop.), fragile (sav.). — 5. Coude (pop.), cubitus (sav.). — 6. Rigide (sav.), raide (pop.).

   b) 1. Chétif (pop.), captif (sav.). — 2. Forge (pop.), fabrique (sav.). — 3. Naviguer (sav.), nager (pop.). — 4. Écouter (pop.), ausculter (sav.). — 5. Plain (pop.), plan (sav.). — 6. Séparer (sav.), sevrer (pop.).

*40. — À quelles langues sont empruntés les mots suivants ?

(Gr. §§ 67-69)

a) 1. Valse : allemand. — 2. Conquistador : espagnol. — 3. Confetti : italien. — 4. Folklore : anglais. — 5. Agenda : latin. — 6. Kermesse : flamand. — 7. Mazout : russe. — 8. Gymnaste : grec. — 9. Houille : wallon. — 10. Doper : anglais.

b) 1. Matraque : arabe d'Algérie. — 2. Képi : allemand. — 3. Impresario : italien. — 4. Pagne : espagnol. — 5. Fémur : latin. — 6. Kiosque : turc. — 7. Jaguar : tupi, par le portugais . — 8. Tulipe : turc. — 9. Catch : anglais. — 10. Estaminet : wallon.

c) 1. Pétanque : provençal. — 2. Cabillaud : néerlandais. — 3. Festival : anglais. — 4. Acrobate : grec. — 5. Salsifis : italien. — 6. Paquebot : anglais. — 7. Tomate : espagnol. — 8. Opéra : italien. — 9. Kimono : japonais. — 10. Zéro : italien.

d) 1. Maquiller : argot. — 2. Immobile : latin. — 3. Caporal : italien. — 4. Castagnettes : espagnol. — 5. Orang-outang : malais. — 6. Nylon : anglais des États-Unis. — 7. Système : grec. — 8. Puzzle : anglais. — 9. Yaourt : bulgare. — 10. Wagon : anglais.

41. — Distinguer dans les mots suivants les préfixes et les suffixes.

(Gr. §§ 70-76)

a) 1. Re-paraître. — 2. Coiff-eur. — 3. Forg-eron. — 4. In-trait-able. — 5. Programm-ateur. — 6. Dés-altérer. — 7. Côte-lette. — 8. Raisonn-able-ment. — 9. Res-sortir.

b) 1. Re-trouv-ailles. — 2. Sal-aison. — 3. Dé-masqu-er. — 4. Dant-esque. — 5. Siffl-oter. — 6. Ir-respect-ueux. — 7. In-applic-able. — 8. Més-estimer. — 9. Mobil-iser. — 10. Dé-terr-er.

42. — Tirer des verbes suivants un nom indiquant :   (Gr. §§ 71-72)

a) *L'action de* : 1. Bousculer : bousculade. — 2. Rincer : rinçage. — 3. Se venger : vengeance. — 4. Railler : raillerie. — 5. Isoler : isolation. — 6. Plonger : plongeon [7]. — 7. Achever : achèvement. — 8. Témoigner : témoignage. — 9. Ruer : ruée. — 10. Adapter : adaptation.

b) *Celui qui* : 1. Brode : brodeur. — 2. Guérit : guérisseur. — 3. Forge : forgeron. — 4. Gère : gérant — 5. Dompte : dompteur. — 6. Cuisine : cuisinier. — 7. Mendie : mendiant. — 8. Tapisse : tapissier. — 9. Distille : distillateur. — 10. Vainc : vainqueur.

---

7. *Plongée* désigne plutôt l'action de plonger et de séjourner sous l'eau.

43. — Indiquer à quoi servent les suffixes dans les mots suivants.

(Gr. §§ 71-74)

a) 1. Décor-*ateur* : exprime l'agent. — 2. Aisé-*ment* : transforme l'adjectif en adverbe. — 3. Maisonn-*ette* : exprime le diminutif. — 4. Pierr-*aille* : exprime la collection. — 5. Blanch-*eur* : transforme l'adjectif en nom de qualité. — 6. Deux-*ième* : transforme le numéral cardinal en numéral ordinal. — 7. Sapin-*ière* : exprime un ensemble. — 8. Comt-*esse* : transforme le masculin en féminin. — 9. Chevel-*ure* : exprime la collection.

b) 1. Enlèv-*ement* : exprime l'action ou son résultat. — 2. Gourmand-*ise* : transforme l'adjectif en nom de qualité. — 3. Flatt-*eur* : exprime l'agent. — 4. Roser-*aie* : exprime le lieu où croissent des végétaux. — 5. Héro-*ïne* : transforme le masculin en féminin. — 6. Siffl-*et* : signifie « instrument servant à (siffler) ». — 7. Asi-*atique* : forme l'adjectif. — 8. Rar-*issime* : exprime le superlatif. — 9. Barb-*iche* : exprime le diminutif.

44. — Indiquer à quoi servent les préfixes dans les mots suivants.

(Gr. §§ 75-76)

a) 1. *Res*-semeler : exprime le retour à un état ancien. — 2. *Dé*-trôner : exprime l'idée de séparation. — 3. *In*-capable : exprime la négation. — 4. *Re*-venir : exprime le retour à un état ancien. — 5. *A*-politique : exprime la négation. — 6. *Més*-alliance : exprime la négation.

b) 1. *É*-cervelé : exprime l'idée d'extraction. — 2. *Dés*-habiller : exprime l'idée de séparation. — 3. *Pré*-disposition : exprime l'antériorité. — 4. *Il*-légitime : exprime la négation. — 5. *R*-accourcir : exprime le renforcement. — 6. *Co*-signataire : exprime la réunion.

45. — Distinguer la catégorie grammaticale des éléments constituant les mots composés suivants.

(Gr. § 77)

a) 1. *Arc-en-ciel* : nom commun + préposition + nom commun. — 2. *Garde-fou* : verbe + nom commun. — 3. *Sourd-muet* : nom commun + nom commun (ou adjectif + adjectif). — 4. *Presqu'île* : adverbe + nom commun. — 5. *Peut-être* : verbe + verbe. — 6. *Chou-fleur* : nom commun + nom commun. — 7. *Entrevoir* : préposition + verbe. — 8. *Hoche-queue* : verbe + nom commun. — 9. *Rouge-gorge* : adjectif + nom commun. — 10. *Portefeuille* : verbe + nom commun.

b) 1. *Gendarme* : nom commun + préposition + nom commun. — 2. *Toujours* : déterminant indéfini + nom commun. — 3. *Monsieur* : déterminant possessif + nom commun. — 4. *S'enfuir* : pronom personnel + pronom personnel + verbe. — 5. *Afin* : préposition + nom commun. — 6. *Parce que* : préposition + pronom démonstratif + conjonction de subordination. — 7. *Entracte* : préposition + nom commun. — 8. *Croque-monsieur* : verbe + nom commun. — 9. *Charleville* : nom propre + nom commun. — 10. *Tête-à-tête* : nom commun + préposition + nom commun. — 11. *Virevolter* : verbe + verbe.

46. — Indiquer la signification des éléments grecs entrant dans les mots suivants. (Gr. § 78)

a) 1. **Anthropophage** : *anthropo-*, homme ; *-phage*, manger. — 2. **Orthographe** : *ortho-*, droit, *-graphe*, écriture. — 3. **Monologue** : *mono-*, seul ; *-logue*, discours. — 4. **Bibliophile** : *biblio-*, livre ; *-phile*, ami. — 5. **Hémicycle** : *hémi-*, demi ; *-cycle*, cercle ; **hémistiche** : *-stiche*, vers. — 6. **Agoraphobie** : *ağora-*, foule ; *-phobie*, crainte. — 7. **Alphabet** : *alpha-*, première lettre de l'alphabet grec ; *-bet* pour *bêta*, deuxième lettre de l'alphabet grec. — 8. **Amphibie** : *amphi-*, double ; *-bie*, vie. — 9. **Téléphérique** : *télé-*, loin ; *-phér-*, porter. — 10. **Géologie** : *géo-*, terre ; *-log-*, discours.

b) 1. **Névralgie** : *névr-*, nerf ; *-alg-*, douleur ; **céphalalgie**, *céphal-*, tête. — 2. **Démocratie** : *démo-*, peuple ; *-crat-*, pouvoir ; **démagogie** : *-agog-*, mener. — 3. **Paléolithique** : *paléo-*, ancien ; *-lith-*, pierre ; **néolithique** : *néo-*, nouveau. — 4. **Homéopathie** : *homéo-*, semblable ; *-path-*, douleur, maladie ; **sympathie** : *sym-*, avec ; **télépathie** : *télé-*, loin. — 5. **Thermomètre** : *thermo-*, chaleur ; *-mètre*, mesure ; **hydromètre** : *hydro-*, eau ; **hygromètre** : *hygro-*, humidité. — 6. **Aptère** : *a-*, indique la privation ; *-ptère*, aile ; **diptère** : *di-*, deux.

47. — Donner la forme complète des mots suivants. (Gr. § 79)

1. *Métro* : métropolitain. — 2. *Télé* : télévision. — 3. *Ciné* : cinématographe. — 4. *Piano* : pianoforte — 5. *Mélo* : mélodrame. — 6. *Chromo* : chromolithographie. — 7. *Pneu* : pneumatique. — 8. *Tram* : tramway. — 9. *Accu* : accumulateur. — 10. *Photo* : photographie. — 11. *H.L.M* : habitation à loyer modéré.

48. — Indiquer le changement de catégorie qu'ont subi les mots en italiques. (Gr. § 81)

a) 1. Je n'ai fait que mon *devoir* : verbe (infinitif) devenu nom commun. — 2. Les fumées montaient *droit* vers le ciel : adjectif devenu adverbe. — 3. Un ami véritable est un autre *soi*-même : pronom devenu nom commun. — 4. Elle est *tout* étonnée : déterminant devenu adverbe. — 5. Nous avons fait beaucoup d'*allées* et *venues* : verbes (participes passés) devenus noms communs. — 6. Le *gros* du peloton était distancé : adjectif devenu nom commun.

— 7. Il cherche un *correspondant* : verbe (participe présent) devenu nom commun.

b) 1. Un *sourire* encourage : verbe (infinitif) devenu nom commun. — 2. J'essaie de comprendre le *pourquoi* des choses : adverbe devenu nom commun. — 3. Il a prononcé un *oui* timide : mot-phrase devenu nom commun. — 4. Une robe *bordeaux* : nom commun devenu adjectif. — 5. Il est venu la semaine *suivante* : verbe (participe présent) devenu adjectif. — 6. *Suivant* votre projet, la maison devait être achevée bientôt : verbe (participe présent) devenu préposition. — 7. Cela coûte *cher* : adjectif devenu adverbe.

HOMONYMES ET PARONYMES

49. — Employer dans de petites phrases les homonymes suivants.

(Gr. § 84)

a) 1. Le *tain* des glaces est un mélange d'étain et de mercure. — Elle a *teint* sa robe en vert. — Ce malade a le *teint* pâle. — Je *teins* cette étoffe en rouge. — Je *tins*, il *tint* l'adversaire en échec. — Je voulais qu'il *tînt* parole. — Les abeilles butinent le *thym*. — 2. Le *filtre* sert à clarifier un liquide. — Un *philtre* est un breuvage qu'on suppose propre à inspirer de l'amour. — 3. Le président souhaite *clore* la séance. — Le *chlore* est employé comme décolorant. — 4. Le chasseur a tué un *brocard*. — Le *brocart* est une étoffe de soie brochée d'or ou d'argent. — 5. En France, le premier magistrat municipal d'une commune s'appelle *maire*. — La *mer* Caspienne est une mer intérieure. — La *mère* de mon père est ma grand-mère. — 6. *Quant* à lui, il ne comprend jamais rien. — *Quand* commence l'émission ?

b) 1. Trop de *sel* n'est pas bon pour la santé. — Les arçons sont les pièces de bois cintrées qui forment le corps de la *selle*. — De toutes les peintures du musée, voici *celle* que je préfère. — J'ai confiance en mes parents : je ne leur *cèle* rien. — Il serait prudent que je *scelle* le coffre-fort. — 2. C'est à *dessein* qu'il t'a écrit cette lettre. — Pour devenir bon peintre, il faut d'abord apprendre le *dessin*. — 3. Un homme *sensé* réfléchit avant de parler. — Nul n'est *censé* ignorer la loi. — 4. Il ne faut pas se faire l'*écho* des sottises d'autrui. — Si tu participes à notre repas, veux-tu bien nous verser ton *écot* ? — 5. L'air des Ardennes est très *sain*. — Comme on connaît les *saints*, on les honore, dit le proverbe. — Il *ceint* le parc d'une haie vive. — Où peut-on être mieux qu'au *sein* d'une famille ? — Un acte sous *seing* privé est un acte qui n'a pas été reçu par un officier public. — Il y a *cinq* parties du monde. — 6. Le *lis* est le symbole de la pureté. — L'écorce du bouleau est *lisse*. — Il y a des tapisseries

de haute *lice* (ou *lisse*) et des tapisseries de basse *lice* (ou *lisse*) [8].
— La *Lys* se jette dans l'Escaut à Gand.

50. — Donner les homonymes des mots suivants.   (Gr. § 84)

a) 1. **Cou** : coup, coût, (je, tu) couds, (il) coud. — **Air** : aire,
ère, hère, (j', il) erre, (tu) erres, erre [9], erres [10], haire [11]. — **Faim** : fin,
(je, tu) feins, (il) feint, (j'ai) feint. — **Conte** : compte, (je, il)
compte, (tu) comptes, (je, il) conte, (tu) contes, comte. — **Foi** : foie,
fois, Foix. — **Mire** : myrrhe, (je, il) mire, (tu) mires, Myre [12]. —
Cour : court, cours, courre, (je, tu) cours, (il) court, (que je, qu'il)
coure, (que tu) coures. — 2. **Pois** : poids, poix, pouah ! — **Mort** :
mors, (je, tu) mords, (il) mord, Maure, More. — **Vent** : van, (je, tu)
vends, (il) vend. — **Temps** : tan, tant, (je, tu) tends, (il) tend, taon.
— **Date** : datte, (je, il) date, (tu) dates. — Fait : faix, (je, tu) fais, (il)
fait.

b) 1. **Chaud** : chaux, chaut (dans : Peu me chaut). — **Veau** :
(je, tu) vaux, (il) vaut, vaux (dans : Par monts et par vaux). — **Trot** :
trop. — **Amende** : amande. — **Fond** : fonds, fonts (baptismaux),
(je, tu) fonds, (il) fond, (ils) font. — **Coq** : coque, coke. —
2. **Voix** : voie, (je, tu) vois, (il) voit, (ils) voient, (que je, qu'il) voie,
(que tu) voies. — **Scène** : saine, Seine, cène. — **Coin** : coing. —
Martyr : martyre. — **Différent** : différend, différant. — **Fard** :
phare.

51. — Remplacer les trois points par la forme qui convient. (Gr. § 84)

a) *Lai, laid, laie, lait* ou *legs* : 1. Le marcassin est un petit sanglier de moins d'un an et qui suit encore la *laie*. — 2. Par un *legs*
universel, le testateur donne la totalité des biens qu'il laisse. —
3. Ésope était, dit-on, très *laid* de visage. — 4. Les noix de coco
contiennent un liquide blanc et sucré qu'on appelle *lait* de coco. —
5. Marie de France a écrit le *lai* du Chèvrefeuille. — 6. Les premières
dents sont appelées dents de *lait*.

b) *Chas, chat* ou *shah* : 1. Il est dit dans l'Évangile qu'il est plus
facile à un chameau de passer par le *chas* d'une aiguille qu'à un
riche d'entrer dans le ciel. — 2. Le *chat* était pour les Égyptiens un

---

8. *Lice* ou *lisse* : suite de fils verticaux à mailles, dans chacun desquels passent les
fils horizontaux de la chaîne du métier à tisser. — Dans la tapisserie de haute lice, la
chaîne est tendue verticalement sur le métier ; dans la tapisserie de basse lice, la chaîne
est tendue horizontalement sur le métier.

9. *Erre* : vitesse acquise d'un bâtiment.

10. *Erres* : traces d'un animal.

11. *Haire* : chemise de crin qu'on porte sur la peau pour se mortifier.

12. *Myre* : ville de l'ancienne Lycie (Asie Mineure). Saint Nicolas fut évêque de
Myre.

animal sacré. — 3. Le dernier *shah* d'Iran a perdu son trône en 1979. — 4. Les étymologistes se sont demandé comment il est possible d'avoir un *chat* dans la gorge.

c) *Cahot* ou *chaos* : 1. S'il y avait une guerre atomique, la terre ne serait plus qu'un *chaos*. — 2. Après un dernier *cahot*, la voiture s'immobilisa dans un trou plus profond. — 3. On a dit que Voltaire était un *chaos* d'idées claires.

d) *Héraut* ou *héros* : 1. Au moyen âge, un *héraut* annonçait le début du tournoi. — 2. Michel Strogoff est un *héros* de Jules Verne. — 3. Chez les Grecs, le *héros* était un homme promu au rang des dieux. — 4. Pour Zola, l'artiste ne doit se faire ni le chantre du vice ni le *héraut* politique d'une époque.

e) *For, fore, fors* ou *fort* : 1. Je me fais *fort* de vous convaincre. — 2. Tout est perdu, *fors* l'honneur, aurait dit François Ier après la bataille de Pavie. — 3. Le serrurier *fore* la clé. — 4. La raison du plus *fort* est toujours la meilleure, telle est la morale de la fable *Le loup et l'agneau*. — 5. Dans votre *for* intérieur, vous blâmez ce que vous feignez d'approuver par respect humain. — 6. Après avoir résolu tous ces exercices, vous serez *fort* en orthographe.

52. — Même exercice. (Gr. § 84)

a) *Champ* ou *chant* : 1. Le *chant* du cygne est la dernière œuvre d'un artiste. — 2. Les combats singuliers se déroulaient en *champ* clos. — 3. Le maçon posait les briques de *chant*. — 4. Le *chant* du coq au loin déchirait l'air brumeux. (Baudelaire.) — 5. Charles Péguy est mort sur le *champ* de bataille le 5 septembre 1914.

b) *Chair, chaire, cher* ou *chère* : 1. Les *chaires* baroques sont surprenantes de réalisme : à Louvain, on voit saint Paul foudroyé à côté de son cheval. — 2. L'esprit est prompt et la *chair* est faible, dit l'Écriture. — 3. Valéry a occupé la *chaire* de poésie au Collège de France. — 4. L'impertinence de ton mari nous aura coûté *cher*. (Fr. Mauriac.) — 5. Ce film d'horreur m'a donné la *chair* de poule. — 6. L'homme est plus *cher* aux dieux qu'il ne l'est à lui-même. (Florian.) — 7. L'ogre de Perrault disait : « Je sens la *chair* fraîche. » Il espérait faire bonne *chère*.

c) *Exaucer* ou *exhausser* : 1. Il a fallu *exhausser* le mur pour protéger le jardin des regards indiscrets. — 2. Comment ne pas *exaucer* un souhait exprimé avec tant de délicatesse ? — 3. Sans la douleur, l'humanité serait trop ignoble, car elle seule peut, en les épurant, *exhausser* les âmes. (Huysmans.)

d) *Tribu* ou *tribut* : 1. Les *tribus* gauloises se faisaient souvent la guerre. — 2. Les Romains obligeaient les peuples vaincus à leur payer *tribut*. — 3. Dans le style noble, on appelle la mort le fatal *tribut.* — 4. L'idéal de Mallarmé était de donner un sens plus pur aux mots de la *tribu.*

e) *Rai, raie* ou *rets* : 1. Le coiffeur m'a fait une *raie* sur le côté droit. — 2. Il a été pris dans les *rets* d'une intrigue. — 3. J'aime la *raie* au beurre noir. — 4. Un *rai* de soleil faisait briller avec un éclat d'ampoule électrique les branches d'une croix. (Malraux.) — 5. Nicole portait une robe à *raies* rouges et noires.

f) *Vair, ver, verre, vers* ou *vert* : 1. Les esprits positifs n'ont pas voulu admettre que Cendrillon ait eu une pantoufle de *verre* ; ils ont cru qu'il fallait comprendre : une pantoufle de *vair,* c'est-à-dire de fourrure. — 2. Il s'est tourné *vers* moi. — 3. Le bois *vert* casse plus difficilement que le bois sec. — 4. Mon *verre* n'est pas grand, mais je bois dans mon *verre.* (Musset.) — 5. Le *ver* est dans le fruit. — 6. Les poètes d'aujourd'hui préfèrent le *vers* libre.

53. — Remplacer les trois points par le préfixe qui convient.

(Gr. § 84)

a) *É-* (et variantes) ou *in-* (et variantes) : 1. L'*éruption* du Vésuve. — 2. Faire *irruption* dans un local. — 3. La varicelle se caractérise par une *éruption* de boutons. — 4. Une *invasion* de sauterelles cause en Afrique du nord des ravages considérables. — 5. Favoriser l'*évasion* d'un prisonnier. — 6. Ils ne dédaignent pas les livres qui donnent des chances d'*évasion.* (G. Duhamel.)

b) *É-* (et variantes) ou *in-* (et variantes) : 1. Un spécialiste *éminent.* — 2. Un péril *imminent.* — 3. Les spirites *évoquent* les âmes des morts. — 4. Il *invoqua* l'aide de son Dieu. — 5. Il *invoquait* un prétexte pour s'absenter. — 6. Cette teinte cuivrée qui *évoque* l'idée de géranium. (Proust.) — 7. Le vol avec *effraction* est particulièrement grave. — 8. Une *infraction* au code de la route.

c) 1. Une *illusion* d'optique. — 2. Pierre a fait *allusion* méchamment à l'échec de son voisin. — 3. Ne vous faites pas d'*illusions* : on ne réussit pas sans travailler. — 4. *Épurer* l'eau. — 5. *Apurer* un compte. — 6. Maeterlinck a été *anobli* par le roi Albert. — 7. Cette idée est banale, mais l'expression l'*ennoblit.* — 8. Quel est l'*événement* le plus marquant de votre vie ? — 9. Avec l'*avènement* de Henri IV, les Bourbons accédèrent au trône de France.

54. — Remplacer les trois points par le mot qui convient.   (Gr. § 84)

a) *Acceptation* ou *acception* : 1. Pour faire l'étymologie d'un mot, on doit connaître son ancienne *acception.* — 2. Le bonheur de l'homme n'est pas dans la liberté, mais dans l'*acceptation* d'un devoir. (A. Gide.)

b) *Collision* ou *collusion* : 1. Après la *collision,* les deux voitures étaient bonnes pour la ferraille. — 2. La *collusion* est une entente secrète en vue de nuire.

c) *Ombragé* ou *ombrageux* : 1. Un jardin *ombragé*. — 2. Un cheval *ombrageux* a des réactions imprévisibles. — 3. Je suis de caractère *ombrageux*, aussi je n'ai pas eu beaucoup d'amis. (G. Duhamel.)

d) *Inculper* ou *inculquer* : 1. Il faut d'abord *inculquer* aux jeunes gens les conventions fondamentales qui leur permettront les relations avec leurs semblables. (Valéry.) — 2. Le juge d'instruction a *inculpé* le prévenu.

e) *Conjecture* ou *conjoncture* : 1. On se perd en *conjectures* sur les origines de ce mal. — 2. Un emprunt de l'État n'aurait pas beaucoup de succès dans la *conjoncture* actuelle.

f) *Recouvrer* ou *recouvrir* : 1. Nous avons *recouvert* le mur d'un papier peint à fleurs. — 2. Le percepteur est chargé de *recouvrer* les impôts. — 3. Il avait *recouvré* la santé après un séjour en Suisse. — 4. La neige commence à *recouvrir* le sol.

55. — Voir dans le dictionnaire le sens des paronymes suivants et les faire entrer chacun dans une phrase.   (Gr. § 84)

a) 1. **Armistice** : suspension provisoire de l'état de guerre. Un *armistice* est ordinairement suivi de la paix. — **Amnistie** : acte du pouvoir souverain qui efface toute une catégorie de crimes, de délits. Une *amnistie* est souvent une mesure politique autant qu'un acte de clémence. — 2. **Déférence** : respect qu'on témoigne à quelqu'un. Montrons de la *déférence* pour nos supérieurs. — **Différence** : caractère par lequel une personne, une chose, diffère d'une autre. Il y a une grande *différence* entre ton frère et toi. — 3. **Accident** : ce qui arrive par hasard. Il a été victime d'un *accident* d'auto. — **Incident** : petit événement qui survient : Un *incident* l'a contraint à différer son départ. — 4. **Imprudent** : qui manque de prudence. Cet enfant *imprudent* s'expose à bien des dangers. — **Impudent** : effronté, sans pudeur. Cet *impudent* menteur sera puni. — 5. **Émerger** : sortir d'un milieu où l'on est plongé et paraître à la surface. La lune *émerge* des nuages. — **Immerger** : plonger dans un liquide. Le câble reliant les deux rives du fleuve est *immergé*. — 6. **Coasser** : crier, en parlant de la grenouille, du crapaud. La grenouille *coasse* dans la mare. — **Croasser** : crier, en parlant du corbeau, de la corneille. La corneille s'envole en *croassant*.

b) 1. **Raisonner** : se servir de sa raison pour connaître, pour juger. Il faut apprendre à *raisonner* juste. — **Résonner** : renvoyer le son ; rendre un grand son. Cette salle, qui *résonne* trop, n'est pas favorable à la musique. 2. **Avers** : face d'une monnaie, d'une médaille. Cette monnaie porte une effigie sur l'*avers*. — **Envers** : le côté d'une chose opposé à celui qui doit être vu. Le spectateur n'aperçoit jamais l'*envers* d'un décor de théâtre. — 3. **Vénéneux** : qui contient un poison. La belladone est une plante *vénéneuse*. — **Venimeux** : qui a du venin. Le cobra et la vipère sont des serpents *venimeux*. — 4. **Oiseux** : qui ne sert à rien, ne mène à rien. Cette discussion est *oiseuse*. — **Oisif** : qui est dépourvu d'occupation. Ce riche *oisif* s'ennuie. — 5. **Schématique** : qui constitue un schéma, appartient au schéma. Donnez-moi la représentation *schématique* du cycle du carbone. — **Schismatique** : qui forme schisme, qui ne reconnaît pas l'autorité du Saint-Siège. Les orthodoxes forment l'Église *schismatique* d'Orient. — 6. **Lacune** : interruption involontaire et fâcheuse dans un texte, dans un enchaînement d'idées ou de faits. Cet élève présente de sérieuses *lacunes* en mathématique. — **Lagune** : étendue d'eau de mer, comprise entre la terre ferme et un cordon littoral. Les *lagunes* asséchées sont cultivables.

c) 1. **Épigramme** : petit poème satirique. Il rédige des *épigrammes* contre ses rivaux. — **Épigraphe** : inscription sur un édifice pour en indiquer la date, la destination ; courte citation qu'un auteur met en tête d'un livre, d'un chapitre, pour en indiquer l'esprit. *Thérèse Desqueyroux* de Mauriac porte en *épigraphe* une citation de Baudelaire. — 2. **Suc** : liquide susceptible d'être extrait des tissus animaux ou végétaux. Certains *sucs* végétaux sont utilisés en pharmacie. — **Sucre** : produit alimentaire fabriqué industriellement. Il met toujours deux *sucres* dans son café. — 3. **Percepteur** : fonctionnaire chargé de la perception des impôts directs. Il a reçu un avertissement de son *percepteur*. — **Précepteur** : personne chargée de l'instruction d'un enfant qui ne fréquente pas l'école. Julien Sorel était le *précepteur* des enfants de Mme de Rênal. — 4. **Agonir** : injurier, insulter ; accabler. Elle l'*a agoni* d'injures. — **Agoniser** : être près de sa fin. Le médecin est impuissant devant le vieillard qui *agonise*. — 5. **Allocation** : prestation en argent. Cet ouvrier sans emploi perçoit une *allocation* de chômage. — **Allocution** : discours familier et bref. L'*allocution* radiotélévisée du chef d'Etat a été appréciée. — 6. **Décrépi** : dégarni du crépi. Cette façade lézardée doit être *décrépie*. — **Décrépit** : qui est dans une extrême déchéance physique. Ce nonagénaire est *décrépit*.

56. — Expliquer pourquoi ces phrases sont fautives.   (Gr. § 84)

a) 1. Quand je recouvris (confusion entre *recouvrir* et *recouvrer*) la vue, la fille avait disparu de la vitrine. (J.-B. Rossi.) — 2. Pour les cheveux, ils étaient extrêmement brillants et d'un noir bleu comme des ailes de geai (confusion entre *geai* et *jais*). (Th. Gautier.) — 3. Si Martine Chapuis n'avait pas rougi, Mme Maigret, elle, piqua un phare (confusion entre *phare* et *fard*). (Simenon.) — 4. On entend le grincement des roues, le bruit de clapotis des comportes [sortes de cuves], qui sursautent au chaos (confusion entre *chaos* et *cahot*) du chemin. (Pesquidoux.) — 5. L'armistice (confusion entre *armistice* et *amnistie*) est accordée à tous les condamnés politiques. (Dans le *Larousse mensuel*.)

b) 1. Le Marais n'a pas oublié la masse grise du donjon du Temple où agonit (confusion entre *agonir* et *agoniser*) le Dauphin.

(J. Prasteau.) — 2. Il n'y a que les morts qu'on aime vraiment d'un invariable amour, anobli (confusion entre *anoblir* et *ennoblir*) par l'absence. (G. Rodenbach.) — 3. Il a été aussi un poète de métier, poète dans toute l'acceptation (confusion entre *acceptation* et *acception*) du terme. (L. Bertrand.) — 4. L'estomac sécrète des sucres (confusion entre *sucre* et *suc*). — 5. Elle a fait un imper (confusion entre *imper* et *impair*) en refusant l'invitation.

57. — Expliquer ces jeux de mots.   (Gr. § 84)

1. Raisonner (jeu sur l'homonymie entre *raisonner* et *résonner*) comme un tambour mouillé. — 2. Entre deux mots (jeu sur l'homonymie entre *mots* et *maux*) il faut choisir le moindre. (Valéry.) — 3. Il avait retiré le bec-de-cane (jeu sur la confusion entre le sens figuré et le sens propre) de la porte, qui, de ce fait, se trouvait muette et ne les dérangeait pas. (B. Vian.) — 4. Pour nous, votre intérêt (jeu sur la confusion entre les sens « attention favorable que l'on porte à quelqu'un ou à quelque chose » et « ce que rapporte un capital placé ») est capital (jeu sur la confusion entre les sens « essentiel » et « richesse destinée à produire un revenu »). (Publicité d'une banque.) — 5. Couvre-feu (*feu* signifie ici « qui est mort depuis peu de temps » et non « dégagement simultané de chaleur, de lumière et de flammes ») (Définition de mots croisés pour *linceul.*) — 6. Il suit le cours (*cours* signifie ici « prix auquel sont négociées des marchandises » et non « mouvement des eaux ») des rivières (*rivières* signifie ici « colliers (de diamants) » et non « cours d'eau »). (Définition de mots croisés pour *diamantaire.*) — 7. Il trouva le lit vide et le (jeu sur l'homophonie entre *lit vide* et *livide*) devint aussi. — 8. Dis-moi qui tu hantes, je te dirai qui tu hais (jeu sur l'homonymie entre *hais* et *es*). (Balzac.) — 9. Tu es Pierre, et sur cette pierre je bâtirai mon Église (jeu sur la confusion entre les noms propres et les noms communs *Église* et *église* ; *Pierre* et *pierre*). (Évangile selon saint Matthieu.) — 10. Certains aspects de la piété populaire sont déterminés par le nom même des saints : saint Cloud est invoqué contre les furoncles (jeu sur l'homonymie entre *clou* « furoncle » et *Cloud*) ; saint Léger contre les lourdeurs de tête (jeu sur l'antithèse entre *Léger* et *lourdeurs*) ; saint Expédit, lorsqu'on a besoin d'un secours urgent (*Expédit* évoque *expéditif*) ; etc. — 11. Dans *L'écume des jours*, Boris Vian raconte le mariage religieux de Chloé et de Colin : il y avait notamment quatorze Enfants de Foi (*enfants de chœur*, confondu avec *cœur*, assimilé à *foie*, autre organe, confondu avec *foi*) et un Bedon (jeu sur la confusion entre *bedon* « ventre rebondi » et *bedeau* « employé préposé à l'ordre dans une église », avec un rapprochement entre *bedon* et *foi*, homonyme de *foie*).

CHAPITRE II

La phrase

58. — Dans le texte suivant, repérer les verbes à un mode personnel. Dans les phrases où il y a plusieurs verbes à un mode personnel, distinguer celles où il y a coordination de phrases simples (ou sous-phrases) et celles dans lesquelles on a une ou des propositions sujets ou compléments (en soulignant ces propositions).

(Gr. § 88)

Combat contre un ours

Un ours **décimait** le troupeau du berger Arriou-Mourt. Celui-ci **jura** *qu'il se vengerait* (proposition complément). Il **releva** patiemment les traces de la bête. Un soir, il **enroula** son manteau autour de son bras gauche, il **arma** son bras droit d'un couteau large, au fil ardent et il **attendit** l'animal (coordinations de phrases simples). *Quand l'ours arriva* (proposition complément), Arriou-Mourt **mit** un genou en terre. La bête **se dressa** et **s'avança** en se balançant (coordination de phrases simples). Le berger **cacha** sa tête sous son bras gauche et **serra** son arme (coordination de phrases simples). *Comme l'animal s'abattait sur lui* (proposition complément), le berger le **fendit** d'un seul coup, de la poitrine à l'arrière-train, puis il **se dégagea**, tout sanglant (coordination de phrases simples). L'ours, avec des hurlements furieux, **voulut** l'atteindre, mais il **marchait** sur ses entrailles (coordination de phrases simples), *qu'il arrachait lui-même de ses flancs* (proposition complément) ; il **s'arc-bouta** sur ses quatre pieds et **resta** là (coordination de phrases simples). Le berger **coupa** une badine, en **frappa** à coups redoublés la bête éventrée (coordination de phrases simples), *qui agonisa bientôt* (proposition complément).

D'après Joseph de PESQUIDOUX (*Chez nous,* Librairie Plon. Tous droits réservés).

59. — Dans les phrases suivantes, faire l'exercice proposé dans le n° précédent.

(Gr. § 88)

1. Une brise fraîche **soufflait**, les seigles et les colzas **verdoyaient**, des gouttelettes de rosée **tremblaient** au bord du chemin, sur les haies d'épines (coordinations de phrases simples).

(Flaubert.) — 2. *Aussitôt que les arbres* **ont développé** *leurs fleurs* (proposition complément), mille ouvriers **commencent** leurs travaux. (Chateaubriand.) — 3. Ô buffet du vieux temps, tu **sais** bien des histoires, / Et tu **voudrais** conter tes contes, et tu **bruis** (coordinations de phrases simples) / *Quand* **s'ouvrent** *lentement tes grandes portes noires* (proposition complément). (Rimbaud.) — 4. Je ne **savais** plus *si je* **pensais** *encore* (proposition complément) ou *si*, plutôt, *je ne* **rêvais** *pas* (proposition complément coordonnée à la précédente) *que je* **pensais** (proposition complément). (G. Duhamel.) — 5. L'avion **avait gagné** d'un seul coup, à la seconde même *où il* **émergeait** (proposition complément), un calme *qui* **semblait** *extraordinaire* (proposition complément). (Saint Exupéry.)

60. — Inventer, sur chacun des thèmes suivants, deux phrases contenant plusieurs verbes conjugués, l'une où l'on a coordination de phrases simples (ou sous-phrases), l'autre où l'on a une ou des propositions sujets ou compléments. (Gr. § 88)

a) 1. **La neige.** La neige est tombée toute la nuit et les routes sont impraticables. — Les skieurs se désespèrent que la neige ne tombe pas. — 2. **L'usine.** Cette usine-ci traite les produits chimiques, mais celle-là s'occupe de métallurgie. — Depuis que l'usine est en difficulté, on ne compte plus le nombre de licenciements. — 3. **Le carnaval.** Le jour du carnaval, les enfants lancent des serpentins et ils se déguisent. — Si tu le souhaites, nous pouvons passer le carnaval à Venise. — 4. **Le médecin.** Le médecin a été appelé d'urgence et il a diagnostiqué une appendicite. — Malgré que le médecin lui ait interdit de se fatiguer, il ne prend pas la peine de se reposer.

b) 1. **La télévision.** Il reste des heures devant la télévision et il néglige ses leçons. — Bien que la télévision soit souvent critiquée, elle offre aussi des programmes intéressants. — 2. **La Noël.** Il attend les vacances de Noël, mais il ne sait pas encore comment les occuper. — La Noël est la fête que les chrétiens célèbrent en commémoration de la naissance du Christ. — 3. **Le tennis.** La partie de tennis était animée et le public se montrait particulièrement attentif. — Quand tu joues au tennis, tiens-tu compte des règles ? — 4. **Le chat.** Le chat est un animal domestique, mais son comportement est parfois un peu sauvage. — Quand le chat n'est pas là, les souris dansent.

61. — Distinguer les phrases verbales et les phrases non verbales. (Gr. § 88)

a) 1. Allô (non verbale) ? C'est Dupont à l'appareil (verbale). À qui ai-je l'honneur de parler (verbale) ?... Ah ! c'est toi, Raymond (verbale). Comment vas-tu (verbale) ?... Merci (non verbale). Quand pars-tu en vacances (verbale) ?... Non (non verbale). Je reste à la maison (verbale). Qu'est-ce que je peux faire pour t'aider (verbale) ?... Volontiers (non verbale). À charge de revanche (non verbale) ! Au revoir, Raymond (non verbale).

b) 1. Je regardais surtout ces tableaux des murs, représentant des fleurs dans des vases (verbale). Oh ! ces aquarelles qui étaient chez Grand-mère, pauvres petites choses naïves (non verbale) ! (Loti.) — 2. M. Eugène marchait sur ses quarante-sept ans (verbale). Un homme moyen mais solide, avec une moustache noire, cirée, le bout soigneusement roulé en une petite frisure (non verbale). Il s'habillait d'alpaga gris (verbale). (Aragon.) — 3. Voici la pluie (non verbale). Elle a commencé ce soir à trois heures par quelques gouttes larges et rares (verbale). (Fromentin.)

62. — Les phrases suivantes sont-elles déclaratives, exclamatives, interrogatives, impératives ou optatives ?   (Gr. § 89)

a) 1. Va-t'en (impérat.). — 2. Pourquoi remettrais-tu ce travail à demain (interrog.) ? — 3. Que la volonté de Dieu soit faite (optative) ! — 4. Que peu de temps suffit pour changer toutes choses (exclam.) ! (Hugo.) — 5. Deux houppes de cheveux blancs époussetaient son crâne chauve (déclar.). (Louise Weiss.) — 6. Veuillez me répondre par retour du courrier (impérat.). — 7. Aimez-vous les salsifis (interrog.) ? — 8. Il n'est pire eau que l'eau qui dort (déclar.). — 9. À quoi bon perdre son temps à cela (interrog.) ?

b) 1. Je me demande s'il fera beau ce soir (déclar.). — 2. Dites-moi où est la pharmacie (impérat.). — 3. Rira bien qui rira le dernier (déclar.). — 4. Que ta main droite ignore ce que fait ta main gauche (impérat.). — 5. Portez-vous bien (optative). — 6. Comme cet exercice est facile (exclam.) ! — 7. Que le dernier ferme la porte (impérat.). — 8. Qui serait assez fou pour nier qu'il doive mourir (interrog.) ? — 9. Ainsi soit-il (optative).

c) 1. Le spectacle, pour moi ahurissant, de la banlieue vient me dédommager (déclar.). Quel horticulteur a réalisé ce semis à la volée de toutes les variétés de villas (interrog.) ? (H. Bazin.) — 2. Si vous voulez que je parle aux riches, je leur dirai (déclar.) : « Épargnez aux pauvres votre pitié (impér.) : ils n'en ont que faire (déclar.). Pourquoi la pitié, et non pas la justice (interrog.) ? Vous êtes en compte avec eux (déclar.). Réglez le compte (impérat.). » (A. France.) — 3. Vivre, c'est naître lentement (déclar.). Il serait un peu trop aisé d'emprunter des âmes toutes faites (exclam.) ! (Saint Exupéry.) — 4. N'étends les jambes qu'à la longueur du tapis (impérat.). (Proverbe arabe.)

63. — Corriger les phrases suivantes en supprimant le pléonasme.

(Gr. § 91)

a) 1. Il a forcé le cheval à reculer en arrière. / *Il a forcé le cheval à reculer.* — 2. Au village, on a gardé l'habitude de s'entraider mutuellement. / *Au village, on a gardé l'habitude de s'entraider.* — 3. Goliath était un grand géant que l'astucieux David réussit à vaincre. / *Goliath était un géant que l'astucieux David...* — 4. Nous vous souhaitons nos bons vœux pour la nouvelle année. / *Nous vous présentons nos bons vœux pour...* — 5. Plus on s'approche de près de ce tableau, plus on voit ses défauts. / *Plus on s'approche de ce tableau, plus...* — 6. En allant par le village, vous pourrez avoir la possibilité de vous restaurer. / *En allant par le village, vous pourrez* (ou *vous aurez la possibilité de*) *vous restaurer.*

b) 1. Il y a des mots invariables, comme par exemple l'adverbe. / *Il y a des mots invariables, comme* (ou *par exemple*) *l'adverbe.* — 2. Cela vous permettra de pouvoir réussir. / *Cela vous permettra de réussir.* — 3. Nous vous remercions pour les marques de sympathie que vous nous avez témoignées pour notre deuil. / *Nous vous remercions pour la sympathie que vous nous avez témoignée...* — 4. J'applaudis des deux mains à cette décision. / *J'applaudis à cette décision.* — 5. Vous vous êtes trompé ; il serait donc par conséquent normal de le reconnaître. / *Vous vous êtes trompé ; il serait donc* (ou *par conséquent*) *normal de le reconnaître.* — 6. Il est le principal protagoniste dans cette affaire. / *Il est le protagoniste dans cette affaire.* — 7. Ils s'entendaient si tellement bien qu'ils ne pouvaient se passer l'un de l'autre. / *Ils s'entendaient si* (ou *tellement*) *bien qu'ils ne pouvaient...*

c) 1. La pieuse fille n'avait pu être canonisée sainte faute de protections. (Hugo.) / *La pieuse fille n'avait pu être canonisée, faute de protections.* — 2. Il s'asseyait sur son séant. (Aragon.) / *Il s'asseyait.* — 3. Il ne lavera pas même ses dents et il ne peignera pas ses cheveux. (Pieyre de Mandiargues.) / *...et il ne se peignera pas.* — 4. Elle était d'ailleurs, et par son nom et par sa fortune, l'une des sommités les plus importantes du monde aristocratique. (Balzac.) / *...l'une des sommités du monde aristocratique.* (Balzac, dans une nouvelle édition.) — 5. Ce fantôme imaginaire. (Chateaubriand.) / *Ce fantôme.*

SUJET ET PRÉDICAT

64. — Souligner les sujets. Si le sujet est un groupe de mots, marquer d'une croix le noyau de ce syntagme.   (Gr. § 94)

N.B. — Le noyau du syntagme est imprimé en caractères gras.

Au collège : les visites

Sur le conseil même du curé d'Abrecave, avec son aide aussi, *l'**enfant*** fut mis au collège d'une petite ville des environs. *Sa **mère*** *et son **protecteur*** l'y allaient visiter parfois, aux jours de marchés, grimpés sur une charrette surchargée d'agneaux et de fromages. Et *le **décor*** glissait doucement avec ses chaumières, ses arbres, ses pâtres, ses bêtes, ses œillets. *On* dételait dans une auberge. *On* allait acheter des gâteaux pour renforcer le petit paquet de saucisson. Et *l'**on*** causait à trois dans le parloir du collège, et *l'**on*** était bien content, car *les **professeurs*** faisaient l'éloge de leur élève, *qui,* presque à son insu, dans une habitation médiocre et sublime, s'engageait dans cette voie éternelle que *son premier **maître*** lui avait tracée.

Francis JAMMES (*M. le Curé d'Ozeron,* Mercure de France, édit.).

65. — Même exercice.   (Gr. § 94)

a) *Le **ciel*** était blanc, sans nuages, mais sans soleil. *Sa **courbe*** *pâle* s'étendait au large, couvrait la campagne d'une monotonie froide et dolente. *On* n'entendait aucun bruit ; *les **oiseaux*** ne chantaient pas ; *l'**horizon*** *même* n'avait point de murmure, et *des **sillons*** *vides* ne nous envoyaient ni les glapissements des corneilles *qui* s'envolent ni le bruit doux du fer des charrues. (Flaubert.)

b) 1. Déjà *le **ciel*** blanchit ; bientôt *le **soleil*** paraîtra et *les **oiseaux*** commenceront leur concert. — 2. *Nul* n'est prophète en son pays. — 3. *Les **pourquoi** des enfants* sont parfois embarrassants. — 4. *Qui* pourrait compter les étoiles du ciel ? — 5. *Trop **parler*** nuit. — 6. Pouvez-*vous* me dire où conduit *ce **chemin*** ? — 7. Peut-être me suis-*je* trompé. — 8. La nuit *tous les **chats*** sont gris.

c) 1. Où est-*ce* ? — 2. *Promettre* et *tenir* sont deux. — 3. [***Souris** qui* (*qui* sujet de a) *n'a qu'un trou*] (sujet de *est*) est bientôt prise. — 4. Ainsi soit-*il*. — 5. [*Qui* (*qui* sujet de *veut*) ***veut** la fin*] (sujet de *veut*) veut les moyens. — 6. De la discussion jaillit *la **lumière***. — 7. ***Jouer** avec Odile* ne m'amusait plus comme autrefois. (J. Green.) — 8. Qui sommes-*nous* pour condamner les étrangetés des autres ?

d) 1. *Personne* n'osait plus sortir dès que tombait *le **soir**.* (Maupassant.) — 2. *Beaucoup de **noms** de familles* sont d'anciens prénoms. — 3. Parurent alors entre les piliers *de longues **files** d'enfants*

des écoles. (A. de Châteaubriant.) — 4. [*Ce qui* (*qui* sujet du
1er *est*) *est bon à prendre*] (sujet du 2e *est*) est bon à rendre. —
5. Tout autour de la plage montaient *de hautes* **roches** *escarpées.*
(A. Daudet.) — 6. *L'eau* courait le long du trottoir, boueuse, avec
cette ondulation particulière que lui imprimait *la* **forme** *des pierres.*
(J. Green.) — 7. Mais bien plus que le monde m'intéressent *les*
passants *du monde.* (Guéhenno.)

e) 1. *La* **prise** *de Constantinople par les Turcs* est souvent considérée comme marquant la fin du moyen âge. — 2. *Des* **mouettes**
noires et blanches tournoyaient en gémissant dans le ciel céruléen
où [*une* **trame** *blanchâtre qui* (*qui* sujet de *s'effilochait*) *s'effilochait
vers le levant*] (sujet de *était*) était tout ce *qui* restait de la tempête
de la veille. (M. Tournier.) — 3. Pierre, sors la voiture avant que *le*
soir tombe. — 4. *Le* **mot** *cime* s'écrit sans accent circonflexe. —
5. Enfin !... Puisque *sa* **famille** l'avait toujours appelée ainsi, et *ses*
amies, et *tout le* **monde** !... (Simenon.) — 6. Heureux ceux *qui*
sont morts [1], car *ils* seront retournés / Dans cette grasse argile où
Dieu les modela. (Péguy.) — 7. *D'entendre* parler de lui, *d'entendre seulement son nom,* la rendait heureuse. (R. Rolland.)

66. — Distinguer les sujets apparents et les sujets réels des verbes
impersonnels.   (Gr. § 95)

1. Dans nos âmes, *il* (sujet apparent) flottait *une vague tristesse*
(sujet réel). — 2. *Il* (sujet apparent) importe *que chacun soit attentif*
(sujet réel). — 3. *Il* (sujet apparent) ne faut pas *regarder derrière soi*
(sujet réel). — 4. N'est-*il* (sujet apparent) pas juste *que tout dommage soit réparé par celui qui l'a causé* (sujet réel) ? — 5. *Il* (sujet
apparent) y a *fagots et fagots* (sujet réel). — 6. Dans Rouen et la
banlieue, *il* (sujet apparent) était mort *cinquante mille hommes*
(sujet réel) de faim. (Michelet.) — 7. En somme, le vin est bon. Il
réjouit le cœur. Ce n'est pas la faute du vin s'*il* (sujet apparent) y a
des ivrognes et même des gourmets (sujet réel). (Veuillot.)

67. — Transformer les phrases suivantes :   (Gr. § 95)

a) *De façon à obtenir un verbe impersonnel* : 1. Chercher un abri
sous un arbre pendant un orage est dangereux. / **Il est dangereux**
de chercher... — 2. Quelque chose de mystérieux se passe dans ce
château. / **Il se passe** quelque chose de mystérieux dans ce château. — 3. Louer quelqu'un comme il veut être loué est difficile. /
Il est difficile de louer quelqu'un comme il veut être loué. — 4. Le
tuer vaudrait mieux que le nourrir. / **Il vaudrait** mieux le tuer que...
— 5. Une grande quantité de neige tomba. / **Il tomba** une grande
quantité de neige.

---

1. En outre *ceux qui sont morts* est le sujet du prédicat *heureux.*

b) *De façon à éliminer la tournure impersonnelle* : 1. Il me vint une idée. / Une idée me vint. — 2. Il ne suffit pas toujours de quelques efforts pour réussir. / Quelques efforts ne suffisent pas toujours pour réussir. — 3. Il se trouvera toujours des ânes pour braire contre la science. / Des ânes se trouveront toujours pour... (*ou* On trouvera toujours des ânes pour...) — 4. Il vaut mieux laisser son enfant morveux que de lui arracher le nez. / Laisser son enfant morveux vaut mieux que... — 5. Il se fit un grand silence tout à coup. / Un grand silence se fit tout à coup.

68. — Chercher les infinitifs et les participes accompagnés d'un sujet.

(Gr. § 93)

N.B. — Les sujets sont en caractères gras.

a) 1. J'entends *siffler* **le train.** — 2. **Dieu** *aidant,* nous vaincrons bien des difficultés. — 3. Je vois **la première hirondelle** *tourner* autour du clocher. — 4. Nous allons, **toutes précautions** *prises,* nous engager dans cette affaire. — 5. Laissez *parler* **votre camarade.**

b) 1. On voyait entre les arbres *courir* **les esclaves des cuisines.** (Flaubert.) — 2. **La prière** *finie,* nous revînmes tristement vers le coin de l'île où la barque était amarrée. (A. Daudet.) — 3. Je regardais au loin **toutes les petites clartés des maisons** *s'éteindre* une à une dans le bourg. (G. Sand.) — 4. Moi, je suis resté seul, **toute joie** *ayant fui,* / Seul avec ce pédant qu'on appelle l'ennui. (Hugo.)

69. — Relever les propositions absolues, en y distinguant le sujet et le prédicat.

(Gr. § 93)

1. Au même instant, il rencontra une bosse de terrain, pencha le corps d'un côté, de l'autre, et se retrouva *la face* (sujet) *dans la neige* (prédicat), *les jambes* (sujet) *écartelées* (prédicat), *les skis* (sujet) *plantés en croix, derrière lui, comme les bois d'un instrument de torture* (prédicat). (Troyat.) — 2. Les petits passaient, *la démarche* (sujet) *vive* (prédicat), en rangs serrés, *de grands yeux* (sujet) *rayonnant çà et là hors de l'ombre* (prédicat). (Larbaud.) — 3. Peut-être cependant la fête serait-elle légèrement écourtée, *étant données* (prédicat) *les circonstances* (sujet). (Robbe-Grillet.) — 4. *Le café* (sujet) *bu* (prédicat), *l'époux* (sujet) *servi* (prédicat), *les enfants* (sujet) *à l'essor* (prédicat), maman m'habilla chaudement. (G. Duhamel.) — 5. M. Seurel, *le deuxième problème* (sujet) *copié* (prédicat), laisse un instant retomber son bras fatigué. (Alain-Fournier.)

70. — Recopier en soulignant une fois les prédicats de phrases et deux fois les prédicats de propositions.   (Gr. § 100)

N.B. — Les prédicats de phrases sont en italiques et les prédicats de propositions en gras.

a) 1. Le soleil couchant *plongeait dans les nuages.* — 2. J'*aime regarder un match de football à la télévision.* — 3. Françoise *est gênée par son écharpe.* — 4. *Que voulez*-vous ? — 5. Personne *ne sait qui* **a commis l'attentat.** — 6. *Bien rares sont* les jours sans soucis.

b) 1. Il *faut* que votre travail **soit terminé aujourd'hui.** — 2. L'odeur amère d'un jardin de novembre, le saisissant silence dominical des bois **d'où se sont retirés** le bûcheron et la charrette, la route forestière détrempée **où roule mollement** une vague de brouillard, tout cela *est à nous jusqu'au soir, si tu* **veux,** *puisque* **c'est dimanche.** (Colette.)

71. — Relever les attributs du sujet.   (Gr. §§ 100-102)

a) 1. La patience est *une grande force.* — 2. Prendre une résolution est *facile,* l'exécuter est parfois *difficile.* — 3. La parole est *d'argent,* mais le silence est *d'or.* — 4. *Rares* sont les vrais amis. — 5. Le temps paraissait *incertain* et nous restions *indécises,* m'ont écrit mes sœurs. — 6. *Quels* sont vos auteurs préférés ? — 7. Soyons *tranquilles.* — 8. Promettre n'est pas *tenir.* — 9. Vous êtes *mécontent* ; je *le* suis aussi.

b) 1. Ses poils frisés étaient *aussi drus qu'aux temps lointains de sa jeunesse,* mais ils étaient devenus *blancs comme la neige.* (Pagnol.) — 2. *Rares* sont les livres délicieux. (Valéry.) — 3. Sous le soleil déjà chaud, ces étoffes de printemps paraissaient *riches et soyeuses.* (A. Daudet.) — 4. La lumière a l'air *noire* et la salle a l'air *morte.* (Hugo.) — 5. Il demeure *exact* que vous n'êtes pas *malheureux,* et votre cas est *inexcusable.* (Barrès.) — 6. Victor Hugo est considéré par certains *comme le plus grand poète français.* — 7. Tu tombes *amoureux d'un fantôme.* (A. Gide.)

c) 1. *Maigre* devait être la cuisine qui se préparait à ce foyer. (Th. Gautier.) — 2. Bossuet a été appelé *l'Aigle de Meaux.* — 3. *Que* vont devenir ces petits cadavres et tant d'autres lamentables déchets de la vie ? (J.-H. Fabre.) — 4. *Quelle* est cette langueur / Qui pénètre mon cœur ? (Verlaine.) — 5. Sa distraction était, le dimanche, *d'inspecter les travaux publics.* (Flaubert.) — 6. *Vif* était le coup d'œil, *plus vifs* étaient le geste et la parole. (Balzac.) — 7. *Comment* est-il, leur intérieur, à ces jeunes gens ? (Colette.)

72. — Former des phrases avec un attribut du sujet.   (Gr. §§ 100-102)

a) *Le sujet est* : 1. **Charlie Chaplin.** Charlie Chaplin est *un des très grands acteurs du XXe siècle.* — 2. **Mon chien.** Mon chien est *hargneux.* — 3. **Le fleuve.** Le fleuve est *très large* près de son embouchure. — 4. **Tout.** Tout paraît *riant* par un matin de mai. — 5. **Dormir.** Dormir est *pénible* pour un insomniaque. — 6. **Je.** Je suis *si fâchée* que je ne vous parle plus.

b) *L'attribut est* : 1. **Verdâtre.** Le teint de ce malade est *verdâtre.* — 2. **Quel (interrogatif).** *Quel* est ton avis à ce sujet ? — 3. **Invraisemblable.** Cette histoire semble *invraisemblable.* — 4. **À la mode.** Ton pull n'est plus *à la mode.* — 5. **Tel.** Il est *tel* qu'il a toujours été. — 6. **Le.** Heureux, je *le* suis. — 7. **Champion.** Mon frère est *champion* de scrabble à l'école.

c) *Le verbe est* : 1. **Devenir.** Mon chien devient *vieux.* — 2. **Paraître.** Cette pièce de monnaie paraît *fausse.* — 3. **Avoir l'air.** Ces élèves ont l'air *intéressés.* — 4. **Être considéré comme.** Ces graphies sont considérées *comme fautives.* — 5. **Passer pour.** Ce livre passe pour *le meilleur de l'année.* — 6. **S'appeler.** Mon frère s'appelle *Philippe.*

*73. — Dans les phrases de l'exercice n° 71, relever les cas où l'attribut n'est pas placé après le verbe copule. Expliquer les raisons de ces inversions.   (Gr. § 103)

a) 4. *Rares* (mise en évidence de l'attribut) sont les vrais amis. — 6. *Quels* (interrogatif attribut) sont vos auteurs préférés ? — 9. Vous êtes mécontent ; je *le* (pronom personnel attribut) suis aussi.

b) 2. *Rares* (mise en évidence de l'attribut) sont les livres délicieux. (Valéry.)

c) 1. *Maigre* (mise en évidence de l'attribut) devait être la cuisine qui se préparait à ce foyer. (Th. Gautier.) — 3. *Que* (interrogatif attribut) vont devenir ces petits cadavres et tant d'autres lamentables déchets de la vie ? (J.-H. Fabre.) — 4. *Quelle* (interrogatif attribut) est cette langueur / Qui pénètre mon cœur ? (Verlaine.) — 6. *Vif* (mise en évidence de l'attribut) était le coup d'œil, *plus vifs* (mise en évidence de l'attribut, avec parallélisme des deux phrases) étaient le geste et la parole. (Balzac.) — 7. *Comment* (interrogatif attribut) est-il, leur intérieur, à ces jeunes gens ? (Colette.)

74. — Dans les phrases de l'exercice n° 71, montrer quand et pourquoi l'attribut s'accorde avec le sujet.   (Gr. § 104)

a) 1. La patience est une grande force. — 2. Prendre une résolution est *facile* (adj. ; accord avec *prendre*), l'exécuter est parfois *difficile* (adj. ; accord avec *exécuter*). — 3. La parole est d'argent, mais le silence est d'or. — 4. *Rares* (adj. ; accord avec *amis*) sont les vrais amis. — 5. Le temps paraissait *incertain* (adj. ; accord avec *temps*) et nous restions *indécises* (adj. ; accord avec *nous*), m'ont écrit mes sœurs. — 6. *Quels* (adjectif interrogatif qui varie en genre et en nombre ; accord avec *auteurs*) sont vos auteurs préférés ? — 7. Soyons *tranquilles* (adj. ; accord avec *nous* sous-entendu). — 8. Promettre n'est pas tenir. — 9. Vous êtes *mécontent* (adj. ; accord avec *vous*) ; je le [2] suis aussi.

b) 1. Ses poils frisés étaient aussi *drus* (adj. ; accord avec *poils*) qu'aux temps lointains de sa jeunesse, mais ils étaient devenus *blancs* (adj. ; accord avec *ils*) comme la neige. (Pagnol.) — 2. *Rares* (adj. ; accord avec *livres*) sont les livres délicieux. (Valéry.) — 3. Sous le soleil déjà chaud, ces étoffes de printemps paraissaient *riches* (adj. ; accord avec *étoffes*) et *soyeuses* (id.). (A. Daudet.) — 4. La lumière a l'air *noire* (adj. ; accord avec *lumière*) et la salle a l'air *morte* (adj. ; accord avec *salle*). (Hugo.) — 5. Il demeure *exact* (adj. ; accord avec *il*) que vous n'êtes pas *malheureux* (adj. ; accord avec *vous*) et votre cas est *inexcusable* (adj. ; accord avec *cas*). (Barrès.) — 6. Victor Hugo est considéré par certains comme le plus grand poète [3] français. — 7. Tu tombes *amoureux* (adj. ; accord avec *tu*) d'un fantôme. (A. Gide.)

c) 1. *Maigre* (adj. ; accord avec *cuisine*) devait être la cuisine qui se préparait à ce foyer. (Th. Gautier.) — 2. Bossuet a été appelé l'Aigle de Meaux. — 3. Que vont devenir ces petits cadavres et tant d'autres lamentables déchets de la vie ? (J.-H. Fabre.) — 4. *Quelle* (adjectif interrogatif qui varie en genre et en nombre ; accord avec *langueur*) est cette langueur / Qui pénètre mon cœur ? (Verlaine.) — 5. Sa distraction était, le dimanche, d'inspecter les travaux publics. (Flaubert.) — 6. *Vif* (adj. ; accord avec *coup d'œil*) était le coup d'œil, *plus vifs* (adj. ; accord avec *geste* et *parole*) étaient le geste et la parole. (Balzac.) — 7. Comment est-il, leur intérieur, à ces jeunes gens ? (Colette.)

---

2. Quand le pronom représente un adjectif, on emploie la forme neutre *le*. (Cf. Gr. § 255 *b*, 3°.)

3. Le nom, qui a un genre en soi, ne s'accorde pas en genre avec le sujet. Il y a tout au plus, comme ici, coïncidence entre le genre du nom attribut et le genre du sujet.

COORDINATION ET SUBORDINATION

75. — Relever successivement les éléments coordonnés et les éléments subordonnés.   (Gr. § 105)

a) *Mots et syntagmes.*

Coordination : 1. Le cochon est *gras* et *rose.* — 2. Ni *la lune* ni *les étoiles* ne brillaient ce soir-là. — 3. Une promenade à vélo, par ce temps *sec* et *froid,* vous donnera bonne mine. — 4. La Guzzi [une moto] était entièrement rouge, sauf *les chromes du phare* et *des tubes d'échappement,* sauf *le noir des pneus* et *la longue selle double* (il y a coordination sans conjonction entre les deux syntagmes introduits par *sauf*; coordination avec conjonction entre *le phare* et *les tubes...,* entre *le noir...* et *la longue selle...*). (Pieyre de Mandiargues.)

Subordination : 1. *Le* cochon est gras et rose. — 2. Ni *la* lune ni *les* étoiles *ne* brillaient *ce soir-là* (*ce soir-là* subord. à *brillaient, ce...-là* subord. à *soir*). — 3. *Une* promenade à *vélo, par ce temps sec et froid* (*par ce temps sec et froid* subord. à *promenade, ce* d'une part, *sec et froid* d'autre part subord. à *temps*), *vous* donnera *bonne mine* (*bonne mine* subord. à *donnera, bonne* subord. à *mine*). — 4. *La* Guzzi [une moto] était *entièrement* rouge, *sauf les chromes du phare et des tubes d'échappement, sauf le noir des pneus et la longue selle double* (les syntagmes introduits par *sauf* peuvent être considérés comme subord. à *la Guzzi*; *les* et *du phare* sont subord. à *chromes*; *le* inclus dans *du* subord. à *phare*; *des tubes d'échappement* subord. à *chromes*; *les* inclus dans *des* subord. à *tubes*; *échappement* subord. à *tubes*; *le* et *des pneus* subord. à *noir*; *les* inclus dans *des* subord. à *pneus*; *la, longue* et *double* subord. à *selle*). (Pieyre de Mandiargues.)

N.B. — L'exemple 4 devrait être représenté par un schéma à étages :

```
La Guzzi, sauf      chromes
              les              du phare (et) des tubes
                    (le)              (les) d'échappement
sauf    noir            (et)            selle             était entièrement
     le       des pneus      la longue        double,
             (les)
rouge.
```

b) *Phrases et propositions.*

Coordination : 1. Quand tu sortiras, *éteins la lampe* et *ferme la porte.* — 2. Il m'a dit qu'*il irait au cinéma* ou qu'*il se promènerait* quand il aurait fini son travail. — 3. Donne-moi le livre *qui est sur la cheminée* et *qui a une couverture bleue.* — 4. Ma grand-mère, elle, par tous les temps, même *quand la pluie faisait rage* et *que Françoise avait précipitamment rentré les précieux fauteuils d'osier* de peur qu'ils ne fussent mouillés, on la voyait dans le jardin vide et fouetté par l'averse. (Proust.)

Subordination : 1. *Quand tu sortiras,* éteins la lampe et ferme la porte. — 2. Il m'a dit *qu'il irait au cinéma* ou *qu'il se promènerait quand il aurait fini son travail (qu'il irait ... ou qu'il se promènerait* subord. à *a dit; quand il aurait fini son travail* subord. à la fois à *irait* et à *se promènerait*). — 3. Donne-moi le livre *qui est sur la cheminée et qui a une couverture bleue.* — 4. Ma grand-mère, elle, par tous les temps, même *quand la pluie faisait rage et que Françoise avait précipitamment rentré les précieux fauteuils d'osier de peur qu'ils ne fussent mouillés (quand la pluie faisait rage et que Françoise avait ... rentré ...* subord. à *voyait; de peur qu'ils ne fussent mouillés* subord. à *avait rentré*), on la voyait dans le jardin vide et fouetté par l'averse. (Proust.)

76. — Transformer les textes suivants de façon qu'on ait : 1° coordination explicite ; 2° subordination. (Gr. § 105)

1. Le soir tombait : nous fîmes halte. Le soir tombait *et* nous fîmes halte. Le soir tombait *lorsque* nous fîmes halte. — 2. **Tu as bien réussi : je te félicite.** Tu as bien réussi et je te félicite. *Comme* tu as bien réussi, je te félicite. — 3. **C'était un homme très savant ; il était modeste.** C'était un homme très savant, *mais* il était modeste. *Bien que* cet homme fût très savant, il était modeste. — 4. **L'homme propose, Dieu dispose.** L'homme propose *et* Dieu dispose. *Si* l'homme propose, Dieu dispose. — 5. **Ne sois pas agressif : tu t'aliénerais les sympathies.** Ne sois pas agressif, *car* tu t'aliénerais les sympathies. Ne sois pas agressif, *parce que* tu t'aliénerais les sympathies.

77. — Repérer, dans chaque phrase, les éléments coordonnés, en montrant qu'ils ont la même fonction par rapport au même mot et en indiquant la conjonction de coordination. (Gr. §§ 106-108)

a) 1. Il tombait à la fois *de la pluie* **et** *de la grêle* (coordin. de deux sujets réels du verbe *tombait*). — 2. Il faut qu'une porte soit *ouverte* **ou** *fermée* (coordin. de deux attributs du sujet *porte*) [4]. — 3. On ne peut être à la fois *au four* **et** *au moulin* (coordin. de deux compl. adverbiaux de lieu du verbe *être*). — 4. C'est une maison *ancienne,* **mais** *spacieuse* (coordin. de deux épithètes du nom *maison*). — 5. À quoi sert-il d'être libre *de parler* **et** *d'écrire* (coordin. de deux compl. de l'adjectif *libre*), si l'on n'a rien *de vrai* **et** *de*

---

4. On pourrait aussi dire : coord. des deux participes passés faisant partie du syntagme verbal passif.

neuf (coordin. de deux compl. du pronom *rien*) à dire ? (Renan.) — 6. Je ne fais effort **ni** *pour qu'on m'aime* **ni** *pour qu'on me suive* (coordin. de deux prop. adverbiales de but du verbe *fais*). (Giono.) — 7. C'est un mérite *qu'il faut leur reconnaître* **et** *dont je leur ai, pour moi, une sincère gratitude* (coordin. de deux prop. compl. du nom *mérite*). (Barrès.)

b) 1. Il vit que le magasin était *ouvert* **et** *d'aspect normal* (coordin. de deux attributs du sujet *magasin*). (G. Duhamel.) — 2. Il parvint à rentrer dans sa chambre *sans être aperçu* **et** *sans bruit* (coordin. de deux compl. adverbiaux de manière du verbe *rentrer*). (Hugo.) — 3. Il avait cru *s'être empoisonné* **et** *qu'il allait mourir* (coordin. de deux compl. d'objet direct du verbe *avait cru*). (R. Vailland.) — 4. Les choses iront *vigoureusement,* **mais** *sans hâte* **ni** *témérité* (coordin. de deux noms subordonnés par la préposition *sans* et coordin. de deux compl. adverbiaux de manière du verbe *iront*). (De Gaulle.) — 5. C'était un chat, un gros chat *roulé contre ma joue* **et** *qui dormait avec confiance* (coordin. de deux compl. du nom *chat*). (Maupassant.)

78. — Repérer les éléments coordonnés, en distinguant les coordinations implicites et les coordinations explicites.   (Gr. § 109)

N.B. — Nous avons mis en italiques les éléments coordonnés d'une manière implicite et nous avons mis en gras les conjonctions des coordinations explicites.

a) 1. L'odeur montant du pré était âcre **et** (coord. explicite des attributs) douceâtre **et** (coord. explicite des prédicats) se mêlait à celle des labours. L'automne s'avançait. Les matins des derniers beaux jours sont *les plus frais, les plus limpides.* (A. Gide.) — 2. En janvier, la rose safranée *grimpe* aux poutrelles des pergolas monégasques, *assaille* le palmier niçois, *se hausse* vers la lumière, *tourne* son visage vers le soleil **et** déploie en un moment une corolle dont la couleur *ambrée,* (coord. implicite des épithètes) *carnée* **et** (coord. explicite des sujets) le désordre parfumé sont inimitables. (Colette.)

b) 1. Je le regardais *aller* **et** (coord. explicite de deux infinitifs unis par un lien logique particulier) *venir, organiser* une manœuvre, *ajouter* **ou** (coord. explicite de deux infinitifs ayant le même compl. d'objet *déplacer une rame, donner le départ* à une locomotive haletante **et** (coord. explicite des compl. de *locomotive*) qui crachait de grands jets de vapeur. (S. Lilar.) — 2. Elle portait de très larges chapeaux relevés derrière **et** (coord. explicite de deux épithètes) plats devant, où des rubans **et** (coord. explicite des sujets) des bouquets reposaient comme dans une corbeille, **et** (coord. explicite des deux compl. d'objet direct) des robes garnies de nœuds **et** (coord. explicite des deux compl. de *garnies*) de volants, qu'il fallait relever ne fût-ce que pour monter une marche. (J. Cabanis.)

c) Notez que partout où la forêt prend de la grandeur, **soit** par l'étendue de la vue, **soit** par la hauteur des arbres, elle ressemble à toute forêt. Les hêtres *très magnifiques, élancés,* du Bas-Bréau, me semblent, malgré *leur belle taille, leur écorce lisse,* une chose qu'on voit ailleurs. Ce lieu n'est original que là où il est *bas, sombre, rocheux,* (coord. implicite de la relative avec les épithètes) où il montre le combat *du grès,* (coord. implicite des compl. du nom *combat) de l'arbre tordu, la persévérance de l'orme* (coord. implicite des objets directs) **ou** l'effort vertueux du chêne. (Michelet.)

79. — Y a-t-il coordination ou non entre les éléments séparés par un trait vertical ? Pourquoi ?   (Gr. §§ 106-109)

1. La pelouse était égayée de crocus jaunes, / (coord. entre des épithètes) violets, / (coord. entre des épithètes) panachés. — 2. Un / (pas de coord. : *un* est déterminant, *vieux* est épithète) vieux saule se penche sur le ruisseau. — 3. Elle avait des cheveux châtain / clair (pas de coord. : *châtain* est épithète de *cheveux, clair* est compl. de l'adjectif *châtain*). — 4. Le château fort, / (pas de coord. : *château fort* est sujet, *qui est construit sur un piton rocheux* est compl. du nom) qui est construit sur un piton rocheux, est quasi imprenable. — 5. On ne sait d'où il vient, / (coord. entre deux compléments d'objet direct) où il va. — 6. Il a payé ce tableau / (pas de coord. : *ce tableau* est compl. d'objet direct, *plusieurs milliers de francs* est compl. adverbial de mesure) plusieurs milliers de francs.

80. — Transformer les phrases suivantes en y introduisant des éléments coordonnés.   (Gr. §§ 106-109)

a) *Mots ou syntagmes.* — 1. La Loire passe à Angers *et à Orléans.* — 2. Pierre a deux sœurs *et un frère.* — 3. Pour faire une mayonnaise, il faut de l'huile, *de la moutarde, un jaune d'œuf, du sel et du vinaigre.* — 4. *Ni* vos prières *ni votre argent* ne me feront [*pas* doit être supprimé] céder. — 5. Ils ont tout le confort moderne, sauf un congélateur *et un magnétoscope.*

b) *Propositions.* — 1. Nous achèterons une maison si nous en trouvons une qui nous plaise *et si nous obtenons le prêt que nous espérons.* — 2. Le printemps est là quand on voit la première hirondelle *et que les crocus sortent de terre.* — 3. J'aime les films qui me font pleurer *ou qui me font rire.* — 4. Je crains qu'il ne pleuve *et que le vent ne se lève.*

81. — Corriger les phrases suivantes après avoir montré en quoi elles sont construites irrégulièrement.   (Gr. § 108)

a) 1. Je déteste et j'ai horreur de la flatterie (*détester* demande un compl. d'objet direct, et *de la flatterie* est un compl. prépositionnel). / Je déteste la flatterie et j'en ai horreur. — 2. Les Turcs assiégèrent et s'emparèrent de Constantinople en 1453 (*assiéger* demande un compl. d'objet direct et *de Constantinople* est un compl. d'objet indirect). / Les Turcs assiégèrent Constantinople et s'en emparèrent en 1453. — 3. Beaucoup de navires entrent et sortent du port (*entrer* se construit avec *à* ou *dans, sortir* avec *de*). / Beaucoup de navires entrent au port et en sortent. — 4. On se demande s'il sera apte et même soucieux de réussir (*apte* se construit avec *à* et *soucieux* avec *de*). / On se demande s'il sera apte à réussir et même s'il s'en montrera soucieux. — 5. Le palefrenier s'occupe et soigne les chevaux (*s'occuper de* demande un compl. d'objet indirect et *soigner* un compl. d'objet direct). / Le palefrenier s'occupe des chevaux et les soigne.

b) 1. J'ai une nuée de Français à dîner et à trimballer (*Français* est sujet de *dîner* et compl. d'objet direct de *trimballer*). (Lamartine.) / J'ai une nuée de Français à recevoir à dîner et à trimballer. — 2. Jamais Stanislas ne s'était senti de meilleure humeur, ni un aussi bon appétit (dans *se sentir de meilleure humeur, se* est compl. d'objet direct ; dans *se sentir bon appétit, se* est compl. d'objet indirect). (P. Benoit.) / Jamais Stanislas ne s'était senti de meilleure humeur, ni n'avait eu un aussi bon appétit. — 3. La Compagnie m'avait bien traité et même versé une allocation (*m'* est compl. d'objet direct de *traiter* et d'objet indirect de *verser*). (H. Bordeaux.) / La Compagnie m'avait bien traité et m'avait même versé une allocation.

82. — Relever les compléments d'objet directs des verbes en italiques. Si le complément est un syntagme, marquer d'une croix le noyau de ce syntagme.   (Gr. § 112)

N.B. — Les compléments d'objet directs sont entre crochets (entre parenthèses, si un autre complément d'objet direct est inclus dans un complément d'objet direct), le noyau du syntagme est imprimé en caractères gras.

Une servante à tout faire, à tout dire...

La Péguinotte, qui devait bien *friser* [la **soixantaine**], rouge, râblée, le poil gris, raide comme un crin, *avait accaparé* [les gros **travaux** domestiques]. Elle *lavait* [les **carreaux**], *coupait* [le **bois**], *allumait* [le **feu**], *coulait* [la **lessive**], *cassait* [les **olives**], *salait* [le **jambon**], *fumait* [le **lard**], *repassait* [le **linge**], *cuisait* [les **confitures**], *servait* [la **pâtée**] aux chiens, *étrillait* [la **mule**], *bêchait* [le **potager**] et ne *refusait* jamais [de **donner** (un **coup** de main)], quand on *battait* [le **blé**] en juillet, sur l'aire brûlante. Moyennant quoi elle *s'était arrogé* [le **droit** de (**tout**) dire], et particulièrement ce qui lui semblait désagréable à entendre. Le plus souvent elle se plaignait. Rien ne pouvait [la] *satisfaire*. Elle *avait* [un haut **sentiment** de la perfection]. C'est pourquoi elle *grondait* [le **cochon**], *gourmandait* [la **chèvre**], *morigénait* [la **volaille**] et *couvrait* [le

chien] de reproches. Parfois même, s'en prenant avec violence à l'invisible, elle *insultait* [les **vents** qui ne soufflaient pas à son gré].

Henri BOSCO (*L'âne Culotte*, © Éditions Gallimard).

83. — Relever les compléments d'objet directs en indiquant de quel verbe ils dépendent. (Gr. § 112)

N.B. — Nous avons indiqué en gras les compléments d'objet directs inclus dans les syntagmes eux-mêmes compléments d'objet directs.

a) 1. Qui ne risque *rien* (*risque*) n'a *rien* (*a*). — 2. Après ma chute, je *me* (*suis relevé*) suis relevé difficilement. — 3. C'est en mangeant *des épinards* (*mangeant*) que Popeye est devenu un homme d'une grande force. — 4. Il faut un long entraînement avant qu'un sportif remporte *la victoire* (*remporte*). — 5. Certains prétendent *que Shakespeare n'a pas écrit **les pièces*** (*a écrit*) ***qu'*** (*attribue*) *on lui attribue* (*prétendent*). — 6. Je souhaite *que vous passiez **une bonne nuit*** (*passiez*) (*souhaite*). — 7. N'oubliez pas *de fermer **la porte*** (*fermer*) (*oubliez*).

b) 1. On aime selon le cœur *qu'* (*a*) on a. (Hugo.) — 2. Peintre, si tu veux *t'assurer **une place prédominante*** (*assurer*) *dans la Société* (*veux*), il faut que, dès ta première jeunesse, tu lui donnes *un terrible coup de pied* (*donnes*) dans la jambe droite. (S. Dali.) — 3. En s'en allant là-bas le paysan chantonne / *Une chanson d'amour et d'infidélité / Qui parle d'une bague et d'un cœur **que*** (*brise*) *l'on brise* (*chantonne*). (Apollinaire.) — 4. Ce *que* (*pardonnent*) les hommes vous pardonnent le moins, c'est le mal *qu'* (*ont dit*) ils ont dit de vous. (A. Maurois.)

c) 1. Au lieu de chercher à rendre exactement *ce **que*** (*ai*) *j'ai devant les yeux* (*rendre*), je me sers de la couleur pour *m'* (*exprimer*) exprimer fortement. (Van Gogh.) — 2. J'aimais et j'aime encore *les mathématiques* (*aimais* et *aime*) pour elles-mêmes comme n'admettant pas *l'hypocrisie et le vague* (*admettant*), mes deux bêtes d'aversion. (Stendhal.) — 4. On ne sait pas *qui vit ou qui meurt* (*sait*), dit la concierge. (Fr. Mallet-Joris.)

84. — Faire une phrase avec un objet direct. (Gr. § 112)

a) *Le sujet est* : 1. **L'usine.** L'usine a embauché *des ouvriers.* — 2. **Chacun.** Chacun a proposé *sa solution.* — 3. **Ma marraine.** Ma marraine m'a offert *un bracelet.* — 4. **Le président des États-Unis.** Le président des États-Unis a entamé *un voyage en Asie.* — 5. **La mer Rouge.** La mer Rouge a *une origine curieuse* : c'est un ancien fossé d'effondrement envahi par les eaux. — 6. **L'avion.** L'avion a survolé *le désert.* — 7. **L'hippopotame.** L'hippopotame aime *les marécages.*

b) *Le verbe est* : 1. **Annoncer.** Le météorologue a annoncé *une amélioration du temps.* — 2. **Gagner.** Mon frère a gagné *le match de tennis.* — 3. **Résoudre.** Mon professeur de mathématique résout *ce problème* facilement. — 4. **Décevoir.** Ton attitude *m'a* déçue. — 5. **Convaincre.** Comment convaincras-tu *tes parents* de te laisser sortir ce soir ? — 6. **Découvrir.** Pasteur a découvert *le vaccin contre la rage.* — 7. **Suivre.** Pourquoi ne suivez-vous pas *mes conseils* ?

c) *Le complément d'objet direct est* : 1. **Ma bicyclette.** N'as-tu pas vu *ma bicyclette* ? — 2. **Que (interrogatif).** *Que* veux-tu ? — 3. **Le jazz.** Aimes-tu *le jazz* ? — 4. **Un béret basque.** Les Basques et les Béarnais portent *un béret basque.* — 5. **Un hérisson.** La voiture a malheureusement écrasé *un hérisson.* — 6. **L'avenir.** Personne ne connaît *l'avenir.* — 7. **Que (pronom relatif).** La jupe *que* j'ai cousue est trop courte.

85. — Remplacer les trois points par un complément d'objet direct.
(Gr. § 112)

1. Gutenberg a inventé *l'imprimerie.* — 2. Victor Hugo a écrit *Les misérables.* — 3. Napoléon a perdu *la bataille de Waterloo.* — 4. Van Gogh a peint *« La chaise et la pipe ».* — 5. La girafe mange *les feuilles les plus tendres.* — 6. Beethoven a composé *neuf symphonies.* — 7. Le Rhin arrose *Bâle.* — 8. Le notaire rédige *le contrat de mariage.* — 9. Le plombier répare *les tuyauteries de la cuisine.* — 10. Le jardinier greffe *les pommiers.*

86. — Relever les compléments d'objet indirects, en indiquant de quel verbe ils dépendent.
(Gr. § 112)

a) 1. Louis XII a succédé *à Henri IV* (*a succédé*). — 2. *À brebis tondue* (*mesure*), Dieu mesure le vent. — 3. Le cambrioleur s'est servi *d'un levier* (*s'est servi*) pour forcer la porte. — 4. Dans les phrases qui *vous* (*sont soumises*) sont soumises, il ne faut pas confondre le complément d'objet direct *avec le complément d'objet indirect* (*confondre*). — 5. Pour plaire *aux personnes qui ont un chien* (*plaire*), il faut d'abord plaire *à leur chien* (*plaire*).

b) 1. Je doute *qu'il parvienne* **à terminer dans les délais** (*parvienne*) (*doute*). — 2. *À quoi* (*penses*) penses-tu quand tu ne parviens pas *à t'endormir* (*parviens*) ? — 3. Le rideau sépare la scène *de la salle* (*sépare*). — 4. Les médecins *nous* (*disent*) disent qu'il ne faut pas abuser *du sel* (*abuser*). — 5. Entre chien et loup, c'est le moment de la journée où on ne pourrait distinguer un chien *d'un loup* (*distinguer*).

c) 1. Mon enfant, ma sœur,/ Songe *à la douceur* (*songe*) / D'aller là-bas vivre ensemble ! / Aimer à loisir,/ Aimer et mourir / Au pays qui *te* (*ressemble*) ressemble ! (Baudelaire.) — 2. Semblable étude ressortit *à l'histoire littéraire* (*ressortit*) plutôt qu'*à l'histoire* *grammaticale* (*ressortit*). (F. Brunot.) — 3. Les Éditions Gallimard *m'* (*ont fait*) ont donc fait le grand honneur de *me* (*confier*) confier la direction de cette encyclopédie. (Queneau.) — 4. Les autres s'imaginent que c'est moi seul qui *lui* (*mets*) mets ces idées en tête et qui la dresse *contre eux* (*dresse*). (Fr. Mauriac.)

87. — Faire des phrases dans lesquelles les verbes suivants sont accompagnés d'un complément d'objet indirect.   (Gr. § 112)

    1. **Convenir.** Cette solution *me* convient parfaitement. — 2. **Préférer.** Il préfère le thé *au café.* — 3. **Abuser.** Les hypertendus ne doivent pas abuser *du sel.* — 4. **Se souvenir.** Je ne me souviens pas *de votre numéro de téléphone.* — 5. **Substituer.** Vous devriez substituer ce mot-ci *à celui-là.* — 6. **Comparer.** Cet élève voudrait qu'on ne le compare plus *à son frère.* — 7. **Attribuer.** N'attribuez pas *aux autres* vos propres défauts. — 8. **Prêter.** Peux-tu *me* prêter un stylo ? — 9. **Hériter.** Mon voisin a hérité *d'une petite fortune.* — 10. **S'apercevoir.** Il s'est aperçu trop tard *de son erreur.*

88. — Relever les attributs des compléments d'objet directs.

    (Gr. § 114)

    a) 1. Tu appelles cela *du champagne?* Ce n'est que du mousseux. — 2. Je trouve cette réaction *puérile.* — 3. La presse sportive le considère *comme un futur champion.* — 4. Les jurés les ont jugés *coupables.* — 5. Le père de la victime se constitua *partie civile.* — 6. Ces explications, je ne les estime pas *pertinentes.* — 7. Cette assiette, la voyez-vous *bleue* ou *verte?* — 8. Sa nouvelle robe, elle la préférerait *blanche.*

    b) 1. M. Lécuyer, la voix tonnante, le traita *de cancrelat routinier.* (M. Aymé.) — 2. Je tiens *pour un malheur public* qu'il y ait des grammaires françaises. (A. France.) — 3. Je ris de me voir *si belle* en ce miroir. — 4. Ils avaient les yeux *baissés,* car ils se sentaient *coupables.* — 5. On semble avoir rendu le mensonge *bénin* et *risible* ; on l'a surnommé *« bourrage de crâne ».* (G. Duhamel.) — 6. Les catholiques considèrent la Vierge Marie *comme leur intercesseur auprès de Dieu.*

*89. — Dans les phrases de l'exercice précédent, montrer quand et pourquoi l'attribut s'accorde avec le complément d'objet. (Gr. §§ 104, 114)

    a) 1. Tu appelles cela du champagne ? Ce n'est que du mousseux. — 2. Je trouve cette réaction *puérile* (accord avec *réaction,* fém. sing.). — 3. La presse sportive le considère comme un futur champion. — 4. Les jurés les ont jugés *coupables* (accord avec *les,* masc. pl.). — 5. Le père de la victime se constitua partie civile. — 6. Ces explications, je ne les estime pas *pertinentes* (accord avec *les,* fém. pl.). — 7. Cette assiette, la voyez-vous *bleue* (accord avec *la,* fém. sing.) ou *verte* (id.) ? — 8. Sa nouvelle robe, elle la préférerait *blanche* (accord avec *la,* fém. sing.).

b) 1. M. Lécuyer, la voix tonnante, le traita de cancrelat routinier. (M. Aymé.) — 2. Je tiens pour un malheur public qu'il y ait des grammaires françaises. (A. France.) — 3. Je ris de me voir *si belle* (accord avec *me,* fém. sing.) en ce miroir. — 4. Ils avaient les yeux *baissés* (accord avec *yeux,* masc. pl.), car ils se sentaient *coupables* (accord avec *se,* masc. pl.). — 5. On semble avoir rendu le mensonge *bénin* (accord avec *mensonge,* masc. sing.) et *risible* (id.) ; on l'a surnommé « bourrage de crâne ». (G. Duhamel.) — 6. Les catholiques considèrent la Vierge Marie comme leur intercesseur auprès de Dieu.

Le nom a un genre inhérent en soi.

*90. — Commenter la place occupée par les compléments d'objet.

(Gr. § 115)

a) 1. *À quoi* (le compl. d'objet est un pronom interrogatif : il se met au début de la phrase) pensez-vous ? — 2. Il tendit *son billet au préposé* (l'objet direct précède souvent l'objet indirect) pour *le* (le complément d'objet direct est un pronom pers. conjoint : il se met devant le verbe) faire *poinçonner* (le complément d'objet se place d'ordinaire après le verbe). — 3. Les bonshommes de neige *que* (le complément d'objet est un pronom relatif : il se met au début de la proposition) les enfants ont faits dans le jardin commencent à fondre. — 4. L'armée a occupé *la ville* (le complément d'objet direct se place d'ordinaire après le verbe) sans *coup* (formule figée dans laquelle le complément d'objet précède le verbe) férir. — 5. *À ces injures* (mise en évidence du compl. d'objet indirect placé en début de phrase) il ne répondait que par un silence méprisant. — 6. Dis-*moi* (le compl. d'objet indirect est un pronom personnel conjoint dépendant d'un verbe à l'impératif affirmatif : il se place après le verbe) **combien de poissons** (le complément d'objet direct est un nom précédé d'un déterminant interrogatif : ce syntagme se met au début de la proposition) *tu as pris* (la proposition complément d'objet direct se place d'ordinaire après le verbe).

b) 1. Chaque matin, je pouvais lire dans la presse *de longs comptes rendus relatifs aux déclarations faites par les candidats* (le complément d'objet direct, étant plus long que le complément adverbial *dans la presse,* est placé après celui-ci). (P.-H. Spaak.) — 2. C'est oncle Henri qui ne parvenait pas *à enfiler* (le compl. d'objet, ici un infinitif avec toutes ses dépendances, se met d'ordinaire après le verbe) **la chevalière faite avec une pièce de vingt sous** (le compl. d'objet direct précède le compl. non essentiel, mais ici ce compl. est plus bref et peut être placé avant le compl. d'objet direct) *à son doigt.* (R. Sabatier.) — 3. *Un litre d'eau de Javel* (le complément d'objet direct précède le verbe dans le style très familier) je voudrais. (R. Dubillard.) — 4. M. Mesurat n'était pas aveugle sur les imperfections de sa villa, et il *la* (le complément d'objet direct est un pronom personnel conjoint : il se met devant le verbe) jugeait avec la sévérité *qu'* (le complément d'objet direct est un pronom relatif : il se met au début de la proposition) on a quelquefois *pour les personnes* (le complément d'objet se met d'ordinaire après le verbe) *qu'* (le complément d'objet direct est un pronom relatif : il se met au début de la proposition) on aime. (J. Green.) — 5. *Quel bon réveillon* (le complément d'objet contient un déterminant exclamatif : il se met au début de la phrase) nous allons faire après la messe de Noël ! — 6. *Le bien d'autrui* (le complément d'objet précède le verbe dans quelques formules figées) tu ne prendras.

91. — Relever les compléments adverbiaux des verbes en italiques.

(Gr. §§ 111, 116)

La halte des bohémiens

La troupe errante vient de *planter* ses tentes **sur la rive du fleuve. Entre les roues des chariots, / derrière des lambeaux de tapis,** on voit *briller* le feu. La horde alentour apprête son souper. **Sur le gazon,** les chevaux *paissent* à **l'aventure.** Un ours apprivoisé *a pris* son gîte **auprès d'une tente.** On *part* **demain / à l'aube** et chacun *fait* **gaiement** ses préparatifs. Les femmes chantent, les enfants crient ; les marteaux font résonner l'enclume de campagne.

Mais **bientôt / sur la bande vagabonde** *s'étend* le silence du sommeil et le calme de la steppe n'est plus troublé que par le hurlement des chiens et le hennissement des chevaux. Tout repose : les feux s'éteignent, la lune *brille* seule **dans le lointain des cieux,** *versant* sa lumière **sur la horde endormie.** MÉRIMÉE.

92. — Relever les compléments adverbiaux, en indiquant le verbe auquel ils se rapportent. (Gr. §§ 111, 116)

a) 1. La lune n'a pas fermé l'œil *cette nuit* (*a fermé*). (J. Renard.) — 2. *Depuis notre départ* (*tombait*), la neige tombait *sans arrêt* (*tombait*). — 3. Il a fallu allonger la robe *de cinq centimètres* (*allonger*). — 4. Nous sommes entrés *dans Lyon* (*sommes entrés*) *par l'autoroute* (*sommes entrés*). — 5. Je me vêtis *en silence* (*vêtis*) et descendis *au jardin* (*descendis*). Maman était *dans l'allée des roses* (*était*). Elle se levait *avant les domestiques* (*levait*) *pour aérer la maison* (*levait*). (Fr. Mauriac.) — 6. *Quand tout le monde parle en même temps* (*parle*) (*est* ou *s'entendre*), il est impossible de s'entendre.

b) 1. On voyait errer *de cour en cour* (*errer*) nombre de chats faméliques que, *dans le désœuvrement des dimanches* (*poursuivaient*), le fils de la propriétaire et ses amis, grands galopins de dix-huit ans, poursuivaient *à coups de débris de vaisselle* (*poursuivaient*). (A. Gide.) — 2. *Sur l'immense table qui remplit la pièce* (*déployer*), il avait fait déployer des cartes *devant lesquelles* (*allait et* *venait*) il allait et venait en parlant [5] *avec animation* (*parlant*) (*allait et venait*). (De Gaulle.) — 3. *À côté du premier mulet* (*marchait*) marchait Romain ; puis venait le troupeau *par groupes de deux ou trois bêtes* (*venait*) ; et il faisait clair et beau *sur leurs robes tachetées, noires, noires et blanches, brunes, rousses* (*faisait*) ; *tandis que les hommes marchaient* **sur les bords du chemin** (*marchaient*) (*marchait, venait* et *faisait*). (Ramuz.)

93. — Faire des phrases où les syntagmes qui suivent servent de compléments adverbiaux.   (Gr. §§ 111, 116)

> 1. **Malgré le vent.** Il avance vite *malgré le vent.* — 2. **L'année dernière.** J'ai terminé mes études *l'année dernière.* — 3. **Au Québec.** Mes parents passeront l'été *au Québec.* — 4. **Avec obstination.** Il a réussi parce qu'il a travaillé *avec obstination.* — 5. **Par négligence.** *Par négligence,* il a laissé plusieurs fautes d'orthographe dans son travail. — 6. **Du doigt.** Les enfants montraient *du doigt* le coupable.

*94. — Dans les phrases suivantes, les compléments adverbiaux peuvent-ils tous être déplacés ? Pourquoi ?   (Gr. §§ 111, 116)

> 1. Un grand soleil rouge se plongeait *lentement / dans les flots* (*lentement,* qui n'est pas un compl. adv. essentiel, pourrait être mis en évidence au début de la phrase ; cela serait plus difficile pour *dans les flots,* qu'on peut considérer comme un compl. essentiel). — 2. Une haute silhouette apparut *tout à coup / dans le cadre de la porte* (les deux compl., qui ne sont pas essentiels, pourraient être mis en tête de la phrase, ou l'un des deux seulement). — 3. Papa ramène la couverture *sur mes épaules* (le compl. adv. peut être considéré comme essentiel et il faudrait une raison particulière pour le mettre en tête de la phrase. Comme les deux compl. *la couverture* et *sur mes épaules* sont à peu près de longueur égale, on pourrait les permuter, mais l'ordre qu'on a ici est plus habituel). Il éteint la veilleuse et s'en va *sur la pointe des pieds* (ce compl. adv. non essentiel pourrait être déplacé : *et, sur la pointe des pieds, s'en va,* mais l'ordre qu'on a ici est plus normal, à cause de la longueur des syntagmes et on préfère terminer la phrase sur un syntagme plus long). (H. Bazin.) — 4. Il s'est conduit *avec brutalité / envers sa sœur* (ces deux compl. adv., de longueur à peu près identique, sont permutables. *Avec brutalité* est un compl. essentiel et ne peut guère être placé en tête de la phrase. Ce déplacement serait plus facile pour *envers sa sœur,* si l'on a une raison particulière).

---

5. Le gérondif *en parlant...* peut être considéré comme une sorte de compl. adverbial.

95. — Repérer les compléments d'agent.   (Gr. § 117)

a) 1. Clovis fut baptisé à Reims *par saint Remi.* — 2. Quoi que nous fassions, nous serons loués *par ceux-ci,* blâmés *par ceux-là.* — 3. Elle fut saisie en sortant *par le vent froid qui lui jetait des paquets de neige au visage et aux jambes.* (A. Lanoux.) — 4. J'ai ramassé sur la plage des morceaux de bois abandonnés *par les vagues.* — 5. Mazarin était fort détesté *des Parisiens.* (A. France.) — 6. À Stalingrad, l'armée allemande entourée de tous côtés *par les divisions russes* a dû capituler. — 7. L'église du village est entourée *de maisons pittoresques.*

b) 1. Ô flots, que vous savez de lugubres histoires ! / Flots redoutés *des mères à genoux !* (Hugo.) — 2. Il est plus honteux, dit La Rochefoucauld, de se défier de ses amis que d'*en* être trompé. — 3. Il acheta des chaises mangées *aux vers.* (C. Rihoit.) — 4. Ce que j'ai à vous dire ne doit être entendu que *de vous.* (A. France.) — 5. Le visage tanné *par l'air âpre de la mer,* la nuque brûlée *de soleil,* il ressemblait à un vieux paysan. (Zola.) — 6. Puisque les vaches ont été volées, elles n'ont pu l'être que *par des voleurs.* (M. Aymé.)

*96. — Dans les phrases de l'exercice précédent, expliquer le choix des prépositions qui introduisent le complément d'agent.   (Gr. § 117)

1. — *Par* est la préposition ordinaire.

2. — On emploie *de* surtout dans la langue littéraire (*b,* 2 : ex. du XVIIᵉ siècle), spécialement lorsqu'il s'agit de marquer le résultat d'une action (*a,* 7) ; — lorsque le verbe exprime un sentiment (*a,* 5 et *b,* 1) ; — lorsque le verbe est pris au figuré (*b,* 5).

3. — Dans quelques tours figés, le complément d'agent est introduit par *à* (*b,* 3).

97. — Transformer les phrases suivantes en mettant le verbe au passif.   (Gr. § 117)

1. Tous ceux qui le connaissent l'aiment. / *Il est aimé de' tous ceux qui le connaissent.* — 2. Les vents de l'automne agitent la forêt. / *La forêt est agitée par les vents de l'automne.* — 3. Les gendarmes ont pris les cambrioleurs sur le fait. / *Les cambrioleurs ont été pris sur le fait par les gendarmes.* — 4. C'est Chaplin lui-même qui a fait la musique des *Temps modernes.* / *C'est par Chaplin lui-même qu'a été faite la musique des* Temps modernes (ou *...que la musique des* Temps modernes *a été faite,* surtout dans la langue parlée). — 5. Des vélos encombraient le passage. / *Le passage était encombré par des vélos* (ou *...encombré de vélos*). — 6. Un coupe-feu partage en deux la forêt. / *La forêt est partagée en deux par un coupe-feu.*

98. — Transformer les phrases suivantes en mettant le verbe à l'actif.
(Gr. § 117)

1. Jérusalem a été prise par les croisés. / *Les croisés ont pris Jérusalem.* — 2. La boussole a été inventée par les Chinois. / *Les Chinois ont inventé la boussole.* — 3. Les contes d'Edgar Poe ont été traduits en français par Baudelaire. / *Baudelaire a traduit en français les contes d'Edgar Poe.* — 4. La façade était garnie de petits drapeaux. / *De petits drapeaux garnissaient la façade.* — 5. C'est par Richelieu qu'a été fondée l'Académie française. / *C'est Richelieu qui a fondé l'Académie française.*

99. — Relever, en les distinguant, les déterminants et les épithètes.
(Gr. § 118)

N.B. — Les épithètes sont en italiques et les déterminants en gras.

a) 1. **La** lune *blanche* / Luit dans **les** bois. (Verlaine.) — 2. À **chaque** jour suffit **sa** peine. — 3. Depuis **des** semaines, on parle de **ces** *fameuses* élections. — 4. *Impatient,* **le** *petit* chien se dresse sur **ses** pattes de derrière pour attraper **le** morceau de sucre. — 5. Ils imploraient **le** secours **du** (article contracté, c'est-à-dire préposition + déterminant) monde *entier* dans **ce** document *écrit* en **trois** langues et *abandonné* **aux** (article contracté, c'est-à-dire déterminant + préposition) caprices de **l'**Océan. (J. Verne.)

b) 1. C'était **un** chien *gris* avec **une** verrue comme **un** grain de beauté sur **le** côté *droit* **du** (article contracté, c'est-à-dire préposition + déterminant) museau et **du** (article contracté, c'est-à-dire préposition + déterminant) *roussi* autour de **la** truffe, ce qui le faisait ressembler **au** (article contracté, c'est-à-dire préposition + déterminant) fumeur *invétéré* sur l'enseigne **du** (article contracté, c'est-à-dire préposition + déterminant) *Chien-qui-fume,* **un** bar-tabac à Nice, non loin **du** (article contracté, c'est-à-dire préposition + déterminant) lycée de **mon** enfance. (R. Gary.) — 2. Chacun d'eux faisait d'abord **une** coche *profonde* dans **le** bois, frappant patiemment **au** (article contracté, c'est-à-dire préposition + déterminant) *même* endroit pendant **quelques** secondes, puis **la** hache remonta brusquement, attaquant **le** tronc obliquement **un** pied plus haut et faisant voler à **chaque** coup **un** copeau *épais* comme **la** main et *taillé* dans **le** sens de **la** fibre. (L. Hémon.)

100. — Relever les épithètes des noms en italiques. (Gr. § 118)

Un village des Flandres

Le village était à gauche de la route, un village des Flandres, largement éparpillé sur une *terre* **plate** et **riche** en eau. On l'atteignait par une *chaussée* **grise, sinueuse** et **plantée** de **hauts** *tilleuls.* Elle formait une espèce de digue, et dominait les champs **humides,**

coupés de watergangs. L'hiver, souvent, la Lys montait et les couvrait. Et la chaussée demeurait seule, reliait villages et maisons comme un isthme, à travers l'inondation.

L'église s'apercevait au détour de la route, dominant un bouquet d'arbres à *têtes* **rondes,** de **gros** *marronniers* **antiques,** qui encadraient la **petite** *place.* Le *clocher* **bas** se terminait par un toit en éteignoir, couvert de *tuiles* **rouges,** et sans grâce. Autour était le cimetière, à la mode d'autrefois. Il y poussait de **folles** *herbes.* Des poules venaient y gratter. Et les enfants du village y jouaient.

Maxence VAN DER MEERSCH (*L'empreinte du dieu,* Albin Michel, édit.).

101. — Relever les épithètes, en distinguant par un signe spécial les épithètes détachées. (Gr. §§ 118, 120)

N.B. — Les épithètes détachées sont en gras.

a) 1. Un *petit* chat entra, **circonspect** et **naïf.** (Colette.) — 2. Tandis que le singe obéissait en poussant des *petits* cris *étouffés,* le chien, **heureux, fier,** tendait la patte à son maître. (H. Malot.) — 3. Dans le crépuscule montent, **indécises,** de *vagues* rumeurs. — 4. Nous partîmes de *grand* matin, **légers** comme des hirondelles. — 5. La *première* étoile brille au fond des cieux, **pensive.**

b) 1. Le Président [de la Tchécoslovaquie] me raconta qu'à l'Armistice, les Ruthènes de son Far-East crevaient de faim. Il leur avait aussitôt expédié des trains de vivres parmi lesquels se trouvait du chocolat en poudre *américain.* **Ignorants** et **ravis,** les gens en avaient repeint leurs isbas. (Louise Weiss.) — 2. La *vieille* forteresse, tour *géante* debout sur son pic au milieu d'une *large* vallée, au croisement de trois vallons, se dresse sur le ciel, **brune, crevassée, bosselée,** mais **ronde,** depuis son *large* pied *circulaire* jusqu'aux tourelles *croulantes* de son faîte. (Maupassant.)

102. — Composer des phrases où les mots suivants sont employés comme épithètes. (Gr. § 118)

1. **Profond.** Il dort d'un sommeil *profond.* — 2. **Rougeâtre.** Le malade, fiévreux, avait le teint *rougeâtre.* — 3. **Taciturne.** Cet élève *taciturne* passe pour paresseux. — 4. **Printanier.** Un léger soleil *printanier* égayait la journée. — 5. **Téméraire.** Ce jugement *téméraire* devrait être revu. — 6. **Venimeux.** La vipère est un serpent *venimeux.* — 7. **Vénéneux.** Certains champignons sont *vénéneux.* — 8. **Pacifique.** De tempérament *pacifique,* il ne se met jamais en colère.

103. — Remplacer par une épithète : (Gr. § 118)

a) *Les syntagmes prépositionnels* : 1. Une maladie des enfants / *infantile.* — 2. Le langage des enfants / *enfantin.* — 3. Une taille de géant / *gigantesque.* — 4. Le salaire du mois / *mensuel.* — 5. Le carnet de notes de la semaine / *hebdomadaire.* — 6. Un port de mer / *maritime.* — 7. L'air de la mer / *marin.* — 8. Une promenade à pied / *pédestre.* — 9. Le pouvoir de l'empereur / *impérial.* — 10. Le repos du dimanche / *dominical.*

b) *Les propositions relatives* : 1. Une plante qui vit dans l'eau / *aquatique.* — 2. Un légume qui contient de l'eau / *aqueux.* — 3. Une boucherie qui vend de la viande de cheval / *chevaline* (ou *hippophagique*). — 4. Un bassin qui a la forme d'un cercle / *circulaire.* — 5. Un pays que l'on ne peut atteindre / *inaccessible.* — 6. Un mets qu'on ne digère pas facilement / *indigeste.* — 7. L'équipe qui a gagné / *gagnante.* — 8. Un témoin qui a vu la chose de ses propres yeux / *oculaire.* — 9. Une statue qui représente un homme à cheval / *équestre.* — 10. Une plante dont on tire de l'huile / *oléagineuse.*

104. — Remplacer les adjectifs par une proposition relative et joindre celle-ci à un nom. (Gr. § 118)

1. **Perspicace.** Un observateur *qui est doué d'un esprit pénétrant.* — 2. **Éphémère.** Un papillon *qui ne vit qu'un jour.* — 3. **Lugubre.** Un aboiement *qui est signe de mort.* — 4. **Incoercible.** Un sentiment *qu'on ne peut retenir.* — 5. **Intermittent.** Un pouls *qui s'arrête et repart par intervalles.* — 6. **Exotique.** Une plante *qui est apportée d'un pays lointain.* — 7. **Illusoire.** Une espérance *qui ne repose sur rien de réel.* — 8. **Inné.** Une qualité *que l'on a en naissant.* — 9. **Inopiné.** Une mort *qui arrive alors qu'on ne s'y attendait pas.* — 10. **Frugal.** Une personne *qui se nourrit de peu.*

105. — Mettre les adjectifs avant ou après les noms. (Gr. § 119)

a) 1. Une tuile rouge. — 2. Un long compliment. — 3. Un ruisseau rapide. — 4. Une route sinueuse. — 5. Une vieille ferme. — 6. Un son harmonieux. — 7. Les premiers cinéastes. — 8. Un visage ovale. — 9. Du linge sale.

b) 1. Le troisième rang. — 2. Un vrai malheur. — 3. Les petites fleurs. — 4. Une robe laide (*laide robe* est du français régional). — 5. Une aiguille fine (*fine aiguille* est du français régional). — 6. Un joli manteau. — 7. Une chemise neuve. — 8. Un mauvais conseiller. — 9. Un homme sage.

106. — Mettre les adjectifs avant ou après les noms en italiques. (Gr. § 119)

a) 1. Pauvre : un *homme* pauvre est celui qui n'a pas le nécessaire ; un pauvre *homme,* celui qui est dans un état pitoyable ou qui manque d'énergie. — 2. Honnête : un *commerçant* honnête ne prend pas un bénéfice exorbitant. — 3. Propre : en rentrant du travail, il met une *chemise* propre. — 4. Brave : un *homme* brave a beaucoup de courage ; un brave *homme* est un homme honnête. — 5. Bon : quelle qualité appréciez-vous dans un bon *professeur* ?

b) 1. Ancien : un ancien *ami* est celui qui n'est plus un ami ; un *ami* ancien est celui avec qui on est ami depuis longtemps. — 2. Simple : une simple *observation* suffira pour vous ramener à l'ordre. — 3. Commun : nous avons décidé d'un commun *accord* *que Jean serait le capitaine de l'équipe*. — 4. *Commun :* ce travail est le résultat d'un *effort* commun. — 5. Dernier : Romulus Augustule est le dernier *empereur* de Rome.

107. — Expliquez le sens des adjectifs épithètes.   (Gr. § 119)

1. Un homme seul : qui se trouve sans compagnie ; un seul homme : unique. — 2. De l'eau pure : sans mélange, non corrompue ; une pure calomnie : véritablement une calomnie. — 3. Une nouvelle vraie : conforme à la vérité ; du vrai marbre : qui est réellement du marbre. — 4. Un repas maigre : où l'on ne sert pas de viande ; un maigre repas : peu abondant et de médiocre qualité. — 5. Un enfant propre : bien lavé ; son propre enfant : qui est bien le sien. — 6. Une pomme verte : non encore mûre ; une verte vieillesse : saine et robuste. — 7. Un visage triste : affligé, qui éprouve du chagrin ; un triste personnage : piètre, sans valeur.

108. — Corriger les phrases suivantes.   (Gr. § 120)

1. Atteint par la limite d'âge, son directeur lui a souhaité une heureuse retraite. / *Il est atteint par la limite d'âge et son directeur lui a souhaité...* — 2. Les clients sont priés de payer en servant. / *Les clients sont priés de payer au moment où on les sert.* — 3. En arrivant hier dans mon village, les rues étaient désertes. / *En arrivant hier dans mon village, j'ai vu que les rues étaient désertes.* — 4. Ayant demandé à mon pharmacien un remède contre la toux, il m'a recommandé de sucer des pastilles. / *Le pharmacien, à qui j'avais demandé un remède contre la toux, m'a recommandé de ...* — 5. Étant apprentie dans un salon de coiffure, la patronne ne me laisse faire que les shampooings. / *Comme je suis apprentie dans un salon de coiffure, la patronne ne me laisse faire...* — 6. Un peu dur d'oreille, le passant dut me répéter deux fois l'adresse. / *Comme je suis un peu dur d'oreille, le passant dut me répéter...*

109. — Relever les appositions en indiquant à quel nom elles se rapportent.   (Gr. §§ 118, 121)

N.B. — Les appositions (ou simplement leur noyau) sont en caractères gras ; les mots auxquelles elles se rapportent, en italiques.

a) 1. Le *brochet*, ce **requin** des rivières, est d'une étonnante voracité. — 2. *Attila*, **roi** des Huns, fut vaincu en 451 par *Aetius*, **général** romain. — 3. Revoici le **mois** d'*avril* ; déjà, **troupe** folâtre, *les souffles du printemps* caressent les buissons. — 4. Le **roi** *David* choisit la **ville** de *Jérusalem* comme capitale. — 5. *Marie Curie*, **professeur** à la Sorbonne, a contribué grandement à faire reconnaître les femmes comme les égales des hommes. — 6. Je me réjouissais de te revoir, mais ta **coquine** de *lettre* m'annonce que ton voyage a dû être remis.

b) 1. *Chio*, l'**île** des vins, n'est plus qu'un sombre écueil. (Hugo.) — 2. Le *quai d'Orsay*, longtemps **château** de la Belle au bois dormant, s'éveillait. — 3. Dans une époque abandonnée, semble-t-il, aux furieux et aux malades, le **mot** de *sagesse* et le **mot** de *modération* paraissent non seulement faibles mais encore voués à la défaite. (G. Duhamel.) — 4. Il y a des archiducs très âgés et des *archiducs* **enfants.** (E. Rostand.) — 5. Il ne reste plus dans le pays qu'un vieux **coquin** de *lièvre.* (A. Daudet.) — 6. C'est l'heure où, gai **danseur,** *minuit* rit et folâtre. (Hugo.)

*110. — Examiner dans les exemples du n° précédent s'il y a accord grammatical entre l'apposition et le nom auquel elle se rapporte.

(Gr. § 122)

Le nom, ayant un genre en soi, ne s'accorde pas en genre avec un autre nom : *a*, 1, 3, 5 ; *b*, 1, 2, 3. S'ils sont l'un et l'autre des noms ayant un genre selon le sexe de l'être désigné, il y a généralement coïncidence : *a*, 2, 4. Quand l'apposition est un nom animé qui connaît la variation en genre et qui est appliqué par analogie ou métaphore à un support qui est un nom inanimé, ordinairement il y a coïncidence : *b*, 6. Dans le type *Ce coquin de...*, si l'apposition antéposée est un nom qui connaît la variation en genre, il a le même genre que le nom qui suit : *a*, 6 ; *b*, 5. Le nombre étant déterminé par la réalité désignée, il est normal que l'apposition et son support aient le même nombre, puisque, par définition, ces termes désignent la même réalité : *b*, 4.

111. — Former des phrases dans lesquelles les syntagmes suivants servent d'appositions.

(Gr. §§ 118, 121)

a) 1. Ève, *première femme selon la Bible,* était l'épouse d'Adam. — 2. Ma mère, *professeur de français,* m'aide à faire ma dissertation. — 3. Louis XVI, *roi de France,* est mort décapité. — 4. L'Arve, *affluent du Rhône,* se jette dans le fleuve au sortir du lac Léman. — 5. Cervantès, *auteur de Don Quichotte,* perdit un bras à la bataille de Lépante. — 6. Marie, *mère du Christ,* est fêtée le 15 août.

b) 1. Hergé, *créateur de Tintin,* s'appelait en réalité Georges Rémi. — 2. Eddy Merckx, *vainqueur du Tour de France,* remporta trois fois aussi le championnat du monde. — 3. Baden Powell, *fondateur du scoutisme*, est né à Londres en 1857 et est mort en 1941. — 4. Saint Pierre, *patron de ma paroisse*, fut le premier pape. — 5. Jacques Brel, *mon chanteur préféré*, était aussi un excellent acteur. — 6. Ottawa, *capitale du Canada*, se situe sur la rivière qui porte le même nom.

112. — Relever les syntagmes prépositionnels qui servent de compléments du nom. (Gr. § 118)

a) La vallée du Rhin

Le magnifique fleuve déploie le cortège *de ses eaux bleues* entre deux rangées *de montagnes* aussi nobles que lui ; les cimes s'allongent par étages jusqu'au bout *de l'horizon* dont la ceinture lumineuse les accueille et les relie ; le soleil pose une lumière sereine sur leurs flancs tailladés, sur leur dôme *de forêts toujours vivantes* ; le soir, ces grandes images flottent dans des ondulations *d'or* et *de pourpre* et le fleuve, couché dans la brume, ressemble à un roi heureux et pacifique qui, avant de s'endormir, rassemble autour de lui les plis dorés *de son manteau*.

TAINE.

b) 1. La victoire *d'une équipe* dépend de sa cohésion. — 2. La multitude *des étoiles* étonne l'imagination. — 3. La préservation *de l'environnement* est un souci louable ; il implique aussi que l'on respecte la propreté *des locaux* où l'on passe une partie *de sa vie*. — 4. L'amour *du travail* est un excellent remède *contre l'ennui*. — 5. Un homme sociable a naturellement le désir *de ne pas déplaire par des paroles inconsidérées*. — 6. *De quel chanteur* est ce disque ? — 7. Les conceptions *du citadin* / *sur les dialectes* sont souvent fausses : il s'imagine que ces parlers ne sont que des altérations *du français*.

c) 1. Je voyais avec un plaisir indicible le retour *de la saison* / *des tempêtes*. (Chateaubriand.) — 2. Les relations *de ma famille* / *avec la vôtre* sont excellentes. — 3. Le départ *pour les classes* / *de neige* aura lieu au début *de février*. — 4. Le référendum impliquait l'entrée *de nos départements* / *d'outre-mer* / *dans la Communauté*. (Malraux.) — 5. Contre nous *de la tyrannie* / L'étendard sanglant est levé ! (*La Marseillaise*.)

*113. — Commenter la place des compléments du nom dans l'exercice précédent. (Gr. § 123)

En général, les compléments du nom prennent place après celui-ci. — Lorsque le complément contient un mot interrogatif, il est d'ordinaire au début de la phrase : *b, 6*. — Dans la poésie, surtout quand elle est de forme classique, le complément précède souvent le syntagme nominal qui lui sert de support : *c, 5*. — Lorsque le nom support correspond à un verbe et qu'il a plusieurs compléments, on place en premier lieu le complément correspondant au sujet du verbe : *b,* 7 ; *c,* 4 ; cela pourrait s'appliquer aussi à *c,* 2.

114. — Transformer les phrases suivantes de façon à réduire le nombre des syntagmes nominaux compléments du nom.   (Gr. § 118)

1. Les chances d'acceptation du ministre sont problématiques. (D'après un journal.) / *Les chances que le ministre accepte sont problématiques.* — 2. Je doute de l'utilité de ces parcours des points de vue des grammairiens. (D'après une revue de linguistique.) / *Je doute qu'il soit utile de parcourir les points de vue des grammairiens.* — 3. Il n'entre pas dans mon dessein d'étudier les caractères distinctifs des diverses éditions de ce texte, du point de vue des variations de la pensée de l'auteur. (D'après la préface d'une édition critique.) / *Il n'entre pas dans mon dessein d'étudier les caractères distinctifs des diverses éditions de ce texte, en prenant comme point de vue les variations de la pensée de l'auteur.* — 4. Je voudrais consacrer quelques minutes à l'apport possible de la télévision scolaire au cours de langue maternelle. (D'après une revue pédagogique.) / *Je voudrais consacrer quelques minutes à ce que la télévision scolaire peut apporter au cours de langue maternelle.* — 5. Je vous fais part de l'intention de notre directeur de retarder de huit jours la rentrée des classes de septembre. / *Je vous signale que notre directeur souhaite retarder de huit jours la rentrée des classes de septembre.*

115. — Relever les pronoms qui servent de compléments du nom.

(Gr. § 123)

1. Quel est le chanteur *dont* les disques se vendent le mieux pour le moment ? — 2. Du cuir d'*autrui* large courroie. (Proverbe.) — 3. Dites-moi de *qui* vous souhaitez la collaboration. — 4. Faites attention à ce vase : vous *en* connaissez la valeur. — 5. Vois sur ces canaux / Dormir ces vaisseaux / *Dont* l'humeur est vagabonde. (Baudelaire.) — 6. Il avait été plus imprudent que criminel, ayant été roulé par un ancien élève à *lui* auquel il avait donné des leçons de clarinette. (Apollinaire.)

116. — Ajouter aux noms suivants un complément prépositionnel.

(Gr. § 118)

a) 1. Le hennissement *du cheval.* — 2. Le rugissement *du lion.* — 3. Le croassement *du corbeau.* — 4. Le coassement *de la grenouille.* — 5. Le bêlement *du mouton.* — 6. Le hululement *de la chouette.* — 7. Le beuglement *de la vache.* — 8. Le brame *du cerf.*

b) 1. Une meute *de chiens.* — 2. Un troupeau *de moutons.* — 3. Une harde *de daims.* — 4. Un paquet *de lettres.* — 5. Une botte *de poireaux.* — 6. Une gerbe *de fleurs.* — 7. Une corbeille *de fruits.* — 8. Un panier *d'œufs.*

c) 1. La cabane *du braconnier.* — 2. La roulotte *des gitans.* — 3. La tente *des nomades.* — 4. La caravane *des vacanciers.* — 5. La baraque *des forains.* — 6. La guérite *du soldat.* — 7. La cabine *du navire.* — 8. La loge *de la concierge.*

117. — Mettre au singulier ou au pluriel le nom en italiques.

(Gr. § 118)

1. Un conte de *fées.* — 2. Des cours d'*eau.* — 3. Des poignées de *main.* — 4. Une ville d'*eaux.* — 5. Du papier à *lettres.* — 6. Des cartes de *visite.* — 7. Des jaunes d'*œufs.* — 8. Un fruit à *pépins.* — 9. Des coups de *fusil.* — 10. Des pères de *famille.* — 11. Un état de *choses.*

118. — Relever les propositions qui servent de compléments du nom. Distinguer les propositions relatives des propositions conjonctives.

(Gr. § 118)

N.B. — Les propositions conjonctives sont en gras.

a) 1. Pour rentrer chez moi, je préfère le chemin *qui longe la rivière.* — 2. L'enfant pleurait en regardant l'assiette *qu'il avait laissée tomber* et *qui était en mille morceaux.* — 3. Je ne connais aucune des personnes *dont vous parlez.* — 4. Les danses *qui sont à la mode* se renouvellent sans cesse. — 5. Tintin escalade avec facilité le peuplier *où la pie a construit son nid, / dans lequel se trouve le bijou disparu.*

b) 1. J'avais la conviction intérieure — pour ainsi dire une certitude — **que rien n'était modifié.** (R. Martin du Gard.) — 2. Laissant rentrer dans l'ombre de vastes et affreux buffets *qui ont connu le passage de plusieurs familles de directeurs,* il aime doucement les trois fauteuils *qui proviennent du temps de sa sœur* et *qui sont disposés autour d'une table ronde / où le couvert est dressé près d'une fenêtre.* (M. Thiry.) — 3. Je ne sais quelle profonde tristesse habitait mon âme, mais ce n'était autre chose que la pensée cruelle **que je n'étais pas aimé.** (Nerval.)

119. — Faire des phrases où les noms suivants sont accompagnés d'une proposition complément.

(Gr. § 118)

1. **Le club.** Le club de tennis *dont je fais partie* organise un tournoi chaque année. — 2. **Ma mère.** Ma mère, *qui adore cuisiner,* nous prépare souvent de beaux gâteaux. — 3. **Le château.** Le château *dont nous souhaitons la restauration* date du moyen âge. — 4. **La curiosité.** La curiosité *que tu manifestes* est exagérée. —

5. **Les étoiles.** Les étoiles *que tu aperçois* ne sont visibles que dans notre hémisphère. — 6. **La piscine.** La piscine *que nous fréquentons habituellement* est fermée. — 7. **Napoléon.** Napoléon, *qui perdit la bataille de Waterloo,* mourut en exil.

120. — Relever les compléments des pronoms.   (Gr. § 124)

N.B. — Les pronoms sont en caractères gras ; les compléments sont en italiques.

1. **Qui** *de vous* connaît la réponse ? — 2. La bibliothécaire passe beaucoup de temps à remettre **chacun** *des livres* à sa place. — 3. J'ai raté le train de neuf heures, et j'ai dû prendre **celui** *de dix heures.* — 4. **Plusieurs** *de mes amis* m'ont déconseillé de me mettre au rugby. — 5. **Celle** *de ses amies / qu'elle préférait* lui tourna le dos.

121. — Relever les éléments subordonnés aux adjectifs.   (Gr. § 125)

N.B. — Les adjectifs sont en caractères gras ; les compléments sont en italiques.

a) 1. Nos parents sont *très* **contents** *de nos succès.* — 2. Cet homme est **capable** *de tout.* — 3. **Inquiète** *de ne pas voir rentrer son fils,* la mère soulevait sans cesse le rideau de la fenêtre. — 4. Il regarda longuement son dessin, *dont* il était *fort* **satisfait.** — 5. Le professeur ne savait plus où mettre ses livres, car la maison *en* était **pleine** ; même sa chambre à coucher était **pareille** *à une librairie.*

b) 1. Les nuages sont **las** *de leurs voyages sombres.* (Verhaeren.) — 2. Il s'était assis au bord de la route, plus **tranquille** *d'être là,* voyant venir le danger, *tout* **prêt** *à rentrer d'un saut* et *à défendre sa maison.* (Zola.) — 3. La vache n'était pas *moins* **curieuse** *de tout ce qu'elle apercevait derrière les vitres du buffet.* Surtout, elle ne pouvait détacher son regard d'un fromage et d'un pot de lait, qui lui firent murmurer à plusieurs reprises : « Je comprends maintenant, je comprends... » (M. Aymé.)

122. — Faire des phrases où les adjectifs suivants sont accompagnés d'un complément.   (Gr. § 125)

1. **Difficile.** Vous vous êtes fixé un but difficile *à atteindre.* — 2. **Fort.** Mon frère est fort *en mathématique.* — 3. **Parallèle.** Tracez une droite parallèle *à celle-ci.* — 4. **Imbu.** Ce directeur est imbu *de sa personne.* — 5. **Attentif.** Sois attentif *à mes explications.* — 6. **Agréable.** Un visage souriant est agréable *à regarder.* — 7. **Semblable.** Ton écriture est semblable *à la mienne.* — 8. **Apte.** Penses-tu qu'il soit apte *à remplir cette fonction* ?

123. — Relever les éléments subordonnés aux adverbes, aux prépositions, aux conjonctions de subordination, aux mots-phrases.

(Gr. §§ 126-129)

a) 1. Merci *de m'avoir répondu* (subord. au mot-phrase *merci*) *si* (subord. à l'adv. *rapidement*) rapidement. — 2. Venez me parler *immédiatement* (subord. à la prépos. *après*) après le cours. — 3. Qui ne ménage pas sa monture ne saurait aller *bien* (subord. à l'adv. *loin*) loin. — 4. Pris de peur, l'enfant se serrait *tout* (subord. à la prépos. *contre*) contre sa mère. — 5. Il veut toujours agir différemment *des autres* (subord. à l'adv. *différemment*).

b) 1. Bravo *pour votre résultat* (subord. au mot-phrase *bravo*) ! — 2. *Longtemps* (subord. à la conj. de subord. *après que*) après que le soleil eut disparu à l'horizon, des nuages dans le haut du ciel gardèrent une teinte rougeâtre. — 3. Malheureusement *pour nous* (subord. à l'adv. *malheureusement*), nos projets sont à l'eau. — 4. Zazie ne voulait pas voyager dans Paris autrement *qu'en métro* (subord. à l'adv. *autrement*). — 5. Je ne puis pas dormir ailleurs *que dans mon lit* (subord. à l'adv. *ailleurs*). — 6. Les gamins, vêtus pareillement *à leurs papas* (subord. à l'adv. *pareillement*), semblaient incommodés par leurs habits neufs. (Flaubert.)

MOTS-OUTILS, ÉLÉMENTS REDONDANTS, ÉLÉMENTS INCIDENTS

124. — Relever les mots (ou locutions) de liaison, en distinguant les prépositions, les conjonctions de subordination et les conjonctions de coordination.

(Gr. § 130)

a) 1. *Depuis que* (conj. de subord.) l'usine est fermée, la file s'est allongée *au* (la prépos. *à* est incluse dans l'article contracté *au*) bureau *de* (prépos.) chômage. — 2. *Chez* (prépos.) les phoques *et* (conj. de coord.) *chez* (prépos.) les autres pinnipèdes, on peut observer la transformation *des* (la prépos. *de* est incluse dans l'article contracté *des*) quatre pattes *en* (prépos.) nageoires. — 3. La Suisse *et* (conj. de coord.) la Suède sont restées neutres *pendant* (prépos.) la dernière guerre. — 4. Ferme la fenêtre *ou* (conj. de coord.) la porte, *car* (conj. de coord.) il y a un courant *d'* (prépos.) air, *et* (conj. de coord.) tu risques *de* (prépos.) t'enrhumer. — 5. *Quand* (conj. de subord.) Pierrot reçut *de* (prépos.) ses parents une carabine *à* (prépos.) air comprimé, il tua le jardinier plusieurs fois *par* (prépos.) jour.

b) 1. Les souvenirs touffus *et* (conj. de coord.) la douce déraison *des* (la prépos. *de* est incluse dans l'article contracté *des*) enfances paysannes, en vain les chercherais-je *en* (prépos.) moi. Je n'ai jamais gratté la terre *ni* (conj. de coord.) quêté des nids, je n'ai pas herborisé *ni* (conj. de coord.) lancé des pierres *aux* (la prép. *à* est incluse dans l'article contracté *aux*) oiseaux. *Mais* (conj. de coord.) les livres ont été mes oiseaux *et* (conj. de coord.) mes nids, mes bêtes domestiques, mon étable *et* (conj. de coord.) ma campagne. (Sartre.) — 2. Il y a des vols *d'* (prépos.) étoiles posés *dans* (prépos.) les branches *de* (prépos.) tous les grands arbres ; *si* (conj. de subord.) nous allons *en* (prépos.) pleins champs, nous les voyons s'abattre *sur* (prépos.) l'horizon même, *et* (conj. de coord.) *si* (conj. de subord.) nous passons *dans* (prépos.) une rue *de* (prépos.) village, nous les surprenons jaillissant *des* (la prépos. *de* est incluse dans l'article contracté *des*) cheminées, *comme* (conj. de subord.) des étincelles. (M. Gevers.)

*125. — Relever les éléments redondants, avec commentaire (niveau de langue, justification). (Gr. § 131)

a) 1. *Moi,* je suis content de mon sort. (En principe, besoin d'expressivité, mais dans la langue parlée, souvent redondance mécanique ; *je* est repris sous la forme d'un pronom personnel disjoint.) — 2. Que me font, *à moi,* toutes ces critiques ? (Besoin d'expressivité ; *me* est repris sous la forme d'un pronom personnel disjoint.) — 3. Peut-être la vérité se saura-t-*elle* un jour. (Redondance du sujet qui appartient à l'usage normal après *peut-être.*) — 4. Quand cette leçon finira-t-*elle* ? (Redondance du sujet qui appartient à l'usage normal dans l'interrogation.) — 5. Se déchirer comme ça, *c'*est honteux à ton âge ! (Redondance du sujet qui appartient à l'usage normal quand le sujet est un infinitif.) — 6. *En* aura-t-il dit, des paroles inutiles ! (Besoin d'expressivité ; *des paroles inutiles* est repris sous la forme du pronom *en.*) — 7. Tout cela, elle *le* lui pardonnait. (Besoin d'expressivité ; *tout cela* est mis en évidence au début de la phrase et le pronom personnel *le* occupe la place normale de ce terme.)

b) 1. À ceux qui ignorent, enseignez-*leur* le plus de choses que vous pourrez. (Hugo.) (Besoin d'expressivité ; *à ceux qui ignorent* est mis en évidence au début de la phrase et le pronom *leur* occupe la place normale de ce terme.) — 2. Où tu vas j'*y* serai toujours / Jusques au dernier de tes jours / Où j'irai m'asseoir sur ta pierre. (Musset.) (Besoin d'expressivité ; *où tu vas* est mis en évidence au début de la phrase et le pronom *y* occupe la place normale de ce terme.) — 3. Crois-tu donc que les rois *à moi* me sont sacrés ? (Hugo.) (Besoin d'expressivité ; *me* est repris sous la forme d'un pronom personnel disjoint.) — 4. Ces matinées ténébreuses de l'hiver, qu'il *les* haïssait ! (Fr. Mauriac.) (Besoin d'expressivité ; *ces matinées ténébreuses de l'hiver* est mis en évidence au début de la phrase et le pronom *les* occupe la place normale de ce terme.) — 5. Comme *elle* chante / Dans ma voix, / L'âme longtemps murmurante / Des fontaines et des bois ! (Ch. Van Lerberghe.) (Besoin d'expressivité ; *L'âme longtemps murmurante* est mis en évidence à

la fin de la phrase et le pronom personnel *elle* occupe la place normale de ce terme.) — 6. Je *l'*aurais bien donné aux requins à bouffer, *moi*, le commandant Pinçon ! (Céline.) (Besoin d'expressivité ; *le
commandant Pinçon* est mis en évidence à la fin de la phrase et le
pronom personnel *l'* occupe la place normale de ce terme, tandis que
je est repris sous la forme d'un pronom personnel disjoint ; cette
accumulation de redondances est imitée de la langue populaire.)

*126. — Relever les éléments libres, en distinguant les mots mis en
apostrophe et les éléments incidents. (Gr. § 132)

N.B. — Les éléments incidents sont en italiques et les mots mis en
apostrophe sont en gras.

a) 1. Les poules, *dit un proverbe plaisant,* pondent par le bec. —
2. **Madame,** quelle heure est-il ? — 3. Vous aurez encore, *bien sûr,*
oublié de faire votre devoir. — 4. Je me demande encore, *à vrai dire*,
comment j'y suis parvenu. — 5. C'est toi, *n'est-ce pas ?* qui as cassé
le carreau. — 6. Vas-tu te taire, *nom d'un chien !* quand je parle ? —
7. Un peu de patience vous aiderait, *je crois*, à vaincre les difficultés.
— 8. Alexandre, *rapporte-t-on,* vint voir le philosophe Diogène. Il le
trouva étendu au soleil. « **Diogène**, que désires-tu, *lui demanda-t-il,*
que je fasse pour toi ? — Que tu t'ôtes, *répondit le philosophe,* de
mon soleil. »

b) 1. **Lune,** quel esprit sombre / Promène au bout d'un fil, /
Dans l'ombre, / Ta face et ton profil ? (Musset.) — 2. Les nobles et
le clergé ne sont pas automatiquement, *tant s'en faut,* solidaires des
bourgeoisies urbaines contre les campagnards. (Le Roy Ladurie.) —
3. Il faut que l'herbe pousse et que les enfants meurent ; / Je le sais,
ô mon Dieu ! (Hugo.) — 4. Musset a de la facilité. Son œuvre s'en
ressent, *bien sûr.* (Pompidou.) — 5. Un soir, *t'en souvient-il ?* nous
voguions en silence. (Lamartine.)

127. — Composer des phrases dans lesquelles les mots ou syntagmes
proposés ci-dessous sont des éléments incidents à l'intérieur d'une phrase.
(Gr. § 132)

1. **Cria-t-il.** Ouvre vite la fenêtre, *cria-t-il.* — 2. **Disait mon
grand-père.** On n'est jamais mieux servi que par soi-même, *disait
mon grand-père.* — 3. **Malheureusement.** Aucun blessé, *malheureusement,* ne survivra. — 4. **À coup sûr.** Entraînés comme vous
l'êtes, vous réussirez *à coup sûr.* — 5. **Semble-t-il.** Il pleut, *semble-
t-il,* de ce côté-ci de la montagne. — 6. **Que je sache.** Personne n'a
téléphoné, *que je sache.*

LES DIVERS TYPES DE PHRASES

128. — Justifier la place des sujets en italiques. (Gr. § 134)

a) 1. Peut-être va-t-*il* nager ce soir. (La phrase commence par *peut-être*.) — 2. Ci-gît *Pierre Dupont*. (Épitaphe ; formule figée.) — 3. A beau mentir *qui vient de loin*. (Proverbe ; langue archaïque.) — 4. Vous partirez aujourd'hui même : telle est *ma décision*. (L'attribut est en tête de phrase.) — 5. Toujours est-*il* que le congé ne sera pas accordé. (Inversion obligatoire dans cette expression.) — 6. Nombreux sont *les noms de familles issus d'anciens prénoms*. (L'attribut est en tête de phrase.)

b) 1. Tant va *la cruche* à l'eau que se tarit la source. (A. Chavée.) (Proverbe ; langue archaïque.) — 2. Si je n'ai pu, hélas ! avancer bien loin dans la voie de la perfection, au moins ai-*je* maintenu ma ligne de résistance morale. (Bernanos.) (Malgré la présence de la propos. de condition, on peut dire que la phrase commence par *au moins*.) — 3. Amères sont *les larmes qu'on verse à vingt ans*. (J. Green.) (L'attribut est en tête de phrase.) — 4. De la poche ventrale de leurs tabliers, comme celle d'un kangourou, dépassent *des boucles de ciseaux*. (Cl. Simon.) (La phrase commence par un compl. adverbial de lieu.) — 5. Sont « aliénés » *un adolescent opprimé, une femme mal mariée, un ouvrier astreint à un travail ingrat, un homme en proie à une vive souffrance physique, etc.* (A. Fabre-Luce.) (Le sujet est une énumération.)

129. — Composer cinq phrases déclaratives où le sujet est placé après le verbe. (Gr. § 134)

1. Rira bien *qui rira le dernier.* — 2. Rares sont chez nous *les jours sans pluie.* — 3. Ainsi finit *l'histoire.* — 4. Peut-être te verrons-*nous* ce soir. — 5. Dans la partie gauche du tableau se profile *une silhouette.*

130. — Distinguer les interrogations globales et les interrogations partielles. (Gr. § 136)

N.B. — Les interrogations globales sont en italiques, les interrogations partielles en romains.

a) 1. *Jouez-vous souvent au tennis ?* — 2. Quand jouez-vous au tennis ? — 3. Comment s'appellent les habitants de votre ville ? — 4. Bijou *prend-il un* x *ou un* s *au pluriel ?* — 5. Quel est le pluriel de *piédestal* ? — 6. *Faut-il accepter avec philosophie qu'il y ait des riches et des pauvres ?* — 7. *Savez-vous comment on prépare une sauce béchamel ?* — 8. Où aller en vacances ?

b) 1. Qu'as-tu fait, ô toi que voilà / Pleurant sans cesse, / Dis, qu'as-tu fait, toi que voilà, / De ta jeunesse ? (Verlaine.) — 2. *Si la* *justice se sait infirme, ne conviendrait-il pas qu'elle se montrât modeste, et qu'elle laissât autour de ses sentences une marge suffisante pour que l'erreur éventuelle pût être réparée ?* (A. Camus.) — 3. Qu'est-ce qu'un adulte ? Un enfant gonflé d'âge. (S. de Beauvoir.) — 4. *Et moi, pauvre homme ! aurai-je assez de clairvoyance, de fermeté, d'habileté, pour maîtriser jusqu'au bout les épreuves ?* (De Gaulle.) — 5. Comment vivre sans inconnu devant soi ? (R. Char.) — 6. Et ça, demande le type, ça vaut combien ? (Queneau.)

131. — Composer une interrogation globale et une interrogation partielle sur chacun des thèmes suivants. (Gr. § 136)

1. **Le verglas.** a) Avez-vous eu du verglas dans votre région ? b) Quand le verglas s'est-il généralisé ? — 2. **L'éléphant.** a) Y a-t-il des éléphants en Asie ? b) Comment s'appelle le petit de l'éléphant ? — 3. **Le terrain de football.** a) Va-t-on aménager le terrain de football ? b) Quelles sont les dimensions d'un terrain de football ? — 4. **La moustache.** a) Votre père porte-t-il une moustache ? b) Quel est le célèbre héros de bande dessinée qui porte une moustache ? — 5. **Les concombres.** a) Aimez-vous les concombres ? b) Comment assaisonnez-vous les concombres ?

132. — Transformer en phrases interrogatives les phrases déclaratives suivantes, en recourant si possible chaque fois à trois procédés différents (dont le niveau de langue sera précisé). (Gr. §§ 138-140)

a) 1. **Il pleut.** Pleut-il ? Est-ce qu'il pleut ? Il pleut ? — 2. **L'église doit être repeinte.** L'église doit-elle être repeinte ? Est-ce que l'église doit être repeinte ? L'église doit être repeinte ? — 3. **J'ai envie d'aller me promener.** — Ai-je envie d'aller me promener ? Est-ce que j'ai envie d'aller me promener ? J'ai envie d'aller me promener ? — 4. **Les pigeons font de gros dégâts aux bâtiments publics.** Les pigeons font-ils de gros dégâts aux bâtiments publics ? Est-ce que les pigeons font de gros dégâts aux bâtiments publics ? Les pigeons font de gros dégâts aux bâtiments publics ? — 5. **Son raisonnement vous convainc sans peine.** Son raisonnement vous convainc-t-il sans peine ? Est-ce que son raisonnement vous convainc sans peine ? Son raisonnement vous convainc sans peine ?

b) 1. **Je termine mon travail avant le repas.** Terminé-je mon travail avant le repas ? Est-ce que je termine mon travail avant le repas ? Je termine mon travail avant le repas ? — 2. **On a été cambrioler la bijouterie du coin.** A-t-on été cambrioler la bijouterie du coin ? Est-ce qu'on a été cambrioler la bijouterie du coin ? On a été cambrioler la bijouterie du coin ? — 3. **Il neigera cette semaine.** Neigera-t-il cette semaine ? Est-ce qu'il neigera cette

semaine ? Il neigera cette semaine ? — 4. **Je prends ma bicyclette.** Est-ce que je prends ma bicyclette ? Je prends ma bicyclette ? — 5. **Les gens bien portants sont des malades qui
s'ignorent. (J. Romains.)** Les gens bien portants sont-ils des
malades qui s'ignorent ? Est-ce que les gens bien portants sont des
malades qui s'ignorent ? Les gens bien portants sont des malades qui
s'ignorent ?

Dans la langue soignée, surtout écrite, l'interrogation se marque
par l'inversion du sujet (lorsque c'est un pronom personnel, *ce* ou
on) ou la reprise du sujet par un pronom. Lorsque le pronom sujet
est *je,* si le verbe se termine par *e* muet, ce tour appartient à la langue
recherchée. — Dans la langue courante, surtout parlée, on emploie
l'introducteur *est-ce que* (ou *...qui*). — La langue courante, surtout
parlée, se contente souvent de marquer l'interrogation par l'intonation.

133. — En utilisant les mots interrogatifs suivants, composer chaque
fois deux phrases interrogatives de type différent, en indiquant le niveau
de langue.   (Gr. §§ 138-140)

1. **Quand.** a) *Quand* viens-tu ? b) *Quand* est-ce que tu viens ?
— 2. **Qui.** a) *Qui* parle ? b) *Qui* est-ce qui parle ? — 3. **Où.** *Où*
vas-tu ? *Où* est-ce que tu vas ? — 4. **Quel.** À *quel* âge avez-vous
appris à conduire ? b) À *quel* âge est-ce que vous avez appris à conduire ? — 5. **Comment.** a) *Comment* faut-il écrire ce mot ?
b) *Comment* est-ce qu'il faut écrire ce mot ? — 6. **Lequel.** a) De
tous ces livres, *lequel* préférez-vous ? b) De tous ces livres, *lequel*
est-ce que vous préférez ? — 7. **Pourquoi.** a) *Pourquoi* ne dis-tu
rien ? b) *Pourquoi* est-ce que tu ne dis rien ? — 8. **Quoi.** a) À *quoi*
penses-tu ? b) À *quoi* est-ce que tu penses ?

Les premières phrases relèvent de la langue soignée, souvent
écrite ; les secondes, de la langue courante, surtout parlée.

134. — Rédiger les phrases interrogatives (cinq au moins) permet-
tant d'interviewer les personnes suivantes.   (Gr. §§ 138-140)

a) Un champion cycliste.

b) Un romancier.

c) Un apiculteur.

d) Un collectionneur de timbres.

135. — Les phrases interrogatives suivantes sont empruntées à deux livres : *Adolphe*, un roman psychologique de Benjamin Constant (1816) ; *L'écume des jours*, un roman fantaisiste de Boris Vian (1947). Analyser les procédés interrogatifs de l'un et l'autre texte. Donner aux phrases interrogatives de Vian la forme « classique ».   (Gr. §§ 138-140)

a) « *Que craignez-vous ?* repris-je. *Qu'est-ce que j'exige ?* Ce que vous accordez à tous les indifférents ! *Est-ce le monde que vous redoutez ?* Ce monde, absorbé dans ses frivolités solennelles, ne lira pas dans un cœur tel que le mien. *Comment ne serais-je pas prudent ? N'y va-t-il pas de ma vie ?* »

Quatre fois sur cinq, Constant emploie le tour soigné, avec inversion du pronom personnel sujet ou de *ce* sujet. Il recourt une fois à l'introducteur *est-ce que,* mais le pronom est *je* et le verbe se termine par *e* ; il a évité le tour très recherché *Qu'exigé-je ?*

b) — *On peint tout en jaune ?* dit Joseph.
— Avec des raies violettes, dit le Bedon. (...)
— *Il y a combien de musiciens ?* demanda le Chuiche.
— Septante-trois, dit le Bedon. (...)
— *Il y aura du monde ?* interrogea le Bedon.
— Beaucoup ! dit le Chuiche.

Vian, dans ces exemples, n'emploie pas l'inversion des pronoms personnels et de *on* sujets ; dans le 1er et le 3e, les interrogations globales ne sont marquées que par l'intonation ; dans le 2e, on a une interrogation partielle, mais le syntagme dont fait partie le mot interrogatif n'est pas en tête de la phrase. Vian suit l'usage de la langue familière d'aujourd'hui. Formes classiques : *Peint-on tout en jaune ? Combien y a-t-il de musiciens ? Y aura-t-il du monde ?*

136. — Phrases à remettre en français soigné.   (Gr. §§ 138-140)

1. Quand c'est qu'elle va finir, cette grève ? / *Quand cette grève va-t-elle finir ?* — 2. Où ç'qu'il est, votre frère ? / *Où est votre frère ?* — 3. Pourquoi donc que vous ne répondez pas vous-même ? / *Pourquoi ne répondez-vous pas vous-même ?* — 4. Où t'as vu ça, toi ? / *Où as-tu vu cela ?*

137. — Relever tout ce qui permet de reconnaître les phrases suivantes comme exclamatives.   (Gr. §§ 141-142)

a) 1. *Comme* je suis content de vous revoir ! (Adv. exclamatif ; point d'exclamation.) — 2. Excellent, votre vin ! (Point d'exclamation ; phrase non verbale ; prédicat placé avant le sujet.) — 3. *Quel* beau film j'ai vu hier à la télévision ! (Déterminant exclamatif ; point d'exclamation.) — 4. Je ne l'avais pas reconnue. Suis-*je* distraite ! (Inversion du pronom personnel sujet ; point d'exclamation.) —

5. *Qu'est-ce qu'* elle a pleuré en apprenant la mort de son fils !
(Locution adverbiale exclamative ; point d'exclamation.) — 6. Votre
maison, *elle* est *si* jolie avec sa clématite ! (Mise en relief et reprise
du sujet ; adverbe de degré sans proposition corrélative ; point d'exclamation.)

b) 1. *Ah* ! *que* la Vie est quotidienne... (Laforgue.) (Mot-phrase
affectif ; point d'exclamation ; adverbe exclamatif.) — 2. Arithmétique ! algèbre ! géométrie ! trinité grandiose ! (Lautréamont.) (Points
d'exclamation ; phrase non verbale.) — 3. Nous serions dans de
beaux draps si j'avais suivi François ! (M. Druon.) (Point d'exclamation.) — 4. *Combien* il se sentait petit, débile, écrasé *!* (Barrès.)
(Adverbe exlamatif ; point d'exclamation.) — 5. Mettre mon chien à
la porte de l'église ! (...) Un chien qui est un modèle de tenue ! Un
chien qui se lève et s'assied en même temps que tous vos fidèles !
(Colette.) (Points d'exclamation ; phrases non verbales.)

138. — Composer des phrases exclamatives sur les thèmes suivants.

(Gr. §§ 141-142)

a) Un accident de voiture. 1. Ah ! que de blessés dans cette
collision ! — 2. Combien il avait eu peur en voyant le cycliste
blessé !

b) La mer. 1. La mer, elle est si jolie en été ! — 2. La mer ! la
plage ! le soleil ! les vacances !

c) Le grenier. 1. Ranger le grenier ! quelle entreprise ! —
2. Que de trésors dans les malles du grenier !

d) Les astronautes. 1. Quels exploits accomplissent les astronautes ! — 2. Marcher sur la lune ! quelle idée folle pour nos ancêtres !

139. — Distinguer les phrases impératives et les phrases optatives.

(Gr. §§ 143-144)

N.B. — Les phrases optatives sont en italiques ; les autres en
romains.

1. *Pourvu qu'il fasse beau demain !* — 2. N'oublie pas de rapporter un litre de vinaigre. — 3. Veuillez agréer, Monsieur le Directeur,
mes salutations très distinguées. — 4. *Bonne chance !* — 5. *Dieu
vous bénisse !* dit-on à celui qui éternue. — 6. Sois sage, ô ma Douleur, et tiens-toi plus tranquille. (Baudelaire.) — 7. Qui a des oreilles
pour entendre entende ! — 8. *Puissé-je ne pas me tromper.* —
9. Qu'ils viennent immédiatement !

140. — Sur chacun des thèmes suivants, composer un texte comprenant cinq phrases impératives au moins, avec des verbes différents, à la 2ᵉ personne du singulier. Mettre ensuite ces verbes à la 2ᵉ personne du pluriel. (Gr. §§ 143-144)

a) Description d'un itinéraire.

b) Comment on fait une omelette.

c) Comment on répare un pneu crevé.

d) Comment bien se tenir à table.

141. — Pour quelle raison a-t-on eu recours à la phrase non verbale dans les textes suivants ? (Gr. § 145)

1. Entrée interdite. (inscription) — 2. Victoire de Saint-Etienne en coupe de France. (titre de journal) — 3. Au secours ! (exclamation) — 4. À bon vin point d'enseigne. (proverbe) — 5. Quelle voiture nerveuse ! (exclamation) — 6. Quand viendrez-vous nous voir ? Samedi ou dimanche ? (ellipse occasionnelle) — 7. Bonjour (mot-phrase), Monsieur le Curé. — 8. Usage externe. (notice) — 9. Tout autour de la salle, un long couloir, obscur, sans parquet. (description présentée comme une esquisse) (A. Daudet.)

142. — Décrire dans une ou plusieurs phrases non verbales (voir l'exemple de Daudet, nº 9 de l'exercice précédent) : (Gr. § 145)

a) Une forêt.

b) Un chantier de construction.

c) L'intérieur d'une boîte à outils.

d) Un cycliste débutant.

STYLE DIRECT ET STYLE INDIRECT

*143. — Distinguer les passages en style direct, en style indirect libre, en style indirect lié. (Gr. §§ 147-150)

a) 1. Joubert disait : « *Ferme les yeux et tu verras.* » (st. dir.) — 2. Les médecins ont souvent répété *que la persévérance, dans la plupart des cures, est une condition de succès* (st. indir. lié). — 3. Un proverbe dit *que la faim chasse le loup du bois* (st. indir. lié). — 4. *Bonté divine !* dit M. Seguin ; *mais qu'est-ce qu'on leur fait donc à mes chèvres ?* (st. dir.) (A. Daudet.) — 5. Éric réfléchissait : *Peut-être ferait-il mieux d'accepter la proposition* (st. indir. libre). — 6. Godefroid de Bouillon déclara *qu'il ne voulait pas porter une cou-*

ronne d'or là où le Sauveur avait porté une couronne d'épines (st. indir. lié).

b) Dans les couloirs de la maison, Rieux regarda machinalement vers les recoins et demanda à Grand *si les rats avaient totalement disparu de son quartier* (st. indir. lié). L'employé n'en savait rien. *On lui avait parlé en effet de cette histoire, mais il ne prêtait pas beaucoup d'attention aux bruits du quartier* (st. indir. libre).
— *J'ai d'autres soucis* (st. dir.), dit-il. (A. Camus.)

c) Dans la *Revue des deux Mondes,* il [le général Debeney] exposait avec autorité *que tout conflit européen serait tranché, en définitive, sur notre frontière du nord-est et que le problème consistait à tenir solidement celle-ci* (st. indir. lié). *Il ne voyait rien à changer aux lois, ni à la pratique, insistant seulement pour que l'on renforçât le système qui en était issu* (st. indir. libre). Le général Weygand intervenait à son tour dans la même *Revue des deux Mondes.* Admettant, à priori, *que ma conception séparerait l'armée en deux tronçons* (st. indir. lié) : *« À aucun prix, deux armées ! »* (st. dir.) protestait-il. (De Gaulle.)

*144. — Distinguer les passages en style direct et en style indirect libre. Relever les faits qui sont caractéristiques de l'un par rapport à l'autre. (Gr. §§ 147-150)

a) 1. Il annonça fièrement : *« Papa, j'achèterai une voiture le mois prochain. »* (St. dir. ; mot en apostrophe ; 1re pers. ; futur simple ; *prochain* ; emploi de guillemets.) — 2. Il envisageait l'avenir avec optimisme : *ayant terminé cette année-là ses études, il entrerait comme employé dans l'affaire de son oncle.* (St. indir. libre ; *là, ses, il,* conditionnel, *son.*) — 3. Il m'a raconté comment il avait connu sa femme : *« Au mariage de mon ami Yvon, j'étais assis à côté d'une de ses cousines. Nous avons longuement parlé et nous nous sommes aperçus que nous avions les mêmes goûts. »* (St. dir. ; 1re pers. du pronom pers., du verbe et du possessif ; passé composé ; emploi de guillemets.) — 4. Louis XIV l'a reconnu sur son lit de mort : *il avait eu le malheur de ne pouvoir maintenir la paix avec ses voisins et par conséquent de n'avoir pu soulager son peuple autant qu'il aurait fallu.* (St. indir. libre ; 3e pers. du pronom pers., du verbe et du possessif ; plus-que-parfait.)

b) 1. Lorsque don Cesare estimait qu'un de ses hommes avait assez répondu, il lui disait : *« Va-t-en. »* (St. dir. ; impér. ; 2e pers. ; emploi des guillemets.) Les policiers protestaient. *Ils avaient encore des questions à poser.* (R. Vailland.) (St. indir. libre ; 3e pers. ; indicatif imparfait.) — 2. *« Tout le monde va bien ici ? »* (St. dir. ; indic. prés. ; *ici* ; emploi des guillemets.) Gersinthe se lamenta : *M. Desbats, on croyait bien qu'il avait eu une petite attaque...* (Fr. Mauriac.) (St. indir. libre ; indic. imparfait et plus-que-parfait.) — 3. *« Ta mère n'est pas rentrée ? — Non pas encore. »* (St. dir. ; possessif de la 2e pers. ;

indic. prés. ; phrase non verbale ; emploi des guillemets et du tiret.)
*C'est absurde. Elle allait rentrer si tard qu'il n'aurait pas le temps de
lui parler avant le dîner. Qu'est-ce qu'il pourrait inventer pour expliquer provisoirement l'absence de Bernard ?* (A. Gide.) (St. indir.
libre ; 3ᵉ pers. ; indic. imparf. ; conditionnel. On attendrait : *C'était
absurde.*)

145. — Distinguer les interrogations directes ou indirectes, les
injonctions directes ou indirectes, les exclamations directes ou indirectes.
(Gr. §§ 147-149)

a) 1. *Où peut-on être mieux qu'au sein de sa famille ?* (interr.
dir.) (Marmontel.) — 2. Je ne sais pas *si vous m'avez compris*
(interr. indir.). — 3. *Dis-moi* (injonction dir.) *qui tu hantes* (interr.
indir.), je te dirai *qui tu es* (interr. ind.). — 4. *Qui sait* (interr. dir.)
ce que vous deviendrez plus tard (interr. indir.) ? — 5. *Venez me voir*
(injonction dir.) quand vous voulez. — 6. Il lui a demandé *de l'accompagner* (injonction indir.). — 7. Le chat avait l'air de supplier
qu'on le laisse rentrer (injonction indir.). — 8. Visitant Toulouse
inondée, le président Mac-Mahon trouva seulement à dire : *« Que
d'eau, que d'eau ! »* (exclam. dir.) — 9. J'admire *avec quelle ardeur
vous faites cet exercice* (exclam. indir.).

b) 1. Elle se retira, discrète, pour aller dire à Charlotte *d'attendre
un peu pour servir* (injonction indir.). (M. Butor.) — 2. On n'imagine pas *combien il faut d'esprit pour n'être pas ridicule* (exclam.
indir.). (Chamfort.) — 3. Ceci est pour moi temps de vigile et de
jeûne. — *Pourquoi ?* (interrog. dir.) fit-elle, cherchant vainement à se
rappeler *quel saint on fêtait au calendrier* (interr. indir.). (M. Yourcenar.)

146. — Mettre en style direct. (Gr. §§ 147-149)

a) 1. Chamfort a dit qu'il faut être juste avant d'être généreux,
comme on a des chemises avant d'avoir des dentelles. / *Chamfort a
dit : « Il faut être juste avant d'être généreux, comme on a des chemises avant d'avoir des dentelles. »* — 2. Dieu dit à Moïse qu'il frappât
le rocher et qu'il en jaillirait de l'eau. / *Dieu dit à Moïse : « Frappe
le rocher et il en jaillira de l'eau. »* — 3. Si quelqu'un affirme que l'on
peut réussir sans travailler, méfiez-vous de lui. / *Si quelqu'un
affirme : « On peut réussir sans travailler », méfiez-vous de lui.* — 4. Il
me cria de m'arrêter. / *Il me cria : « Arrête-toi ! »* — 5. Je répète à
Jean que son travail doit être achevé pour demain. / *Je répète à
Jean : « Ton travail doit être achevé pour demain. »*

b) D'énergiques protestations

L'oncle accusait Feuerbach d'être un égoïste, prêt à fléchir la tête
sous l'arrogance des Prussiens, qui traitaient le Palatinat et le Hund-

srück en pays conquis ; il s'écriait qu'il existait des lois à Mayence,
à Trèves, à Spire, aussi bien qu'en France ; que madame Thérèse
avait été laissée pour morte par les Autrichiens ; qu'on n'avait pas le
droit de réclamer les personnes et les choses abandonnées ; qu'elle
était libre ; qu'il ne souffrirait pas qu'on mît la main sur elle ; qu'il
protesterait ; qu'il avait pour ami le jurisconsulte Pfeffel, de Heidelberg ; qu'il écrirait, qu'il se défendrait, qu'il remuerait le ciel et la
terre ; qu'on verrait si Jacob Wagner se laisserait mener de la sorte ;
qu'on serait étonné de ce qu'un homme paisible était capable de
faire pour la justice et pour le droit.

ERCKMANN-CHATRIAN (Madame Thérèse).

L'oncle s'écriait : « Feuerbach, vous êtes un égoïste, prêt à fléchir
la tête sous l'arrogance des Prussiens, qui traitent le Palatinat et le
Hundsrück en pays conquis ; il existe des lois à Mayence, à Trèves,
à Spire, aussi bien qu'en France ; madame Thérèse a été laissée pour
morte par les Autrichiens ; on n'a pas le droit de réclamer les personnes et les choses abandonnées ; elle est libre ; je ne souffrirai pas
qu'on mette la main sur elle ; je protesterai ; j'ai pour ami le jurisconsulte Pfeffel, de Heidelberg ; j'écrirai, je me défendrai, je remuerai le
ciel et la terre ; on verra si Jacob Wagner se laissera mener de la
sorte ; on sera étonné de ce qu'un homme paisible est capable de
faire pour la justice et pour le droit. »

147. — Mettre en style indirect lié.   (Gr. §§ 147-149)

a) 1. Le directeur nous a dit : « Je vous donne congé pour après-
demain. » / *Le directeur nous a dit qu'il nous donnait congé pour
après-demain* (ou *pour demain* ou *pour le surlendemain,* selon le
moment considéré par le verbe *a dit*). — 2. Le proverbe l'affirme :
une hirondelle ne fait pas le printemps. / *Le proverbe affirme qu'une
hirondelle ne fait pas le printemps.* — 3. Jeanne d'Arc répondit :
« Les gens d'armes batailleront, et Dieu donnera la victoire. » /
*Jeanne d'Arc répondit que les gens d'armes batailleraient, et que
Dieu donnerait la victoire.* — 4. L'avare Harpagon, à qui on avait
volé sa cassette, criait : « Je suis perdu, je suis assassiné, on m'a
coupé la gorge : on m'a dérobé mon argent ! » / *L'avare Harpagon,
à qui on avait volé sa cassette, criait qu'il était perdu, qu'il était
assassiné, qu'on lui avait coupé la gorge : qu'on lui avait dérobé son
argent.* — 5. La mère a crié : « Jacques, Madeleine, rentrez : il va
pleuvoir ! » / *La mère a crié à Jacques et Madeleine qu'ils rentrent*
(ou *qu'ils rentrassent,* dans une langue recherchée) *parce qu'il allait
pleuvoir.* — 6. « Pierre sera-t-il arrivé avant que le soir tombe ? » se
demandait-il avec inquiétude. / *Il se demandait avec inquiétude si
Pierre serait arrivé avant que le soir tombât* (ou *tombe*).

b) 1. Je ne demande rien, capitaine, dit-il avec une voix aussi
douce que de coutume ; je serais désolé de vous faire manquer à vos
devoirs. (Vigny.) / *Avec une voix aussi douce que de coutume, il dit*

au capitaine qu'il ne demandait rien ; qu'il serait désolé de le faire manquer à ses devoirs. — 2. Il m'écrivit : « Avec quelle surprise j'ai découvert Paris tout autre que je ne l'imaginais jusqu'ici ! » / *Il m'écrivit qu'il avait découvert avec surprise Paris tout autre qu'il ne l'avait imaginé jusque-là.* — 3. « Je suis maître de moi, comme de l'univers », dit l'empereur Auguste dans une tragédie de Corneille. / *L'empereur Auguste dit, dans une tragédie de Corneille, qu'il est maître de lui, comme de l'univers.* — 4. Napoléon a déclaré après la bataille d'Austerlitz : « Soldats, je suis content de vous ! » / *Après la bataille d'Austerlitz, Napoléon a déclaré à ses soldats qu'il était content d'eux.* — 5. Ce n'est pas possible, m'écrivez-vous ; cela n'est pas français. (Napoléon.) / *Vous m'écrivez que cela n'est pas possible ; cela n'est pas français.* — 6. Inutile de chercher plus loin, lui dit-il lorsqu'elle fut près de lui. Ce sera celle-ci et pas une autre ! (P. Gascar.) / *Lorsqu'elle fut près de lui, il lui dit qu'il était inutile de chercher plus loin, que ce serait celle-là et pas une autre.*

148. — Phrases à compléter.   (Gr. §§ 147-149)

a) *En style direct* : 1. **Un chanteur que j'aime dit dans une de ses chansons** : « Elle est à toi cette chanson / Toi l'Auvergnat qui sans façon / M'as donné quatre bouts de pain / Quand dans ma vie il faisait faim. » — 2. **Un proverbe déclare** : « Les petits ruisseaux font les grandes rivières. » — 3. **Mon père affirme souvent** : « L'argent ne fait pas le bonheur. » — 4. **Je pensais ce matin en me levant** : « Nous aurons une belle journée. » — 5. **Un passant m'a demandé** : « Quelle heure est-il ? » — 6. **Le haut-parleur a annoncé** : « Le train entre en gare. »

b) *En style indirect lié* : 1. **Notre professeur nous répète souvent** qu'une leçon ne s'étudie pas la veille de l'interrogation. — 2. **Le bulletin météorologique annonçait hier** que le vent soufflerait fort à la côte cette semaine. — 3. **Le journal parlé a dit** que nous devrions bientôt voter. — 4. **Un homme prévoyant estime** qu'il faut toujours avoir des économies. — 5. **Le boulanger m'a demandé** si je préférais le pain blanc ou le gris. — 6. **Le caporal a commandé** que la troupe se rassemblât (ou *se rassemble*).

149. — Transformer les interrogations   (Gr. §§ 147-149)

a) *De façon à obtenir une interrogation indirecte.* 1. Ésope demanda : « Qu'y a-t-il de meilleur que la langue ? » / *Ésope demanda ce qu'il y avait de meilleur que la langue.* — 2. Elle se demanda : « Est-ce bien le moment de remplacer les pneus de ma voiture ? » / *Elle se demanda si c'était bien le moment de remplacer les pneus de sa voiture.* — 3. Qui n'a jamais fait des châteaux en Espagne ? / *On se demande qui n'a jamais fait des châteaux en Espagne.* — 4. « Pierre n'aurait-il pas encore perdu ses gants ? » se demandait-elle avec ennui. / *Elle se demandait avec ennui si Pierre* *n'avait pas encore perdu ses gants.* — 5. « Cette maison te plaît-elle ? » lui demanda son mari. / *Son mari lui demanda si cette maison lui plaisait.* — 6. Pourquoi le participe *ri* est-il toujours invariable ? / *Dis-moi pourquoi le participe* ri *est toujours invariable.* — 7. Où le président habite-t-il ? / *Dis-moi où le président habite* (ou *...où habite le président*).

b) *De façon à obtenir une interrogation directe.* 1. Vous demandez si je prendrai bientôt une décision. / *Vous demandez : « Prendrez-vous bientôt une décision ? »* — 2. Nous ignorons quel sera notre avenir. / *Quel sera notre avenir ? Nous l'ignorons.* — 3. Il m'avait demandé si je rentrerais le jour même. / *Il m'avait demandé : « Rentreras-tu aujourd'hui ? »* — 4. Elle voudrait savoir qui elle épousera. / *Elle se demande : « Qui épouserai-je ? »* — 5. La feuille morte se demandait où elle allait. / *La feuille morte se demandait : « Où vais-je ? »* — 6. Je ne sais pas où est né Walt Disney. / *Où est né Walt Disney ? Je ne le sais pas.* — 7. Il m'a demandé qui avait gagné le Tour de France l'année précédente. / *Il m'a demandé : « Qui a gagné le Tour de France l'année passée* (ou *dernière*) *? »*

150. — Transformer les phrases suivantes en style indirect lié.

(Gr. §§ 147-150)

1. Il avait, disait-il, quelqu'un à voir dans les environs. / *Il disait qu'il avait quelqu'un à voir dans les environs.* — 2. Je réfléchissais tristement : comment pouvais-je trouver la solution de ce problème. / *Je réfléchissais tristement, me demandant comment je pouvais trouver la solution de ce problème.* — 3. D'après une fable de La Fontaine, des députés du peuple rat vinrent trouver le rat retiré du monde et lui demandèrent quelque aumône légère : ils allaient en terre étrangère chercher du secours contre le peuple chat ; leur capitale Ratapolis était bloquée ; on les avait contraints de partir sans argent, attendu l'état indigent de la république attaquée ; ils demandaient fort peu, certains que le secours serait prêt dans quatre ou cinq jours. / *D'après une fable de La Fontaine, des députés du peuple rat vinrent trouver le rat retiré du monde et lui demandèrent quelque aumône légère, disant qu'ils allaient en terre étrangère chercher du secours contre le peuple chat ; que leur capitale Ratapolis était bloquée ; qu'on les avait contraints de partir sans argent, attendu l'état indigent de la république attaquée ; qu'ils demandaient fort peu, certains que le secours serait prêt dans quatre ou cinq jours.* — 4. Cette bonne Tante Louise vint prendre de nos nouvelles : elle avait appris nos embarras ; comment se serait-elle dispensée de nous faire une visite ? N'avait-elle pas bien des raisons de nous montrer son affection ? Elle s'offrait à nous aider de tout son pouvoir ; Dieu d'ailleurs nous soutiendrait. / *Cette bonne Tante Louise vint prendre de nos nouvelles, expliquant qu'elle avait appris nos embarras, qu'elle n'avait pas pu se dispenser de nous faire une visite ; qu'elle*

avait bien des raisons de nous montrer son affection ; qu'elle s'offrait à nous aider de tout son pouvoir ; que Dieu d'ailleurs nous soutiendrait.

*151. — Transformer les phrases suivantes en style indirect libre, puis en style direct. (Gr. §§ 148-150)

a) 1. Une femme se présenta à la porte et raconta que son mari était mort et qu'elle n'avait pas de quoi élever ses enfants. — Une femme se présenta à la porte et raconta : son mari était mort et elle n'avait pas de quoi élever ses enfants. — Une femme se présenta à la porte et raconta : « Mon mari est mort et je n'ai pas de quoi élever mes enfants. » — **2. Je rêvais que j'étais tout seul dans une île, que je devais me nourrir de baies et que j'avais peur des bêtes sauvages.** — Je rêvais : j'étais tout seul dans une île, je devais me nourrir de baies et j'avais peur des bêtes sauvages. — Je rêvais : « Je suis tout seul dans une île, je dois me nourrir de baies et j'ai peur des bêtes sauvages. » — **3. Zazie annonça qu'elle serait un jour institutrice et qu'elle ferait manger aux élèves l'éponge du tableau noir.** — Zazie annonça : elle serait un jour institutrice et elle ferait manger aux élèves l'éponge du tableau noir. — Zazie annonça : « Je serai un jour institutrice et je ferai manger aux élèves l'éponge du tableau noir. »

b) 1. Il se tournait et se retournait dans son lit et se disait que Jeanne devait guetter les bruits, par crainte d'une nouvelle syncope. (Simenon.) — Il se tournait et se retournait dans son lit et se disait : Jeanne devait guetter les bruits, par crainte d'une nouvelle syncope. — Il se tournait et se retournait dans son lit et se disait : « Jeanne doit guetter les bruits, par crainte d'une nouvelle syncope. » — **2. Il décida d'entretenir ce foyer en permanence, autant pour se réchauffer le cœur que pour ménager le briquet à silex qu'il avait retrouvé dans sa poche et pour se signaler à d'éventuels sauveteurs. (M. Tournier.)** — Il se décida : il entretiendrait ce foyer en permanence, autant pour se réchauffer le cœur que pour ménager le briquet à silex qu'il avait retrouvé dans sa poche et pour se signaler à d'éventuels sauveteurs. — Il décida : « J'entretiendrai ce foyer en permanence, autant pour me réchauffer le cœur que pour ménager le briquet à silex que j'ai retrouvé dans ma poche et pour me signaler à d'éventuels sauveteurs. » — **3. Il se demande ce que sera sa vie, s'il pourra jamais quitter ce Paris lugubre. (J. Cabanis.)** — Il se demande : que sera sa vie, pourra-t-il jamais quitter ce Paris lugubre ? — Il se demande : « Que sera ma vie ? Pourrai-je jamais quitter ce Paris lugubre ? »

*152. — Composer un texte, successivement en style direct, en style indirect lié, en style indirect libre, sur les thèmes suivants.

(Gr. §§ 147-150)

> **a)** Réflexions d'un joueur de football (ou d'un autre sportif) à la veille d'un grand match.
>
> **b)** Le plus ancien souvenir d'enfance.
>
> **c)** Si j'étais roi...

MISE EN RELIEF

153. — Dans les phrases suivantes, à quels procédés a-t-on eu recours pour la mise en relief ?   (Gr. § 152)

> **a)** 1. *C'est* trois fois par jour *qu'* Étienne consulte le baromètre. (Détachement en tête de phrase au moyen de l'introducteur *c'est ...que.*) — 2. *La marche,* pour Haroun Tazieff, *c'*est le plus vieux et le plus noble des sports. (Déplacement avec redondance : présence du pronom devant le verbe.) — 3. Je n'accepterai *jamais, jamais, jamais* ! (Redondance par reprise du même mot.) — 4. *L'ami le plus fidèle que l'homme puisse avoir, c'*est son chien. (Déplacement avec redondance : présence du pronom devant le verbe.) — 5. Délicieux, votre vin ! (Phrase exclamative, non verbale ; prédicat placé avant le sujet.) — 6. *Enfin,* vous arrivez ! (Déplacement du complément ; phrase exclamative.) — 7. C'est mon avis, *à moi.* (Redondance par addition d'un pronom disjoint.)
>
> **b)** 1. *Nous,* nous ne *l'* étions pas, peut-être, fatigués ? (E. Rostand.) (Redondance par addition d'un pronom disjoint ; redondance : *fatigués* est mis en évidence à la fin de la phrase et *le* occupe la place normale de ce terme.) — 2. Le moulin tourne au fond du soir, *très lentement,* / Sur un ciel de tristesse et de mélancolie ; / Il tourne et *tourne,* et sa voile, couleur de lie, / Est triste *et* faible *et* lourde *et* lasse, *infiniment.* (Verhaeren.) (Syntagme adverbial *très lentement* détaché ; redondance par reprise de *tourne* ; reprise de la conjonction *et* ; adv. *infiniment* détaché.) — 3. *Vide* est l'escalier, puis le hall. (Pieyre de Mandiargues.) (Déplacement de l'attribut.) — 4. Comment dire ? Soulagé et en même temps... (*il cherche*) ...épouvanté. (*Avec emphase*) *É-POU-VAN-TÉ.* (S. Beckett.) (Procédé phonétique : le mot est prononcé avec force et en détachant les syllabes.) — 5. *C'est* la nuit *qu'*il est beau de croire à la lumière ! (E. Rostand.) (Détachement en tête de phrase au moyen de l'introducteur *c'est...que.*) — 6. *L'objet véritable de son amour,* vous *le* connaîtrez si vous avez le courage d'entendre cet homme jusqu'au dernier aveu que la mort interrompt. (Fr. Mauriac.) (Détachement du complément essentiel, avec redondance : présence du pronom devant le verbe.)

154. — Mettre en relief les mots en italiques, si possible de plusieurs façons. 　　　　　　　　　　　　　　　　(Gr. § 152)

1. Les jours sereins sont *rares.* / Rares sont les jours sereins. Ils sont rares, les jours sereins. Les jours sereins sont d'une rareté ! — 2. Comment pourrais-je oublier *un tel bienfait*? / Un tel bienfait, comment pourrais-je l'oublier? — 3. Ce jour tant attendu *vint* enfin. / Vint enfin ce jour tant attendu. — 4. Je ne puis effacer *ce souvenir* de ma mémoire. / Ce souvenir, je ne puis l'effacer de ma mémoire. — 5. Défions-nous *des flatteurs qui nous accablent d'éloges.* Des flatteurs qui nous accablent d'éloges, défions-nous-en. — 6. Il faut être attentif *à la méthode* quand on étudie. / C'est à la méthode qu'il faut être attentif quand on étudie. — 7. Elle accomplit *en souriant* les tâches les plus difficiles. / C'est en souriant qu'elle accomplit les tâches les plus difficiles.

155. — Dans chacune des phrases suivantes, mettre successivement en relief, au moyen de *c'est...qui* ou de *c'est...que,* les divers éléments (sauf le verbe). 　　　　　　　　　　　　(Gr. § 152)

1. **Le professeur / se plaint / constamment / de votre négligence.** C'est le professeur qui se plaint constamment de votre négligence. C'est constamment que le professeur se plaint de votre négligence. C'est de votre négligence que le professeur se plaint constamment. — 2. **Nous / entreprendrons / ce travail / dans quelques jours.** C'est nous qui entreprendrons ce travail dans quelques jours. C'est ce travail que nous entreprendrons dans quelques jours. C'est dans quelques jours que nous entreprendrons ce travail. — 3. **Mon ami / a fait / pendant les vacances / un beau voyage / avec ses parents.** C'est mon ami qui a fait pendant les vacances un beau voyage avec ses parents. C'est pendant les vacances que mon ami a fait un beau voyage avec ses parents. C'est un beau voyage que mon ami a fait pendant les vacances avec ses parents. C'est avec ses parents que mon ami a fait un beau voyage pendant les vacances. — 4. **Les lapins / ont creusé / cette nuit / dans le talus / un profond terrier.** Ce sont les lapins qui ont creusé cette nuit dans le talus un profond terrier. C'est cette nuit que les lapins ont creusé dans le talus un profond terrier. C'est dans le talus que les lapins ont creusé cette nuit un profond terrier. C'est un profond terrier que les lapins ont creusé cette nuit dans le talus.

CHAPITRE III

Le nom

156. — Relever les noms, en indiquant leur genre et leur nombre.

(Gr. § 153)

a) Sécheresse

Cette *chaleur* (fém. sing.) est réellement anormale. Les *nuits* (fém. pl.) sont encore supportables, mais un *voile* (masc. sing.) d'*incendie* (masc. sing.) se lève avec le *matin* (masc. sing.). Un énorme *soleil* (masc. sing.), avide comme la *bouche* (fém. sing.) d'un *four* (masc. sing.), monte des *eaux* (fém. pl.) et emplit le *ciel* (masc. sing.). La *mer* (fém. sing.) n'est qu'une *fulguration* (fém. sing.) de *cuirasse* (fém. sing.) blanchie au *feu* (masc. sing.). De l'*aube* (fém. sing.) au *crépuscule* (masc. sing.), l'*île* (fém. sing.) baigne dans une *stupeur* (fém. sing.) d'*étuve* (fém. sing.), qui vide les *rues* (fém. pl.), plaque les *volets* (masc. pl.) sur les *fenêtres* (fém. pl.), et accroche des *grappes* (fém. pl.) d'*enfants* (masc. pl.) nus aux *mufles*[1] (masc. pl.) des *fontaines* (fém. pl.). Dans la *campagne* (fém. sing.), où la *terre* (fém. sing.) craque comme une *peau* (fém. sing.) gercée, les *bêtes* (fém. pl.) commencent à mourir. L'*eau* (fém. sing.) manque cruellement.

Charles BERTIN (Les jardins du désert, Flammarion, édit.).

b) 1. La meilleure *laine* (fém. sing.) provient des *moutons* (masc. pl.) de deux *ans* (masc. pl.). — 2. L'*irrigation* (fém. sing.) a pour *but* (masc. sing.) de suppléer à l'*insuffisance* (fém. sing.) des *pluies* (fém. pl.). — 3. L'*ours* (masc. sing.) en *peluche* (fém. sing.) des *enfants* (masc. pl.) ressemble au *koala* (masc. sing.), qui est un *marsupial* (masc. sing.) répandu en *Australie* (fém. sing.). — 4. *Pascal* (masc. sing.) a inventé la première *machine* (fém. sing.) à calculer. — 5. Comme la *neige* (fém. sing.) serait monotone si *Dieu* (masc. sing.) n'avait créé les *corbeaux* (masc. pl.) ! (J. Renard.)

---

1. *Mufle* : représentation de l'extrémité du museau de certains mammifères.

157. — Relever les mots, les groupes de mots, les éléments divers employés comme noms, alors que ce n'est pas leur nature ordinaire. Indiquer celle-ci. (Gr. § 153)

1. Pour l'excursion, le *rendez-vous* (verbe *se rendre* à l'impératif) était à huit heures du matin. — 2. Le *noir* (adjectif) va bien aux *blondes* (adjectif). — 3. Au *lever* (verbe à l'infinitif) du rideau, la scène représente une place du village, avec le lavoir sur la *droite* (adjectif). — 4. Un *merci* (mot-phrase) ne coûte rien. — 5. Un *tiens* (verbe à l'impératif présent) vaut mieux que deux *tu l'auras* (phrase). — 6. Le *mieux* (adverbe au superlatif) est l'ennemi du *bien* (adverbe). — 7. N'oubliez pas que *hernie* commence par un *h* (lettre) aspiré et *huissier* par un *h* (lettre) muet. — 8. Une patrie se compose des *morts* (participe passé) qui l'ont fondée aussi bien que des *vivants* (participe présent) qui la continuent. (Renan.)

158. — Indiquer les noms désignant : (Gr. § 153)

a) Celui qui : 1. Dort : *dormeur*. — 2. Installe : *installateur*. — 3. Surveille : *surveillant*. — 4. Programme : *programmateur*. — 5. Doit de l'argent à un autre : *débiteur*. — 6. Exécute (des morceaux de musique) : *exécutant*. — 7. Veille à l'exécution d'un testament : *exécuteur testamentaire*. — 8. Démolit : *démolisseur*. — 9. Torture : *tortionnaire*. — 10. Fabrique : *fabricant*. — 11. Dirige : *dirigeant*.

b) L'action de : 1. Découvrir : *découverte*. — 2. Escalader : *escalade*. — 3. Délivrer : *délivrance*. — 4. Emprunter : *emprunt*. — 5. Respirer : *respiration*. — 6. Pendre : *pendaison*. — 7. Persuader : *persuasion*. — 8. Fesser : *fessée*. — 9. Se promener : *promenade*. — 10. Accroître : *accroissement*. — 11. Remplir : *remplissage*.

c) Le caractère : 1. De celui qui est tendre : *tendresse*. — 2. D'une viande qui est tendre : *tendreté*. — 3. De celui qui est méchant : *méchanceté*. — 4. De celui qui est obstiné : *obstination*. — 5. De celui qui est avare : *avarice*. — 6. De celui qui est inconstant : *inconstance*. — 7. De celui qui est habile : *habileté*. — 8. De celui qui est rude : *rudesse*. — 9. De celui qui est brutal : *brutalité*. — 10. De ce qui est aigu : *acuité*. — 11. De celui qui est humble : *humilité*.

159. — Indiquer la fonction des noms en italiques. (Gr. § 153)

La cravate agressive

Il prit une quatrième *cravate* (compl. d'objet direct du verbe *prit*) et l'enroula négligemment autour du *cou* (compl. adverbial de lieu du verbe *enroula*) de *Colin* (compl. du nom *cou*), en suivant des *yeux* (compl. adverbial de manière du participe *suivant*) le *vol* (compl. d'objet direct du participe *suivant*) d'un brouzillon, d'un *air* (compl. adverbial de manière du participe *suivant*) très intéressé. Il passa le gros *bout* (compl. d'objet direct du verbe *passa*) sous le petit, le fit revenir dans la *boucle* (compl. adverbial de lieu du verbe *fit revenir*), un tour vers la droite, le repassa dessous, et, par malheur, à ce *moment* (compl. adverbial de temps du verbe *tombèrent*) -là, ses yeux tombèrent sur son *ouvrage* (compl. adverbial de lieu du verbe *tombèrent*) et la *cravate* (sujet du verbe *se referma*) se referma brutalement, lui écrasant l'index. Il laissa échapper un *gloussement* (compl. d'objet direct du verbe *laissa échapper*) de *douleur* (compl. du nom *gloussement*).

B. VIAN (*L'écume des jours,* Pauvert, édit.).

160. — Relever les noms et indiquer leur fonction.　　　(Gr. § 153)

a) 1. La *crise* (sujet du verbe *donne*) donne des *inquiétudes* (compl. d'objet direct du verbe *donne*) aux *jeunes* (compl. d'objet indirect du verbe *donne*). — 2. La *libellule* (sujet du verbe *est appelée*) est souvent appelée *mademoiselle* (attribut du sujet *libellule*) ; cet *insecte* (sujet du verbe *est*) au *vol* (compl. du nom *insecte*) charmant est un *carnassier* (attribut du sujet *insecte*) redoutable, qui dévore de nombreux autres *insectes* (compl. d'objet direct du verbe *dévore*). — 3. Le *chimiste* (apposition au nom *Lavoisier*) Lavoisier (sujet du verbe *a été condamné*) a été condamné à *mort* (compl. d'objet indirect du verbe *a été condamné*) par le *tribunal* (compl. d'agent du verbe *a été condamné*) révolutionnaire le 8 *mai* (compl. de *huit*, mis pour *huitième jour*) et guillotiné le *jour* (compl. adverbial de temps du verbe *guillotiné ; a été* est sous-entendu) même. — 4. Les *grands-parents* (sujet du verbe *considèrent*), enclins à l'*indulgence* (compl. de l'adjectif *enclins*), considèrent comme des *peccadilles* (attribut du complément d'objet direct *méfaits*) les *méfaits* (compl. d'objet direct du verbe *considèrent*) de leurs *petits-enfants* (compl. du nom *méfaits*).

b) 1. Il était devenu l'*intellectuel* (attribut du sujet *il*) de la *famille* (compl. du nom *intellectuel*), car il avait fait son *droit* (compl. d'objet direct du verbe *avait fait*) : mais il était resté *Catalan* (attribut du sujet *il*), et sa *langue* (sujet du verbe *roulait*) roulait les *R* (compl. d'objet direct du verbe *roulait*) comme un *ruisseau* (sujet du verbe *roule*) roule les *graviers* (compl. d'objet direct du verbe *roule*). (Pagnol.) — 2. *Madeleine* (sujet du participe *sortie*) une fois sortie, la *présidente* (sujet du verbe *regarda*) regarda le *cousin* (apposition du nom *Pons*) Pons (compl. d'objet direct de *regarda*) avec cette fausse *aménité* (compl. adverbial de manière du verbe *regarda*) qui fait sur une *âme* (compl. adverbial de lieu du verbe *fait*) délicate l'*effet* (compl. d'objet direct du verbe *fait*) que du *vinaigre* (sujet du verbe *produisent*) et du *lait* (sujet du verbe *produisent*) mélangés produisent sur la *langue* (compl. adverbial de lieu du verbe *produisent*) d'un *friand* (compl. du nom *langue*). (Balzac.)

c) Le *vent* (sujet du verbe *fit*) fit trois *fois* (compl. adverbial de mesure du verbe *fit*) le *tour* (compl. d'objet direct du verbe *fit*) de la *maison* (compl. du nom *tour*) blanche sans reconnaître une seule *issue* (compl. d'objet direct du verbe *reconnaître*). Des *molletons* (sujet du verbe *étouffaient*) étouffaient les *rainures* (compl. d'objet direct du verbe *étouffaient*) des *fenêtres* (compl. du nom *rainures*), feutraient les *défauts* (compl. d'objet direct du verbe *feutraient*) des *portes* (compl. du nom *défauts*) : la *demeure* (sujet du verbe *vivait*) vivait en *pantoufles* (compl. adverbial de manière du verbe *vivait*)... Derrière chaque *croisée* (compl. adverbial de lieu du verbe *pesaient*), *écluse* (apposition de *rideaux*) de *velours* (compl. du nom *écluse*), des triples *rideaux* (sujet du verbe *pesaient*) pesaient sur leurs *embrasses* (compl. adverbial de lieu du verbe *pesaient*) et débordaient les *cordelières* (compl. d'objet direct du verbe *débordaient*) à *glands* (compl. du nom *cordelières*). (Cesbron.)

161. — Faire une phrase avec chacun des noms suivants.   (Gr. § 153)

1. L'*esthéticienne* est une personne dont le métier consiste à donner des soins de beauté. — 2. L'*omission* des virgules dans ce texte le rend incompréhensible. — 3. Il est grippé et ressent une *courbature* dans les bras et les jambes. — 4. Divisez votre texte en *alinéas* pour qu'il soit clair. — 5. Ce *décret* a été publié au Journal officiel. — 6. Cet artiste italien a peint de superbes *firmaments*. — 7. Cette vieille femme porte toujours une médaille bénite destinée à écarter les *maléfices*. — 8. Le lotus est le *nénuphar* des Égyptiens.

162. — Distinguer les noms propres et les noms communs. (Gr. § 154)

N.B. — Les noms communs sont en italiques et les noms propres en grasses.

a) Des ossements gigantesques

Pline raconte que, lors d'un *tremblement* de *terre,* une *montagne* s'étant ouverte, on trouva le *corps* du *géant* **Orion,** haut de quarante-six *coudées* (vingt *mètres*). **Hérodote** avait mentionné de son *temps* que le *corps* d'**Oreste,** exhumé par *ordre* de l'*oracle,* mesurait sept *coudées.* **Plutarque,** plus généreux, attribuait soixante *coudées* au *corps* d'**Antée,** retrouvé par **Sertorius** en **Mauritanie.** Il est à peine *besoin* de préciser que les *restes* de ces prétendus *géants* n'étaient que des *ossements* de *mastodontes* et autres *animaux* fossiles que les *naturalistes* de l'*époque* attribuaient à des *squelettes* humains de *taille* gigantesque.

Norbert CASTERET (*Au fond des gouffres,* Perrin, édit.).

b) 1. J'ai rencontré presque tous les *hommes* qui ont joué de mon *temps* un *rôle* grand ou petit à l'*étranger* et dans ma *patrie,* depuis **Washington** jusqu'à **Napoléon,** depuis **Louis XVIII** jusqu'à **Alexandre.** (Chateaubriand.) — 2. **Tite-Live** attribue la *fondation*

de **Rome** à **Romulus. Salluste** en fait l'*honneur* aux *Troyens* [2]
d'**Énée. (...)** Nous aurions de **César** une autre *idée* si le **Vercingétorix** avait écrit ses *commentaires.* (Flaubert.) — 3. Je ne me suis
jamais senti aussi dépaysé qu'à trente *kilomètres* de **Douvres,** dans
ce doux *pays* qui porte le *nom* glissant de **France.** Que les *fauves*
étirés de l'*étendard* royal me lacèrent de leurs *griffes* si je mens : je
me sens moins loin de **Londres** aux *îles* **Caïmans** qu'à **Angou-
lême,** et les *mœurs* des *guerriers* maoris recèlent pour moi moins de
mystère que le *comportement* dominical d'un *bourgeois* de **Rou-
baix.** (Daninos.)

163. — Trouver cinq noms propres désignant :   (Gr. § 154)

   1. Des pays d'Afrique : *Zaïre, Cameroun, Égypte, Libye, Algérie.*
— 2. Des personnages de la mythologie grecque ou latine : *Zeus,
Apollon, Vénus, Vulcain, Mercure.* — 3. Des fleuves d'Europe : *la
Meuse, la Seine, le Rhin, la Loire, l'Escaut.* — 4. Des îles de la Méditerranée : *la Sicile, la Crète, la Corse, Rhodes, Chypre.* — 5. Des
villes suisses : *Genève, Zurich, Bâle, Fribourg, Berne.* — 6. Des peintres célèbres : *Rubens, Giotto, Van Eyck, Magritte, Dali.* — 7. Des
personnages de la Bible : *Abraham, Moïse, Josué, Marie, Jean.*

164. — Distinguer les noms animés et les noms inanimés.   (Gr. § 155)

   N.B. — Les noms animés sont en italiques et les noms inanimés
en grasses.

   a) 1. Ma *mère* veut un *chien* pour garder la **maison** et un *chat*
pour faire la **guerre** aux *souris.* — 2. C'est le *diable* qui bat sa
femme et qui marie sa *fille,* dit-on quand il y a en même temps de
la **pluie** et du **soleil.** — 3. *Cupidon* est représenté sous l'**apparence** d'un *enfant* qui rend les *humains* amoureux en leur perçant
le **cœur** de ses **flèches.**

   b) 1. Le *chien,* le **museau** en l'**air,** tourné du **côté** de l'**enclos**
le plus proche, flairait avec **inquiétude.** Tout à coup il fit entendre
un **grognement** sourd, franchit le **mur** d'un **bond,** et presque aussitôt remonta sur la **crête,** d'où il regarda fixement *Orso,* exprimant
dans ses **yeux** la **surprise** aussi clairement que *chien* peut le faire.
(Mérimée.) — 2. Les **dimanches,** les **jours** de **pluie,** et, en général, tous les **soirs** au retour des **champs,** *Delphine* et *Marinette* lui
donnaient des **leçons** en **cachette** de leurs *parents.* Le pauvre *bœuf*
en avait de violents **maux** de **tête,** et il lui arrivait de se réveiller au
milieu de la **nuit** en disant tout haut : « B, A, ba, B, E, be, B, I, bi... »
(M. Aymé.)

---

2. Nous considérons que *Troyens* n'est pas un nom propre, mais un nom en rapport avec le nom propre *Troie.*

165. — Comment s'appellent :   (Gr. § 155)

a) Le petit : 1. De la vache : *le veau.* — 2. De la chèvre : *le che-vreau.* — 3. De la chatte : *le chaton.* — 4. De la poule : *le poussin.* — 5. De la chienne : *le chiot.* — 6. De la cane : *le caneton.* — 7. De la brebis : *l'agneau.* — 8. De l'oie : *l'oison.* — 9. De la jument : *le poulain.* — 10. De la laie : *le marcassin.* — 11. De la truie : *le porce-let.* — 12. De l'oiseau : *l'oisillon.* — 13. De la biche : *le faon.* — 14. De l'ourse : *l'ourson.*

b) Celui qui : 1. Répare les toitures : *le couvreur* (en Belgique et dans le nord de la France : *ardoisier*). — 2. Fait des meubles : *l'ébé-niste.* — 3. Enlève les ordures ménagères : *l'éboueur* (ou *boueux*). — 4. Soigne les maladies des enfants : *le pédiatre.* — 5. Collec-tionne les timbres-poste : *le philatéliste.* — 6. Vend des objets d'oc-casion : *le brocanteur.* — 7. Vend des objets anciens : *l'antiquaire.* — 8. Aiguise les couteaux : *le rémouleur.* — 9. Entretient les chemins : *le cantonnier.* — 10. Vend des verres de lunettes, des loupes, etc. : *l'opticien.* — 11. S'occupe des troubles de la vue : *l'oculiste* (syn. : *ophtalmologiste, ophtalmologue*).

166. — Transformer les phrases suivantes en remplaçant par un nom collectif les mots en italiques.   (Gr. § 155)

1. Nos *onze joueurs* ont / **Notre équipe** a brillamment gagné le match. — 2. La belle *rangée de colonnes* / **colonnade** du Louvre est due à l'architecte Claude Perrault. — 3. *L'ensemble des navires de guerre* français / **L'escadre** française se saborda à Toulon en 1942 pour ne pas tomber au pouvoir des Allemands. — 4. L'apicul-teur a recueilli *les jeunes abeilles* / **l'essaim** dans une corbeille. — 5. Le bateau a coulé, mais *tous les matelots* ont pu être sauvés / **tout l'équipage** a pu être sauvé. — 6. *Les auditeurs,* pris d'en-thousiasme, ont / **L'auditoire,** pris d'enthousiasme, a acclamé l'ora-teur. — 7. Beethoven a écrit dix-sept pièces destinées à être exécu-tées par *quatre musiciens* / **un quatuor.**

167. — Quels sont les noms collectifs qui signifient :   (Gr. § 155)

1. L'ensemble des dents : *la denture* (on dit aussi *la dentition*). — 2. L'ensemble des cheveux : *la chevelure.* — 3. Un ensemble de choses mises les unes sur les autres : *une pile* (ou *un amas, un mon-ceau, un amoncellement, un tas*). — 4. Un ensemble de quatre vers : *un quatrain.* — 5. L'ensemble des enfants (péjoratif) : *la marmaille.* — 6. Les clients d'un commerçant : *la clientèle.* — 7. L'ensemble des personnes d'une même famille, vivant sous le même toit : *la mai-sonnée.* — 8. Un nombre de soixante ou environ : *une soixantaine.*

LE GENRE

168. — Indiquer le genre des noms, en précisant comment on peut le reconnaître.   (Gr. § 156)

N.B. — Les noms masculins sont en italiques, les noms féminins en grasses.

Le folklore, c'est la vie

Suivez, au cours d'une **promenade** (voir l'article indéf. *une*) dans un *village* (voir l'article indéf. *un*) quelconque de **France,** des *étrangers* (voir le suffixe *-ers,* les pronoms *ils* et *eux-mêmes*) au *pays* (voir l'article contracté *au*). Pour peu qu'ils aient quelque **instruction,** ils iront visiter l'**église** et chercher les vieilles **maisons** (voir l'adjectif épithète *vieilles*), s'extasiant devant un *linteau* (voir l'art. indéf. *un* et l'adj. épithète *sculpté*) sculpté et demandant partout de « vieux *meubles* » (voir l'adj. épithète *vieux*). Il ne leur viendra pas à l'**idée** d'observer les *habitants* (voir la finale *-ants*), de s'informer de leurs **mœurs** (voir l'adj. épithète *actuelles*) actuelles, de chercher comment *maintenant*[3] ils travaillent le *bois* (voir l'art. défini *le*), comment ils se meublent, s'il y a des *ébénistes* ou des *forgerons* d'*art* dans le *village* (voir l'art. défini *le*), d'assister à des **danses** ou à un *pèlerinage* (voir l'art. indéf. *un*), à un *mariage* (voir l'art. indéf. *un*) ou à un *baptême* (voir l'art. indéf. *un*), sauf si, comme en **Bretagne,** la **littérature** (voir l'art. défini *la*) et la **badauderie** (voir l'art. défini *la*) ont mis ces *spectacles* à la **mode** (voir l'art. défini *la*). Bref : ils cherchent ce qui est mort, ils méprisent ce qui se fait, ce qui est vivant, et ne se doutent même pas que jadis, au *temps* (voir l'art. contracté *au*) où ces **pierres** et ces *bois* ont été sculptés, ils l'ont été par des *êtres* (voir l'adj. épithète *réels* et l'accord du part. passé *méprisés*) réels, que leurs *contemporains* (voir la finale *-ains,* l'adj. épithète *instruits*) plus instruits ont aussi copieusement méprisés, comme eux-mêmes méprisent les leurs.

Arnold van GENNEP (Le folklore, Stock, édit.).

169. — Mettre au genre qui convient les mots en italiques, en consultant, au besoin, le dictionnaire.   (Gr. § 157)

a) 1. Un haltère *pesant.* — 2. *Une* moustiquaire *légère.* — 3. *Une* fraîche oasis. — 4. *Un* rail *étroit.* — 5. *Une* omoplate *saillante.* — 6. *Un* pore *étroit.* — 7. *Un* emplâtre *chaud.* — 8. *Une* équerre *épaisse.* — 9. *Un* insigne *distinctif.* — 10. *Un* caramel *délicieux.*

b) 1. *Une* atmosphère *lourde.* — 2. *Un* chrysanthème *blanc.* — 3. *Un petit* astérisque. — 4. *Une* amnistie *complète.* — 5. *Un petit*

---

3. Mot mis en italiques par l'auteur.

élastique. — 6. *Un* en-tête *manuscrit.* — 7. *Une* écritoire *ancienne.* — 8. *Un* ovale *parfait.* — 9. *Une* épithète *originale.* — 10. *Une* orbite *creuse.*

c) 1. On voyait, au mur de la classe, *un* planisphère aux couleurs vives. — 2. Les abeilles construisent des alvéoles *réguliers.* — 3. Oh ! les *beaux* chrysanthèmes ! leurs pétales sont si joliment *nuancés !* — 4. Nous pouvons compter sur l'aide *généreuse* de nos voisins. — 5. L'acoustique de ce théâtre n'est pas très *bonne.* — 6. J'ai offert à ma mère pour sa fête *une belle* azalée. — 7. L'atmosphère à la maison est *chaleureuse.*

d) 1. Les obélisques *gris* s'élançaient d'un seul jet. (Hugo.) — 2. Jamais on n'a vu d'exordes si *adroits.* (Taine.) — 3. Elle trouve donc toujours une objection ou *une* échappatoire. (Bainville.) — 4. Et tous les insectes dormiront de longs mois dans leur armure d'émail ou leurs langes *duveteux.* (J. Tousseul.) — 5. *Une* couple d'années se passe encore. (Jouhandeau.) — 6. N'eut-il point raison, ce modeleur qui se fit enterrer avec, dans sa main, un bloc de *la* même argile qui avait obéi à son rêve ? (Jammes.) — 7. L'assiette, le verre, le plat de viande froide, formaient *une* oasis *serrée* au bord du désert blanc et glacé de la nappe. (Troyat.)

170. — Remplacer les trois points par l'article indéfini.

a) 1. Manger *une* couple d'œufs. — *Un* couple de pigeons suffira pour peupler ce pigeonnier. — 2. Mettre *un* crêpe à son chapeau. — Manger *une* crêpe. — 3. Le cadran d'*une* pendule. — Certains radiesthésistes utilisent *un* pendule pour repérer les objets. — 4. Pour faire de la pâtisserie, on a besoin d'*un* moule. — La coquille d'*une* moule a deux valves. — 5. Se chauffer au moyen d'*un* poêle. — Faire une omelette dans *une* poêle.

b) 1. Les femmes portaient *un* voile de deuil. — Les matelots ont cargué *une* voile. — 2. *Une* manche de veste. — *Un* manche de bêche. — 3. L'ombre d'*un* aune sur la rivière. — *Une* aune de drap. — 4. Une *greffe* du rein. — *Un* greffe de Cour d'appel. — 5. Monter *une* garde sévère. — *Un* garde champêtre.

171. — Mettre au genre qui convient les mots en italiques.

a) 1. Le vent, dans les branches, chante comme *un* orgue *aérien.* — 2. Que votre vie tout entière soit comme *un* hymne de joie. — 3. Dans la plaine, *seules* restent encore quelques orges. — 4. Voici Pâques *revenu* : les cloches sonnent à toute volée, les orgues *joyeuses* de notre église enflent leur grande voix. — 5. *Certains* foudres ont une contenance de trois cents hectolitres. — 6. Quand on a soif, un verre d'eau est *un* délice. — 7. *La* foudre est *tombée* sur le pin du presbytère. — 8. *Joyeux* Noël ! *Joyeuses* Pâques !

b) 1. Le peintre français Boucher a peint un grand nombre de *petits* Amours *joufflus.* — 2. Les mémoires d'un homme d'État sont toujours *intéressants* pour l'historien, même si l'auteur essaie de se donner le beau rôle. — 3. *La* mémoire de mon grand-père est *étonnante* : il connaît encore par cœur l'hymne *latine* que l'on chantait à Pâques. — 4. Pour prouver que le terrain lui appartient, mon oncle a rédigé *tout un* mémoire. — 5. *La* mode, cette année, est de porter les cheveux courts. — 6. Le subjonctif est *un* mode qui permet de subtiles nuances. — 7. On revient toujours à ses *premières* amours, dit le proverbe. — 8. L'amour *maternel* est un sentiment que l'on observe même parmi les animaux.

c) 1. L'entrepreneur assure que *le gros* œuvre sera *achevé* dans un mois. — 2. Les alchimistes cherchaient à changer en or les métaux ordinaires : on appelait cette recherche *le grand* œuvre. — 3. La publication des mémoires *complets* de Saint-Simon est *une* œuvre de longue haleine. — 4. *Quel* mode de locomotion préférez-vous ? — 5. Quand on fait son service militaire, on touche *une* solde peu *élevée.* — 6. À la fin de la saison, les commerçants offrent des soldes *intéressants.* — 7. L'équateur est *le* plus *long* des parallèles. — 8. Par un point extérieur à une droite, on ne peut mener qu'*une* parallèle à cette droite.

d) 1. Bonaparte achève à peine de mourir. Puisque je viens de heurter à la porte de Washington, *le* parallèle entre le fondateur des États-Unis et l'empereur des Français se présente naturellement à mon esprit. (Chateaubriand.) — 2. J'aspirais secrètement à de *belles* amours. (Balzac.) — 3. De l'autre côté de la rivière, un bourgeois contemplatif, au ventre rondelet, se livre aux délices *innocentes* de la pêche. (Baudelaire.) — 4. Elle souffrait d'une angine de poitrine arrivée à *son dernier* période. (Bourget.) — 5. Pâques était *venu.* (R. Martin du Gard.) — 6. Il pleurnicha, mais il s'exécuta. Discipliné. Ancien ministre de Caillaux, et pas précisément *un* foudre de guerre. (Aragon.) — 7. Entendu à la radio le *Lauda Sion* que j'aime tant. Quand saint Thomas n'aurait pas écrit autre chose que *cette* hymne, il serait un grand poète. (J. Green.)

172. — Inventer, pour chacun des mots *amour, délice, orgue,* deux phrases, la première où le nom est au singulier, la seconde où il est au pluriel.

(Gr. § 159)

a) 1. L'*amour* du jeu est dangereux. — 2. On revient toujours à ses *premières* amours.

b) 1. Ces chocolats sont un *délice.* — 2. Les *délices* de la lecture sont puissantes chez cet enfant.

c) 1. J'entends le son d'un *orgue* de Barbarie. — 2. Cette cathédrale possède de vieilles *orgues* excellentes.

*173. — Commenter le genre des noms en italiques.   (Gr. §§ 161-164)

a) 1. Jean-Michel est une excellente *recrue* (nom fém. même quand il désigne un homme) pour notre équipe. — 2. Ma voisine est une *pimbêche* (nom toujours fém., parce qu'il ne s'applique qu'à des femmes). — 3. Paris avait environ 100 000 *habitants* (ce nom, qui connaît une variation en genre, est masc. quand il vise aussi bien des êtres masc. que des êtres fém.) à la fin du XIII° siècle. — 4. La poule est un *gallinacé* (un nom générique d'animal est le plus souvent masc.). — 5. Ma mère a été *témoin* (nom masc., même quand il désigne une femme) de l'accident. — 6. Dans la pièce, Isabelle jouait le rôle d'un *page* (la variation en genre n'existe pas pour des noms qui s'appliquent ordinairement à des hommes). — 7. S'il n'y a pas d'enfant, les biens du ménage reviendront à l'*époux* (le nom qui connaît la variation en genre est masc. quand il vise aussi bien un être masc. qu'un être fém.) survivant. — 8. Le capitaine avait à son service une *ordonnance* (nom fém. même quand il désigne un homme) toute dévouée.

b) 1. Elle était à la fois le *souffleur* (la variation en genre n'existe pas pour des noms qui s'appliquent ordinairement à des hommes) et l'*habilleuse* (nom toujours fém., parce qu'il ne s'applique qu'à des femmes). (C. Lemonnier.) — 2. Cette transformation printanière, qui a fait de la *linotte* (nom fém. quel que soit le sexe de l'animal) mâle un des plus beaux oiseaux de nos climats, ne touche guère sa femelle. (J. Delamain.) — 3. Marcelle Chaumont est l'un de nos *couturiers* (nom qui, dans le sens de « créateur de mode », est masc., même pour une femme) dont la personnalité se renouvelle dans un style qu'on reconnaîtrait entre mille dans une présentation anonyme. (Dans les *Nouvelles littéraires*.) — 4. J'aurai le préfet, j'aurai les deux maréchaux, j'aurai le bâtonnier, j'aurai l'*ambassadrice* (ce fém. désigne la femme de l'ambassadeur) de Belgique, et peut-être l'ambassadeur ! (Hériat.) — 5. Née *romancier* (nom au masc., parce que l'auteur se range dans une catégorie où il y a aussi bien des hommes que des femmes), je fais des romans, c'est-à-dire que je cherche, par les voies d'un certain art, à provoquer l'émotion. (G. Sand.) — 6. Ah ! Suzon, vous êtes une bath [4] copine, mon *petit* (interversion de genre à valeur affective). (G. Duhamel.)

---

4. *Bath* : agréable, chouette (langue familière).

174. — Indiquer le féminin des adjectifs suivants, puis former avec chacun de ces adjectifs l'expression correspondant à « (toutes) les (vilaines) gens ».   (Gr. § 162)

1. Heureux, *heureuse* ; *toutes les heureuses gens.* — 2. Honnête, *honnête* ; *tous les honnêtes gens.* — 3. Bon, *bonne* ; *toutes les bonnes gens.* — 4. Meilleur, *meilleure* ; *toutes les meilleures gens.* — 5. Brave, *brave* ; *tous les braves gens.* — 6. Méchant, *méchante* ; *toutes les méchantes gens.* — 7. Vieux, *vieille* ; *toutes les vieilles gens.*

175. — Faire l'accord des mots se rapportant à *gens*.   (Gr. § 162)

a) 1. Les *vieilles* gens aiment à se rappeler leur passé. — 2. Que de *petites* gens ont un grand cœur ! — 3. Fuyez les fourbes et les flatteurs : de *telles* gens sont *dangereux*. — 4. *Certaines* gens ne sont *heureux* que quand un gros travail s'offre à leur activité. — 5. Les *vrais* gens de bien ne s'affichent pas. — 6. N'en voit-on pas qui, avec leurs amis, paraissent les *meilleures* gens du monde, et qui, dans le cercle de leur famille, sont des gens *hargneux* ? — 7. C'est un large buffet sculpté ; le chêne sombre, / Très vieux, a pris cet air si bon des *vieilles* gens. (A. Rimbaud.)

b) 1. Il n'est pas convenable de dévisager *tous* les gens que l'on rencontre. — 2. Les *bonnes* gens de la rue s'apitoient volontiers sur les enfants malheureux. — 3. Que répondre à de *pareilles* gens, *auxquels* toute éducation a toujours fait défaut ? — 4. Les gens *heureux* n'ont pas d'histoire. — 5. On a vu de *malheureux* gens de lettres mourir dans le besoin. — 6. *Quelles* gens êtes-vous ? — 7. Ces élégances ne plaisent pas aux *petites* gens. — 8. Que diront-*ils*[5], les *bonnes* gens du village ?

c) 1. *Certains* gens de robe ont oublié parfois que la justice leur imposait de graves devoirs. — 2. *Confinés* dans leurs souvenirs, *tous ces* gens sont *déroutés* par les événements actuels. — 3. On prend parfois pour de *méchants* et *malhonnêtes* gens des personnes à qui il ne manque que les usages du monde. — 4. La Fontaine donne au peuple des grenouilles le nom de gent *marécageuse*. — 5. Ah ! *quelles vilaines* et *sottes* gens nous avons *rencontrés* ! — 6. Voyez *quels* sont, parmi *tous* ces *braves* gens, *ceux* (plur.) *auxquels* vous donnerez votre confiance. — 7. Voyez *quelles* sont, parmi *toutes* ces *bonnes* gens, *ceux* (plur.) *auxquels* vous donnerez votre confiance. — 8. Ce sont de *vrais* gens d'affaires.

d) 1. J'écris pour ces *petites* gens d'entre *lesquels* je suis sorti. (G. Duhamel.) — 2. *Tous* les gens qui vous entourent ont droit à votre affection. (Troyat.) — 3. Les cousins Jorrier n'étaient pas de

5. Ce pronom reste au masculin parce qu'il est redondant. (Cf. *Le bon usage*, 12ᵉ éd., § 477.)

mauvaises gens. (H. Bosco.) — 4. Nous paraissions de fort *vilaines* gens, des gens à la fois *corrects* et injustes. (Barrès.) — 5. C'étaient deux *vieilles* gens, *fins,* très agréables. *Ils* étaient riches. (J. et J. Tharaud.) — 7. *Chères vieilles* gens qu'on n'a pas *connus* et qu'on vénère par-delà le silence du temps ! (J. Tousseul.) — 8. Lourds handicaps qui pesèrent contre moi, devant ces *pieuses* gens plutôt *méfiants.* (R. Lévesque.)

176. — Mettre au féminin. (Gr. §§ 165-169)

a)
chamelle	espionne	avocate	dévote
paysanne	folle	Anglicane	cousine
bergère	sotte	candidate	écolière
sultane	faisane	Grecque	jouvencelle
Lapone *ou* Laponne	Gabrielle	Persane	prisonnière

b)
épouse	curieuse	favorite	Jeanne
baronne	chienne	marquise	orpheline
héritière	messagère	Bretonne	Turque
Frédérique	Simone *ou* Simonne	idiote	préfète

c)
vieille	métisse	rousse	Auvergnate
fille	envieuse	Canadienne	Belge
veuve	copine	Andalouse	jumelle
colonelle	snob	louve	minette

177. — Mettre à la forme convenable du féminin les noms en italiques. (Gr. §§ 167-171)

a) 1. Marie de France a été la première *poétesse* de langue française. — 2. Comme Françoise était *cheftaine* de guides, elle n'était jamais libre le dimanche. — 3. Il y avait, chez les anciens Gaulois, des *prêtresses* qui s'appelaient *druidesses.* — 4. La *tsarine* Catherine II invita Diderot en Russie. — 5. Certaines femmes font profession de prédire l'avenir ; ces *devineresses* trouvent du crédit auprès des gens crédules. — 6. On servit des liqueurs composées par l'*hôtesse* elle-même. — 7. La *cane* construit avec des roseaux et des joncs un nid que balancent les vaguelettes de l'étang.

b) 1. Au faîte de sa puissance, on peut dire que Rome était la *maîtresse* du monde alors connu. — 2. Une *pauvresse* mendiait à la porte de l'église. — 3. L'histoire de Jeanne d'Arc désoriente les esprits positifs : comment cette petite *paysanne* lorraine est-elle devenue une *héroïne* ? — 4. Michel a épousé une jolie *mulâtresse* (ou *mulâtre*). — 5. Chez les protestants, des femmes appelées *diaconesses* se consacrent à des tâches pastorales et missionnaires. — 6. Elle évoque irrésistiblement, sous son chignon roux qui oscille, une *clownesse* débraillée de mi-carême. (Colette.)

178. — Mettre au féminin.   (Gr. § 172)

a) visiteuse   fondatrice   semeuse   flatteuse
    actrice   coiffeuse   pêcheuse   médiatrice
    voleuse   consolatrice   lectrice   porteuse

b) pécheresse   acheteuse   spectatrice   impératrice
    inspectrice   inventrice   ambassadrice   emprunteuse
    enchanteresse   prieure   persécutrice   protectrice

c) patineuse   bienfaitrice   mangeuse   rédactrice
    moissonneuse   querelleuse   monitrice   moqueuse
    spectatrice   institutrice   acheteuse   actrice

179. — Mettre au féminin (éventuellement pluriel) les noms en italiques.   (Gr. § 172)

a) 1. L'imagination est l'*inventrice* des arts. — 2. Les *pêcheuses* de moules exercent un rude métier. — 3. Notre mère se fait volontiers l'*exécutrice* de nos projets enfantins. — 4. Le poète tragique grec Euripide était le fils d'une *vendeuse* d'herbes. — 5. Grâce à Hergé, la Castafiore est devenue une *cantatrice* célèbre. — 6. La poésie et la musique sont, pour certains, les plus douces *consolatrices*. — 7. Cette société a engagé une *enquêteuse*.

b) 1. Les poètes ont célébré Diane *chasseresse*. — 2. Ce châtelain avait la passion de la chasse ; sa femme, à son exemple, est devenue une grande *chasseuse*. — 3. J'ai été reçu par la *prieure* du couvent. — 4. La musique a ses enchantements ; c'est parfois une grande *charmeuse*. — 5. En termes de droit, celle qui forme une demande en justice s'appelle *demanderesse* ; celle contre laquelle est intentée la demande est la *défenderesse* ; celle qui donne à bail porte le nom de *bailleresse* ; celle qui doit se nomme *débitrice*. — 6. Les Furies étaient, dans le paganisme, les *vengeresses* des crimes.

180. — Dire quels sont   (Gr. §§ 167-173)

a) Les noms féminins correspondant aux noms masculins suivants :

une traîtresse   une daine   une oie   une levrette
une drôlesse   une bru   une louve   une nièce
une marraine   une opératrice   une sauvage [6] une dinde

b) Les noms masculins correspondant aux noms féminins suivants :

un borgne   un serviteur   un étalon   un petit-fils
un mulet   un tsar   un Suisse   un âne
un bélier   un sanglier   un héros   un cerf

---

6. Plus fréquent que *sauvagesse*.

181. — Mettre au féminin les noms en italiques (et modifier les autres mots qui doivent être adaptés). (Gr. §§ 168-173)

a) 1. Une *femme* cruelle comme une *tigresse*. — 2. La *servante* de ma *sœur*. — 3. La *tante* de la *reine*. — 4. La *nièce* de l'*abbesse*. — 5. Tuer une *dinde,* une *oie*, une *poule* et une *cane*. — 6. La *marraine* de ta *fille*. — 7. Manger comme une *ogresse*. — 8. Les *héroïnes* de la tragédie. — 9. Une *biche* et une *chevrette* aux abois.

b) 1. Les *compagnes* de ma *mère*. — 2. Sacrifier une *brebis,* une *chèvre* et une *vache*. — 3. Tuer une *daine* et une *louve*. — 4. Une *fille* têtue comme une *mule*. — 5. Basanée comme une *mulâtresse* (ou *mulâtre*). — 6. Cette *femme* est une *Suissesse* (parfois *Suisse*). — 7. Une *prophétesse* de malheur. — 8. *Madame,* je suis votre *servante*. — 9. Une chevelure crépue comme celle d'une *négresse*.

182. — Mettre au féminin les noms en italiques. (Gr. §§ 165-174)

a) 1. L'histoire a été appelée la sage *conseillère* des princes. — 2. Une *sourde-muette* mène une existence bien triste. — 3. J'aime à contempler le visage des vieilles *paysannes,* ces rudes *travailleuses*. — 4. La maison paternelle est la *gardienne* de traditions vénérables. — 5. Les oies sauvages, hardies *voyageuses,* passent dans l'air chargé de brouillard. — 6. L'imagination, cette *enchanteresse,* retrace le passé et devance l'avenir.

b) Les tièdes journées de mai, *exécutrices* fidèles des volontés d'avril, ont ramené les *ambassadrices* de la belle saison : les hirondelles, ces *voyageuses* intrépides, ces *messagères* ponctuelles, tracent sur l'azur rafraîchi leurs courbes savantes. Elles font un peu les *coquettes* et semblent avoir conscience qu'elles sont les *porteuses* de magnifiques promesses. Vraies *reines* de l'air, elles montent, descendent, virent, toujours *maîtresses* de leur vol.

c) 1. Les *musulmanes* étaient assises le long de l'eau, avec leurs enfants. (Barrès.) — 2. Donc je n'aurais rien fait pour la pauvre *vieille* que le hasard m'avait donnée comme *compagne* de route. (Loti.) — 3. Une *coquette* est plus aisée à marier qu'une *savante* ; car, pour épouser une *savante,* il faut être sans orgueil, ce qui est très rare ; au lieu que, pour épouser la *coquette,* il ne faut qu'être fou, ce qui est très commun. (J. de Maistre.) — 4. Marie, en bonne *Suissesse* (*Suisse* se dit parfois aussi), aimait les fleurs. (A. Gide.) — 5. Son cœur ne bondissait plus au-devant de la petite *facteur* sautant de sa bicyclette pour lui remettre une lettre. (L. Descaves.) — 6. Elle se pencha, posa sur le papier sa main de *sauvagesse* (on dit souvent une *sauvage*), brune comme un bois dur, et sourit. (Colette.) — 7. Sans les romans qu'elle avait lus, et qui, par moments, faisaient bizarrement reparaître la mijaurée sous l'*ogresse,* jamais l'idée ne fût venue à personne de dire d'elle : c'est une femme. (Hugo.)

183. — Décrire, sans oublier les femelles et les petits : (Gr. §§ 165-174)

a) Les animaux de la basse-cour ;

b) Les animaux de la ferme (la basse-cour exceptée) ;

c) Quelques animaux d'un cirque ou d'un zoo.

LE NOMBRE

184. — Relever les noms communs et indiquer s'ils sont au singulier ou au pluriel.   (Gr. § 175)

N.B. — Les noms singuliers sont en italiques, les noms pluriels en grasses.

Les cuirassiers

Quelquefois j'étais tiré de ma *lecture,* dès le *milieu* de l'*après-midi,* par la *fille* du *jardinier,* qui courait comme une *folle,* renversant sur son *passage* un *oranger,* se coupant un *doigt,* se cassant une *dent* et criant : « Les voilà, les voilà ! » pour que Françoise et moi nous accourions et ne manquions rien du *spectacle.* C'était les **jours** où, pour des **manœuvres** de *garnison,* la *troupe* traversait Combray, prenant généralement la *rue* Sainte-Hildegarde. Tandis que nos **domestiques** assis en *rang* sur des **chaises** en dehors de la *grille* regardaient les **promeneurs** dominicaux de Combray et se faisaient voir d'eux, la *fille* du *jardinier,* par la *fente* que laissaient entre elles deux **maisons** lointaines de l'*avenue* de la Gare, avait aperçu l'*éclat* des **casques.** Les **domestiques** avaient rentré précipitamment leurs **chaises,** car quand les **cuirassiers** défilaient *rue* Sainte-Hildegarde, ils en remplissaient toute la *largeur,* et le *galop* des **chevaux** rasait les **maisons,** couvrant les **trottoirs** submergés comme des **berges** qui offrent un *lit* trop étroit à un *torrent* déchaîné.

M. PROUST (*À la recherche du temps perdu.* Gallimard, édit.).

*185. — Lire à haute voix le texte précédent. Dans quels noms reconnaît-on à l'oreille une différence entre le singulier et le pluriel ? Quelle conclusion faut-il en tirer ?   (Gr. § 175)

On ne reconnaît une différence entre le singulier et le pluriel que dans le nom *chevaux.* On peut en conclure que le pluriel de la majorité des noms se marque à l'écrit, mais pas à l'oral. Toutefois le pluriel est souvent indiqué, à l'oral comme à l'écrit, par les déterminants, parfois par les épithètes (*dominicaux*).

*186. — Commenter l'emploi du singulier et du pluriel dans les noms en italiques.   (Gr. §§ 175-176)

1. Un *troupeau* (sing. désignant un seul ensemble) de moutons nous a obligés à nous arrêter. — 2. L'*homme* (sing. à valeur générique) est un dieu tombé qui se souvient des cieux. (Lamartine.) — 3. Elle nous a servi des *salsifis* (le plur. désigne plus d'une chose) à la crème. — 4. Le soleil prolongeait sur la cime des tentes (...) / Ces larges traces d'or qu'il laisse dans les *airs* (plur. à valeur emphatique, pour des choses qui ne peuvent être comptées), / Lorsqu'en un lit de sable il se couche aux *déserts* (même remarque). (Vigny.) — 5. Le soleil se couche à l'*ouest* (les noms des points cardinaux n'ont que le sing.). — 6. On fêtera dans quinze jours les *fiançailles* (nom n'ayant qu'un nombre, le plur.) de ma sœur. — 7. Méfiez-vous des *gens* (nom n'ayant qu'un nombre, le plur.) obséquieux. — 8. J'aime jouer aux *échecs* (nom s'employant au plur. dans un de ses sens, « jeu »). — 9. Il connaissait de vue ce garçon en *culottes* (nom s'employant au sing. ou au plur. pour désigner un seul objet) de golf, chemise vive et foulard jaune. (Cesbron.)

187. — Faire une phrase avec chacun des mots suivants après avoir, éventuellement, vérifié leur sens dans le dictionnaire.   (Gr. § 176)

a) 1. J'ai assisté ce matin aux *funérailles* de ma grand-tante. — 2. Ce pauvre enfant est victime des *sévices* de ses parents. — 3. L'hôtelier souhaite que nous versions des *arrhes* à titre d'acompte. — 4. Les Romains tenaient un calendrier : les *fastes* consulaires. — 5. Ce malheureux portait des *nippes* qui ne valaient pas quatre sous. — 6. Les *Archives* nationales centralisent les documents relatifs à l'histoire du pays. — 7. Les chasseurs aux *aguets* étaient prêts à tirer sur le premier lièvre qu'ils apercevraient.

b) 1. Les bourgeons sur les branches et le retour des hirondelles sont les *prémices* du printemps. — 2. Renvoyer une discussion aux *calendes* grecques signifie qu'on la remet à une période qui ne viendra jamais. — 3. Cette personne, énergique et décidée, parle sans *ambages*. — 4. Dans la religion romaine, les *mânes* étaient les âmes des morts. — 5. Le blason est la science des *armoiries*. — 6. Nous avons emporté les *victuailles* pour le pique-nique. — 7. On présente ses *condoléances* à l'occasion d'un deuil.

188. — Faire entrer chacun des mots suivants dans deux phrases, en l'employant d'abord au singulier, puis au pluriel, avec des sens différents.
(Gr. § 176)

1. **Vacance.** La *vacance* de ce poste nous amène à publier une offre d'emploi. — Les *vacances* de Pâques sont proches. — 2. **Étrenne.** Cette robe est neuve, vous en aurez l'*étrenne*. — Le premier jour de l'an est celui des *étrennes*. — 3. **Nouille.** Cette per-

sonne molle et niaise est une vraie *nouille.* — Les *nouilles* sont plus courtes que les spaghetti. — **4. Lunette.** La *lunette* astronomique permet d'observer les étoiles. — Ce garçon myope doit porter des *lunettes.* — **5. Abord.** Cet homme sévère n'est pas d'un *abord* facile. — Les *abords* de cette villa sont bien entretenus. — **6. Échec.** Son manque d'étude explique son *échec* à l'examen. — Mes frères jouent aux *échecs* tous les soirs.

189. — Mettre au pluriel.   (Gr. §§ 177-178)

a) 1. Les licous des veaux. — 2. Les essieux des tombereaux. — 3. Les chemineaux ont fait des aveux. — 4. Les chevaux des généraux. — 5. Les museaux des putois. — 6. Des lambeaux de sarraus. — 7. Ces travaux sont des jeux. — 8. Des pneus et des marteaux. — 9. Les voix des coucous dans les taillis. — 10. Des hiboux et des blaireaux.

b) 1. Les gaz des fourneaux. — 2. Les joujoux dans les berceaux. — 3. Des trous dans les vitraux. — 4. Les feux des fanaux sont des signaux. — 5. Des cals aux genoux des chameaux. — 6. Des pois, des choux et des noix. — 7. Les crucifix des hôpitaux. — 8. Les travaux des bourgeois. — 9. Les yeux des lynx et des hiboux. — 10. Les landaus des carnavals.

c) 1. Les étaux des forgerons. — 2. Les étals (ou *les étaux,* plus rare) des bouchers. — 3. Les gouvernails des bateaux. — 4. Les chapeaux des épouvantails. — 5. Des copeaux minces comme des cheveux. — 6. Les nez des chacals. — 7. Des verrous sur les vantaux. — 8. Ces récitals sont des régals. — 9. Des rails et des tuyaux. — 10. Les portails des châteaux.

190. — Mettre au singulier.   (Gr. §§ 177-181)

a) 1. L'eau du puits. — 2. Un fruit à noyau. — 3. Le troupeau dans l'enclos. — 4. L'avis du journal. — 5. Le compas et le niveau. — 6. Le succès du rival. — 7. Un bail engendrant un procès. — 8. Le remords du filou. — 9. Trouver un cheval au relais. — 10. Le legs au neveu.

b) 1. Un mets sur un plateau. — 2. Le poids du métal. — 3. Le poitrail de cet animal. — 4. Un secours au malheureux. — 5. Un écriteau sur un poteau. — 6. Un matelas dans un galetas [7]. — 7. Un treillis et un barreau. — 8. Un poireau et un radis. — 9. Le rinceau [8] du confessionnal. — 10. Une brebis et un agneau dans un enclos.

---

7. *Galetas* : logement pratiqué sous les combles.

8. *Rinceau* : ornement sculpté ou peint, composé de branches chargées de feuilles enroulées.

191. — Mettre au pluriel les noms en italiques.   (Gr. §§ 177-178)

a) Avant Noël

Que de *joujoux,* que de merveilles sous les *feux* des étalages, et quels reflets mystérieux dans ces rouges, ces *bleus,* ces ors, ces couleurs de *vitraux* qui papillotent aux yeux des enfants éblouis ! C'est comme si la porte du bonheur avait ouvert ses deux *vantaux.* Partout ce sont des *tableaux* féeriques : voici des *châteaux* forts, des *arsenaux* complets, des régiments avec leurs *généraux,* des *jeux* de construction, qui vous permettraient d'édifier des *palais,* depuis les *soupiraux* jusqu'aux girouettes ; voici des gares avec leurs *signaux,* leurs *rails,* leurs aiguillages ; voici des trottinettes aux *pneus* rebondis ; voici, dans des boîtes qui fleurent le sapin frais, des ménageries, avec des éléphants, des *chacals,* de grands méchants loups et des *agneaux* frisés, tout cela enveloppé dans des *copeaux* minces comme des *cheveux ;* voici même des *vaisseaux* spatiaux équipés pour de fantastiques voyages.

b) La fête du printemps

Les buissons ont mis leurs *manteaux* verts et le ciel a déployé ses *bleus* les plus frais. Les portes du renouveau se sont ouvertes à deux *vantaux ;* les brises tièdes courent par monts et par *vaux,* caressent les *rameaux,* et agitent doucement les *éventails* des verdures nouvelles. Les *ruisseaux* jasent et rient sur les *cailloux ;* dans les bois, les musiciens ailés accordent leurs *voix* pour les *festivals* prochains et pour les *bals* de la lumière de mai. On n'attend plus que les *landaus* du Printemps, ce prince enchanteur, qui fera éclore partout les fleurs.

c) 1. J'aime, dans les vieux *logis,* les vieilles armoires à *panneaux* sculptés. — 2. Les *chacals* vivent par troupes dans les régions désertiques ; ils cherchent leur nourriture dans les *lieux* habités ; ils ne s'attaquent jamais aux autres *animaux.* — 3. Ah ! ces *bocaux* de confitures dans les armoires de ma grand-mère ! Quels *régals* j'en faisais en imagination ! — 4. Que d'excentricités dans les *carnavals* ! Les *sarraus* des casseurs de *cailloux* s'y trouvent mêlés aux toilettes chargées de *bijoux.* — 5. De nombreuses îles de la Micronésie ont été formées par des *coraux.*

d) 1. Les *hiboux* jetaient dans la nuit leurs appels funèbres. — 2. Observez ces joueurs de cartes : quelle variété dans l'art de replier et d'ouvrir ces petits *éventails* où tiennent leurs espoirs ! — 3. Les *baux* de maison sont faits généralement pour .rois, six ou neuf ans. — 4. La gare brille de tous ses *feux,* les *signaux* luisent comme des *clous* lumineux dans le crépuscule. — 5. Mille artistes ailés, dans les *rameaux* reverdis, se préparent à donner leurs merveilleux *festivals ;* nous entendrons bientôt les admirables *récitals* du rossignol.

e) 1. C'est imiter quelqu'un que de planter des *choux.* (Musset.) — 2. Le ciel n'était pas tout à fait bleu ; il était plutôt gris, mais d'un gris plus doux que tous les *bleus* du monde. (A. France.) — 3. Les *vantaux* de la porte offraient encore, vers le haut, quelques restes de peinture sang de bœuf. (Gautier.) — 4. De tous les *travaux* auxquels puisse se livrer un honnête homme, le travail d'enfoncer des *clous* dans un mur est celui qui procure les plus tranquilles jouissances. (A. France.) — 5. Du fond de tous les lointains d'herbes et de fleurs, des rainettes, des grenouilles, des *hiboux,* des *chacals* entonnent l'hymne de la nuit. (Loti.) — 6. On savait que sa jupe à *carreaux* bleus et verts, qui datait de trois ans et laissait voir ses genoux, appartenait à la crevette et aux crabes. (Colette.)

192. — Mettre au pluriel les noms en italiques.   (Gr. §§ 180-182)

a) 1. C'est une photo classique que celle des petits-enfants entourant leurs vieux *aïeuls.* — 2. Nos bons *aïeux* voyageaient dans des coches et dans des diligences. — 3. Les *ciels* de lit sont des espèces de dais [9] drapés au-dessus des lits. — 4. Les *œils*-de-bœuf de la cour du Louvre, à Paris, sont ornés de sculptures. — 5. Certaines infiltrations se produisent parfois dans les *ciels* de carrière. — 6. Les *œils*-de-loup, les *œils*-de-chat, les *œils*-de-tigre et les *œils*-de serpent sont des pierres chatoyantes.

b) 1. Certains *chevaux* peureux refusent de s'engager dans les *travails* des *maréchaux*-ferrants. — 2. De longs chapelets d'*aulx* (parfois *ails*) pendent aux poutres du grenier. — 3. Les *yeux* sont, dit-on, le miroir de l'âme. — 4. Le peintre normand Eugène Boudin a peint des marines dont les *ciels* sont lumineux. — 5. Voici nos petits et leur mère qui viennent prendre place à côté de leurs *aïeuls.* (Jammes.) — 6. Les *cieux* pour les mortels sont un livre entrouvert. (Lamartine.) — 7. Je songe aux *ciels* marins, à leurs couchants si doux. (Moréas.)

193. — Mettre, quand il y a lieu, la marque du pluriel aux noms propres en italiques.   (Gr. § 183)

a) 1. Cornélie, la mère des *Gracques,* disait en montrant ses enfants : « Voilà mes joyaux, à moi ! » — 2. Il y a chez nous une foule de *Dumont* et de *Dupont.* — 3. L'historien latin Suétone a écrit la vie des douze *Césars.* — 4. Tite-Live a raconté le combat des trois *Horaces* contre les trois *Curiaces.* — 5. Les *Bossuet,* les *Massillon,* les *Fléchier* ont illustré la chaire chrétienne au XVIIᵉ siècle.

b) 1. Les deux *Van Eyck* ont perfectionné, au XVᵉ siècle, la peinture à l'huile. — 2. Parmi les papes, il y a eu quatorze *Benoît,* dont un saint. — 3. Que de plaisirs on peut goûter en admirant dans les musées les *Rembrandt,* les *Corot,* les *Memling* (moins souvent *Rembrandts, Corots, Memlings*) ! — 4. Le grand Condé était de la famille

---

9. *Dais* : ouvrage fixé ou soutenu de manière à ce qu'il s'étende comme un plafond au-dessus du lit.

des *Bourbons.* — 5. Dans ma bibliothèque, j'ai deux *Molière* (moins souvent *Molières*).

c) 1. De tous les peuples de la Gaule, a dit César, les *Belges* sont les plus braves. — 2. Deux *Phèdre* furent représentées à Paris en 1677 : l'une de Racine ; l'autre de Pradon, poète aujourd'hui retombé dans l'obscurité. — 3. Le libraire a annoncé qu'il nous enverrait trente *Énéide* et trente *Géographie de l'Europe.* — 4. L'écrivain écossais Robert-Louis Stevenson a raconté dans un livre plaisant comment, à l'automne de 1878, il a traversé les *Cévennes* à pied en compagnie de l'ânesse Modestine. — 5. Les *Capétiens* directs ont régné pendant plus de trois siècles.

d) 1. Hélas ! tous les *Césars* et tous les *Charlemagnes* (on écrit plus souvent *César, Charlemagne*) / Ont deux versants ainsi que les hautes montagnes. (Hugo.) — 2. Philippe Auguste n'avait qu'une idée : chasser les *Plantagenêts* du territoire. (Bainville.) — 3. Je souhaite de tout mon cœur que les *Bonaparte* vous donnent ce que j'aurais demandé pour toi aux *Bourbons*. (Zola.) — 4. Nieuport-ville, Nieuport-bains, Coxyde-bains, Coxyde-ville, reliaient, à vol d'oiseau, un cadre distordu de routes. (...) Les deux *Nieuport,* en ruines, n'offraient plus que l'abri de leurs caves aux chefs et aux postes de secours des différents corps. (Cocteau.) — 5. Bibracte était la ville la plus industrieuse des *Gaules.* (C. Julian.)

194. — Justifier l'orthographe des noms en italiques. (Gr. § 183)

a) 1. Solidarité des *Brunswick,* des *Nassau,* des *Romanoff,* des *Hohenzollern* (les noms propres de personnes ne varient pas au plur.), des *Habsbourg* (il y a hésitation pour ce nom, qui reste le plus souvent invariable), avec les *Bourbons* (plur. traditionnel ; nom de famille régnante, dont la gloire est ancienne). (Hugo.) — 2. Dieu a soin que le monde ne voie pas beaucoup d'*Alexandres,* de *Césars,* de *Napoléons* (on met parfois la marque du pluriel aux noms propres employés pour désigner des individus ayant les caractéristiques des personnes en question) : ils coûtent cher ! (Veuillot.) — 3. Les armes des *Chateaubriand* (les noms propres de personnes ne varient pas au plur.) étaient d'abord des pommes de pin avec la devise : « Je sème l'or. » (Chateaubriand.) — 4. Le plus beau des *Parthénons* (on met parfois la marque du plur. quand le nom propre est employé comme nom commun pour désigner des œuvres ayant les caractéristiques de l'œuvre en question) ne vaut pas un moutonnement de dunes dorées par le soleil. (E. Psichari.) — 5. Je vois, de janvier à décembre, / La procession des bourgeois, / Les *Solons* (on met parfois la marque du plur. au nom propre employé comme nom commun pour désigner des individus ayant les caractéristiques de la personne en question) qui vont à la Chambre, / Et les *Arthurs* (même justification) qui vont au bois. (Th. Gautier.)

b) 1. Du caractère anglais et du despotisme légué aux *Stuarts* (plur. traditionnel ; nom de famille régnante, dont la gloire est ancienne) par les *Tudors* (même justification) est sortie la révolution d'Angleterre. Du caractère français et de l'anarchie nobiliaire léguée par les guerres civiles aux *Bourbons* (même justification) est sortie la monarchie de Louis XIV. (Taine.) — 2. Les *Voltaire,* les *Montesquieu,* les *Rousseau,* les *Diderot* (on laisse toujours invariable les noms propres de personnes employés avec l'article plur. par emphase) même conserveront cet outil précieux de précision, et le partageront ou transmettront à tous les écrivains de marque. (Thérive.) — 3. On savait que les plus beaux *Grecos* (on met parfois la marque du plur. au nom propre de personne employé pour désigner des œuvres produites par cette personne) étaient chez moi. (Malraux.) — 4. Cinq ans d'embrassades, de massacres, de discours, de « *Marseillaise* » (les noms propres ne varient pas au plur.), de tocsins [10], (...) d'affiches, de cocardes, de panaches, de sabres, de carmagnoles, c'est long. (A. France.) — 5. C'est avec les *Goncourt* (les noms propres de personne ne varient pas au plur.) que commence cette prédilection pour les cas exceptionnels, pathologiques. (J. Vier.)

195. — Faire entrer dans une phrase les expressions suivantes.

(Gr. § 183)

1. **Les Appalaches.** *Les Appalaches* forment un massif montagneux à l'est de l'Amérique du nord. — 2. **Les Jérémies.** Les lamentations de ces *Jérémies* nous importunent. — 3. **Les Grisons.** *Les Grisons* sont entrés dans la Confédération suisse en 1803. — 4. **Des Gargantuas.** De ceux qui ont un appétit énorme on dit parfois que ce sont des *Gargantuas* (*Gargantua* ne serait pas fautif). — 5. **Les Ardennes.** La plus grande partie des *Ardennes* est située en Belgique.

196. — Mettre au pluriel.   (Gr. § 184)

a) 1. Les chefs-lieux des provinces. — 2. Les tables des wagons-restaurants. — 3. Les clefs des coffres-forts. — 4. Les ailes des chauves-souris. — 5. Les cadres de ces eaux-fortes. — 6. Les nids des oiseaux-mouches. — 7. Les tiges des choux-fleurs. — 8. Les noyaux des reines-claudes. — 9. Les piquants des porcs-épics. — 10. Les arcs-boutants de ces murs.

b) 1. Les anniversaires des grands-mères [11]. — 2. Les chefs-d'œuvre des artistes. — 3. Les appels des haut-parleurs. — 4. Les faux-fuyants de l'hypocrisie. — 5. Les timbres-poste de ces pays. —

---

10. *Tocsin* : sonnerie de cloche répétée et prolongée, pour donner l'alarme.

11. Orthographe conseillée par la *Grammaire de l'Académie*. Mais l'usage est flottant, et certains grammairiens préfèrent des *grand-mères*.

6. Les architectes des gratte-ciel. — 7. Les arrière-boutiques des brocanteurs. — 8. Les pétales des perce-neige. — 9. Les portes des rez-de-chaussée. — 10. Les auteurs des avant-projets.

c) 1. Les noms des ayants droit. — 2. Les clefs des garde-robes. — 3. Les modèles de ces couvre-lits. — 4. Des rôles de bouche-trous. — 5. Les personnages de ces bas-reliefs. — 6. Ces cabarets étaient des coupe-gorge. — 7. Les mots des pince-sans-rire. — 8. Les bancs des terre-pleins. — 9. Les post-scriptum des lettres. — 10. Les inscriptions des ex-voto.

197. — Mettre au pluriel les noms composés en italiques.   (Gr. § 184)

a) 1. Quelle variété de teintes dans ces *plates-bandes*! Les *reines-marguerites* y voisinent avec les *boutons-d'or,* les *gueules-de-lion,* les *pieds-d'alouette* et les *belles-d'un-jour.* — 2. On a fait aux *belles-mères* une réputation détestable. — 3. Les *avant-becs* d'un pont sont les contreforts en avant et en arrière de la pile de ce pont. — 4. Ne soyez pas des *casse-cou.* — 5. Quels tristes contrastes entre nos pensées et nos *arrière-pensées* !

b) 1. L'hiver s'en va ; déjà voici les premières *perce-neige.* — 2. Sachons ne pas fuir les *tête-à-tête* avec nous-mêmes. — 3. Un homme droit ne parle pas par *sous-entendus,* il ne fait pas de *crocs-en-jambe* à la vérité. — 4. Pour bien prouver l'authenticité de certains textes, on en donne parfois des *fac-similés* photographiques. — 5. Les *perce-oreilles* sont inoffensifs : ils ne percent que des fruits.

198. — Justifier l'orthographe des noms en italiques.   (Gr. § 184)

a) 1. Les enfants font des *bonshommes* (les deux éléments varient exceptionnellement dans ce composé dont les éléments sont soudés) de neige dans tous les jardins. — 2. Les églises paraissent des maisonnettes à côté des *gratte-ciel* (verbe + complément d'objet direct que le sens commande de laisser invariable). — 3. Mes deux *beaux-frères* (adjectif + nom) habitent à la campagne. — 4. Les petits enfants sont des *touche-à-tout* (verbe + complément prépositionnel) dont il faut se méfier. — 5. J'enrichis par des échanges ma collection de *timbres-poste* (nom + nom complément).

b) 1. Mille *arcs-en-ciel* (nom + nom complément) se courbent et se croisent sur l'abîme. (Chateaubriand.) — 2. Tous les *après-midi* (mot invariable + nom au singulier), il va à la plage nouvellement aménagée sur les bords du Cher. (R. Sabatier.) — 3. Nos *arrière-grands-mères* (mot invariable + adjectif [12] + nom), faute de poches, avaient des sacs, tout comme leurs *arrière-petites-filles* (mot invariable + adjectif + nom), pour la même raison. (A. Hermant.) — 4. Un

_____

12. Voir la note précédente.

vieil homme tout moussu de barbe vend des *perce-neige* (verbe + complément d'objet direct que le sens commande de laisser invariable) en pied avec leur bulbe gangué de terre, et leur fleur en pendeloque qui a la forme d'une abeille. (Colette.) — 5. Ces *procès-verbaux* (nom + adjectif) des communes rurales sont autant de fleurs sauvages qui semblent avoir poussé au sein des moissons. (Michelet.) — 6. Les seuls traités qui compteraient sont ceux qui se concluraient entre les *arrière-pensées* (mot invariable + nom). (Valéry.)

199. — Mettre au pluriel les noms composés en italiques.   (Gr. § 184)

Chez Grand-mère

a) Ah ! les *grands-mères* (ou *grand-mères*) ! De quelle tendresse elles savent entourer leurs *petits-fils* et leurs *petites-filles* ! La mienne était une adorable vieille, à la figure un peu parcheminée, sur laquelle j'aimais à passer la main dans les *tête-à-tête* en suivant les *va-et-vient* d'une conversation familière. Grand-mère aimait le linge immaculé, les *chefs-d'œuvre* de fine batiste. Et quel ordre dans son boudoir ! J'y passais les *après-midi* des jeudis pluvieux. Dans un vase de vieux Saxe, quelques *gueules-de-lion* ouvraient leurs pétales de velours ; les gouttes de pluie, derrière les *brise-bise* de tulle, traçaient sur les vitres leurs itinéraires brusques et onduleux.

b) La grande horloge à gaine, appuyée au trumeau, et la pendule de marbre vert sur la cheminée faisaient chevaucher leurs *tic-tac*. Venait le moment de manger. C'était un des *amours-propres* de grand-maman de disposer sur la nappe à carreaux les tasses et les soucoupes de porcelaine fleurie. Ah ! la savoureuse confiture de *reines-claudes* faite par elle ! Le soir tombait ; sur la table laquée et sur la cheminée, deux *abat-jour* de soie verte tamisaient une lumière de bonheur, qui faisait luire, dans les pendeloques du lustre, de minuscules *arcs-en-ciel*.

200. — Mettre au pluriel.   (Gr. § 185)

1. Des Alléluias s'élèvent. — 2. De nouveaux alinéas. — 3. Les agendas des hommes d'affaires. — 4. Des sandwichs (ou, à la manière anglaise : *des sandwiches*) beurrés. — 5. Des in-folio épais. — 6. Les indications des cicerones. — 7. Des concertos de Beethoven. — 8. Chanter des Te Deum. — 9. Les chambres des sanatoriums (mieux que *sanatoria*). — 10. Parler avec des gentlemen.

201. — Mettre, quand il y a lieu, la marque du pluriel aux mots en italiques.   (Gr. §§ 185-186)

1. Il avait bu force *whiskies* (ou *whiskys*), et il ne répondait que par des *oui* et des *non* hésitants. — 2. Jusqu'ici, nous avons gagné

tous nos *matchs* (ou *matches*). — 3. Quand on visite les demeures historiques, on a parfois de plaisants *cicerones*. — 4. Vos *sept* ressemblent à des *un*. — 5. Sherlock Holmes n'avait pas besoin d'être escorté de *policemen*. — 6. Certaines ménagères auraient moins de *déficits* à déplorer, si leurs *agendas* étaient régulièrement tenus.

202. — Justifier l'orthographe des mots en italiques. (Gr. §§ 185-186)

1. Tu piqueras des « *peut-être* » (mot pris occasionnellement comme nom) aux ailes de tes projets. (G. Duhamel.) — 2. Je me mis (...) à réciter une interminable série de *Pater* et d'*Ave* (les noms de prières catholiques restent invariables). (J. Borel.) — 3. À part quelques vieillards qui trempent leur plume dans l'eau de Cologne et de *dandies* (le pluriel d'un mot anglais finissant par *-y* est *-ies*) qui écrivent comme des bouchers, les forts en version n'existent pas. (Sartre.) — 4. Ici, nous ne sommes pas « cultivés », Mademoiselle. Nous sommes des érudits, peut-être, ou des lettrés, ou des esthètes, ou des petits *dandys* (pluriel d'un mot anglais francisé). (J.-L. Curtis.) — 5. Elle refusa régulièrement aussi de prêter *géraniums* doubles, *pélargoniums, lobélias* (pluriels de noms latins francisés), rosiers nains et reines-des-prés aux reposoirs de la Fête-Dieu. (Colette.) — 6. Le jeune homme fit représenter de petits *sketches* (pluriel d'un mot anglais finissant par deux consonnes), dans des décors et avec des costumes de lui. (Proust.)

203. — Mettre à la forme convenable les mots en italiques.

(Gr. §§ 177-186)

a) 1. Pour fêter le centenaire, on a construit dans le village des *arcs de triomphe*. — 2. Il ne voulait porter que des *chandails* tricotés par sa femme. — 3. Les *prie-Dieu* garnis de velours ont peu à peu disparu des églises. — 4. Les *pneus* de la bicyclette sont dégonflés. — 5. La floraison des *dahlias* annonce déjà l'automne. — 6. Dans ma classe, il y a deux *Dupont*. — 7. Elle passe ses *après-midi* au jardin. — 8. On appelait autrefois les nobles des *gentilshommes*.

b) 1. De l'autre côté, il y avait des baraques de toile où l'on vendait des cotonnades, des couvertures et des bas de laine, avec des *licous* pour les *chevaux* et des paquets de rubans bleus qui, par le bout, s'envolaient au vent. (Flaubert.) — 2. Des *rez-de-chaussée* servant de magasins avaient des portes brunies et rondes, à *marteaux* rouillés. On apercevait, par les vitres verdies, de vastes salles, vides ou encombrées de *tonneaux*. (E. Jaloux.) — 3. C'était un vêtement d'une fantaisie charmante, comme devaient en porter les jeunes gens qui dansaient avec nos *grand-mères* (ou *grands-mères*), dans les *bals* de mil huit cent trente. (Alain-Fournier.) — 4. Les *épouvantails* débraillés n'ont pas montré grande vertu. (G. Duhamel.)

204. — Justifier l'orthographe des mots en italiques.   (Gr. §§ 177-186)

a) 1. Les assistants étaient distraits par les *flashes* (plur. d'un mot anglais finissant par deux consonnes) des photographes. — 2. Les *festivals* (pluriel des noms en *-al* : exception) en tout genre sont à la mode. — 3. Il apprenait la liste de tous les *chefs-lieux* (nom composé : nom + nom) des départements. — 4. Je me fais toujours des *bleus* (plur. des noms en *-eu* : exception) contre l'angle de la table. — 5. Les récifs sont formés de *coraux* (plur. des noms en *-ail* : exception). — 6. En 1978, on a découvert dans le sous-sol de Mexico d'étonnants *chefs-d'œuvre* (nom composé : nom + nom complément) de la sculpture aztèque. — 7. Leurs *garde-robes* (nom composé : verbe + nom) sont pleines à craquer.

b) 1. Elle ne connaissait à peu près personne dans cette assemblée endimanchée, où les *chapeaux* (plur. des noms en *-au*) à fleurs, les crinolines parisiennes avaient remplacé les coiffes et les *sarraus* (plur. des noms en *-au* : exception) de la semaine. (A. Daudet.) — 2. Dans la chambre tiède, close, orangée à la lumière des *abat-jour* (nom composé : verbe + complément d'objet direct que le sens commande de laisser invariable), maman, le nez chaussé de fortes lunettes, remmaille inlassablement des bas. (M. Gevers.) — 3. Ami ! je n'irai plus ravir si loin de moi, / Dans les secrets de Dieu ces *comment*, ces *pourquoi* (mots pris occasionnellement comme noms). (Lamartine.) — 4. Tacite fit un roman passionnant avec les débordements plus ou moins sanglants des *hitlers* (on met parfois la marque du pluriel au nom propre employé pour désigner des individus ayant les caractéristiques de la personne en question) romains. (Queneau.) — 5. Leur concurrence ne gênait en rien les Espagnols marchands d'*aulx* (pluriel particulier ; plus rarement *ails*) et de citrons. (J.-P. Clébert.) — 6. Non seulement la guerre avait changé mes rapports à tout, mais elle avait tout changé : les *ciels* (le pluriel est *ciels* quand on envisage une pluralité) de Paris et les villages de Bretagne, la bouche des femmes, les yeux (pluriel d'*œil*) des enfants. (S. de Beauvoir.)

CHAPITRE IV

L'adjectif

205. — Relever les adjectifs et indiquer leur fonction.   (Gr. § 187)

a) Appel des vents du large

Quand passent les canards *sauvages* (épithète) à l'époque des migrations, ils provoquent de *curieuses* (épithète) marées sur les territoires qu'ils dominent. Les canards *domestiques* (épithète), comme attirés par le *grand* (épithète) vol *triangulaire* (épithète), amorcent un vol *inhabile* (épithète). L'appel *sauvage* (épithète) a réveillé en eux je ne sais quel vestige *sauvage* (épithète). Et voilà les canards de la ferme changés pour une minute en oiseaux *migrateurs* (épithète). Voilà que dans cette *petite* (épithète) terre *dure* (épithète) où circulaient d'*humbles* (épithète) images de mare, de vers, de poulailler, se développent les étendues *continentales* (épithète), le goût des vents du large, et la géographie des mers. L'animal ignorait que sa cervelle fût assez *vaste* (attribut du sujet *cervelle*) pour contenir tant de merveilles, mais le voilà qui bat des ailes, méprise le grain, méprise les vers, et veut devenir canard *sauvage* (épithète).

SAINT EXUPÉRY (*Terre des hommes*, © Éditions Gallimard).

b) 1. L'homme *sérieux* (épithète) est *dangereux* (attribut du sujet *homme*) ; il est *naturel* (attribut du sujet apparent *il*) qu'il se fasse tyran. (S. de Beauvoir.) — 2. Rien ne nous rend si *grands* (attribut du complément d'objet direct *nous*) qu'une *grande* (épithète) douleur. (Musset.) — 3. Le silence *suspect* (épithète) du paysage était rendu plus *sensible* (attribut du sujet *silence*) par les arrêts *brusques* (épithète) et les reprises *hésitantes* (épithète) de la pluie. (J. Gracq.) — 4. Très *craintive* (épithète détachée), la jument levait la patte dès que Meaulnes voulait la toucher et grattait le sol de son sabot *lourd* (épithète) et *maladroit* (épithète). (Alain-Fournier.) — 5. À côté de mon assiette je trouvai un œillet (...). L'usage, pourtant aussi *nouveau* (épithète détachée) pour moi, me parut plus *intelligible* (attribut du sujet *usage*) quand je vis tous les convives *masculins* (épithète) s'emparer d'un œillet *semblable* (épithète) qui accompagnait leur couvert et l'introduire dans la boutonnière de leur redingote. (Proust.)

206. — Faire avec chacun des adjectifs quatre phrases, la première où il est employé comme épithète, la deuxième où il est employé comme épithète détachée, la troisième où il est employé comme attribut du sujet, la quatrième où il est employé comme attribut du complément d'objet.

(Gr. § 187)

a) 1. **Orgueilleux.** On a rarement vu une mère si *orgueilleuse* de son fils. — *Orgueilleux* et rempli de présomption, cet homme est peu estimé. — Il est *orgueilleux* comme un paon. — Elle, qu'on avait connue si *orgueilleuse,* était maintenant d'une modestie ridicule. — 2. **Frais.** Il coule un petit vent *frais.* — *Fraîche,* l'eau désaltère bien. — L'air est *frais* ce matin. — Je trouve peu *frais* ces œufs que tu as rapportés du marché. — 3. **Habile.** Cette couturière *habile* confectionne de magnifiques robes. — *Habile* et expérimenté, cet ouvrier est apprécié de son patron. — Sa réponse était très *habile.* — On le dit *habile* dans les relations sociales.

b) 1. **Noir.** Depuis que cet homme a perdu son travail, il est d'une humeur *noire.* — *Noirs* de la tête aux pieds, les enfants jouaient dans le charbon. — Ses cheveux sont *noirs* comme de l'ébène. — Le soleil les a vraiment rendus *noirs.* — 2. **Stupéfait.** Cette femme avait l'air *stupéfait.* — *Stupéfait,* il resta un moment sans parler. — Le professeur est *stupéfait* des progrès de sa classe. — Je t'ai trouvée *stupéfaite* à la suite de cette nouvelle surprenante. — 3. **Démesuré.** Cet enseignant a des exigences *démesurées.* — *Démesurés,* ses projets ne se réaliseront jamais. — Son envie de partir en voyage est *démesurée.* — Je trouve votre orgueil *démesuré.*

207. — Faire avec chacun des noms deux phrases, la première où il est accompagné d'une épithète, la deuxième où il est construit avec un attribut.

(Gr. § 187)

a) 1. **Moustache.** Les enfants, qui avaient mangé du chocolat, s'étaient fait une *moustache noire.* — Les *moustaches* du chat sont *tactiles.* — 2. **Pluie.** Une *pluie fine* mouillait les vitres de la voiture. — La *pluie* est *rare* dans ces régions désertiques. — 3. **Regard.** Il jeta un *regard furtif* sur les programmes de télévision. — Le *regard* de cet enfant est *candide.* — 4. **Usines.** On reproche souvent aux *usines chimiques* de polluer l'environnement. — Ces *usines* sont *automatisées.* — 5. **Orange.** Chaque matin, je bois le jus d'une *orange pressée.* — Cette *orange* est *juteuse.*

b) 1. **Dahlia.** Des *dahlias multicolores* étaient disposés dans un vase. — *Dahlia* est *difficile à écrire.* — 2. **Livre.** Ce *livre passionnant* retient mon attention depuis plusieurs heures. — Les *livres* que vous trouverez sur cette étagère sont *fort anciens.* — 3. **Corridor.** Certaines maisons anciennes possèdent de *longs corridors.* — Ce *corridor* mal chauffé est toujours *glacial.* — 4. **Tuyau.** Ce *long tuyau* te permettra d'arroser toute la pelouse. — Les *tuyaux* de cette installation sont *rouillés*. — 5. **Fracas.** Un *fracas étourdissant* nous réveilla en sursaut. Le *fracas* des vitres brisées fut *violent*.

208. — Remplacer par un adjectif les mots en italiques.   (Gr. § 187)

a) 1. Un soleil *de printemps / printanier*. — 2. Une adresse *qui étonne / étonnante*. — 3. L'autorité *du père / paternelle*. — 4. Un défaut *qu'on ne peut corriger / incorrigible*. — 5. Un accident *causant la mort / mortel*. — 6. Une difficulté *qu'on ne peut surmonter / insurmontable*. — 7. Un journal *paraissant tous les jours / quotidien*. — 8. L'aliénation *de l'esprit / mentale*. — 9. La dignité *d'évêque / épiscopale*. — 10. Un plan *de cinq ans / quinquennal*.

b) 1. Un métier *qui apporte du profit / lucratif*. — 2. Un intérêt *qui consiste en argent / pécuniaire*. — 3. Un travail *qui procure un bénéfice suffisant / rémunérateur*. — 4. Une colonne *faite d'une seule pierre / monolithique* (ou *monolithe*). — 5. Un homme *qui parle un grand nombre de langues / polyglotte*. — 6. Un visage *qui a un teint très rouge / rubicond* (ou *écarlate*). — 7. Un témoignage *conforme à la vérité / véridique*. — 8. Un mur *appartenant à deux propriétés contiguës / mitoyen*. — 9. Un fruit *qui est en forme d'œuf / ovale* (ou *ovoïde*). — 10. Deux jardins *touchant l'un à l'autre / contigus* (ou *adjacents*).

VARIATION EN GENRE ET EN NOMBRE

209. — Donner le féminin des adjectifs suivants.   (Gr. §§ 188-189)

claire	étourdie	verte	grise	timide	rapide	jeune
trapue	jouflue	crochue	haute	compacte	intelligente	froide
petite	droite	pesante	violente	honnête	future	informe

210. — Donner le masculin des adjectifs suivants.   (Gr. §§ 190-192)

étranger	personnel	maigriot	tiers
pâlot	franc	inquiet	neuf
grec	frais	roux	plaintif
honteux	las	secret	andalou

211. — Mettre à la forme convenable les adjectifs en italiques.

(Gr. §§ 188-193)

a) 1. De l'eau *claire*. — 2. Une confiance *mutuelle*. — 3. La littérature *française*. — 4. Une *pareille* ardeur. — 5. Un *nouvel* ouvrage. — 6. Un *fol* orgueil. — 7. Une coutume *païenne*. — 8. Une voix *plaintive*. — 9. Une maison *princière*. — 10. Une demande *expresse*.

b) 1. Une sœur *jumelle*. — 2. Une *vieille* chanson. — 3. Une *folle* entreprise. — 4. De la cire *molle*. — 5. Une figure *vieillotte*. — 6. Une solution *boiteuse*. — 7. Une *brève* harangue. — 8. La nation *franque*. — 9. Une physionomie *franche*. — 10. Une tumeur *maligne*. — 11. Une *coquette* somme.

c) 1. Une parole *flatteuse*. — 2. Une mélodie *charmeuse*. — 3. Une joie *intérieure*. — 4. Une attitude *provocatrice*. — 5. Une roue *motrice*. — 6. Une fée *protectrice*. — 7. Une réplique *vengeresse*. — 8. Une vallée *enchanteresse*. — 9. Une volonté *dominatrice*. — 10. Une personne *grondeuse*.

212. — Joindre chacun des adjectifs à un nom féminin.

(Gr. §§ 190-193)

a) Une maladie *mortelle*
Des jumelles *pareilles*
Une *gentille* grand-mère
Une interrogation *nulle*
Une blessure *bénigne*

Une rose *vermeille*
Deux rues *contiguës*
Une réponse *complète*
Une enfant *naïve*
Une coutume *juive*

b) La communion *solennelle*
Une activité *quotidienne*
Une soirée *fraîche*
La race *lapone* (ou *laponne*)
Une *belle* peinture

Une réponse *ambiguë*
Une porte *basse*
Une *sotte* entreprise
Une couleur *discrète*
La nation *turque*

Une *nouvelle* robe
La navigation *aérienne*
Une bête *gloutonne*
Une nuit *réparatrice*
La religion *musulmane*

Une *longue* promenade
Une peau *sèche*
Une déclaration *publique*
Une *vieille* femme
Une élève *maligne*

Une pâte *molle*
Une chatte *persane*
Une couverture *douillette*
Une fillette *peureuse*
Une opinion *vieillotte*

Une maison *caduque*
Une idée *vengeresse*
Une *douce* soirée
Une figure *pâlotte*
Une note *aiguë*

213. — Mettre les adjectifs au féminin.   (Gr. §§ 189-194)

a) 1. Une inquiétude *continuelle* rend l'humeur *ombrageuse*. — 2. Une véritable œuvre de science est *étrangère* à toute passion *partisane*. — 3. La race *lapone* (plus rarement, *laponne*) est simple et *hospitalière*. — 4. Quand vous faites une communication *secrète*, ne la faites pas en présence d'une *tierce* personne : celle-ci pourrait être *indiscrète*. — 5. Il accomplit avec une joie *discrète* sa besogne *quotidienne*. — 6. Une humeur *douce* et *bénigne* vous conciliera les sympathies.

b) 1. L'enfance est *naïve* : elle éprouve une joie *vive* au récit des histoires *merveilleuses*. — 2. L'opinion *publique* est versatile : parfois, *lasse* de louer quelqu'un, elle se prend à le blâmer. — 3. La face de la nature n'est-elle pas *expressive* comme celle de l'homme ? — 4. Une parole *indiscrète* ou *ambiguë* cause parfois de regrettables querelles. — 5. Cet enfant a la figure *pâlotte* ; sa santé s'accommoderait fort du grand air et de la vie *paysanne*. — 6. Les paroles *moqueuses* causent parfois des blessures qui ne sont pas *légères*. — 7. J'aime la *fière* beauté des vallées *valaisannes*.

c) 1. Des flammes *oblongues* tremblaient sur les cuirasses d'airain. (Flaubert.) — 2. Toute l'industrie moderne déclare *caduque* et *honteuse* notre *vieille* et *honnête* manie de réparation. (G. Duhamel.) — 3. Lorsque, dans un édifice, la *maîtresse* poutre a fléchi, les craquements se suivent et se multiplient. (Taine.) — 4. Les scieries n'interrompaient pas leur *longue* plainte. Les piles de planches parfumaient cette après-midi d'une odeur de résine *fraîche* et de copeaux. (Fr. Mauriac.) — 5. Il se laissait glisser en de *délicieuses* somnolences, tandis que la forêt *printanière* bruissait autour de lui. (Genevoix.) — 6. On voit une plaine aussi *douce,* aussi *neuve,* dans ses blondes vapeurs *flottantes,* que la jeune fille *classique* de l'Alsace. (Barrès.)

d) 1. Leur bible *hébraïque* à la main, elles chantent à voix *aiguë* dans ce silence de nécropole. (Loti.) — 2. L'auteur d'une phrase aussi *belle* se tait, attendant l'effet qu'elle produira sur les commères, qui en restent *coites,* peut-être éblouies. (Jammes.) — 3. Mais les dents, les ongles acérés / Vengent bientôt l'épée et la dague *traîtresse*[1]. (Baudelaire.) — 4. En fait d'architecture *grecque,* nous ne sommes que des imitateurs plus ou moins ingénieux. (Chateaubriand.) — 5. L'amitié improvisée que je lui avais vouée d'abord se fit *tutrice* et *maternelle*. (A. Hermant.)

214. — Faire des phrases où les adjectifs suivants se rapportent à un nom féminin.   (Gr. §§ 190-194)

a) 1. **Favori.** Son activité *favorite* est la peinture. — 2. **Discret.** Cette fillette est si *discrète* qu'on la remarque à peine. — 3. **Faux.** Toutes les réponses à cet exercice sont *fausses*. — 4. **Caduc.** N'achetez pas cette maison : elle est *caduque*. — 5. **Frais.** Les soirées sont encore *fraîches* au printemps. — 6. **Vieux.** L'origine de ces *vieilles* légendes se perd dans la nuit des temps.

b) 1. **Turc.** *Tulipe* est un mot emprunté à la langue *turque*. — 2. **Coi.** Saisies d'épouvante, elles se tenaient *coites*. — 3. **Rémunérateur.** Cette activité *rémunératrice* lui permettra de partir en voyage. — 4. **Doux.** La voix *douce* de la maman endort son bébé.

---

1. Baudelaire accorde *traîtresse* avec le deuxième nom, sans doute pour la rime, mais il serait préférable d'écrire *traîtresses*.

— 5. **Grec.** Le Parthénon est une des grandes réalisations de l'architecture *grecque*. — 6. **Gentil.** Cette *gentille* grand-mère n'oublie jamais les anniversaires de ses petits-enfants.

c) 1. **Inquiet.** Cette personne *inquiète* fronce sans cesse les sourcils. — 2. **Commun.** La haie mitoyenne est *commune* aux deux propriétés. — 3. **Égyptien.** L'écriture *égyptienne* était composée de hiéroglyphes. — 4. **Malin.** Ce malade est atteint d'une tumeur *maligne*. — 5. **Mou.** Pour réussir ce gâteau, il faut préparer une pâte *molle*. — 6. **Propret.** J'aime le charme de cette villa *proprette*.

215. — Quelle différence y a-t-il, dans la prononciation, entre les masculins et les féminins ?   (Gr. §§ 188-194)

1. *Net, nette* : pas de différence. — 2. *Poli, polie* : pas de différence (en fr. régional, un allongement de la voyelle finale). — 3. *Grec, grecque* : pas de différence. — 4. *Vaniteux, vaniteuse* : addition du son [z]. — 5. *Rétif, rétive* : sonorisation de la consonne finale et allongement de [i]. — 6. *Léger, légère* : ouverture du son [e] et addition du son [R]. — 7. *Mou, molle* : substitution de finale. — 8. *Suspect, suspecte* : apparition des sons [kt].

216. — Donner aux adjectifs en italiques la forme qui convient.

(Gr. § 192)

1. Un *bel* été. — 2. Un *nouveau* durillon. — 3. Le beurre était *mou* et huileux. — 4. Un *vieil* habitant. — 5. Un *nouveau* handicap. — 6. Un *fol* espoir. — 7. Un *vieux* hangar. — 8. Un *beau* huit. — 9. Je suis aussi éloigné que possible, au contraire, de ce *mol* attendrissement. (A. Camus.)

217. — Mettre au pluriel.   (Gr. §§ 195-196)

a) 1. Des cœurs purs. — 2. Des nations pacifiques. — 3. De bons auteurs. — 4. De longs voyages. — 5. De légers efforts. — 6. Des poèmes lyriques. — 7. De belles actions. — 8. Des contes bleus. — 9. Des fleuves équatoriaux.

b) 1. De gros livres. — 2. Des brouillards épais. — 3. De doux murmures. — 4. Des mots amicaux. — 5. De hideux épouvantails. — 6. Des hôtels luxueux. — 7. Les nouveaux journaux. — 8. De beaux vitraux. — 9. D'affreux fléaux. — 10. Des landaus somptueux.

c) 1. Des chantiers navals. — 2. Des bijoux précieux. — 3. Des succès finals (mieux que *finaux*). — 4. Des discours banals (mieux que *banaux*) et injurieux. — 5. Des livres hébreux. — 6. Des rochers fatals. — 7. Des textes originaux. — 8. Des princes féodaux. — 9. Des fruits jumeaux. — 10. Des exposés magistraux. — 11. Des monuments colossaux.

d) 1. Les châteaux féodaux avaient des moulins banaux. — 2. Des joyaux bleus. — 3. Les villages natals. — 4. Les vernissages ont été fatals aux tableaux. — 5. De nouveaux élus. — 6. Des compliments cordiaux. — 7. Des caramels mous. — 8. Les feus princes. — 9. Des meubles bancals.

218. — Faire des phrases où les adjectifs suivants se rapportent à des noms masculins pluriels.   (Gr. §§ 195-196)

1. **Bleu.** Cet enfant a de beaux yeux *bleus.* — 2. **Nouveau.** Ces *nouveaux* modèles de voitures ont peu de succès. — 3. **Final.** Formez correctement vos *s finals* (mieux que *finaux*). — 4. **Brutal.** Ces garçons sont *brutaux.* — 5. **Matinal.** Ces enfants sont bien *matinaux* ! — 6. **Fatal.** Ces mauvaises nouvelles ont été autant de coups *fatals.*

219. — Justifier l'accord des mots de couleur en italiques.   (Gr. § 197)

a) Entre les nuages *noirs* (adj. ordinaire), le soleil glisse ses rayons *jaune clair* (syntagme adjectival, donc invariable). — 2. Les cadavres gisent sous des linceuls de toile *blanche* (adj. ordinaire), maculés de taches *rouge sombre* (syntagme adjectival, donc invariable). — 3. Oh ! les beaux chrysanthèmes *jaune foncé* (syntagme adjectival, donc invariable) ! — 4. Après la partie de ski, nous rentrons, les joues *pourpres* (nom devenu adjectif). — 5. La mer étale sa nappe *vert émeraude* (syntagme adjectival, donc invariable). — 6. Son œil avait des reflets *lie de vin* (syntagme nominal employé adjectivement, donc invariable). — 7. Que d'uniformes *gros bleu* (syntagme adjectival, donc invariable) !

b) 1. Les colibris ne gazouillent plus. Leurs petites ailes *bleues* (adj. ordinaire), *roses* (nom devenu adjectif), *rubis* (nom employé adjectivement, donc invariable), *vert de mer* (syntagme adjectival, donc invariable) restent immobiles. (A. Daudet.) — 2. Presque tous mes autres chiens sont *noir* et *blanc* (syntagme adjectival : on considère qu'il s'agit ici d'une seule indication, donc invariable). (P. Vialar.) — 3. Le dais qui le surmonte est d'étamine *blanche* (adj. ordinaire) sur un capiton *vert* (adj. ordinaire), avec des embrasses *carmin* (nom employé adjectivement, donc invariable). (Pieyre de Mandiargues.) — 4. Au sommet d'une des plus lointaines montagnes *gris perle* (syntagme adjectival, donc invariable) s'esquisse une petite ville *gris rose* (syntagme adjectival, donc invariable). (Loti.) — 5. Shade rêvait de grands postes de radio oubliés aux Indes dans les palais *grenat* (nom employé adjectivement, donc invariable) envahis par les cocotiers, apportant tous les bruits de la guerre au peuple des paons et des singes. (Malraux.)

c) 1. Nous admirions quel air délicieusement étrange et chimériquement joyeux prenaient sur le tapis ces maisons *vert pomme* (syntagme adjectival, donc invariable), *roses* (nom devenu adjectif), *lilas* (nom employé adjectivement, donc invariable), *ventre de biche* (syntagme nominal employé adjectivement, donc invariable). (Th. Gautier.) — 2. Ce sont de longues grèves sablées d'or, qui s'étendent sur de riches fonds de ciel, *ponceau* (nom employé adjectivement, donc invariable), *écarlates* (nom devenu adjectif) et *verts* (adj. ordinaire) comme l'émeraude. (Bernardin de Saint-Pierre.) — 3. Il me semble qu'il est dans la logique de M. Butor, sinon dans l'intérêt de son éditeur, d'envisager une typographie polychrome, avec des caractères *verts* (adj. ordinaire), *rouges* (adj. ordinaire), *bleus* (adj. ordinaire), *turquoise* (nom employé adjectivement, donc invariable), *grenat* (nom employé adjectivement, donc invariable), *zinzolins*[2] (adj. ordinaire). (R. Kanters.) — 4. Elle avait en fait ces yeux *bleu norvège* (syntagme adjectival, donc invariable), ces joues *rose saxe* (syntagme adjectival, donc invariable), ces cheveux *blond vénitien* (syntagme adjectival, donc invariable), tout cet ensemble, en un mot, que l'on nomme chez les femmes l'air anglais. (Giraudoux.) — 5. Les rues se sont égayées de quelques spahis en promenade, ceinturés de flanelle *garance*[3] (nom employé adjectivement, donc invariable), ou coiffés de calots *vermillon* (nom employé adjectivement, donc invariable). (É. Henriot.)

220. — Mettre à la forme convenable les mots de couleur en italiques.   (Gr. § 197)

a) 1. Des cheveux *châtains.* — 2. Des rubans *brun foncé.* — 3. Des bannières *rouge vif.* — 4. Des étoffes *mauves.* — 5. Des corolles *bleu de ciel.* — 6. Des tulipes *vieil or.* — 7. Des salons *blanc et or.* — 8. Des foulards *crème.*

b) 1. Des sourcils *châtain clair.* — 2. Des toilettes *pervenche.* — 3. Des broderies *gris perle.* — 4. Une vareuse *kaki.* — 5. Des rubans *vert pomme.* — 6. Des étoffes *tête de nègre.* — 7. Des cravates *café au lait.* — 8. Des blouses *bleu marine.* — 9. Des chemises *beiges.*

c) 1. Des carabes *dorés.* — 2. Des chaussures *marron.* — 3. Des panneaux *orange.* — 4. Des joues *pourpres.* — 5. Des lueurs *orangées.* — 6. Des robes *vert émeraude.* — 7. Des redingotes *gris souris.* — 8. Des tentures *lilas.* — 9. Des carreaux *vert jaune.*

221. — À quel nom pluriel pourrait-on accoler chacune des désignations de couleur que voici ?   (Gr. § 197)

a) 1. Des reliures *havane.* — 2. Des chandails *bordeaux.* — 3. Des robes *bleu nuit.* — 4. Des juments *baies.* — 5. Des tissus

---

2. *Zinzolin* : couleur d'un violet rougeâtre que l'on obtient du sésame.

3. *Garance* : plante dont la racine fournit une matière colorante rouge ; teinture tirée de cette plante ; couleur de cette teinture, rouge vif.

gris pommelé. — 6. Des rubans *cerise*. — 7. Des teints *bistre*. — 8. Des tentures *café au lait*.

b) 1. Des peintures *sang de bœuf*. — 2. Des gilets *champagne*. — 3. Des figures *cramoisies*. — 4. Des visages *chocolat*. — 5. Des pelouses *fauves*[4]. — 6. Des chemises *isabelle*. — 7. Des taches *lie de vin*. — 8. Des cheveux *carotte*.

222. — Compléter les noms suivants en donnant des indications de couleur : 1° sous la forme d'un adjectif simple ; 2° sous la forme d'un adjectif composé ; 3° sous la forme d'un nom servant d'épithète.

(Gr. § 197)

1. Des feuilles (à l'automne) *jaunes, rouge vif, orange*. — 2. Des cravates *vertes, gris souris, cerise*. — 3. Des pensées (fleurs) *violettes, mauve et jaune, vieil or*. — 4. Des yeux *bleus, bleu gris, pervenche*. — Des rideaux *rouges, gris perle, turquoise*.

223. — Décrire avec des indications de couleur très précises :

(Gr. § 197)

a) Les vitraux de votre église.

b) Un étalage de boutique de mode.

c) La vitrine du droguiste.

d) La planche en couleur *Oiseaux* dans un dictionnaire.

224. — Orthographier correctement les adjectifs composés en italiques.

(Gr. § 198)

a) 1. Des réflexions *aigres-douces*. — 2. Des personnes *sourdes-muettes*. — 3. Des monuments *gréco-romains*. — 4. Des comédies *héroï-comiques*. — 5. Les *avant-dernières* pages. — 6. Une brebis *mort-née*. — 7. Les populations *anglo-saxonnes*. — 8. La guerre *russo-japonaise*. — 9. La période *gallo-romaine*. — 10. Les brumes *avant-courrières* de l'automne.

b) 1. Une fillette *nouveau-née*. — 2. Les signes *avant-coureurs* d'une catastrophe. — 3. Des personnages *tout-puissants*. — 4. Une maison *fraîche bâtie*. — 5. Des portes *larges ouvertes*. — 6. Des adolescents *frais émoulus* du collège. — 7. Des personnes *nouvelles venues*. — 8. Des chatons *nouveau-nés*. — 9. Les gens les plus *haut placés*. — 10. Des blâmes *sous-entendus*.

---

4. *Fauve* est un adjectif avant d'être un nom.

225. — Justifier l'orthographe des mots composés en italiques.

(Gr. § 198)

1. L'abbé de l'Épée recueillit deux fillettes *sourdes-muettes* (les deux adjectifs s'accordent : ils sont dans un rapport de coordination). — 2. La fenêtre était *grande ouverte* (selon un usage ancien, on fait souvent varier *grand* dans *grande ouverte,* alors que le premier adjectif équivaut à un adverbe) derrière son contrevent rabattu. (Genevoix.) — 3. La première réunion des pays *afro-asiatiques* (le premier élément est invariable quand il reçoit, par la finale *-o,* une forme propre à la composition) eut lieu à Bandoung en 1955. — 4. Il y avait partout des insectes *nouveau-nés* (le premier adjectif est invariable : il équivaut à un adverbe). (Fromentin.) — 5. Il menait avec lui les généraux *premiers-nés* (selon un usage ancien, on fait souvent varier le premier terme, alors qu'il équivaut à un adverbe) de sa gloire. (Chateaubriand.) — 6. Les vingt-cinq régiments d'infanterie *blanc vêtus* (le premier élément est toujours invariable dans cette formation occasionnelle ; *blanc* est senti comme un adverbe ou comme un complément [5]) (...) assuraient le service des colonies. (Mac Orlan.)

226. — Faire entrer dans de petites phrases, en les rapportant à un nom pluriel, les expressions suivantes.   (Gr. § 199)

1. **Sentir bon.** Les violettes *sentent bon.* — 2. **Parler haut.** Ils *parlent haut* pour être entendus de tous. — 3. **Marcher droit.** Ces ivrognes ne sont plus capables de *marcher droit.* — 4. **Parler franc.** Les hypocrites ne *parlent* pas *franc.* — 5. **Penser juste.** Mes grands-parents *pensent juste* et sont toujours de bon conseil. — 6. **Voler bas.** Quand le temps est à la pluie, les hirondelles *volent bas.*

227. — Distinguer, en vue de l'accord, si les mots en italiques gardent leur valeur adjective ou s'ils sont pris adverbialement.   (Gr. § 199)

1. Comment un homme qui a trahi la foi jurée marcherait-il la tête *haute* (adj.) ? — 2. Ceux qui portent *haut* (adv.) la tête risquent d'être abaissés. — 3. Que de gens ne voient pas *clair* (adv.) en eux-mêmes ! — 4. Les futurs orateurs doivent apprendre à raisonner *juste* (adv.). — 5. Une petite pluie tombait, *douce* (adj.) et *bienfaisante* (adj.), sur la campagne. — 6. La fortune nous fait parfois payer *cher* (adv.) les avantages qu'elle nous accorde. — 7. Cette étoffe est *chère* (adj.) ; vous la vendez bien *cher* (adv.).

---

5. Cf. *Le bon usage,* 12ᵉ éd., § 926, 9°.

228. — Justifier la forme des mots en italiques.   (Gr. § 199)

1. Des fumées montaient *droites* (adj. ; épithète détachée de *fumées,* fém. pl.) dans le ciel. — 2. Les arbres jaillissaient *droit* (adj. pris adverbialement ; compl. de *jaillissaient*) vers le ciel. — 3. Si vous ne dites pas que ce pré appartient au marquis de Carabas, vous serez tous hachés *menu* (adj. pris adverbialement ; compl. de *hachés*) comme chair à pâté. — 4. Cette grêle d'insectes tomba *drue* (adj. ; épithète détachée de *grêle,* fém. sing.) et *bruyante* (adj. ; épithète détachée de *grêle,* fém. sing.). (A. Daudet.) — 5. À l'entrée du four étaient allumées des bûchettes de bouleau, qui brûlaient *clair* (adj. pris adverbialement ; compl. de *brûlaient*). (Theuriet.) — 6. La gaieté de ces gens sonne, *franche* (adj. ; épithète détachée de *gaieté,* fém. sing.) et *claire* (adj. ; épithète détachée de *gaieté,* fém. sing.), dans la conversation. — 7. Une rivière coulait dans un lit aux bords tranchés *vif* (adj. pris adverbialement ; compl. de *tranchés*). (Genevoix.) — 8. Alors, les sources chantent bien plus *clair* (adj. pris adverbialement ; compl. de *chantent*). (A. Daudet.)

229. — Écrire correctement les adjectifs en italiques, en mettant aussi le trait d'union là où il faut.   (Gr. § 201)

a) 1. Deux *demi*-douzaines. — 2. Une pomme et *demie*. — 3. Une biche *demi*-morte. — 4. La *mi*-carême. — 5. Trois heures et *demie*. — 6. La *mi*-temps.

b) 1. À *mi*-hauteur. — 2. Les *semi*-voyelles. — 3. Une besogne à *demi* faite. — 4. Toutes les *demi*-heures. — 5. Parler à *demi*-mot. — 6. Deux journées et *demie*.

230. — Écrire correctement les adjectifs en italiques.   (Gr. §§ 200-201)

a) 1. Les trains *semi*-directs s'arrêtent dans plus de gares que les locomotives *express*. — 2. On ne dit plus guère : la *feue* reine ; on dit plutôt, même en style soutenu : la reine défunte. — 3. Les militaires ont une tenue *kaki*. — 4. Elle se faisait *fort* de renverser tous les obstacles. — 5. Rester à table pendant deux heures et *demie* énerve les enfants. — 6. Les deux pneus *arrière* étaient dégonflés. — 7. Il a laissé la fenêtre à *demi* ouverte.

b) 1. Les *demi*-savants sont souvent prétentieux. — 2. Monique est une *chic* fille. — 3. Un franc, aujourd'hui ce n'est pas *grand*-chose. — 4. Il rêvait, les paupières *mi*-closes. — 5. En 1960, trois alpinistes chinois atteignirent le sommet de l'Éverest par la voie *nord,* considérée jusqu'alors comme inaccessible. — 6. Les jeunes aiment la musique *pop*. — 7. Les vêtements *bon marché* ne font pas toujours un long usage. — 8. Gilberte est un peu *gnangnan*.

convulsif à chaque faux pas. (Bernanos.) — 2. Avancez, enchanteresse plus dangereuse que *feu* Madame Armide. (Salacrou.) — 3. Eh
bien, se dit-il avec une joie folle et *bon enfant,* me voilà pris, vraiment pris ! (A. Hermant.) — 4. Il était ravi que je donnasse de ces
dîners *extra.* (Proust.) — 5. Nous étions une grande famille, chacun
soudain nanti de quatre ou cinq grands-pères, autant de *grands-*
mères [6]. (P. Fisson.) — 6. Dans l'art et dans la poésie, la révolution
était *pompier,* académique, rhétorique. (P. Barbéris.) — 7. La gloire
de ce musée est une abondante collection de panneaux peints, *mi-*
gothiques, *mi-*flamands. (Barrès.)

231. — Relever les adjectifs, indiquer quels sont leur genre et leur
nombre. À quoi les doivent-ils ?   (Gr. § 202)

Il va neiger

Les roseaux *secs* (masc. pl. ; accord avec *roseaux*) ont déjà pris
l'habitude de siffler dans le vent du nord, lorsqu'un *beau* (masc.
sing. ; accord avec *midi*) midi, tout se tait. Les roseaux se redressent,
hésitants (masc. pl. ; accord avec *roseaux*) ; les feuilles *mortes* (fém.
pl. ; accord avec *feuilles*) *suspendues* (fém. pl. ; accord avec *feuilles*)
aux chênes cessent de s'agiter. Qu'y a-t-il, d'où vient cette détente
soudaine (fém. sing. ; accord avec *détente*) ? Le vent a gauchi vers
l'ouest. Le miroir des étangs devient *mat* (masc. sing. ; accord avec
miroir). Des doigts de tiédeur tracent une ligne *sombre* (fém. sing. ;
accord avec *ligne*) le long de leurs berges *méridionales* (fém. pl. ;
accord avec *berges*) et posent des taches *humides* (fém. pl. ; accord
avec *taches*) là où les racines *rouges* (fém. pl. ; accord avec *racines*)
des aulnes raient la noirceur des limons. Quelques nuages *blancs*
(masc. pl. ; accord avec *nuages*) et *légers* (masc. pl. ; accord avec
nuages) montent du nord-ouest, le vent dévie encore, ses ailes s'ar-
rondissent, et soudain, l'horizon déborde de *lents* (masc. pl. ; accord
avec *nuages*) nuages *chargés* (masc. pl. ; accord avec *nuages*) d'une
neige *maladroite* (fém. sing. ; accord avec *neige*).

M. GEVERS (*Plaisir des météores,* Stock, édit.).

232. — Accorder les adjectifs en italiques.   (Gr. §§ 202-203)

a) 1. Les *petits* ruisseaux font les *grandes* rivières. — 2. Défiez-
vous des *belles* paroles des gens qui se vantent d'être *parfaits.* —
3. Des feuilles de papier *rectangulaires.* — 4. Une corbeille de fruits
mûrs. — 5. On ne peut que trouver *étonnante* la vie de Jeanne
d'Arc. — 6. *Telle* est ma décision. — 7. Il est dangereux de sortir
*nu-*tête par un froid pareil. — 8. Des bas de coton *troués.*

---

6. P. Fisson écrit *grands-mères,* ainsi que le conseille la *Grammaire de l'Académie.*
Mais *grand-mères* est admis.

b) 1. Je considère votre réponse comme *incomplète*. — 2. Le professeur à ses élèves : « Je vous demande d'être *attentifs,* car je vous sais trop souvent *distraits.* » — 3. Des livres d'images *reliés*. — 4. Un mur de pierres très *haut*. — 5. Il courait pieds *nus* dans le jardin. — 6. La difficulté est grande, mais vous ferez tous les efforts *possibles*. — 7. Il n'y a pas assez de place : emportez le moins de bagages *possible*. — 8. De guerre *lasse,* mon père a accepté que j'achète un vélomoteur.

c) 1. Un vol d'oies *sauvages*. — 2. Des colonnes de marbre *éparses*. — 3. L'église de ce village a l'air toute *neuve*. — 4. « Chère Tante, vous serez *contente* d'avoir de nos nouvelles, j'en suis *sûre* », écrit Thérèse. — 5. En termes de droit, on appelle *nus-propriétaires* ceux qui sont propriétaires d'un bien dont une autre personne a l'usufruit. — 6. Il avait des flocons de neige *plein* les cheveux. — 7. *Rares* sont les pays qui échappent à la crise.

233. — Justifier la forme des adjectifs en italiques.   (Gr. §§ 202-203)

a) 1. Rien ne nous rend si *grands* (accord avec *nous,* masc. pl., dont *grands* est l'attribut) qu'une grande douleur. (Musset.) — 2. On croit avoir reçu tous les coups *possibles* (accord avec *coups,* masc. pl., dont *possibles* est l'épithète). (Fr. Mauriac.) — 3. Angelo ne pensait à rien d'autre qu'à faire le moins de mouvements *possible* (*possible* est invariable après *le moins,* lorsqu'il se rapporte à l'adverbe). (Giono.) — 4. Nous sommes *ravi* (accord avec *nous,* pluriel de majesté représentant une seule personne, et dont *ravi* est l'attribut) que vous soyez venu, dit-il, en employant ce nous sans doute parce que le Roi dit : nous voulons. (Proust.) — 5. Voyez comme le visage de maman est changé ! elle a l'air presque *heureux* (accord avec *air,* masc. sing., dont *heureux* est l'épithète ; *a l'air* signifie ici « a l'aspect, la mine »). (Comtesse de Ségur.) — 6. Ses colonnes avaient l'air *découpées* (accord avec *colonnes,* fém. pl., dont *découpées* est l'attribut ; *avaient l'air* signifie ici « paraissaient ») dans du carton. (Proust.)

b) 1. La nuit est des plus *obscures* (*des plus obscures* équivaut à « parmi -les nuits- les plus obscures »). — 2. Au point de vue du linguiste, l'argot, langue vivante, est des plus *intéressant* (*des plus* exprime un haut degré ; accord avec *argot,* masc. sing., dont *intéressant* est considéré comme l'attribut). (Ch. Bruneau.) — 3. Supposer une telle rencontre n'est pas si *délirant* (masc. comme genre « neutre » ; accord avec *supposer,* dont *délirant* est l'attribut). (A. Breton.) — 4. Ils se mirent à travailler *nu* (invariable dans *nu-bras*) -bras. (Flaubert.) — 5. Il trouva *ridicule* (masc. comme genre « neutre » ; accord avec *se tenir,* dont *ridicule* est l'attribut) de se tenir dans une maison, occupé à se chauffer devant une bonne cheminée, tandis que des soldats bivouaquaient. (Stendhal.)

234. — Accorder correctement les adjectifs en italiques.   (Gr. § 204)

a) 1. Ce pompier a montré un courage et un zèle *exemplaires*. — 2. Évitez les paroles et les gestes *violents*. — 3. Le héron a les pattes et le cou très *longs*. — 4. Le Petit Poucet et ses frères ont rencontré un personnage dont la taille et l'air *sinistre* leur faisaient peur. — 5. Mon oncle et ma tante sont *contents* de moi. — 6. Certains peuples du nord de l'Asie se nourrissent de viande ou de poisson *crus*. — 7. On imagine le poète toujours en train de contempler la mer ou le ciel *étoilé*.

b) 1. Bien *mûrs,* la poire et l'abricot sont délicieux. — 2. L'échec avait laissé *intacts* sa force et son talent. — 3. Admirez la grâce et la blancheur *neigeuse* du cygne. — 4. Les chemins et les autoroutes étaient également *enneigés*. — 5. Il est entré dans une colère, une fureur *terrible*. — 6. Il a montré une douceur, une bonté *admirable* (*admirables* ne serait pas fautif.).

c) 1. L'atmosphère et la mer étaient pareillement *bleues*. — 2. *Contents* de leur journée, Pierre et sa sœur rentrent *joyeux* à la maison. — 3. Il travaille avec une patience, un acharnement *étonnant*. — 4. Le héron a le cou ainsi que les pattes fort *longs*. — 5. L'autruche a la tête, ainsi que le cou, *garnie* de duvet. — 6. L'avoine et l'orge sont *mûres*.

235. — Justifier la forme des adjectifs en italiques.   (Gr. § 204)

1. Le château de Murol est d'une étendue et d'une complication *fantastiques* (fém. pl. ; accord avec *étendue,* fém. sing., et *complication,* fém. sing., dont *fantastiques* est l'épithète). (G. Sand.) — 2. Ces laitières ont une aisance, une sûreté et un aplomb *admirables* (masc. pl. ; accord avec *aisance,* fém. sing., *sûreté,* fém. sing., et *aplomb,* masc. sing., dont *admirables* est l'épithète). (Th. Gautier.) — 3. Il y a, dans la culture comme dans l'éloquence *anglaises* (fém. pl. ; accord avec *culture,* fém. sing., et *éloquence,* fém. sing., unis par *comme,* et dont *anglaises* est l'épithète), quelque chose de négligé dans la perfection qui m'enchante. (A. Maurois.) — 4. Tu l'as laissée dans une agitation, un désordre d'esprit *incroyable* (masc. sing. ; accord avec *désordre d'esprit,* masc. sing., synonyme d'*agitation,* et dont *incroyable* est l'épithète). (Bernanos.) — 5. Ces femmes étaient interchangeables, à âge et à beauté *égaux* (masc. pl. ; accord avec *âge,* masc. sing., et *beauté,* fém. sing., dont *égaux* est l'épithète). (Cl. Mauriac.) — 6. Le doute eût été supprimé par une connaissance ou une ignorance également *complètes* (fém. pl. ; accord avec *connaissance,* fém. sing., et *ignorance,* fém. sing., unis par *ou* à valeur additive, et dont *complètes* est l'épithète). (Proust.) — 7. L'autre moitié [du territoire], restée roturière, ne produit ni revenu ni capital *adéquats* (masc. pl. ; accord avec *revenu,* masc. sing., et *capital,* masc. sing., unis par *ni* à valeur additive, et dont *adéquats* est l'épithète) pour payer les dettes. (Le Roy Ladurie.)

236. — Accorder les adjectifs en italiques.   (Gr. §§ 202-204)

Paysages dans le ciel

Tous ceux dont l'âme et les yeux sont *frais* et *naïfs* se plaisent à regarder la fuite tantôt *lourde,* tantôt *légère* des nuages. Lorsque, du haut d'une colline d'où la vue et le rêve peuvent s'étendre, *larges* et *profonds,* on observe ces masses et ces entassements, on les voit accourir, d'abord *confus* et un peu *indécis,* puis se séparer. Les nuages les plus *légers* flottent comme des écharpes et des voiles *transparents* de tulle *noir,* puis se dispersent ; les plus lourds cheminent lentement et ressemblent à des tribus *errantes.*

Les nuages dominent parfois des paysages et des visions *merveilleux* : falaises et rochers *noirs* surplombant une mer *bleue* ; tours et murs *branlants* de châteaux *féodaux* ; montagnes et pics *abrupts* qu'égaient brusquement la lumière et le poudroiement *dorés* (ou *doré*) du soleil.

237. — Écrire correctement les mots en italiques (récapitulation).

(Gr. §§ 188-204)

a) 1. Quand les enfants jouent au gendarme et au voleur, ils crient : *Haut* les mains ! comme dans les films. — 2. L'expérience tient une école où les leçons coûtent *cher.* — 3. C'est par tous les moyens *possibles* que nous devons nous instruire. — 4. Le soleil se lève : des *demi*-clartés hasardent à l'horizon leurs teintes *rose pâle.* — 5. Les boiseries *acajou* ressortent bien sur des tentures *jaune clair.* — 6. Quand on est adolescent, on se met volontiers des projets *plein* la tête. — 7. Il a des idées *vieillottes, désuètes.*

b) 1. Notre chatte *angora* rêve, les yeux à *demi* fermés. — 2. La maison a l'air *fermée.* — 3. Il règne avant l'orage un calme, un silence *surprenant.* — 4. Les émigrés gardent souvent la nostalgie des villes et des villages *natals.* — 5. *Grande* fut ma surprise quand je découvris une *vieille* maison *haut perchée.* — 6. Nous sommes *contente* de vous, a dit la reine d'Angleterre à son Premier ministre. — 7. Il est six heures et *demie.*

238. — Justifier la forme des mots en italiques (récapitulation).

(Gr. §§ 188-204)

a) 1. Les filles ne sont pas *chien* (invariable : adj. occasionnel) et nous achètent volontiers nos pacotilles. (A. Sarrazin.) — 2. Je marchais en soulevant du bout du pied le plus de cailloux *possible* (invariable après *le plus* lorsqu'il se rapporte à l'adverbe). (Boylesve.) — 3. Ils avisèrent sur le port un restaurant des plus *médiocres* (l'adjectif précédé de *des plus* se met au pluriel parce que cette expression équivaut à « parmi les plus médiocres »). (Flaubert.) — 4. Les musiciens de la clique rengainaient leurs instruments dans des housses *kaki* (invariable). (Cl. Simon.) — 5. Il tenait à la main une feuille de papier *fraîche* (quoique employé adverbialement, *frais* s'accorde souvent devant un part. passé fém.) écrite. (Flaubert.)

b) 1. Était-ce à Prague dans l'éclat de rire doré d'une de ces belles églises *rococo* (généralement laissé invariable) ? (Claudel.) — 2. Les rapports entre chefs et subordonnés, dans cette unité, ne sont pas *banaux* (plur. de l'adj. dans son sens féodal). (J. Lacouture.) — 3. On leur inflige la peine *maxima* (fém. latin ; accord avec *peine*, dont *maxima* est l'épithète ; mais *maximum* serait correct). (Senghor.) — 4. La figure, sans âge, est d'une laideur, mais d'une intelligence *sataniques* (accord avec *laideur*, fém. sing., et *intelligence*, fém. sing., dont *sataniques* est l'épithète). (R. Martin du Gard.) — 5. La pièce restait à *demi* (*à demi* : locution adverbiale invar. et excluant le trait d'union) fermée d'habitude, les meubles soigneusement protégés par des housses de percale *blanche* (accord avec *percale*, fém. sing., dont *blanche* est l'épithète), *striée* (accord avec *percale*, fém. sing., dont *striée* est l'épithète) de minces raies *rouge vif* (invariable : syntagme adjectival désignant une couleur). (A. Gide.)

LES DEGRÉS

239. — Par quels moyens exprime-t-on, dans les phrases suivantes, que la qualité indiquée par l'adjectif est à un degré faible, fort, suffisant, excessif ?
(Gr. §§ 205-206)

a) 1. Une porte de prison est *peu* (adverbe) aimable. — 2. Vous êtes *assez* (adverbe) grand pour trouver la réponse *tout* (adj. employé adverbialement) seul. — 3. Il a épousé la fille d'un *richissime* (suffixe *-issime*) banquier. — 4. Il est *très* (adverbe) dangereux de se pencher par la portière du train. — 5. Elle est *trop* (adverbe) polie pour être honnête. — 6. Préférez-vous les petits pois *extrafins* (élément de composition *extra*) ou les petits pois *superfins* (élément de composition *super*) ? — 7. Françoise est *si* (adverbe) convaincante que personne n'émet d'objection. — 8. Il se pavanait *fier comme Artaban* [7] (comparaison figée).

b) 1. Dans cette région de solitude, protégée de Nancy par les bois épais de la Haie, s'épanouit la flore *rarissime* (suffixe *-issime*) de Lorraine : le « sabot de la vierge », pareil aux orchidées de serre, et cette *toute* (adverbe) petite fleur rose qui, vers la Pentecôte, pousse au grand soleil sur des buissons d'aiguilles pourpres. (Barrès.) — 2. Tapis dont les dessins *serrés, serrés* (répétition de l'adj.), ont pour nous je ne sais quoi d'énigmatique. (Loti.) — 3. Les

---

7. *Artaban* : héros d'un roman de La Calprenède, *Cléopâtre* (1647-1658), dont le caractère plein de fierté est passé en proverbe.

enfants sont *fort* (adverbe) singes. (*Larousse du XX* siècle*.*) — 4. Il promit de mettre en campagne un agent d'affaires *excessivement* (adverbe) rusé pour traiter avec les créanciers de Savinien. (Balzac.) — 5. *Que* (adverbe) vous êtes joli ! *Que* (adverbe) vous me semblez beau ! dit le renard de La Fontaine. — 6. Elle m'entretient bien avec une certaine insistance des difficultés d'argent qu'elle éprouve, (...) pour expliquer l'*assez* (adverbe) grand dénuement de sa mise. (A. Breton.)

240. — Exprimer par des moyens divers le haut degré de l'adjectif.
(Gr. §§ 205-206)

1. Le parquet est *fort* sale. — 2. Luc est *très* gentil. — 3. Harpagon est *excessivement* avare. — 4. Le gâteau est *bien* petit.

241. — Distinguer les comparatifs d'égalité, d'infériorité, de supériorité et les superlatifs relatifs d'infériorité, de supériorité. (Gr. §§ 205-206)

a) 1. La baleine est *plus grosse* (compar. de supér.) que l'éléphant ; c'est *le plus gros* (super. relat. de supér.) des animaux. — 2. Votre sœur est *aussi aimable* (compar. d'égal.) que vous. — 3. La faim est *le meilleur* (super. relat. de supér.) des condiments. — 4. Les étoiles deviennent *moins brillantes* (compar. d'infér.) à l'approche du jour. — 5. Le proverbe dit qu'un coup de langue est parfois *pire* (compar. de supér.) qu'un coup de lance. — 6. Quelle est la source d'énergie *la moins coûteuse* (super. relat. d'infér.) ? — 7. C'est *la moindre* (super. relatif d'infér.) des choses, dit-on modestement à celui qui vous remercie pour un service.

b) 1. Comme dit La Fontaine, un sot trouve toujours un *plus sot* (compar. de supér.) qui l'admire. — 2. Paris n'est pas *si bête* (compar. d'égal.) qu'on veut bien le dire. (Proust.) — 3. Un souvenir heureux est peut-être sur terre / *Plus vrai* (compar. de supér.) que le bonheur. (Musset.) — 4. Un vice souple serait *moins facile* (compar. d'infér.) à ridiculiser qu'une vertu inflexible. (Bergson.) — 5. Et *les plus tristes* (super. relat. de supér.) fronts, *les plus souillés* (super. relat. de supér.) peut-être, / Se dérident soudain à voir l'enfant paraître, / Innocent et joyeux. (Hugo.) — 6. Tout au plaisir de poser, la tête levée haut et la crête en arrière, le coq renflait son jabot et faisait bouffer *ses plus belles* (super. relat. de supér.) plumes. (M. Aymé.)

242. — Distinguer les superlatifs relatifs et les superlatifs absolus.
(Gr. §§ 205-206)

1. Quand on souffre d'un mal *très grave* (super. abs.), il est sage d'user d'un remède *fort énergique* (super. abs.). — 2. *Les plus grands* (super. relat.) événements sont parfois produits par les causes *les plus futiles* (super. relat.). — 3. Ce philatéliste possède

des timbres *rarissimes* (super. abs.) : il en est *extrêmement fier* (super. abs.). — 4. Les erreurs *les plus graves* (super. rel.) peuvent être pardonnées si l'on a un regret *très sincère* (super. abs.). — 5. *Les plus désespérés* (super. rel.) sont les chants *les plus beaux* (super. relat.). (Musset.) — 6. Au coucher du soleil, la verdure devient *archiverte* (super. abs.). (Flaubert.) — 7. La situation était *des plus embarrassante* (super. relat., mais employé ici comme super. abs.). (G. Duhamel.)

243. — Donner pour chacun des adjectifs qui admettent les degrés : 1° le comparatif d'égalité, de supériorité, d'infériorité ; 2° le superlatif relatif d'infériorité et de supériorité ; 3° le superlatif absolu.

(Gr. §§ 205-206)

1. Un climat froid, aussi froid, plus froid, moins froid, le moins froid, le plus froid, très froid. — 2. Une somme triple (pas de degrés). — 3. Un bon vin, aussi bon, meilleur, moins bon, le moins bon, le meilleur, très bon. — 4. Le dernier jour (pas de degrés ; toutefois on dit *le tout dernier*). — 5. Une retraite sûre, aussi sûre, plus sûre, moins sûre, la moins sûre, la plus sûre, très sûre. — 6. Un champ carré (pas de degrés). — 7. La principale obligation (pas de degrés). — 8. Une petite quantité, aussi petite, plus petite (ou *moindre*), moins petite, la moins petite, la plus petite (ou *la moindre*), très petite. — 9. Le globe terrestre (pas de degrés). — 10. De mauvais résultats, aussi mauvais, plus mauvais (ou *pires*), moins mauvais, les moins mauvais, les plus mauvais (ou *les pires*), très mauvais.

*244. — Remplacer les trois points par *le*, ou *la*, ou *les*.   (Gr. § 205)

a) 1. C'est vers le 21 juin que les jours sont *le* plus longs. — 2. Les résolutions *les* plus fermes sont vaines si elles ne se résolvent pas en actes. — 3. Les belles actions cachées sont *les* plus méritoires. — 4. Les bonheurs *les* moins compliqués ont des chances d'être *les* plus durables. — 5. C'est dans la solitude que nous sommes *le* mieux disposés à réfléchir profondément.

b) 1. Nos protecteurs *les* plus sûrs sont nos talents acquis. — 2. C'est quand nos amis nous abandonnent que nous éprouvons *le* mieux que les affections qui paraissaient *les* plus sincères n'étaient rien au prix de l'amour maternel. — 3. L'imagination est une maîtresse d'erreur : c'est quand elle nous paraît *le* moins folle qu'il faut nous défier de ses suggestions. — 4. Midi est l'heure *la* plus lourde de la journée. — 5. Elle tâta de nouveau les bottes de poireaux, puis elle garda celle qui lui parut *la* plus belle. (A. France.)

245. — Composer sur chacun des thèmes suivants six phrases dans lesquelles le degré des adjectifs est exprimé par des mots ou des moyens différents.   (Gr. §§ 205-206)

a) Arbres. 1. Le baobab est *un des plus grands* arbres des régions tropicales. — 2. Les arbres de ce quartier sont *fort beaux.* — 3. Cet olivier est *le plus vieux* du parc. — 4. Cet arbre-ci paraît *moins vigoureux* que celui-là. — 5. Les fruits de ce prunier sont *meilleurs* que ceux du pommier. — 6. *Que* ce marronnier est joli !

b) Gens de mon quartier ou de mon village. 1. Les gens de mon quartier sont *peu sympathiques.* — 2. Ma grand-mère est la femme *la plus âgée* de mon village. — 3. Les enfants sont *plus nombreux* dans mon quartier que dans le tien. — 4. Les commerçants de mon quartier sont *assez nombreux.* — 5. Les gens de mon quartier ne sont pas *si distants* qu'on pourrait le croire. — 6. Des gens de ton quartier, quel est celui qui possède *la moins belle voiture* ?

c) Loisirs. 1. La marche est certainement le loisir *le moins onéreux.* — 2. Le tennis est un loisir généralement *fort apprécié.* — 3. Cet enfant a des loisirs *très diversifiés.* — 4. Ce philatéliste consacre ses loisirs à la recherche de timbres *rarissimes.* — 5. Un élève qui est *peu motivé* ne consacre pas assez de temps à l'étude. — 6. Son travail est *trop accaparant* pour qu'il puisse prendre des loisirs.

d) Un bon repas. 1. Ce restaurant sert *les meilleurs* repas de la région. — 2. Je ne mange jamais d'*aussi bons* repas que chez ma grand-mère. — 3. Ce *fort bon* gâteau clôture merveilleusement bien ce repas. — 4. Les meilleurs repas ne nécessitent pas forcément les préparations *les plus compliquées.* — 5. Ce dessert est *des plus succulents* ! — 6. *Que* ce repas est bon !

CHAPITRE V

Le déterminant

246. — Classer les déterminants en italiques par catégories (articles, démonstratifs, possessifs, numéraux, indéfinis, exclamatifs, relatifs).

(Gr. §§ 207-208)

Les plantes

De (art.) nombreuses plantes décoraient *ma* (poss.) chambre. Ma mère en raffolait. *Chaque* (indéf.) année elle faisait de nouvelles boutures. Elle achetait *des* (art.) pots, les rangeait sur *les* (art.) appuis des fenêtres, *l'*(art.) armoire, *le* (art.) couvercle de *la* (art.) machine à coudre. Elle en garnissait également la table et quelquefois les chaises, ce qui gênait *les* (art.) visiteurs. Elle en disposait dans le corridor et dans les pièces où *la* (art.) famille dormait. Le haut de *ma* (poss.) garde-robe s'ornait d'un rang d'asparagus. *Une* (art. ou num.) fougère se déployait devant le miroir de *mon* (poss.) lavabo, m'empêchant de voir si je m'étais bien lavé sur *toute* (indéf.) la surface du visage, si je n'avais pas laissé *des* (art.) traces de savon derrière *mes* (poss.) oreilles, si *la* (art.) raie qui me divisait les cheveux était droite. Sur *le* (art.) plancher s'alignaient *plusieurs* (indéf.) variétés de cactées. Du sommet d'autres sellettes tombaient *des* (art.) tiges de lierre toujours propre et brillant, car *ma* (poss.) mère, journellement, nettoyait *les* (art.) feuilles, leur ôtait la poussière. Arrosées *chaque* (indéf.) matin, les plantes autour de *mon* (poss.) lit prospéraient.

C. DETREZ (L'herbe à brûler, Calmann-Lévy, édit.).

*247. — Indiquer le genre et le nombre des déterminants relevés dans le n° précédent. Ont-ils ce genre en eux-mêmes ? Sinon, d'où le reçoivent-ils ? Comment peuvent se reconnaître ce genre et ce nombre ? Sont-ils immédiatement visibles ? Quelles conclusions peut-on tirer de cette observation ?

(Gr. § 212)

De (fém. pl. ; reçoit le genre de *plantes* ; seul le nombre est immédiatement visible) nombreuses plantes décoraient *ma* (fém. sing. ; reçoit le genre de *chambre* ; genre et nombre immédiatement visibles) chambre. Ma mère en raffolait. *Chaque* (fém. sing. ; reçoit le genre d'*année* ; seul le nombre est immédiatement visible) année elle faisait de nouvelles boutures. Elle achetait *des* (masc. pl. ; reçoit le genre de *pots* ; seul le nombre est immédiatement visible) pots, les rangeait sur *les* (masc. pl. ; reçoit le genre d'*appuis* ; seul le nombre est immédiatement visible) appuis des fenêtres, *l'* (fém. sing. ; reçoit le genre d'*armoire* ; seul le nombre est immédiatement visible) armoire, *le* (masc. sing. ; reçoit le genre de *couvercle* ; genre et nombre immédiatement visibles) couvercle de *la* (fém. sing. ; reçoit le genre de *machine* ; genre et nombre immédiatement visibles) machine à coudre. Elle en garnissait également la table et quelquefois les chaises, ce qui gênait *les* (masc. pl. ; reçoit le genre de *visiteurs* ; seul le nombre est directement visible) visiteurs. Elle en disposait dans le corridor et dans les pièces où *la* (fém. sing. ; reçoit le genre de *famille* ; genre et nombre directement visibles) famille dormait. Le haut de *ma* (fém. sing. ; reçoit le genre de *garde-robe* ; genre et nombre immédiatement visibles) garde-robe s'ornait d'un rang d'asparagus. *Une* (fém. sing. ; reçoit le genre de *fougère* ; genre et nombre immédiatement visibles) fougère se déployait devant le miroir de *mon* (masc. sing. ; reçoit le genre de *lavabo* ; seul le nombre est immédiatement visible) lavabo, m'empêchant de voir si je m'étais bien lavé sur *toute* (fém. sing. ; reçoit le genre de *surface* ; genre et nombre directement visibles) la surface du visage, si je n'avais pas laissé *des* (fém. pl. ; reçoit le genre de *traces* ; seul le nombre est immédiatement visible) traces de savon derrière *mes* (fém. pl. ; reçoit le genre d'*oreilles* ; seul le nombre est immédiatement visible) oreilles, si *la* (fém. sing. ; reçoit le genre de *raie* ; genre et nombre immédiatement visibles) raie qui me divisait les cheveux était droite. Sur *le* (masc. sing. ; reçoit le genre de *plancher* ; genre et nombre immédiatement visibles) plancher s'alignaient *plusieurs* (fém. pl. ; reçoit le genre de *variétés* ; seul le nombre est immédiatement visible) variétés de cactées. Du sommet d'autres sellettes tombaient *des* (fém. pl. ; reçoit le genre de *tiges* ; seul le nombre est immédiatement visible) tiges de lierre toujours propre et brillant, car *ma* (fém. sing. ; reçoit le genre de *mère* ; genre et nombre immédiatement visibles) mère, journellement, nettoyait *les* (fém. pl. ; reçoit le genre de *feuilles* ; seul le nombre est immédiatement visible) feuilles, leur ôtait la poussière. Arrosées *chaque* (masc. sing. ; reçoit le genre de *matin* ; seul le nombre est immédiatement visible) matin, les plantes autour de *mon* (masc. sing. ; reçoit le genre de *lit* ; seul le nombre est immédiatement visible) lit prospéraient.

C. DETREZ (*L'herbe à brûler,* Calmann-Lévy, édit.).

On observe que 1° le déterminant s'accorde en genre et en nombre avec le nom qu'il détermine ; — 2° très souvent les déterminants pluriels ont la même forme pour les deux genres ; de même, l'article élidé. — Pour *mon,* nous avons considéré que son genre n'était pas immédiatement visible, puisqu'on dit *mon école* (Gr. § 228).

248. — Relever les déterminants, en les classant par catégories : articles, démonstratifs, possessifs, numéraux, indéfinis, interrogatifs, exclamatifs, relatifs.   (Gr. §§ 207-208)

1. *Votre* (poss.) dernier travail était excellent. — 2. *Quelle* (exclam.) attention il faut pour faire *ces* (dém.) exercices ! — 3. *Les* (art.) petits ruisseaux font *les* (art.) grandes rivières. — 4. *La* (art.) nuit, *tous* (indéf.) *les* (art.) chats sont gris. — 5. Il faut *de la* (art.) patience pour écouter *ce* (dém.) long discours. — 6. *Mes* (poss.) *deux* (num.) frères sont membres *du* (art.) même[1] club de ping-pong. — 7. *Quel* (interr.) auteur a dit : « *Tout* (indéf.) homme a *deux* (num.) pays, le sien et puis *la* (art.) France » ? — 8. *Un* (art.) homme qui ne boit que *de l'* (art.) eau a *un* (art.) secret à cacher à *ses* (poss.) semblables. (Baudelaire.) — 9. *Les* (art.) regards *des* (art.) Alliés étaient fixés sur Pétrograd, contre *laquelle* (relat.) capitale on croyait que *les* (art.) Allemands commençaient *leur* (poss.) marche. (Proust.)

249. — Étudier du point de vue de la place qu'ils occupent dans la phrase les déterminants de l'exercice précédent.   (Gr. § 209)

Le déterminant est placé avant le nom, et avant l'épithète, s'il y en a une devant le nom. Lorsqu'un déterminant numéral est accompagné d'un article, d'un possessif ou d'un démonstratif (*mes deux frères*), le numéral est placé immédiatement devant le nom.

*250. — Le syntagme « mes deux fleurs » contient deux déterminants. Par quels déterminants appartenant à d'autres catégories peut-on remplacer : 1° *mes ;* 2° *deux* ?   (Gr. § 208)

1° *Mes* peut être remplacé par un article ou un démonstratif.
2° *Deux* peut être remplacé par le déterminant indéfini *quelques*.

251. — Justifier l'absence de déterminant devant les noms en italiques.   (Gr. § 210)

1. Bonne *renommée* (style proverbial) vaut mieux que *ceinture* (style proverbial) dorée. — 2. Il avait *conscience* (expression figée) de ses faiblesses comme de ses forces. — 3. Vers *minuit* (pas de déterminant devant ce nom), un bruit de tonnerre réveilla toute la maisonnée, *père, mère, enfants, grand-père, domestiques* (énumé-

---

1. *Même* étant nécessairement précédé d'un déterminant doit être considéré comme un adjectif et non comme un déterminant. (Cf. Gr. § 246.)

ration). — 4. *Avril* (pas de déterminant devant les noms de mois) est le mois où l'on commence à se rendre *compte* (expression figée) que le printemps est là. — 5. *Chien* (inscription) méchant. — 6. Ma mère est *médecin* (nom attribut exprimant simplement une qualité). — 7. Faites *attention* (expression figée) à l'orthographe de *fuchsia* (mot considéré pour lui-même). — 8. *Charles de Gaulle* (nom propre de personne), *président* (nom apposé) de la Républi- que, logeait à *Paris* (nom de ville) le moins possible.

252. — Faire des phrases où les noms suivants sont employés sans déterminant.   (Gr. § 210)

Prends *garde* à toi. — Ne vous mettez pas martel en *tête*. — Com- ment n'a-t-il pas *honte* de ses fautes d'orthographe ? — Reprends *courage*. — Il faut faire contre mauvaise *fortune* bon cœur. — Cet homme est sans *vergogne*. — Pourras-tu tenir *parole* ? — Si seule- ment tu rendais *service* ! — Beaucoup de malheureux cherchent *asile* en hiver. — Nous ne sommes pas en *possession* des documents que vous nous réclamez.

253. — Employer dans une petite phrase chacune des expressions suivantes.   (Gr. § 210)

1. **Donner carte blanche.** Réglez cette affaire à ma place : je vous *donne carte blanche*. — 2. **Faire grise mine.** C'est un homme revêche : il *fait grise mine* à tout le monde. — 3. **Ajouter foi.** Défiez-vous des charlatans et n'*ajoutez* pas *foi* à leurs boniments. — 4. **Imposer silence.** Un chef énergique sait, à l'occasion, *imposer silence* à ses subordonnés. — 5. **Noir comme jais.** Ce tronc d'arbre est pourri, *noir comme jais*. — 6. **Amer comme chicotin**[2]. Quelle tisane ! *amère comme chicotin* ! — 7. **Être chef.** Mon grand frère est *chef scout*. — 8. **Être le chef.** Qui *est le chef* de ce service ?

*254. — Dire pourquoi le déterminant est répété ou non.   (Gr. § 211)

1. *Les* prés, *les* bois, *les* champs, *les* jardins (le dét. se répète en principe devant chacun des noms coordonnés), sous les souffles du printemps, se mettent à revivre. — 2. *La* gloire, *les* richesses, *les* plai- sirs (même explication) sont-ils capables de procurer un bonheur véritable ? — 3. *Mes* bons et beaux livres (dét. non répété : s'il y a deux adjectifs, il y a un seul nom) sont pour moi d'excellents amis. — 4. Cet orateur a prononcé *un* long et ennuyeux discours (dét. non répété : même explication). — 5. *La* haute, *l'*admirable recherche des savants (quoiqu'il y ait un seul nom, on répète le dét. quand les adjectifs sont coordonnés sans conjonction ; tour littéraire) mérite

_____

2. *Chicotin* : suc très amer extrait d'un aloès.

l'encouragement des pouvoirs publics. — 6. *Ce* collègue et ami (dét. non répété : les deux noms désignent un seul et même être) de mon père annonce sa visite.

255. — Répéter le déterminant s'il y a lieu.   (Gr. § 211)

1. Dans le petit bois de chênes verts, il y a des oiseaux, *des* violettes, et *des* sources sous l'herbe fine. (A. Daudet.) — 2. De même qu'il y a la vraie et *la* fausse monnaie, de même il existe un vrai et *un* faux bonheur. — 3. L'envoyé avait plusieurs hautes et importantes missions à remplir. — 4. Certains guerriers francs avaient à la ceinture une francisque ou hache à deux tranchants. — 5. Il y a les grands et *les* petits devoirs : acquittons-nous des uns et des autres.

b) 1. Dans la bonne et *la* mauvaise fortune, gardez une âme sereine. — 2. Il est bon de se conformer aux us et coutumes des lieux où l'on habite. — 3. Le général a ordonné que les officiers, sous-officiers et soldats participeraient à la cérémonie. — 4. Les bons et vrais amis sont unis en toute occasion. — 5. Pasteur fut une belle et grande âme de savant. — 6. Ce délicat, cet émouvant Daudet est à la fois un artiste et un poète.

*256. — Pour ce qui est de l'article, tourner chacune des expressions suivantes de deux autres manières.   (Gr. § 211)

1. **Le code civil et le code pénal.** Les codes civil et pénal. Le code civil et le pénal (tour littéraire). — 2. **La littérature française et la littérature anglaise.** Les littératures française et anglaise. La littérature française et l'anglaise. — 3. **La langue italienne et la langue espagnole.** Les langues italienne et espagnole. La langue italienne et l'espagnole. — 4. **La syntaxe latine et la syntaxe française.** Les syntaxes latine et française. La syntaxe latine et la française. — 5. **La race bovine et la race chevaline.** Les races bovine et chevaline. La race bovine et la chevaline.

LES ARTICLES

257. — Distinguer parmi les articles en italiques les articles définis, les articles indéfinis et les articles partitifs. Indiquer leur genre et leur nombre, ainsi que le nom auquel ils se rapportent.   (Gr. §§ 213-219)

On était bien

On était assis dans *le* (art. déf. ; masc. sing. ; se rapporte à *sable*) sable fin, il pliait sous vous comme *de la* (art. part. ; fém. sing. ; se rapporte à *plume*) plume. Devant soi, on avait *le* (art. déf. ; masc. sing. ; se rapporte à *lac*) lac ; *la* (art. déf. ; fém. sing. ; se rapporte à *bise*) bise soufflait ce jour-là, elle poussait *les* (art. déf. ; fém. pl. ; se rapporte à *vagues*) vagues vers *le* (art. déf. ; masc. sing. ; se rapporte à *large*) large ; il semblait qu'il n'y eût pas *de* (art. indéf. ; fém. pl. ; se rapporte à *vagues*) vagues, parce qu'on n'en apercevait que *le* (art. déf. ; masc. sing. ; se rapporte à *côté*) côté en pente molle, mais plus loin venaient *les* (art. déf. ; masc. pl. ; se rapporte à *moutons*) premiers moutons. *L'*(art. déf. ; fém. sing. ; se rapporte à *eau*) eau était si bleue qu'elle avait *l'* (art. déf. ; masc. sing. ; se rapporte à *air*) air noire.

Dans *le* (art. déf. ; masc. sing. ; se rapporte à *sable*) sable autour de nous, il y avait *des* (art. indéf. ; masc. pl. ; se rapporte à *morceaux*) morceaux de brique aux angles arrondis, qui faisaient penser à *des* (art. indéf. ; masc. pl. ; se rapporte à *savons*) savons roses, et *des* (art. indéf. ; masc. pl. ; se rapporte à *culs*) culs de bouteilles que *le* (art. déf. ; masc. sing. ; se rapporte à *frottement*) frottement avait dépolis. À notre droite, *la* (art. déf. ; fém. sing. ; se rapporte à *rive*) rive allait se courbant et elle était bordée de toute *une* (art. indéf. ; fém. sing. ; se rapporte à *rangée*) rangée de hauts peupliers droits, aussi minces en bas qu'en haut, pareils à *des* (art. indéf. ; fém. pl. ; se rapporte à *bougies*) bougies.

C.-F. RAMUZ (Vie de Samuel Belet, Gallimard, édit.).

258. — Relever les articles, en distinguant les articles définis, les articles indéfinis et les articles partitifs. Indiquer leur genre et leur nombre ainsi que le nom auquel ils se rapportent.　　　(Gr. §§ 213-219)

a) 1. *Des* (art. indéf. ; masc. pl. ; se rapporte à *travaux*) travaux importants rendent *la* (art. déf. ; fém. sing. ; se rapporte à *route*) route provisoirement impraticable. — 2. Nicéphore Niepce est *l'* (art. déf. ; masc. sing. ; se rapporte à *inventeur*) inventeur de *la* (art. déf. ; fém. sing. ; se rapporte à *photographie*) photographie. — 3. Avec *une* (art. indéf. ; fém. sing. ; se rapporte à *attention*) plus grande attention vous éviterez *de* (art. indéf. ; fém. pl. ; se rapporte à *fautes*) nombreuses fautes d'orthographe. — 4. Quand *les* (art. déf. ; masc. pl. ; se rapporte à *chats*) chats sont partis, dit-on, *les* (art. déf. ; fém. pl. ; se rapporte à *souris*) souris dansent. — 5. *Les* (art. déf. ; masc. pl. ; se rapporte à *cosmonautes*) cosmonautes ont accompli, dans *la* (art. déf. ; fém. sing. ; se rapporte à *aventure*) grande aventure de *l'* (art. déf. ; masc. sing. ; se rapporte à *espace*) espace, *des* (art. indéf. ; masc. pl. ; se rapporte à *exploits*) exploits prodigieux. — 6. *L'*(art. déf. ; masc. sing. ; se rapporte à *aspect*) aspect désolant *des* (art. déf. inclus dans l'art. contracté ; fém. pl. ; se rapporte à *ruines*) ruines inspire *de la* (art. part. ; fém. sing. ; se rapporte à *mélancolie*) mélancolie *aux* (art. défini inclus dans l'art. contracté ; masc. pl. ; se rapporte à *visiteurs*) visiteurs.

b) La Corse, en 1884

Cette île sauvage est plus inconnue et plus loin de nous que *l'* (art. déf. ; fém. sing. ; se rapporte à *Amérique*) Amérique, bien qu'on la voie quelquefois *des* (art. déf. inclus dans l'art. contracté ; fém. pl. ; se rapporte à *côtes*) côtes de France, comme aujourd'hui.

Figurez-vous *un* (art. indéf. ; masc. sing. ; se rapporte à *monde*) monde encore en chaos, *une* (art. indéf. ; fém. sing. ; se rapporte à *tempête*) tempête de montagnes que séparent *des* (art. indéf. ; masc. pl. ; se rapporte à *ravins*) ravins étroits où roulent *des* (art. indéf. ; masc. pl. ; se rapporte à *torrents*) torrents ; pas *une* (art. indéf. ; fém. sing. ; se rapporte à *plaine*) plaine, mais *d'* (art. indéf. ; fém. pl. ; se rapporte à *vagues*) immenses vagues de granit et *de* (art. indéf. ; fém. pl. ; se rapporte à *ondulations*) géantes ondulations de terre couvertes de maquis ou de hautes forêts de châtaigniers et de pins. C'est *un* (art. indéf. ; masc. sing. ; se rapporte à *sol*) sol vierge, inculte, désert, bien que parfois on aperçoive *un* (art. indéf. ; masc. sing. ; se rapporte à *village*) village, pareil à *un* (art. indéf. ; masc. sing. ; se rapporte à *tas*) tas de rochers *au* (art. déf. inclus dans l'art. contracté ; masc. sing. ; se rapporte à *sommet*) sommet d'*un* (art. indéf. ; masc. sing. ; se rapporte à *mont*) mont.

MAUPASSANT (*Boule de Suif*).

259. — Faire avec chacun des mots suivants, mis au pluriel, deux phrases : dans l'une, il sera précédé d'un article défini ; dans l'autre, d'un article indéfini.   (Gr. §§ 214-217)

a) 1. **Fenêtre.** *Les fenêtres* de ma chambre sont couvertes de buée. — L'architecte nous a proposé de placer *des fenêtres* supplémentaires. — 2. **Moto.** *Les motos,* toute la nuit, nous ont empêchés de dormir. — Ce garagiste loue-t-il aussi *des motos* ? — 3. **Fraise.** Certaines personnes ne supportent pas *les fraises.* — Prendrez-vous *des fraises* ou une pomme ? — 4. **Cochon.** *Les cochons* sont élevés pour l'alimentation. — Ce fermier élève *des cochons.* — 5. **Clou.** Le code de la route demande aux piétons de traverser dans *les clous.* — Pour planter *des clous*, il faut un marteau.

b) 1. **Géranium :** *Les géraniums* sont de belles plantes ornementales. — Ma voisine a placé *des géraniums* à son balcon. — 2. **Charcutier.** *Les charcutiers* sont souvent aussi des bouchers. — On dit parfois de mauvais chirurgiens que ce sont *des charcutiers.* — 3. **Horloge.** Quand je dormais chez ma grand-mère, j'étais souvent réveillé par *les horloges.* — Avez-vous déjà vu *des horloges* à quartz ? — 4. **Rue :** *Les rues* de la ville sont désertes le dimanche. — Ce quartier possède encore *de* vieilles *rues* pavées. — 5. **Averse.** *Les averses* ont occasionné de sérieux dégâts. — *Des averses* incessantes nous ont empêchés de sortir.

260. — Mettre devant chacun des noms ou syntagmes suivants l'article *le* ou *la* et faire l'élision quand il y a lieu. (Gr. § 215)

L'origine, l'habitude, l'hirondelle, le haut clocher, la yole, l'entreprise, le hérisson, le halo, l'abondance, l' hurluberlu, l'heure, l'humble devoir, l'oisiveté, l'heureux jour, le ouistiti.

261. — Distinguer les articles indéfinis, partitifs, les articles contractés et les groupes préposition + article défini. (Gr. §§ 215, 217, 219)

a) 1. *Des* (art. indéf.) nuages planent sur la ville. — 2. Voyez la course *des* (art. contracté) nuages. — 3. Le vol *des* (art. contracté) hirondelles est rapide. — 4. *Des* (art. indéf.) hirondelles volent autour *du* (art. contracté) clocher. — 5. *Des* (art. contracté) profondeurs *de la* (préposition + art. déf.) forêt venaient *des* (art. indéf.) rumeurs étranges.

b) 1. Mon père, armé de son fusil, tirait *des* (art. indéf.) chouettes qui sortaient *des* (art. contracté) créneaux à l'entrée *de la* (préposition + art. déf.) nuit. (Chateaubriand.) — 2. L'automne vient : les feuilles *des* (art. contracté) marronniers prennent *des* (art. indéf.) teintes jaunâtres ; *de la* (art. part.) brume flotte au fond des vallées. — 3. Il entre *au* (art. contracté) Havre *des* (art. indéf.) centaines de bateaux chaque jour. — 4. Il faut *du* (art. part.) courage pour faire *des* (art. indéf.) exercices de grammaire alors qu'il y a *du* (art. part.) soleil dans le jardin. — 5. La confection *des* (art. contracté) dentelles demande *de la* (art. part.) patience.

***262.** — Expliquer la valeur caractéristique des articles en italiques. (Gr. §§ 210, 214, 216, 218)

a) 1. *Le* (art. déf. employé devant un mot désignant une réalité faisant partie de l'expérience commune) pain est l'aliment de base des Français. — 2. Il me faudrait *du* (art. part. employé devant un nom pour indiquer une quantité indéfinie) pain pour midi. — 3. Il me faudrait *des* (art. indéf. employé devant un nom désignant des choses dont il n'a pas encore été question) pains pour midi. — 4. Le boulanger a déposé *un* (art. indéf. employé devant un nom désignant une chose dont il n'a pas encore été question) pain sur le rebord de la fenêtre ; quand mon frère est rentré, *le* (art. déf. employé devant un nom qui désigne une chose connue du locuteur ou de l'interlocuteur) pain avait disparu. — 5. Il a emprunté *la* (art. déf. employé devant un nom désignant une réalité que le complément permet d'identifier) voiture de son oncle.

b) 1. Pour *le* (art. déf. employé devant un mot concernant le moment où l'on parle) moment, j'ai ce qu'il me faut. — 2. Le port de *La* (l'art. déf. fait partie de certains noms de villes qui originairement étaient des noms communs) Rochelle est surtout fréquenté par les bateaux de pêche. — 3. J'aime me promener dans *le* (art. déf. employé devant un nom propre de lieu : il s'agit de distinguer un aspect de la ville) Paris tranquille du mois d'août. — 4. Qui ne connaît *la* (à l'imitation de l'italien, art. déf. employé devant un nom propre de cantatrice) Castafiore, ce rossignol milanais ?

263. — Discerner les cas où *du, de la, de l'*, *des* sont des articles partitifs ou indéfinis. (Gr. §§ 218-219)

1. Avec *de la* (art. part.) patience, on vient à bout *des* difficultés les plus grandes. — 2. Dans la cour *de la* ferme, *des* (art. indéf.) chiens aboyaient furieusement. — 3. Le cœur, selon Pascal, a *des* (art. indéf.) raisons que la raison ne connaît point. — 4. Il y a *de l'* (art. part.) éloquence dans le ton *de la* voix. — 5. *Des* (art. indéf.) hirondelles poussent *des* (art. indéf.) cris aigus en virant autour *du* clocher. — 6. Les chasseurs s'assirent au revers *du* fossé : *des* sacs, *des* gibecières, on vit sortir *du* (art. part.) pain, *de la* (art. part.) viande froide, *du* (art. part.) fromage, *des* (art. indéf.) boîtes de conserves, *du* (art. part.) cognac même. — 7. Eh bien, moi, je t'irai porter *des* (art. indéf.) confitures. (Hugo.) — 8. *De l'* (art. part.) apaisement et un peu d'espoir étaient revenus à la maison depuis cette soirée. (Loti.)

264. — Faire avec chacun de ces noms deux phrases où le nom est précédé de *de la*, une fois avec la valeur partitive, une fois avec la valeur non partitive. (Gr. § 219)

1. **Lumière.** *De la lumière* pénétrait par la lucarne. — L'intensité *de la lumière* nous éblouissait. — 2. **Vapeur.** *De la vapeur* d'eau se condensait sur les vitres froides. — Salomon de Caus proposa, dès 1615, l'utilisation *de la vapeur* pour produire une force motrice. — 3. **Bière.** Bois-tu plutôt *de la bière* ou du vin ? — Le houblon entre dans la fabrication *de la bière*. — 4. **Joie.** Les enfants éprouvent *de la joie* en découvrant les jouets que leur a apportés saint Nicolas. — Ces jeunes parents sont au comble *de la joie*.

265. — Remplacer les trois points par *de* (*d'*) ou par *des, du, de la, de l'*. (Gr. § 219)

a) 1. Avec *de* grands efforts, il a obtenu d'excellents résultats. — 2. Les grands-pères se réjouissent d'avoir *des* petits-enfants autour d'eux. — 3. La promenade et le sport sont d'agréables passe-temps. — 4. Son idéal était de faire *de* plantureux repas avec *des* plats variés et *de* bons vins. — 5. On a vu *de* grands hommes mourir pauvres et ignorés. — 6. Il faut beaucoup *de* patience pour jouer aux échecs avec vous.

b) 1. J'ai passé bien *des* soirées à lire Jules Verne. — 2. *Des* jeunes gens ont fondé une équipe de football. — 3. On voyait s'allumer au loin *de* petits carrés de lumière. — 4. Pour faire de la bonne politique, les gouvernements doivent faire *de* bonnes finances. — 5. Il y a dans les profondeurs de l'océan des poissons qui n'ont pas *d'*yeux. — 6. De quoi vous plaignez-vous ? N'avez-vous pas *des* yeux, qui peuvent jouir de la lumière, et *des* oreilles, qui peuvent entendre la voix de ceux que vous aimez ?

c) 1. Il faut *du* bon sens dans les affaires. — 2. Cet élève n'a pas *de* courage ; il risque un échec. — 3. Cet élève n'a pas *du* courage, mais de l'acharnement. — 4. Si vous n'avez pas *d'*ordre, vous perdrez beaucoup de temps. — 5. Cela, ce n'est pas *de la* petite bière. — 6. Ce n'est pas *de la* fierté, c'est *de l'*orgueil.

LES NUMÉRAUX

266. — Relever les numéraux cardinaux. Distinguer les numéraux simples et les numéraux complexes. Justifier dans ces derniers l'emploi du trait d'union. (Gr. §§ 220-222)

Une épitaphe

C'est ici que repose celui qui ne s'est jamais reposé. Il s'est promené à *cinq cent trente* (num. compl.) enterrements. Il s'est réjoui de la naissance de *deux mille six cent quatre-vingts* (num. compl. ; trait d'union entre *quatre* et *vingt,* désignant des nombres inférieurs à cent) enfants. Les pensions dont il a félicité ses amis, toujours en des termes différents, montent à *deux* (num. simple) millions *six cent mille* (num. compl.) livres ; le chemin qu'il a fait sur le pavé à *neuf mille six cents* (num. compl.) stades ; celui qu'il a fait dans la campagne, à *trente-six* (num. compl. ; trait d'union entre *trente* et *six,* désignant des nombres inférieurs à cent). Sa conversation était amusante : il avait un fonds tout fait de *trois cent soixante-cinq* (num. compl. ; trait d'union entre *soixante* et *cinq,* désignant des nombres inférieurs à cent) contes ; il possédait, d'ailleurs, depuis son jeune âge, *cent dix-huit* (num. compl. ; trait d'union entre *dix* et *huit,* désignant des nombres inférieurs à cent) apophtegmes [3] tirés des Anciens, qu'il employait dans les occasions brillantes.

MONTESQUIEU (*Lettres persanes*).

267. — Lire à haute voix. (Gr. § 221)

1. J'en ai trois [tRwA]. — 2. Trois [tRwAz] hommes. — 3. Quatre [kAtR] officiers. — 4. J'en ai vu six [sis]. — 5. Neuf

---

3. *Apophtegme* : parole mémorable ayant une valeur de maxime.

[nœv] heures. — 6. Neuf [nœf] enfants. — 7. J'en ai trouvé vingt [vɛ̃]. — 8. Vingt-deux [vɛ̃tdœ] Hollandais. — 9. Huit handicapés [ɥi]. — 10. Six [si] personnes.

268. — Écrire les nombres en toutes lettres.   (Gr. §§ 222-223)

a) *Quatre-vingts* ans. — *Trente-deux* hectolitres. — *Soixante-six* dollars. — *Cinq cent trente* hommes. — *Quatre cent quatre-vingts* mètres. — *Cent un* litres. — *Sept cent quatre-vingt-cinq* kilomètres. — *Quatre cent un* volumes. — *Soixante-quatre* ans. — *Quarante et un* ares. — *Soixante-dix* (ou *septante*[4]) kilos. — *Cent trente et une* pages.

b) *Huit mille deux cents* tuiles. — *Deux cent deux* moutons. — *Quatre-vingt-onze* (ou *nonante et une*)[5] vaches. — *Mille huit cent cinq* (ou *dix-huit cent cinq*) hectares. — *Cinq cent soixante et un mille deux cent quatre* habitants. — *Quatre-vingt-six millions trois cent quatre-vingt-quatre mille six cent quatre-vingts* francs. — *Cinq cent vingt-six* mètres. — *Sept mille huit cent un* hectares. — *Deux cent quarante* degrés. — *Deux millions trois cent vingt et un mille six cent quarante et un* francs. — *Vingt et un millions* de francs. — *Trois millions cent vingt et un mille quatre cent six* habitants.

c) 1. L'homme a *trente-deux* dents. — 2. L'air contient *vingt et une* parties d'oxygène pour *soixante-dix-neuf* (ou *septante-neuf*) parties d'azote. — 3. Le plomb fond à *trois cent cinquante-cinq* degrés ; l'étain, à *deux cent trente* degrés. — 4. La lumière parcourt *trois cent mille* kilomètres par seconde. — 5. La Lune est à environ *trois cent quatre-vingt-quatre mille* kilomètres de la Terre. — 6. La bombe atomique lancée sur Hiroshima a fait périr *deux cent soixante mille* personnes.

d) 1. Les anciennes diligences pesaient jusqu'à *quatre mille* kilogrammes. — 2. Dans l'air, la vitesse du son est d'environ *trois cent quarante* mètres par seconde ; dans l'eau, elle est d'environ *mille quatre cent trente-cinq* (ou *quatorze cent trente-cinq*) mètres par seconde ; dans les solides, elle est de plus de *trois mille* mètres par seconde. — 3. La plus grande des pyramides d'Égypte a une hauteur de *cent trente-huit* mètres. — 4. La tour Eiffel a été édifiée en *mil huit cent quatre-vingt-neuf* (ou *dix-huit cent quatre-vingt-neuf*), à Paris ; elle a *trois cents* mètres de hauteur et pèse plus de *neuf millions* de kilos. — 5. Le tunnel creusé sous le mont Blanc entre la France et l'Italie a une longueur de *onze mille six cents* mètres.

e) 1. Le tunnel du Simplon, le plus long du monde, comprend deux galeries : l'une est longue de *dix-neuf mille huit cent un* mètres, l'autre de *dix-neuf mille huit cent vingt et un* mètres. — 2. Luna 10, le premier satellite artificiel de la Lune, lancé par les savants soviéti-

---

4. *Septante* est officiel en Belgique et en Suisse.
5. *Nonante* est officiel en Belgique et en Suisse.

ques en avril *mil neuf cent soixante-six* (ou *dix-neuf cent soixante-six*), pesait *deux cent quarante-cinq* kilos. — 3. La Chine a une population de plus de *neuf cent vingt millions* d'habitants. — 4. Aux approches de l'an *mille* (mieux que *mil*), on crut, dit-on, à la fin du monde. — 5. Il serait intéressant d'avoir des détails sur la vie des populations qui habitaient nos régions vers l'an *quinze cent* (ou *mille cinq cent*) ou vers l'an *deux mille* avant Jésus-Christ. — 6. Les baleines peuvent atteindre une longueur de *vingt-cinq* mètres et peser jusqu'à *cent cinquante mille* kilos.

269. — Mettre, quand il le faut, l'*s* du pluriel à *vingt* et à *cent* (mettre aussi le trait d'union là où il est nécessaire).   (Gr. § 222)

1. Trois *cents* francs. — 2. Quatre-*vingts* mètres. — 3. Cinq *cent* vingt kilos. — 4. Quatre-*vingt*-deux ans. — 5. Huit *cent* trente hommes. — 6. Sept *cents* cartouches. — 7. Trois *cent* quatre-*vingt*-cinq grammes. — 8. Neuf *cent* quatre-*vingt*-dix dollars. — 9. Reçu la somme de huit *cent* quatre-*vingts* francs.

270. — Remplacer les trois points par *mille* ou par *mil* et mettre, quand il y a lieu, l'*s* du pluriel.   (Gr. §§ 222-223)

1. Vingt-trois *mille* francs. — 2. Six *mille* hommes. — 3. Trente *mille* habitants. — 4. En *mil* neuf cent quarante. — 5. Quatre *mille* huit cents mètres. — 6. Les terreurs de l'an *mille* (mieux que *mil*). — 7. Deux cent *mille* francs. — 8. L'an deux *mille*. — 9. En *mil* huit cent quinze. — 10. Une distance de six *milles* marins. — 11. Un trajet de vingt *milles* anglais.

271. — Écrire en toutes lettres les adjectifs numéraux ordinaux correspondant aux nombres suivants.   (Gr. § 224)

Premier, deuxième, quatrième, cinquième, sixième, neuvième, dixième, treizième, vingtième, trentième, centième, cent unième, cinq cent quatre-vingt-troisième, six cent soixante-dix-neuvième (ou *six cent septante-neuvième*), mille unième, deux mille deux cent quatre-vingt-neuvième.

272. — Écrire les heures en toutes lettres en utilisant les fractions (*demi, quart*).   (Gr. § 225)

1. Une heure et demie. — 2. Neuf heures et demie. — 3. Dix heures et quart (ou *dix heures un quart*). — 4. Dix heures trois quarts (ou *onze heures moins le quart ; onze heures moins un quart*).

LES DÉTERMINANTS POSSESSIFS

273. — Relever les déterminants possessifs en indiquant à quels noms ils se rapportent.

(Gr. §§ 226-228)

L'usurier Gobseck

Les cheveux de *mon* (se rapporte à *usurier*) usurier étaient plats, soigneusement peignés et d'un gris cendré. Les traits de *son* (se rapporte à *visage*) visage impassible paraissaient avoir été coulés dans le bronze, jaunes comme ceux d'une fouine ; *ses* (se rapporte à *yeux*) petits yeux n'avaient presque point de cils et craignaient la lumière ; mais l'abat-jour d'une vieille casquette les en garantissait. *Son* (se rapporte à *nez*) nez pointu était si grêlé dans le bout que vous l'eussiez comparé à une vrille. Il avait les lèvres minces de ces alchimistes et de ces petits vieillards peints par Rembrandt. Cet homme parlait bas, d'un ton doux, et ne s'emportait jamais. *Son* (se rapporte à *âge*) âge était un problème : on ne pouvait pas savoir s'il était vieux avant le temps ou s'il avait ménagé *sa* (se rapporte à *jeunesse*) jeunesse afin qu'elle lui servît toujours. Tout était propre et râpé dans *sa* (se rapporte à *chambre*) chambre. En hiver, les tisons de *son* (se rapporte à *foyer*) foyer, toujours enterrés dans un talus de cendres, y fumaient sans flamber. *Ses* (se rapporte à *actions*) actions, depuis l'heure de *son* (se rapporte à *lever*) lever jusqu'à *ses* (se rapporte à *accès*) accès de toux le soir, étaient soumises à la régularité d'une pendule.

BALZAC (*Gobseck*).

274. — Relever les déterminants possessifs en indiquant pour chacun d'eux : 1° s'il se rapporte à un nom singulier ou pluriel ; 2° à quelle personne grammaticale il appartient (1ʳᵉ personne du singulier, etc.).

(Gr. §§ 227-228)

a) 1. J'aime *mon* (se rapporte à un nom sing. ; 1ʳᵉ pers. sing.) chat. — 2. Ouvre *ton* (se rapporte à un nom sing. ; 2ᵉ pers. sing.) livre. — 3. L'avare avait perdu *son* (se rapporte à un nom sing. ; 3ᵉ pers. sing.) trésor. — 4. L'hiver a *ses* (se rapporte à un nom pl. ; 3ᵉ pers. sing.) plaisirs. — 5. Les hirondelles construisent *leurs* (se rapporte à un nom pl. ; 3ᵉ pers. pl.) nids. — 6. Faisons *notre* (se rapporte à un nom sing. ; 1ʳᵉ pers. pl.) devoir. — 7. Quel est *votre* (se rapporte à un nom sing. ; 2ᵉ pers. pl.) nom ? quels sont *vos* (se rapporte à un nom pl. ; 2ᵉ pers. pl.) prénoms ? — 8. Je pris *mes* (se rapporte à un nom pl. ; 1ʳᵉ pers. sing.) jambes à *mon* (se rapporte à un nom sing. ; 1ʳᵉ pers. sing.) cou.

b) 1. Tout mortel se soulage à parler de *ses* (se rapporte à un nom pl. ; 3ᵉ pers. sing.) maux. (A. Chénier.) — 2. *Mon* (se rapporte à un nom sing. ; 1ʳᵉ pers. sing.) verre n'est pas grand, mais je bois dans *mon* (se rapporte à un nom sing. ; 1ʳᵉ pers. sing.) verre.

(Musset.) — 3. Là se réunissaient les hirondelles prêtes à quitter *nos* (se rapporte à un nom pl. ; 1ʳᵉ pers. pl.) climats. Je ne perdais pas un seul de *leurs* (se rapporte à un nom pl. ; 3ᵉ pers. pl.) gazouillements. (Chateaubriand.) — 4. *Son* (se rapporte à un nom sing. ; 3ᵉ pers. sing.) enfance se réveillait, avec tout *son* (se rapporte à un nom sing. ; 3ᵉ pers. sing.) goût amer, avec toute *sa* (se rapporte à un nom sing. ; 3ᵉ pers. sing.) tristesse et tout *son* (se rapporte à un nom sing. ; 3ᵉ pers. sing.) sérieux, à la seule vue de *ses* (se rapporte à un nom pl. ; 3ᵉ pers. sing.) livres de prix des années précédentes. (Larbaud.) — 5. M. Auguste Krauset est né dans le département de l'Oise ; mais, avec *son* (se rapporte à un nom sing. ; 3ᵉ pers. sing.) large feutre noir, *son* (se rapporte à un nom sing. ; 3ᵉ pers. sing.) court veston de lustrine, *son* (se rapporte à un nom sing. ; 3ᵉ pers. sing.) pantalon bouffant sur les reins, *son* (se rapporte à un nom sing. ; 3ᵉ pers. sing.) buste massif et *ses* (se rapporte à un nom pl. ; 3ᵉ pers. sing.) gestes lents, il a l'air d'un paysan auvergnat. (G. Duhamel.)

275. — Conjuguer au présent de l'indicatif :   (Gr. §§ 227-228)

1. Je prends mon livre, ma règle et mes cahiers. — Tu prends ton livre, ta règle et tes cahiers. — Il prend son livre, sa règle et ses cahiers. — Nous prenons notre livre, notre règle et nos cahiers. — Vous prenez votre livre, votre règle et vos cahiers. — Ils prennent leur livre, leur règle et leurs cahiers.

2. Je retrouve ma ville, mon quartier, mes parents. — Tu retrouves ta ville, ton quartier, tes parents. — Il retrouve sa ville, son quartier, ses parents. — Nous retrouvons notre ville, notre quartier, nos parents. — Vous retrouvez votre ville, votre quartier, vos parents. — Ils retrouvent leur ville, leur quartier, leurs parents.

276. — Je puis dire en m'adressant à quelqu'un : « Quel est *ton* nom ? » ou « Quel est *votre* nom ? » Avec quel genre de personnes emploie-t-on la première formule ? Avec quel genre de personnes emploie-t-on la seconde ?

Y a-t-il des circonstances où quelqu'un dit « notre » au lieu de « mon » ?   (Gr. § 227)

La première formule implique d'ordinaire la familiarité, tandis que la seconde marque une certaine distance, notamment s'il s'agit d'une personne inconnue ou d'une personne à qui l'on doit le respect. (Mais il y a d'importantes variations selon les temps, les lieux, les classes sociales, les familles, les individus.)

La 1ʳᵉ personne du pluriel peut être employée au lieu du singulier : dans le pluriel dit *de majesté* (dans le style officiel employé par les souverains, les évêques, les personnes qui détiennent l'autorité) ;

dans le pluriel dit *de modestie* (quand un auteur parle de lui-même) et à l'impératif, parce que ce mode n'a pas de 1re personne du singulier.

277. — Rédiger un dialogue dans lequel les deux interlocuteurs emploient des possessifs de la 2e personne du singulier. Retranscrire ce dialogue en considérant deux interlocuteurs qui ne se tutoient pas.

(Gr. § 227)

278. — Donner deux expressions où *mon* est joint à un nom masculin, puis deux expressions où il est joint à un nom féminin. Faire de même avec *ton* et avec *son,* en variant les noms.   (Gr. § 228)

a) 1. J'aime *mon* métier. — Je cherche *mon* stylo. — 2. Tu perturbes *mon* organisation. — Je reconnais *mon* erreur.

b) 1. Tu admires *ton* travail. — Tu résous *ton* problème. — 2. Tu donnes *ton* opinion. — Tu te plains de *ton* existence.

c) 1. Elle écrit à *son* filleul. — Elle a perdu *son* agenda. — 2. Elle téléphone à *son* amie. — Il contrôle *son* agressivité.

279. — Remplacer les trois points par le déterminant possessif qui convient.   (Gr. §§ 227-228)

a) 1. Nous acceptons *nos* amis avec *leurs* qualités et *leurs* défauts. — 2. Je dois faire une rédaction sur les arbres en automne et sur *leur* feuillage aux tons variés. — 3. Le citadin envie l'homme des champs et *son* bonheur tranquille. L'homme des champs se plaint de *son* existence monotone et envie le citadin pour *ses* divertissements variés. — 4. Selon le Code civil, les enfants doivent subvenir aux besoins de *leurs* parents et de *leurs* autres ascendants s'il est nécessaire. — 5. La Fontaine a imaginé *sa* propre épitaphe. — 6. Un petit enfant avait refusé de dire bonjour aux visiteurs de *ses* parents. *Sa* mère le poussa dehors en disant : « Va chercher *tes* bonnes manières. Tu reviendras quand tu les auras trouvées. »

b) 1. Quand *mes* amis sont borgnes, je les regarde de profil. (Joubert.) — 2. Retenant *mon* haleine, je n'entendais que le bruit de *mes* artères dans *mes* tempes et le battement de *mon* cœur. (Chateaubriand.) — 3. Avec *ton* parapluie bleu et *tes* brebis sales, avec *tes* vêtements qui sentent le fromage, tu t'en vas vers le ciel du coteau, appuyé sur *ton* bâton de houx, de chêne ou de néflier. (Fr. Jammes.)

280. — Remplacer les trois points par *leurs,* déterminant possessif, ou par *leur,* pronom personnel invariable.   (Gr. §§ 228 et 253)

a) 1. Après l'inondation, les villageois ont dû remplacer tous *leurs* vêtements et presque tous *leurs* meubles. — 2. Les arbres perdent *leurs* feuilles aux premiers jours d'octobre. — 3. Je suis allé voir mes deux tantes ; je *leur* ai porté des chocolats, et elles m'ont donné de *leurs* délicieuses confitures. — 4. Les gens aimables conservent *leurs* amis : ceux-ci *leur* rendent volontiers service. — 5. Mes parents me prient de vous faire part de *leurs* regrets : ils ne pourront assister au mariage. J'écrirai aux jeunes mariés pour *leur* dire quand je *leur* ferai visite.

b) 1. Qui de nous n'a trouvé du charme à suivre des yeux les nuages du ciel ? Qui ne *leur* a envié la liberté de *leurs* voyages au milieu des airs ? (Vigny.) — 2. L'intendant vint, la barrette à la main, prendre les comédiens et les conduire à *leurs* logements respectifs. (Th. Gautier.) — 3. Les fermes basses, accroupies comme des poules couveuses et largement adhérentes à la terre de *leurs* clos, ouvrirent tous les volets de *leurs* petites fenêtres. (R. Martin du Gard.) — 4. Tu n'auras point la cruauté de piéger ces amis mélodieux, de *leur* tendre des lacets. (M. Bedel.)

281. — Remplacer les trois points par *ses* possessif ou par *ces* démonstratif ou par *c'est*.   (Gr. §§ 228, 234, 267)

1. *C'est* un trésor que la santé. — 2. Admirez *ces* paysages que le gel a dessinés sur la vitre. — 3. Chaque âge a *ses* plaisirs. — 4. Une voiture a *ses* caprices : *c'est* le jour où vous avez un rendez-vous capital qu'elle refuse *ses* services. — 5. *Ces* enfants sont insupportables ! Ils font du bruit au moment où leur père écrit *ses* lettres de fin d'année, en essayant de varier *ses* formules pour les adapter aux souhaits de *ses* correspondants.

282. — Mettre le possessif convenable ou bien l'article défini (contracté au besoin).   (Gr. § 229)

1. C'est un tableau touchant que celui du vieux père tendant *les* bras au fils prodigue qui lui exprime *son* repentir. — 2. Une personne qui a *le* bras long a un crédit, un pouvoir qui s'étend loin. — 3. Colbert, dit-on, se frottait *les* mains en voyant le matin qu'il avait beaucoup de travail à accomplir. — 4. Le coq tend *le* cou pour lancer un cocorico sonore. — 5. La vieillesse, en général, nous ôte *la* mémoire, mais les vieillards se rappellent presque toujours le temps de *leur* enfance. — 6. Gnathon, l'égoïste dépeint par La Bruyère, mange gloutonnement : les sauces lui dégouttent *du* menton et de *la* barbe ; il roule *les* yeux vers les plats ; il écure *ses* dents, et il continue de manger.

283. — Remplacer les trois points par le possessif convenable (en rapport avec *chacun*).   (Gr. § 231)

1. Chacun a *ses* qualités et *ses* défauts. — 2. Condé et Turenne avaient chacun *leur* (ou *son*) génie. — 3. Il faut, mes amis, que vous

appliquiez chacun *votre* esprit à penser juste. — 4. Vous aurez chacun *vos* joies et *vos* peines. — 5. Les hommes doivent, dans le champ de la vie, creuser chacun *leur* (ou *son*) sillon et moissonner *leur* (ou *sa*) gerbe. — 6. Nous exercerons chacun *notre* profession. — 7. Les diverses saisons ont chacune *leurs* (ou *ses*) plaisirs.

284. — Faire, sur chacun des thèmes suivants, six phrases au moins dans lesquelles il y aura deux déterminants possessifs.   (Gr. §§ 226-230)

a) Autoportrait. 1. Dürer, qui effectua l'essentiel de *sa* carrière à Nuremberg, a peint *son* autoportrait. — 2. Lorsqu'un artiste fait *son* propre portrait, on dit qu'il réalise *son* autoportrait. — 3. Ce peintre illustre, après avoir dessiné le visage de *sa* femme et de *ses* enfants, a fait *son* autoportrait. — 4. Rembrandt et Goya ont tous deux réalisé *leur* autoportrait ; Van Gogh aussi fit *son* portrait. — 5. Je trouve *tes* dessins fort beaux ; as-tu déjà fait *ton* autoportrait ? — 6. Pour faire *son* autoportrait, il faut observer *son* visage dans la glace ou regarder une photographie.

b) Mes vêtements. 1. *Ma* tante tient une boutique, tous *mes* vêtements viennent de *son* magasin. — 2. Je ne dois pas oublier de mettre *mon* écharpe et *mon* bonnet : il gèle si fort ! — 3. J'ai perdu *mes* gants, je crois les avoir laissés dans *ta* voiture. — 4. *Ma* sœur n'aime pas *mon* nouveau chandail ; elle préfère *ma* veste. — 5. *Mon* écharpe est assortie à *mon* manteau. — 6. *Mon* armoire est trop petite : je n'arrive pas à y ranger tous *mes* vêtements.

c) Ma chambre. 1. Je dois partager *ma* chambre avec *ma* sœur. — 2. Je fais toujours *mes* devoirs dans *ma* chambre. — 3. Je range *ma* collection de timbres dans une armoire de *ma* chambre. — 4. Maman trouve que *ma* chambre est en désordre ; elle déplore *mon* laisser-aller. — 5. *Mes* parents ont demandé *mon* avis pour la décoration de *ma* chambre. — 6. J'ai fait visiter *ma* chambre à *mes* amis.

*285. — Relever dans les phrases suivantes les *adjectifs* possessifs. Comment rendrait-on dans la langue courante la nuance exprimée par ces adjectifs ?
                                                    (Gr. § 228)

1. J'ai retrouvé l'autre jour un *mien* article / *un article à moi.* (Montherlant). — 2. Il allait quérir deux *siens* valets / *deux valets à lui.* (Ch. De Coster.) — 3. Les Soviets déclaraient faire *leurs* / *adopter* toutes les revendications turques. (R. Grousset.) — 4. Le patron jura qu'un vieux *sien* matelot / *un vieux matelot à lui* était un cuisinier estimable. (Mérimée.) — 5. La vie non encore vécue (...) nous semble une vie plus lointaine, plus détachée, moins utile, moins *nôtre* / *moins à nous.* (Proust.) — 6. L'égoïsme et une absence complète de la plus petite étincelle de générosité (...) forment le caractère de ce *mien* camarade / *ce camarade à moi.* (Stendhal.) — 7. Il avait reçu une balle autrichienne dans la cuisse ; (...) pendant

ces deux jours, la balle, avec toute la souffrance qui irradiait d'elle, avait été la partie la plus *sienne / la plus à lui* de lui-même. (R. Vailland.)

LES DÉTERMINANTS DÉMONSTRATIFS

286. — Relever les déterminants démonstratifs en précisant leur genre et leur nombre et en indiquant à quel nom ils se rapportent.

(Gr. §§ 233-234)

a) Soir tranquille

Aricie goûtait alors une impression délicieuse de détente. Devant *ce* (masc. sing. ; se rapporte à *paysage*) large paysage de ciel et d'eau, sur *ce* (masc. sing. ; se rapporte à *fond*) fond de ville à demi voilée par la brume, elle laissait voler sa pensée loin des soucis du jour, elle oubliait ses tâches. Elle aspirait profondément l'espace et *cette* (fém. sing. ; se rapporte à *odeur*) odeur marine, son cœur en était tout gonflé. Son regard allait se poser sur le clocher de Saint-Michel, c'était la direction de sa maison natale, où tous les siens avaient vécu... Puis, rabaissant les yeux sur les eaux, mesurant la distance qu'elles mettaient entre la ville et elle, elle lui comparait, par un jeu enfantin de l'esprit, *cette* (fém. sing. ; se rapporte à *distance*) autre distance idéale qui la séparait de la vie. Elle songeait à *cet* (masc. sing. ; se rapporte à *fleuve*) autre fleuve de chagrins, de renoncements, d'amertumes, dont le flot chaque jour accru l'éloignait sans cesse davantage du bonheur.

Émile HENRIOT (*Aricie Brun,* Librairie Plon, tous droits réservés).

b) 1. Après bien des efforts, on parvint à le tirer de l'armoire, *ce* (masc. sing. ; se rapporte à *bocal*) fameux bocal. (A. Daudet.) — 2. Le train courait dans *ce* (masc. sing. ; se rapporte à *jardin*) jardin, dans *ce* (masc. sing. ; se rapporte à *paradis*) paradis des roses, dans *ce* (masc. sing. ; se rapporte à *bois*) bois d'orangers et de citronniers épanouis qui portent en même temps leurs bouquets blancs et leurs fruits d'or, dans *ce* (masc. sing. ; se rapporte à *royaume*) royaume des parfums, dans *cette* (fém. sing. ; se rapporte à *patrie*) patrie des fleurs, sur *ce* (masc. sing. ; se rapporte à *rivage*) rivage admirable qui va de Marseille à Gênes. (Maupassant.) — 3. On nous donnait parfois pour étrennes une de *ces* (fém. pl. ; se rapporte à *boîtes*) boîtes de Nuremberg renfermant une ville allemande en miniature. (Th. Gautier.)

287. — Remplacer les trois points par *ce* ou *cet*. (Gr. § 234)

1. Le pinson, *ce* bel oiseau, *cet* oiseau sémillant. — 2. Voici *ce* témoignage, *cet* humble témoignage. — 3. *Ce* chef-d'œuvre admirable, *cet* admirable chef-d'œuvre. — 4. Je connais *ce* personnage, *cet*

héroïque personnage. — 5. Vois-tu *ce* haut peuplier ? — 6. Faites-moi *cet* honneur. — 7. J'ai vu *ce* spectacle étonnant, *cet* épouvantable spectacle. — 8. Admirons *ce* héros.

288. — Remplacer les trois points par *ces* ou par *ses*.

(Gr. §§ 234 et 228)

1. *Ces* automobilistes sont négligents : celui-ci ne remplace pas *ses* pneus à temps ; celui-là oublie de faire vérifier *ses* freins. — 2. Le pâtissier du coin a de *ces* gâteaux ! Je ne te dis que ça ! — 3. Vous connaissez sûrement *ces* jolies bêtes qu'on appelle des coccinelles. Pendant que je rédige *ces* phrases, un de *ces* insectes prend *ses* ébats sur ma feuille, et ma plume doit le contourner pour écrire *ces* trois points qui exercent votre sagacité. — 4. Ne vous fiez pas à *ces* gens trop sûrs d'eux. — 5. Un chèvrefeuille, se cramponnant à la voûte, laissait retomber *ses* fleurs en pleine lumière. (Flaubert.)

289. — Rédiger deux phrases contenant des déterminants démonstratifs prochains et deux phrases contenant des déterminants démonstratifs lointains.

(Gr. § 234)

a) 1. Regarde comme *ces* roses-*ci* sont belles ! — 2. Prends-tu *ce* livre-*ci* ? — b) 1. Pourquoi ne mets-tu pas *ce* pantalon-*là* ? — 2. Au Louvre, n'oublie pas d'admirer *ce* tableau-*là*.

LES DÉTERMINANTS INDÉFINIS

290. — Relever les déterminants indéfinis proprement dits, en indiquant à quel nom ils se rapportent.

(Gr. § 239)

a) 1. *Toute* (se rapporte à *médaille*) médaille a son revers. — 2. Quand on dit de *certaines* (se rapporte à *personnes*) personnes qu'elles ont *plusieurs* (se rapporte à *cordes*) cordes à leur arc, on veut dire qu'elles ont *plusieurs* (se rapporte à *moyens*) moyens pour parvenir à leur but ou qu'elles ont, pour vivre, *diverses* (se rapporte à *ressources*) ressources. — 3. *Chaque* (se rapporte à *montagne*) montagne a sa vallée. — 4. Vous n'avez *aucune* (se rapporte à *raison*) raison de vous méfier. — 5. J'ai laissé passer *quelques* (se rapporte à *jours*) jours afin de m'informer davantage, et *différentes* (se rapporte à *solutions*) solutions me paraissent possibles.

b) 1. La route sinue à travers une contrée montagneuse, rasant des précipices profonds, bordée en *maints* (se rapporte à *endroits*) endroits de torrents tumultueux. (J. Verne.) — 2. *Nul* (se rapporte à *système*) système politique ne s'est, au XXe siècle, davantage penché sur le problème des langues parlées par ses administrés que le système soviétique. (H. Carrère d'Encausse.) — 3. Il s'agissait d'atteindre là-haut, sur le dernier rayon, *certain* (se rapporte à *bocal*) bocal de cerises à l'eau-de-vie qui attendait Maurice depuis dix ans. (A. Daudet.) — 4. Avoir son encensoir, toujours, dans *quelque* (se rapporte à *barbe*) barbe ? Non, merci. (E. Rostand.) — 5. Elle s'est gardée de prendre *aucun* (se rapporte à *risque*) risque qui aurait pu engager sa propre responsabilité. (Dans le *Monde*.) — 6. Il vit dans les livres et proclame hautement que *tel* (se rapporte à *volume*) volume de sa bibliothèque est plus précieux qu'un duché. (A. France.) — 7. Après *maint* (se rapporte à *parcours*) parcours hésitant, l'allumage brusque des réverbères (...) m'a révélé que j'étais retourné, sans m'en apercevoir, à cet arrêt du bus. (Butor.)

291. — Quel est le genre et quel est le nombre des déterminants indéfinis relevés dans l'exercice précédent ? Quels sont ceux qui ont une forme différant selon ce genre et ce nombre ? (Gr. § 242)

a) 1. *Toute* (fém. sing. ; forme variable) médaille a son revers. — 2. Quand on dit de *certaines* (fém. pl. ; forme variable) personnes qu'elles ont *plusieurs* (fém. pl. ; forme invariable) cordes à leur arc, on veut dire qu'elles ont *plusieurs* (masc. pl. ; forme invariable) moyens pour parvenir à leur but ou qu'elles ont, pour vivre, *diverses* (fém. pl. ; forme variable en genre) ressources. — 3. *Chaque* (fém. sing. ; forme invariable) montagne a sa vallée. — 4. Vous n'avez *aucune* (fém. sing. ; forme variable en genre) raison de vous méfier. — 5. J'ai laissé passer *quelques* (masc. pl. ; forme variable en nombre) jours afin de m'informer davantage, et *différentes* (fém. pl. ; forme variable en genre) solutions me paraissent possibles.

b) 1. La route sinue à travers une contrée montagneuse, rasant des précipices profonds, bordée en *maints* (masc. pl. ; forme variable) endroits de torrents tumultueux. (J. Verne.) — 2. *Nul* (masc. sing. ; forme variable en genre) système politique ne s'est, au XXᵉ siècle, davantage penché sur le problème des langues parlées par ses administrés que le système soviétique. (H. Carrère d'Encausse.) — 3. Il s'agissait d'atteindre là-haut, sur le dernier rayon, *certain* (masc. sing. ; forme variable) bocal de cerises à l'eau-de-vie qui attendait Maurice depuis dix ans. (A. Daudet.) — 4. Avoir son encensoir, toujours, dans *quelque* (masc. sing. ; forme variable en nombre) barbe ? Non, merci. (E. Rostand.) — 5. Elle s'est gardée de prendre *aucun* (masc. sing. ; forme variable en genre) risque qui aurait pu engager sa propre responsabilité. (Dans le *Monde*.) — 6. Il vit dans les livres et proclame hautement que *tel* (masc. sing. ; forme variable) volume de sa bibliothèque est plus précieux qu'un duché. (A. France.) — 7. Après *maint* (masc. sing. ; forme variable) parcours hésitant, l'allumage brusque des réverbères (...) m'a révélé que j'étais retourné, sans m'en apercevoir, à cet arrêt du bus. (Butor.)

292. — Relever les déterminants indéfinis occasionnels.   (Gr. § 239)

a) 1. En *plus d'une* occasion, on peut constater que *beaucoup de* gens changent d'avis facilement. — 2. On a surnommé cet élève Napoléon, pour *je ne sais quelle* raison. — 3. Il connaît *quantité d'*anecdotes sur *la plupart des* rois de France. — 4. *Bien des* champignons ne sont pas comestibles. — 5. Mettez *n'importe quelles* chaussures, du moment qu'elles soient en bon état. — 6. *Trop de* précaution nuit.

b) 1. À purger sa prose des répétitions, Flaubert suait *Dieu sait quelles* sueurs. (Bainville.) — 2. *Pas un* chat dans les rues du village ; tout le monde était à la grand-messe. (A. Daudet.) — 3. Nous passions avec Justin *la plupart de* nos soirées à rédiger *force* lettres. (G. Duhamel.) — 4. Il y avait *plein d'*étoiles au ciel sombre et pourtant bleu. (Proust.) — 5. Je n'aurais jamais cru qu'il tienne *autant de* poussière dans un savant. (Claudel.)

*293. — Pourquoi peut-on parler de déterminants indéfinis à propos des mots ou des suites de mots relevés dans l'exercice précédent ?

(Gr. § 239)

Ces mots ou suites de mots peuvent commuter avec des déterminants indéfinis proprement dits ; *plus d'une* peut commuter avec *plusieurs,* etc. Les mots n'ont plus leur valeur ou leur construction habituelle : *plus, beaucoup, bien, trop, autant* ne jouent pas un rôle d'adverbe ; *plein* ne joue pas celui d'un adjectif ; *quantité* est construit sans article ; *force* est construit sans article et n'est pas suivi d'une préposition ; *sais, sait, importe* ne sont pas prédicats ; *la plupart* n'est plus analysable comme un nom.

*294. — Dans les phrases des exercices 290 et 292, indiquer la valeur des déterminants indéfinis.   (Gr. §§ 240-241)

(290). — **a)** 1. *Toute* (distribution) médaille a son revers. — 2. Quand on dit de *certaines* (pluralité) personnes qu'elles ont *plusieurs* (pluralité) cordes à leur arc, on veut dire qu'elles ont *plusieurs* (pluralité) moyens pour parvenir à leur but ou qu'elles ont, pour vivre, *diverses* (pluralité et variété) ressources. — 3. *Chaque* (distribution) montagne a sa vallée. — 4. Vous n'avez *aucune* (quantité nulle) raison de vous méfier. — 5. J'ai laissé passer *quelques* (pluralité) jours afin de m'informer davantage, et *différentes* (pluralité et variété) solutions me paraissent possibles.

b) 1. La route sinue à travers une contrée montagneuse, rasant des précipices profonds, bordée en *maints* (grande quantité) endroits de torrents tumultueux. (J. Verne.) — 2. *Nul* (quantité nulle) système politique ne s'est, au XXe siècle, davantage penché sur le problème des langues parlées par ses administrés que le système soviétique. (H. Carrère d'Encausse.) — 3. Il s'agissait d'atteindre là-haut, sur le dernier rayon, *certain* (imprécision) bocal de cerises à l'eau-de-vie qui attendait Maurice depuis dix ans. (A. Daudet.) — 4. Avoir son encensoir, toujours, dans *quelque* (réalité non identifiée) barbe? Non, merci. (E. Rostand.) — 5. Elle s'est gardée de prendre *aucun* (quantité nulle) risque qui aurait pu engager sa propre responsabilité. (Dans le *Monde.*) — 6. Il vit dans les livres et proclame hautement que *tel* (imprécision) volume de sa bibliothèque est plus précieux qu'un duché. (A. France.) — 7. Après *maint* (grande quantité) parcours hésitant, l'allumage brusque des réverbères (...) m'a révélé que j'étais retourné, sans m'en apercevoir, à cet arrêt du bus. (Butor.)

(292). — **a)** 1. En *plus d'une* (pluralité) occasion, on peut constater que *beaucoup de* (grande quantité) gens changent d'avis facilement. — 2. On a surnommé cet élève Napoléon, pour *je ne sais quelle* (réalité non identifiée) raison. — 3. Il connaît *quantité d'* (grande quantité) anecdotes sur la *plupart des* (grande quantité) rois de France. — 4. *Bien des* (grande quantité) champignons ne sont pas comestibles. — 5. Mettez *n'importe quelles* (réalité non identifiée) chaussures, du moment qu'elles soient en bon état. — 6. *Trop de* (excès) précaution nuit.

b) 1. À purger sa prose des répétitions, Flaubert suait *Dieu sait quelles* (réalité non identifiée) sueurs. (Bainville.) — 2. *Pas un* (quantité nulle) chat dans les rues du village ; tout le monde était à la grand-messe. (A. Daudet.) — 3. Nous passions avec Justin *la plupart de* (grande quantité) nos soirées à rédiger *force* (grande quantité) lettres. (G. Duhamel.) — 4. Il y avait *plein d'* (grande quantité) étoiles au ciel sombre et pourtant bleu. (Proust.) — 5. Je n'aurais jamais cru qu'il tienne *autant de* (comparaison) poussière dans un savant. (Claudel.)

295. — Les mots en italiques sont-ils des déterminants indéfinis ou ont-ils une autre valeur ? (Gr. § 243)

a) 1. Je n'ai *nulle* (dét. indéf.) envie de vous répondre. — 2. La rencontre s'est terminée par un match *nul* (adj.). — 3. Votre succès est *certain* (adj.) si vous êtes méthodique. — 4. *Certaines* (dét. indéf.) personnes sont affolées à la vue d'une souris. — 5. *Telle* (adj.) est ma décision. — 6. Son envie de gagner est *telle* (adj.) qu'il acceptera un entraînement régulier.

b) 1. Nous avons sur cette question des avis *différents* (adj.). — 2. Il est intéressant de comparer un même sujet traité par *différents* (dét. indéf.) peintres. — 3. Une *telle* (adj.) variété de couleurs charme le regard. — 4. Ce sont ses paroles, *telles* (adj.) que je les ai entendues. — 5. *Tel* (dét. indéf.) cheval est pacifique, *tel* (dét.

indéf.) autre est ombrageux. — 6. On a confié aux enfants *diverses* (dét. indéf.) tâches. — 7. Les avis étaient aussi *divers* (adj.) que possible.

296. — Justifier l'orthographe de *quel que* ou de *quelque*.   (Gr. § 244)

a) 1. Il restait encore au professeur *quelques* (en un mot, car il n'est pas suivi du verbe *être* ou d'un verbe similaire ; n'appartient pas à l'expression *quelque...que* ; est déterminant indéfini, se rapporte à *copies* et s'accorde avec lui) copies à examiner. — 2. *Quels que* (en deux mots, car il est suivi du verbe *être ; quels* est attribut du sujet *espoirs* et s'accorde avec lui) soient vos espoirs, soyez prudents. — 3. S'il y a en vous *quelques* (en un mot, car il n'est pas suivi du verbe *être* ou d'un verbe similaire ; n'appartient pas à l'expression *quelque...que* ; est déterminant indéfini, se rapporte à *qualités* et s'accorde avec lui) qualités, croyez qu'il y en a bien autant dans les autres. — 4. Le cours du Rhin est long de *quelque* (est devant un nom de nombre et signifie « environ » ; donc, est adverbe et invariable) treize cents kilomètres. — 5. *Quelques* (en un mot, car il n'est pas suivi du verbe *être* ou d'un verbe similaire ; dans l'expression *quelque...que,* est devant un adjectif suivi d'un nom ; est donc déterminant indéfini, se rapporte au nom *pays* et s'accorde avec lui) beaux pays que j'aie visités, je retrouve toujours avec plaisir ma maison. — 6. *Quelque* (en un mot, car il n'est pas suivi du verbe *être* ou d'un verbe similaire ; dans l'expression *quelque...que,* est devant un simple adjectif ; donc est adverbe et invariable) puissante que soit votre voiture, ne vous croyez pas sur le circuit du Mans.

b) 1. J'ai fait sa connaissance il y a *quelque* (est devant un nom de nombre et signifie « environ » ; donc, est adverbe et invaria-ble) trente ans. — 2. Il y eut *quelques* (en un mot, car il n'est pas suivi du verbe *être* ou d'un verbe similaire ; n'appartient pas à l'ex-pression *quelque...que* ; est déterminant indéfini, se rapporte à *ins-tants* et s'accorde avec lui) instants de silence que personne n'osa rompre. — 3. Je sonnerai à la première maison, *quelle qu'* (en deux mots, car il est suivi du verbe *être ; quelle* est attribut du sujet *elle* et s'accorde avec lui) elle soit. — 4. La sagesse est de n'écarter aucun témoignage, *quelque* (en un mot, car il n'est pas suivi du verbe *être* ou d'un verbe similaire ; dans l'expression *quelque...que,* est devant un adjectif ; donc est adverbe et invariable) suspect qu'il puisse paraître. — 5. À peine *quelque* (en un mot, car il n'est pas suivi du verbe *être* ou d'un verbe similaire ; n'appartient pas à l'ex-pression *quelque...que* ; est déterminant indéfini, se rapporte à *lampe* et s'accorde avec lui) lampe au fond des corridors / Étoilait l'ombre obscure. (Hugo.) — 6. *Quels que* (en deux mots, car il est suivi du verbe *être ; quels* est attribut du sujet *mets* et s'accorde avec lui) soient les mets, l'appétit et le bonheur leur prêtent une saveur charmante. (Töpffer.)

297. — Inventer trois phrases avec *quel que* (en deux mots) et trois phrases avec *quelque* (en un mot).   (Gr. § 244)

a) 1. *Quelles que* soient tes excuses, tu as tort. — 2. *Quels que* soient ses soucis, il reste de bonne humeur. — 3. *Quelles qu*'en puissent être les conséquences, il refusera de payer.

b) 1. Ma grand-mère est âgée de *quelque* quatre-vingts ans. — 2. As-tu lu *quelques* livres durant les vacances ? — 3. *Quelque* difficulté qu'il rencontre, il ne se décourage pas.

298. — Dire si *quelque* est déterminant indéfini ou adverbe.

(Gr. § 244)

a) 1. Beaucoup de citadins souhaitent se retirer dans *quelque* (dét. indéf.) modeste village. — 2. La dépense montera à *quelque* (adv.) cent mille francs. — 3. *Quelque* (adv.) rudement qu'on le traite, il ne se plaint pas. — 4. *Quelque* (dét. indéf.) explication que vous donniez, on ne vous croira pas. — 5. *Quelque* (adv.) puissant qu'il soit, il ne nous fait pas peur. — 6. Cet homme trouve toujours *quelque* (dét. indéf.) sujet de se plaindre. — 7. Nous étions *quelque* (dét. indéf., mais forme avec *peu* une locution adverbiale : cf. *un peu*) peu découragés. — 8. *Quelque* (adv.) brillant personnage qu'il soit, cet homme a ses faiblesses.

b) 1. Nous avons attendu *quelque* (dét. indéf.) temps. — 2. *Quelque* (adv.) malheureux que tu sois, tu en trouveras de plus malheureux que toi. — 3. *Quelque* (adv.) loin que cet homme aille, il porte avec lui son ennui. — 4. On ne peut avoir l'âme grande ou l'esprit un peu pénétrant sans *quelque* (dét. indéf.) passion pour les lettres. (Vauvenargues.) — 5. À *quelque* (adv.) cent mètres, la nappe bleu-de-paon d'une rivière entraînait avec paresse le mirage des arbres. (Fr. Jammes.) — 6. Il y avait pour moi neuf chances sur dix de ne pouvoir me diriger dans ce brouillard et de me noyer, *quelque* (adv.) bon nageur que je fusse. (Maupassant.)

299. — Remplacer les trois points par *quel que* ou par *quelque*, en faisant l'accord s'il y a lieu.   (Gr. § 244)

a) 1. Nous pouvons, *quelle que* soit notre profession, rendre service aux autres. — 2. Certaines gens se donnent toujours *quelques* raisons de n'être contents de personne. — 3. Job est resté fidèle à Dieu, *quelques* épreuves qu'il ait traversées. — 4. Une difficulté, *quelle qu*'elle soit, est pour lui un stimulant. — 5. *Quelle que* soit la couleur de la peau, tous les hommes sont frères.

b) 1. Au lieu d'un village, on ne trouve plus que *quelques* maisons abandonnées. — 2. Le mont Éverest s'élève à *quelque* 8 800 mètres. — 3. Les hommes énergiques, *quelque* brutalement que l'adversité les frappe, ne se laisseront pas abattre. — 4. *Quelles* *qu'*en doivent être les conséquences, j'avoue que cette lettre est bien de moi. — 5. *Quelle que* soit la beauté, le charme de la forêt au printemps, plus d'un peintre la préfère en automne.

c) 1. La Rochefoucauld l'a dit : *Quelque* méchants que soient les hommes, ils n'oseraient paraître ennemis de la vertu. — 2. *Quelle que* soit la chose qu'on veut dire, il n'y a qu'un mot pour l'exprimer. (Maupassant.) — 3. Qu'importe au genre humain que *quelques* frelons pillent le miel de *quelques* abeilles ? (Voltaire.) — 4. L'argent est l'argent, *quelles que* soient les mains où il se trouve. (Dumas fils.) — 5. Après avoir fait *quelque* trois cents kilomètres, Justin mangea de bon appétit dans une guinguette au bord de la Seine. (E. Triolet.)

d) *Quels que* soient leurs soucis ou leurs angoisses, les malades sont des âmes vacantes. (G. Duhamel.) — 2. *Quelque* sombres que fussent les perspectives évoquées par mon fils, il était impossible de nier l'existence des risques qu'il envisageait. (A. David-Néel.) — 3. Elle lui demandait de venir chez elle avant de rentrer, *quelque* heure qu'il fût. (Proust.) — 4. Je défends et j'aime, *quels que* soient mes reproches et nos dissemblances, tous ceux en qui je discerne de la divinité. (Barrès.) — 5. On arriva de la sorte à un chiffre de cinq cent cinquante et *quelques* francs. (Zola.)

300. — Composer sur chacun des thèmes suivants deux phrases, l'une avec *quelque*, l'autre avec *quel que*, en veillant à faire l'accord correctement.   (Gr. § 244)

1. **Les plaisirs de l'hiver.** a. L'hiver offre *quelques* plaisirs : les promenades dans la neige, les soirées au coin du feu. — b. *Quels que* soient les plaisirs de l'hiver, on se réjouit du retour du printemps.
2. **Les exploits des cosmonautes.** a. Les cosmonautes ont accompli *quelques* exploits périlleux lors de leur dernière mission. — b. *Quelle que* soit ton opinion sur le coût de ces expériences, reconnais que les cosmonautes réalisent souvent de beaux exploits.
3. **Les charmes de la musique (ou de la danse).** a. Les *quelques* pirouettes exécutées par cette danseuse sont d'une rare élégance. — b. *Quels que* soient les charmes de la musique, je préfère le silence.
4. **Les difficultés de la grammaire.** a. Les *quelques* difficultés que tu rencontres en grammaire ne doivent pas te décourager. — b. *Quelles que* soient les difficultés de la grammaire, je me passionne pour son étude.
5. **Les qualités et les défauts de la télévision.** a. Si la télévision a bien des qualités, elle a aussi *quelques* défauts. — b. *Quels que* puissent être les défauts de la télévision, j'en apprécie surtout les qualités.

301. — Indiquer la nature du mot *tout*.   (Gr. § 245)

a) 1. *Toute* (dét. indéf.) médaille a son revers. — 2. Je vous assure de *toute* (dét. indéf.) mon affection. — 3. Les enfants sont *tout* (adv.) contents de voir la première neige. — 4. Nous avons marché *tout* (dét. indéf.) un après-midi dans la forêt. — 5. *Tout* (pronom indéf.) chante quand revient le printemps. — 6. *Tous* (pronom indéf.) sont appelés, mais peu sont élus. — 7. Mon premier se mange ; mon second s'entend ; mon *tout* (nom commun) siffle joyeusement [= pinson]. — 8. Ce sont des gens *tout* (adv.) d'une pièce.

b) 1. Les hommes n'ont plus le temps de rien connaître. Ils achètent les choses *toutes* (adv.) faites chez les marchands. (Saint Exupéry.) — 2. Selon le mot cruel de La Rochefoucauld, nous avons *tous* (pronom indéf.) assez de force pour supporter les maux d'autrui. — 3. Je gagne beaucoup moins que les médecins et les notaires, mais c'est là une infériorité *tout* (adv.) accidentelle. (J. Romains.) — 4. Elle demeurait sérieuse et impassible, *toute* (adj. indéf.) à son travail. (H. Bordeaux.) — 5. *Tout* (adv.) ivre qu'il était, il a paru très intéressé. (Simenon.) — 6. Malheureusement ce n'était pas le *tout* (nom commun) que d'avoir échappé au règne du duc d'Anjou. (Al. Dumas.) — 7. Et je m'ennuie avec ces gens de *tout* (dét. indéf.) repos / Qui font *tout* (adv.) bonnement *tous* (pronom indéf.) une même chose. (M. Noël.)

302. — Remplacer les trois points par *tout*, orthographié comme il convient.   (Gr. § 245)

a) 1. *Tous* les hommes doivent s'entraider. — 2. Il y a des phrases *toutes* faites dont on se sert *tous* les jours sans en peser le sens. — 3. *Toute* [6] Rome est couverte de monuments. — 4. Ma grand-mère est là, immobile, *toute* à ses souvenirs. — 5. Les professions sont diverses, mais *toutes* ont leur noblesse. — 6. Après avoir réfléchi *toute* une journée sur ce problème, j'en ai trouvé la solution.

b) 1. Nous ne savons le *tout* de rien ; *toutes* nos connaissances sont bornées. — 2. Au banquet de la vie, *tous* ne sont pas assis également à l'aise. — 3. Il y a des caractères *tout* d'une pièce, qui heurtent de front *toutes* les difficultés. — 4. Quand l'orateur parut, la salle *tout* entière applaudit. — 5. *Tout* humble qu'elle peut être, une profession honore celui qui l'exerce avec conscience. — 6. Dans les yeux du moucheron, *tout* petits qu'ils sont, se peint le firmament. — 7. Faites ce que vous pourrez de cette veste *tout* usagée.

c) 1. Quand on voyage, on rencontre *toute* espèce de gens. — 2. Si à des choses égales on ajoute des choses égales, les *touts* sont

---

6. Plus fréquemment : *Tout* Rome est *couvert...* (Cf. *Le bon usage*, 12e éd., § 462, *a.*)

égaux. — 3. Ne faites pas parade d'une science *tout* fraîchement acquise. — 4. Quand leur mère mourut, ils étaient *tout* enfants. — 5. Une abeille, deux abeilles, *tout* engourdies encore par leur long sommeil hivernal, remuaient doucement leurs ailes. (Genevoix.) — 6. Il était une fois un homme qui avait une cervelle d'or ; oui, Madame, une cervelle *toute* en or. (A. Daudet.) — 7. Les *tout* petits dormaient, paquets, dans un linge noir accroché au dos des mères. (Malraux.)

303. — Remplacer les trois points par *tout* (devant *autre*), orthographié comme il convient. (Gr. § 245)

1. Avec un peu de chance, j'aurais pu avoir une *tout* autre place. — 2. Les aviateurs ont du dédain pour *toute* autre arme. — 3. Pour le gros gibier, on se sert d'une *tout* autre arme. — 4. *Toute* autre solution me paraît irréalisable. — 5. Nous adopterons une *tout* autre solution. — 6. Les armes offensives et défensives étaient au moyen âge *tout* autres qu'aujourd'hui. — 7. Le pays où nous avons passé notre enfance nous paraît plus beau que *toute* autre contrée. — 8. Lorsque le soleil l'éclaire, la ville a une *tout* autre apparence.

304. — Faire entrer dans une phrase chacune des expressions suivantes. (Gr. § 245)

1. **Tout autre.** La réalité me présentait un paysage *tout autre* que celui que j'avais imaginé. — 2. **Tout autres.** Ces enfants sont *tout autres* depuis que leur petite sœur est née. — 3. **Tout entière.** La classe *tout entière* a décidé d'organiser un voyage à Paris. — 4. **Toute honteuse.** Je suis *toute honteuse* de mes fautes d'orthographe. — 5. **Tout émues.** Ces sœurs jumelles, séparées depuis de longues années, étaient *tout émues* en se retrouvant.

305. — Remplacer les trois points par *même*, orthographié comme il convient. (Gr. § 246)

a) 1. Les tendresses des mamans se traduisent en tous pays par les *mêmes* gestes. — 2. Quelques simples gestes, quelques regards *même* suffisent parfois pour exprimer notre volonté. — 3. La forêt au printemps est la grâce et la fraîcheur *mêmes*. — 4. Les nuages les plus noirs *même* ont comme une bordure d'argent. — 5. Si l'on est volontaire, on peut apprendre une langue étrangère à coups de dictionnaire, sur les œuvres *mêmes*. — 6. On voit des hommes tomber d'une haute fortune par les *mêmes* défauts que ceux qui les y avaient fait monter. — 7. Beaucoup d'hommes sont des fugitifs d'eux-mêmes.

b) 1. Ceux *mêmes* (ou *même*) qui ont de l'expérience se heurtent parfois à de grandes difficultés. — 2. Cette petite ville a un hôpital, des écoles, des hôtels *même*. — 3. Les sportifs, *même* les mieux entraînés, ne sont pas à l'abri d'une défaillance. — 4. Tout en ayant confiance en vous-*mêmes,* ne soyez pas téméraires. — 5. Les arbres portent les *mêmes* fruits qu'il y a deux mille ans.

c) 1. Une *même* vague écumante / Nous jetait aux *mêmes* récifs. (Hugo.) — 2. Tout m'importe en Alsace, les cultures, les usines, *même* les auberges. (Barrès.) — 3. Nous méprisons beaucoup de choses pour ne pas nous mépriser *nous-mêmes.* (Vauvenargues.) — 4. Des renards, des loups *même* ne lui soufflent-ils pas dans ses doigts, sur sa joue ? (J. Renard.) — 5. Les pauvres *même* [7] n'étaient pas des pauvres à la manière russe. (Troyat.) — 6. Elle était la pureté, la noblesse *mêmes.* (Cocteau.)

---

7. Troyat écrit *même,* mais on pourrait admettre *mêmes.*

CHAPITRE VI

Le pronom

306. — Indiquer pour les pronoms en italiques : 1° à quelle catégorie ils appartiennent (pronoms personnels, démonstratifs, etc.) ; 2° quelle est leur fonction.

(Gr. §§ 247, 250)

Vacances

Sara *se* (pr. pers. ; compl. d'objet direct du verbe *leva*) leva tard. *Il* (pr. pers. ; sujet apparent du verbe *était*) était un peu plus de dix heures. La chaleur était là, égale à *elle* (pr. pers. ; compl. de l'adjectif *égale*) -même. *Il* (pr. pers. ; sujet apparent du verbe *fallait*) fallait toujours quelques secondes chaque matin pour se souvenir qu'*on* (pr. indéf. ; sujet du verbe *était*) était là pour passer des vacances. Jacques dormait toujours, la bonne aussi. Sara alla dans la cuisine, avala un bol de café froid et sortit sur la véranda. L'enfant se levait toujours le premier. *Il* (pr. pers. ; sujet du verbe *était assis*) était assis complètement nu sur les marches de la véranda, en train de surveiller à la fois la circulation des lézards dans le jardin et *celle* (pr. démonstr. ; compl. d'objet direct du verbe *surveiller*) des barques sur le fleuve.

— *Je* (pr. pers. ; sujet du verbe *voudrais*) voudrais aller dans le bateau à moteur, dit-*il* (pr. pers. ; sujet du verbe *dit*) en voyant Sara.

Sara *le* (pr. pers. ; compl. d'objet direct du verbe *promit*) *lui* (pr. pers. ; compl. d'objet indirect du verbe *promit*) promit. L'homme *qui* (pr. relatif ; sujet du verbe *avait*) avait un bateau à moteur, *celui* (pr. démonstr. ; apposition du nom *bateau*) *dont* (pr. relatif ; compl. d'objet indirect du verbe *parlait*) parlait l'enfant, n'était arrivé que depuis trois jours et *personne* (pr. indéf. ; sujet du verbe *connaissait*) ne *le* (pr. pers. ; compl. d'objet direct du verbe *connaissait*) connaissait encore très bien. Néanmoins Sara promit à son enfant de *le* (pr. pers. ; compl. d'objet direct du verbe *faire* ; on pourrait aussi le considérer comme sujet de la proposition infinitive) faire monter dans ce bateau.

M. DURAS (*Les petits chevaux de Tarquinia*, Gallimard, édit.).

307. — Parmi les pronoms en italiques dans le texte précédent, quels sont les nominaux et quels sont les représentants ? Pour ceux qui sont représentants, indiquer leur antécédent. (Gr. § 248)

Sara *se* (représentant ; antéc. : *Sara*) leva tard. *Il* (ni nominal ni représentant) était un peu plus de dix heures. La chaleur était là, égale à *elle* (représentant ; antéc. : *chaleur*) -même. *Il* (ni nominal ni représentant) fallait toujours quelques secondes chaque matin pour se souvenir qu'*on* (nominal) était là pour passer des vacances. Jacques dormait toujours, la bonne aussi. Sara alla dans la cuisine, avala un bol de café froid et sortit sur la véranda. L'enfant se levait toujours le premier. *Il* (représentant ; antéc. : *enfant*) était assis complètement nu sur les marches de la véranda, en train de surveiller à la fois la circulation des lézards dans le jardin et *celle* (représentant ; antéc. : *circulation*) des barques sur le fleuve.

— *Je* (nominal) voudrais aller dans le bateau à moteur, dit-*il* (représentant ; antéc. : *enfant*) en voyant Sara.

Sara *le* (représentant ; antéc. : *aller dans le bateau à moteur*) *lui* (représentant ; antéc. : *enfant*) promit. L'homme *qui* (représentant ; antéc. : *homme*) avait un bateau à moteur, *celui* (représentant ; antéc. : *bateau*) *dont* (représentant ; antéc. : *bateau*) parlait l'enfant, n'était arrivé que depuis trois jours et *personne* (nominal) ne *le* (représentant ; antéc. : *homme*) connaissait encore très bien. Néanmoins Sara promit à son enfant de *le* (représentant ; antéc. : *enfant*) faire monter dans ce bateau.

M. DURAS (*Les petits chevaux de Tarquinia*, Gallimard, édit.).

308. — Chaque fois que la chose est possible, remplacer par un pronom les mots en italiques. (On prendra garde qu'en principe un nom qui n'est pas accompagné d'un déterminant ne peut pas être représenté par un pronom.) (Gr. § 248)

1. Les rapaces nocturnes ont le corps couvert d'un fin duvet ; *ce duvet* les protège contre le froid (...d'un fin duvet *qui*...). — 2. Il y a des âmes douées d'une énergie extraordinaire ; rien ne résiste à *cette énergie* (...d'une énergie extraordinaire à *laquelle*...). — 3. Vous avez avoué vos torts avec franchise ; *cette franchise* vous honore (...avec une franchise *qui*...). — 4. À quoi servent les conseils de vos parents si vous ne voulez pas suivre *ces conseils* ? (...si vous ne voulez pas *les* suivre ?) — 5. Vous nous exhortez à ne pas perdre courage ; comment perdrions-nous *courage* quand nous considérons votre exemple ? (*courage* n'est pas déterminé : on ne peut, en principe, *le* remplacer par un pronom.) — 6. Je vous apporte un livre, mais trouverez-vous le temps de lire *ce livre* et goûterez-vous l'esprit de *ce livre* ? (...le temps de *le* lire et *en* goûterez-vous l'esprit ?) — 7. On conquerra la Lune ; nos arrière-neveux feront *dans la Lune* de

belles excursions (...nos arrière-neveux *y* feront...). — 8. C'était une
sorte de hutte ; les murs *de cette hutte* étaient de paille (...les murs
en étaient... *ou* ...hutte *dont* les murs étaient...).

309. — Relever les pronoms. Indiquer à quelle catégorie ils appartiennent et quelle est leur fonction.   (Gr. §§ 247, 250)

a) 1. Si *tout* (pr. indéf. ; sujet du verbe *va*) va bien, *nous* (pr.
pers. ; sujet du verbe *serons arrivés*) serons arrivés dans cinq minutes. — 2. Si votre bicyclette est hors d'usage, prenez *celle-ci* (pr.
démonstr. ; compl. d'objet direct du verbe *prenez*) : *c'* (pr.
démonstr. ; sujet du verbe *est*) est *la mienne* (pr. poss. ; attribut du
sujet *c'*). — 3. La bague *dont* (pr. relatif ; compl. de l'adjectif *fière*)
je (pr. pers. ; sujet du verbe *suis*) suis le plus fière est *celle* (pr.
démonstr. ; attribut du sujet *bague*) *que* (pr. relatif ; compl. d'objet
direct du verbe *a offerte*) *m'* (pr. pers. ; compl. d'objet indirect du
verbe *a offerte*) a offerte mon parrain. — 4. *Il* (pr. pers. ; sujet apparent du verbe *pleuvait*) pleuvait si fort que *je* (pr. pers. ; sujet du
verbe *voyais*) ne voyais *rien* (pr. indéfini ; compl. d'objet direct du
verbe *voyais*) devant *moi* (pr. pers. ; compl. adverbial de lieu du
verbe *voyais*).

b) 1. Un homme, à *qui* (pr. relatif ; compl. d'objet indirect du
verbe *demandait*) l'*on* (pr. indéf. ; sujet du verbe *demandait*) demandait pourquoi *il* (pr. pers. ; sujet du verbe *pleurait*) ne pleurait pas à
un sermon *où* (pr. pers. ; compl. adverbial de temps du verbe *versait*)
tout le monde (pr. indéf. ; sujet du verbe *versait*) versait des larmes,
répondit : « *Je* (pr. pers. ; sujet du verbe *suis*) ne suis pas de la
paroisse. » (Bergson.) — 2. Les nombreux sports en marge *desquels*
(pr. relatif ; compl. du nom *marge*) *j'* (pr. pers. ; sujet du verbe *ai*
poursuivi) ai poursuivi mes études (sans jamais avoir l'impression de
les (pr. pers. ; compl. d'objet direct du verbe *atteindre*) atteindre) ne
m' (pr. pers. ; compl. d'objet direct du verbe *ont développé*) ont pas
développé plus qu'*ils* (pr. pers. ; sujet du verbe *font*) ne *le* (pr. pers. ;
compl. d'objet direct du verbe *font*) font de coutume avec mes concitoyens. (Daninos.)

310. — Quels sont le genre et le nombre des pronoms de l'exercice
précédent ? Dans quels cas ce genre et ce nombre sont-ils visibles dans
la forme même des pronoms ? D'où les pronoms tirent-ils leur genre et
leur nombre (ne pas oublier la différence entre les nominaux et les représentants) ?   (Gr. § 249)

a) 1. Si *tout* (masc. sing. à valeur de neutre) va bien, *nous*
(masc. pl. ; voir l'accord du part. passé *arrivés,* employé avec l'auxiliaire *être*) serons arrivés dans cinq minutes. — 2. Si votre bicyclette
est hors d'usage, prenez *celle-ci* (fém. sing. ; antéc. : *bicyclette*) : *c'*
(masc. sing. à valeur de neutre) est *la mienne* (fém. sing. ; antéc. :

bicyclette). — 3. La bague *dont* (fém. sing. ; antéc. : *bague*) *je* (fém. sing. ; voir l'attribut du sujet *fière*) suis le plus fière est *celle* (fém. sing. ; antéc. : *bague*) *que* (fém. sing. ; antéc. : *bague*) *m'* (fém. sing.) a offerte mon parrain. — 4. *Il* (masc. sing. à valeur de neutre) pleuvait si fort que *je* (masc. ou fém. sing.) ne voyais *rien* (masc. sing. à valeur de neutre) devant *moi* (masc. ou fém. sing. d'après le genre de *je*).

b) 1. Un homme, à *qui* (masc. sing. ; antéc. : *homme*) l'*on* (masc. sing.) demandait pourquoi *il* (masc. sing. ; antéc. : *homme*) ne pleurait pas à un sermon *où* (masc. sing. ; antéc. : *sermon*) *tout le monde* (masc. sing.) versait des larmes, répondit : « *Je* (masc. sing.) ne suis pas de la paroisse. » (Bergson.) — 2. Les nombreux sports en marge *desquels* (masc. pl. ; antéc. : *sports*) *j'* (masc. sing.) ai poursuivi mes études (sans jamais avoir l'impression de *les* (fém. pl. ; antéc. : *études*) atteindre) ne *m'* (masc. sing.) ont pas développé plus qu'*ils* (masc. pl. ; antéc. : *sports*) ne *le* (masc. sing. à valeur de neutre ; antéc. : *ont développé*) font de coutume avec mes concitoyens. (Daninos.)

Le genre et le nombre sont visibles dans la forme même des pronoms démonstratifs (*a*, 2 et 3), possessifs (*a*, 2) et de certains relatifs (*b*, 2), personnels (*b*, 1 et 2) et indéfinis (*a*, 1). — Les pronoms représentants doivent leur genre (parfois leur nombre) à leur antécédent. Les pronoms nominaux doivent leur genre et leur nombre à la réalité désignée. Par ex., c'est parce que *je* (*a*, 3) désigne une femme qu'il est féminin, et *fière* s'accorde avec lui.

LES PRONOMS PERSONNELS

311. — Indiquer le genre, le nombre, la personne et la fonction des pronoms en italiques. (Gr. §§ 251-253)

La poule blanche des canonniers

C'était bien la plus charmante poule que *j'* (masc. sing. ; 1re pers. ; sujet de *aie connue*) aie connue de ma vie ; *elle* (fém. sing. ; 3e pers. ; sujet de *était*) était toute blanche, sans une seule tache ; et ce brave homme, avec ses gros doigts mutilés à Marengo et à Austerlitz, *lui* (fém. sing. ; 3e pers. ; compl. d'objet indirect du verbe *avait collé*) avait collé sur la tête une petite aigrette rouge, et sur la poitrine un petit collier d'argent avec une plaque à son chiffre. La bonne poule *en* (masc. sing. à valeur de neutre ; 3e pers. ; compl. des adjectifs *fière* et *reconnaissante*) était fière et reconnaissante à la fois. *Elle* (fém. sing. ; 3e pers. ; sujet de *savait*) savait que les sentinelles *la* (fém. sing. ; 3e pers. ; compl. d'objet direct de *respecter*) faisaient toujours respecter et *elle* (fém. sing. ; 3e pers. ; sujet de *avait peur*) n'avait peur de personne, pas même d'un petit cochon de lait et d'une chouette qu'on avait logés auprès d'*elle* (fém. sing. ; 3ᵉ pers. ; compl. adverbial de lieu de *avait logé*) sous le canon voisin. La belle poule faisait le bonheur des canonniers ; *elle* (fém. sing. ; 3ᵉ pers. ; sujet de *recevait*) recevait de *nous* (masc. pl. ; 1ʳᵉ pers. ; compl. d'objet indirect de *recevait*) tous des miettes de pain et de sucre tant que *nous* (masc. pl. ; 1ʳᵉ pers. ; sujet de *étions*) étions en uniforme ; mais *elle* (fém. sing. ; 3ᵉ pers. ; sujet de *avait*) avait l'horreur de l'habit bourgeois.

VIGNY (Servitude et grandeur militaires).

312. — Relever les pronoms personnels, en indiquant leur genre, leur nombre, leur personne et leur fonction.   (Gr. §§ 251-253)

a) 1. Dis-*moi* (masc. ou fém. ; sing. ; 1ʳᵉ pers. ; compl. d'objet indirect du verbe *dis*) qui *t'* (masc. ou fém. ; sing. ; 2ᵉ pers. ; compl. d'objet indirect du verbe *a donné*) a donné ce renseignement. — 2. Ai-*je* (masc. ou fém. ; sing. ; 1ʳᵉ pers. ; sujet du verbe *ai eu*) eu tort de *vous* (masc. ou fém. ; sing. ou pl. ; 2ᵉ pers. ; compl. d'objet indirect du verbe *retenir*) retenir une place pour ce concert ? — 3. *Je* (masc. [1] sing. ; 1ʳᵉ pers. ; sujet du verbe *protège*) me (masc. sing. ; 1ʳᵉ pers. ; compl. d'objet direct du verbe *protège*) protège du froid en serrant mon pardessus tout contre *moi* (masc. sing. ; 1ʳᵉ pers. ; compl. adverbial de lieu du participe *serrant*). — 4. *Vous* (masc. ou fém. ; sing. ou pl. ; 2ᵉ pers. ; sujet du verbe *aviez*) aviez prévu cet inconvénient, *j'* (masc. sing. ; 1ʳᵉ pers. ; sujet du verbe *suis*) en (masc. sing. à valeur de neutre ; 3ᵉ pers. ; compl. de l'adjectif *sûr*) suis sûr. — 5. *Toi* (masc. ou fém. ; sing. ; 2ᵉ pers. ; sujet, repris par *nous,* du verbe *sommes faits*) et *moi* (masc. ou fém. [2] ; sing. ; 1ʳᵉ pers. ; sujet, repris par *nous,* du verbe *sommes faits*), *nous* (masc. pl. ; 1ʳᵉ pers. ; sujet redondant du verbe *sommes faits*) sommes faits pour *nous* (masc. pl. ; 1ʳᵉ pers. ; compl. d'objet direct du verbe *entendre*) entendre. — 6. Va-*t'* (masc. ou fém. ; sing. ; 2ᵉ pers. ; sans fonction logique) en (masc. sing. à valeur de neutre ; 3ᵉ pers. ; sans fonction logique). — 7. Cette affaire ne concerne que *toi* (masc. ou fém. ; sing. ; 2ᵉ pers. ; compl. d'objet direct du verbe *concerne*). — 8. *Vous* (masc. ou fém. ; sing. ou pl. ; 2ᵉ pers. ; sujet, repris par le second *vous,* de *cherchez*), *vous* (masc. ou fém. ; sing. ou pl. ; 2ᵉ pers. ; sujet redondant du verbe *cherchez*) cherchez les rieurs ; *moi* (masc. ou fém. d'après le genre du sujet *je* ; sing. ; 1ʳᵉ pers. ; sujet, repris par *je,* du verbe *évite*), *je* (masc. ou fém. ; sing. ; 1ʳᵉ pers. ; sujet redondant du verbe *évite*) les (masc. pl. ; 3ᵉ pers. ; compl. d'objet direct du verbe *évite*) évite.

---

1. Le pardessus est un vêtement masculin.
2. L'un des deux pronoms *toi* ou *moi* est nécessairement masc., puisque *nous* est masc.

b) 1. *Il* (masc. sing. à valeur de neutre ; 3ᵉ pers. ; sujet apparent du verbe *faut*) faut toujours juger les gens sur la mine, dit-*il* (masc. sing. ; 3ᵉ pers. ; sujet du verbe *dit*). Le tout est de ne pas *se* (masc. sing. ; 3ᵉ pers. ; compl. d'objet direct du verbe *tromper*) tromper. (M. Aymé.) — 2. Sois sage, ô ma Douleur, et tiens-*toi* (fém. sing. ; 2ᵉ pers. ; compl. d'objet direct du verbe *tiens*) plus tranquille. / *Tu* (fém. sing. ; 2ᵉ pers. ; sujet du verbe *réclamais*) réclamais le Soir ; *il* (masc. sing. ; 3ᵉ pers. ; sujet du verbe *descend*) descend ; *le* (masc. sing. ; 3ᵉ pers. ; compl. de l'introducteur *voici*) voici. (Baudelaire.) — 3. Parlez-*moi* (masc. sing. ; 1ʳᵉ pers. ; compl. d'objet indirect du verbe *parlez*) des disputeurs, et parlez-*m'* (masc. sing. ; 1ʳᵉ pers. ; compl. d'objet indirect du verbe *parlez*) en (masc. pl. ; 3ᵉ pers. ; compl. d'objet indirect du verbe *parlez*) avec simplicité. (Montherlant.) — 4. *Moi* (fém. sing. ; 1ʳᵉ pers. ; sujet, repris par *je,* du verbe *suis*), la chèvre, *je* (fém. sing. ; 1ʳᵉ pers. ; sujet redondant du verbe *suis*) suis le surplus du troupeau / Et *je* (fém. sing. ; 1ʳᵉ pers. ; sujet du verbe *ennuie*) *m'* (fém. sing. ; 1ʳᵉ pers. ; sans fonction logique) ennuie avec ces gens de tout repos. (M. Noël.) — 5. *Elle* (fém. sing. ; 3ᵉ pers. ; sujet du verbe *est*) est à *toi* (masc. sing. ; 2ᵉ pers. ; compl. d'objet indirect du verbe *est*) cette chanson / *Toi* (masc. sing. ; 2ᵉ pers. ; pronom redondant par rapport à l'objet indirect *toi*) l'Auvergnat qui sans façon / *M'* (masc. sing. ; 1ʳᵉ pers. ; compl. d'objet indirect du verbe *as donné*) as donné quatre bouts de bois / Quand dans ma vie *il* (masc. sing. à valeur de neutre ; 3ᵉ pers. ; sujet apparent du verbe *faisait*) faisait froid. (Brassens.)

313. — Dans les exemples de l'exercice précédent, relever : 1° les pronoms nominaux ; 2° les pronoms réfléchis.   (Gr. §§ 251-252)

N.B. — Les pronoms nominaux sont en italiques.

a) 1. Dis-*moi* qui *t'* a donné ce renseignement. — 2. Ai-*je* eu tort de *vous* retenir une place pour ce concert ? — 3. *Je* me (pr. réfléchi) protège du froid en serrant mon pardessus tout contre *moi.* — 4. *Vous* aviez prévu cet inconvénient, *j'*en suis sûr. — 5. *Toi* et *moi, nous* sommes faits pour *nous* (pr. réfléchi) entendre. — 6. Va-*t'* (pr. réfléchi) en. — 7. Cette affaire ne concerne que *toi.* — 8. *Vous, vous* cherchez les rieurs ; *moi, je* les évite.

b) 1. Il[3] faut toujours juger les gens sur la mine, dit-il. Le tout est de ne pas *se* (pr. réfléchi) tromper. (M. Aymé.) — 2. Sois sage, ô ma Douleur, et tiens-*toi* (pr. réfléchi) plus tranquille. / *Tu* réclamais le Soir ; il descend ; le voici. (Baudelaire.) — 3. Parlez-*moi* des disputeurs, et parlez-*m'*en avec simplicité. (Montherlant.) — 4. *Moi,* la chèvre, *je* suis le surplus du troupeau / Et *je m'* (pr. réfléchi) ennuie avec ces gens de tout repos. (M. Noël.) — 5. *Elle* est à *toi* cette

---

3. *Il* impersonnel n'est ni représentant ni nominal. (Cf. *Le bon usage,* 12ᵉ éd., § 632 *c.*)

chanson / *Toi* l'Auvergnat qui sans façon / *M'* as donné quatre
bouts de bois / Quand dans ma vie il faisait froid. (Brassens.)

314. — Remplacer les trois points par *soi* ou par un des pronoms *lui,*
elle, eux, elles. (Gr. § 252)

1. Il accomplit son éternelle promenade en tenant droit devant *lui*
cette main bandée de blanc. (G. Duhamel.) — 2. Qui ne songe qu'à
soi quand la fortune est bonne / Dans le malheur n'a point d'amis.
(Florian.) — 3. Plus on a voyagé et plus on se convainc que l'on
n'est bien que chez *soi.* — 4. Ceux qui dans le malheur se replient
sur *eux*-mêmes en souffrent davantage. — 5. Nul n'est prophète
chez *soi.* — 6. La guerre traîne après *elle* beaucoup de maux. —
7. La mère, plantée sur la première marche du perron, regardait droit
devant *elle.* (Sartre.) — 8. Et quand nous remontons le soir, chacun
rentre chez *soi.* (Ch.-L. Philippe.)

315. — Remplacer les trois points par *leur* ou par *leurs.*

(Gr. §§ 253 et 228)

a) 1. Ceux qui consacrent *leurs* forces au soulagement des maux
de *leurs* semblables méritent l'admiration que nous *leur* vouons. —
2. Les chênes montrent au bout de *leurs* branches de légères taches
vertes, mais les hêtres déjà ouvrent *leurs* bourgeons pointus. —
3. Bien des gens s'étonnent quand on *leur* montre *leurs* défauts ;
mais si quelque flatteur *leur* énumère *leurs* qualités, ils n'en sont
guère surpris. — 4. La plupart des hommes occupent *leurs* pensées
de ce qui *leur* paraît agréable, de ce qui fait l'objet de *leurs* désirs ou
de ce qui *leur* cause des contrariétés.

b) 1. Les insectes qui vivent à la lumière, demoiselles vertes,
cantharides [4], volaient à *leurs* frênes, à *leurs* roseaux. (Balzac.) —
2. Il y avait des gens autour de moi ; j'entendais le bruit de *leurs* pas
ou, parfois, le petit bourdonnement de *leurs* paroles. (Sartre.) —
3. Ces dames pensaient que j'allais *leur* faire peur, et moi j'étais plus
tremblant qu'elles. (Stendhal.) — 4. Des femmes criaient et riaient ;
leurs voix étaient perçantes, animales. (Fr. Mauriac.) — 5. *Leurs* car-
tables pointaient sous *leurs* pèlerines. À cause des gros foulards qui
leur entouraient le cou, *leurs* têtes semblaient vissées directement
dans *leurs* épaules. (Troyat.)

316. — Indiquer ce que représente le pronom *le* en italiques.

(Gr. §§ 252, 255)

1. Je vous offre ce livre ; lisez-*le* (ce livre) attentivement. —
2. Je vous parle en ami, reconnaissez-*le* (je vous parle en ami). —

---

4. *Cantharide* : coléoptère d'un vert doré et brillant.

3. Vous êtes un distrait, vous *le* (un distrait) serez toujours. — 4. Je vous *le* (vous courez un grand danger) répète : vous courez un grand danger. — 5. Tout cela, je vous *le* (tout cela) promets volontiers. — 6. Vous *le* (pronom sans antécédent ; formule figée) prenez bien haut ! — 7. Pour être en retard, oui, ils *le* (en retard) sont. (P. Loti.) — 8. Nous sommes des hommes libres et nous entendons *le* (des hommes libres) rester. (De Gaulle.) — 9. Nous ne touchons que ceux qui *le* (touchés) sont déjà. (Fr. Mauriac.)

317. — Remplacer les trois points par un des pronoms *le, la, l', les*.

(Gr. § 255)

1. Vous êtes les défenseurs de la vérité ; vous *les* serez avec fierté. — 2. Soyez prudents comme doivent *l'*être des enfants raisonnables. — 3. Les méchants seront punis ; la justice veut qu'ils *le* soient. — 4. Rome voulut être la maîtresse du monde, et elle *la* devint. — 5. Il y a des gens qui sont très instruits sans *le* paraître. — 6. Êtes-vous les personnes dont on m'a parlé ? Nous *les* sommes. — 7. Vous êtes pleins de santé ; puissiez-vous *le* rester toujours. — 8. Vous n'êtes pas encore écrivains, mais vous *le* deviendrez peut-être. — 9. Resterez-vous mes amis ? Oui, nous *les* resterons. — 10. La consolation de tes parents, tu *la* seras toujours.

318. — Composer des phrases où *moi, toi, lui, eux* sont employés : 1° comme sujets ; 2° comme compléments.   (Gr. § 256)

a) 1. *Moi* seule trouve que tu as tort. — 2. Écoute-*moi* avant de répondre.

b) 1. *Toi*, tu me comprends. — 2. Tu ne penses qu'à *toi*.

c) 1. *Lui* se montra plus aimable que ses frères. — 2. On n'admire que *lui*.

d) *Eux* viendront, mais leurs parents seront absents. — 2. Ces héros peuvent être fiers d'*eux*.

319. — Quelle est la fonction de *en* et de *y* ?   (Gr. § 257)

a) 1. Il avait gagné et il n'*en* (compl. de l'adjectif *mécontent*) était pas mécontent. — 2. Vos raisons sont bonnes, j'*en* (compl. du nom *pertinence*) reconnais la pertinence. — 3. Venez-vous de la ville ? Moi, j'*en* (compl. adverbial de lieu du verbe *viens*) viens. — 4. Ce travail est mal fait. Veuillez *y* (compl. d'objet indirect du verbe *apporter*) apporter les corrections nécessaires. — 5. Il veut aller ailleurs : il croit qu'il *y* (compl. adverbial de lieu du verbe *vivra*) vivra mieux. — 6. Le printemps arrive : on *en* (compl. du nom *signes*) voit les premiers signes.

b) 1. Je regardai sa figure. Elle me fit peur. Un étrange durcissement *en* (compl. du nom *traits*) avait marqué les traits. (H. Bosco.)

— 2. Je souhaitais ardemment me rapprocher de Dieu, mais je ne savais pas comment m'*y* (la valeur du pronom a cessé d'être perçue) prendre. (S. de Beauvoir.) — 3. De part et d'autre de la route, l'obscurité se refermait opaque ; (...) rien n'égalait le vague indécis des formes qui s'ébauchaient de l'ombre pour *y* (compl. adverbial de lieu du verbe *rentrer*) rentrer aussitôt. (J. Gracq.) — 4. Et je m'*en* (la valeur du pronom a cessé d'être perçue) vais / Au vent mauvais / Qui m'emporte / Deçà, delà, / Pareil à la / Feuille morte. (Verlaine.) — 5. Un jour M. Domergue avait confié à Beauzée [5] que Voltaire ignorait la grammaire. « Vous me faites plaisir de m'*en* (compl. d'objet indirect du verbe *avertir*) avertir, répondit Beauzée, cela prouve qu'on peut s'*en* (compl. d'objet indirect du verbe *se passer*) passer. » (Apollinaire.)

LES PRONOMS POSSESSIFS

320. — Relever les pronoms possessifs, indiquer leur genre et leur nombre, leur personne grammaticale, leur fonction.   (Gr. §§ 259-261)

1. Mes devoirs sont faits ; *les tiens* (masc. pl. ; 2e pers. sing. ; sujet du verbe *sont*) le sont-ils ? — 2. En défendant l'honneur de son équipe, le sportif défend aussi *le sien* (masc. sing. ; 3e pers. sing. ; complément d'objet direct du verbe *défend*). — 3. N'oubliez pas que, si les hommes ont leur sensibilité, les animaux ont aussi *la leur* (fém. sing. ; 3e pers. pl. ; complément d'objet direct du verbe *ont*). — 4. Les maisons qui ne sont pas *la nôtre* (fém. sing. ; 1re pers. pl. ; attribut du sujet *qui*) présentent un caractère de nouveauté qui pour moi est charmante et instructive. (Ch.-L. Philippe.) — 5. Vous savez ce que c'est que de perdre une mère. Vous avez, je crois, la conscience qu'en bien des choses, c'est *la vôtre* (fém. sing. ; 2e pers. pl. ; sujet, mis en évidence par *c'est...qui,* du verbe *a doué*) qui vous a doué ; je sais bien aussi que je dois à *la mienne* (fém. sing. ; 1re pers. sing. ; complément d'objet indirect du verbe *dois*) une grande partie de ce qui est en moi. (Renan.)

321. — Conjuguer au présent de l'indicatif.   (Gr. § 261)

1. **Des soucis ? j'ai les miens ; des satisfactions, j'ai les miennes.** — Des soucis ? tu as les tiens. Des satisfactions ? tu as les tiennes. — Des soucis ? il a les siens. Des satisfactions ? il a les sien- nes. — Des soucis ? nous avons les nôtres. Des satisfactions ? nous avons les nôtres. — Des soucis ? vous avez les vôtres. Des satisfac- tions ? vous avez les vôtres. — Des soucis ? ils ont les leurs. Des satisfactions ? ils ont les leurs.

---

5. Domergue et Beauzée sont des grammairiens de la fin du XVIIIe siècle.

2. **J'aime cette maison parce que c'est la mienne.** — Tu aimes cette maison parce que c'est la tienne. — Il aime cette maison parce que c'est la sienne. — Nous aimons cette maison parce que c'est la nôtre. — Vous aimez cette maison parce que c'est la vôtre. — Ils aiment cette maison parce que c'est la leur.

322. — Remplacer par un pronom possessif les éléments en italiques.

(Gr. § 261)

1. Au lieu de surveiller la conduite d'autrui, surveillez *votre conduite / la vôtre*. — 2. Tu caresses ce projet, tu y tiens parce que c'est *ton projet / le tien*. — 3. Souvent nous ne considérons que les intérêts qui sont *nos intérêts / les nôtres*. — 4. Maman oubliait sa peine pour ne penser qu'à *ma peine / la mienne*. — 5. Votre pays a ses charmes ; *mon pays / le mien* a aussi *ses charmes / les siens*. — 6. L'égoïste ne pense pas à nos avantages : il ne voit que *ses avantages / les siens*.

323. — Compléter en choisissant entre *notre, votre,* — ou *nôtre(s),* *vôtre(s).*   (Gr. §§ 261 et 228)

1. On vous a fait voir *votre* erreur. — 2. Cette maison est-elle la *vôtre* ? — 3. *Notre* sentiment est conforme au *vôtre*. — 4. *Votre* décision, nous la ferons *nôtre*. — 5. Vous et les *vôtres* nous avez toujours secourus. — 6. Serez-vous des *nôtres* ce soir ? — 7. Nous ne pouvions déshonorer *notre* nom pour justifier *notre* conduite, n'est-ce pas ? (J. Green.)

LES PRONOMS DÉMONSTRATIFS

324. — Relever les pronoms démonstratifs et indiquer leur genre, leur nombre et leur fonction.   (Gr. §§ 262-264)

a) 1. Parmi les sportifs, *ceux* (masc. pl. ; sujet du verbe *deviendront*) qui ne savent pas souffrir ne deviendront jamais des champions. — 2. Voyager est utile et agréable : *cela* (masc. sing. à valeur de neutre ; sujet du verbe *permet*) permet notamment de constater que nos habitudes, et même parfois nos évidences, ne sont pas *celles* (fém. pl. ; attribut des sujets *habitudes* et *évidences*) des autres pays. — 3. Sur *ce* (masc. sing. à valeur de neutre ; complément adverbial de temps du verbe *quitte*), je vous quitte. — 4. Des chanteurs d'aujourd'hui, quel est *celui* (masc. sing. ; attribut du sujet *quel*) que vous préférez ? — 5. Lequel de ces deux livres vous convient ? *Celui-ci* (masc. sing. ; sujet du verbe *est*) est amusant ; *celui-là* (masc. sing. ; sujet du verbe *est*) est plus instructif. — 6. Votre travail est bon, et *cela* (masc. sing. à valeur de neutre ; remplace la phrase précédente) bien que vous ayez laissé passer une grosse faute d'orthographe. — 7. Vouloir, *c'* (masc. sing. à valeur de neutre ; redondance avec *pouvoir,* lui-même sujet du verbe *est*) est pouvoir.

b) 1. L'esprit qu'on veut avoir gâte *celui* (masc. sing. ; compl. d'objet direct du verbe *gâte*) qu'on a. (Gresset.) — 2. Et s'il n'en reste qu'un, je serai *celui-là* (masc. sing. ; attribut du sujet *je*) ! (Hugo.) — 3. *Ce* (masc. sing. à valeur de neutre ; compl. d'objet direct du participe *disant*) disant, il regardait fixement le pauvre Berlaudier, comme s'il en attendait une réponse. (Pagnol.) — 4. Heureux *ceux* (masc. pl. ; sujet de l'attribut *heureux*) qui sont morts, car ils sont retournés / Dans cette grasse argile où Dieu les modela. (Péguy.) — 5. Les Indiens harponnent le saumon, bien que *ça* (masc. sing. à valeur de neutre ; sujet du verbe *soit*) ne soit pas la saison de pêche. (Cendrars.) — 6. Le plus fort est *celui* (masc. sing. ; sujet du verbe *est*) qui tient sa force en bride. (Hugo.)

325. — Distinguer dans les exemples du n° précédent les démonstratifs nominaux et les démonstratifs représentants. Pour ces derniers, indiquer l'antécédent. Les démonstratifs ont-ils le genre et le nombre de leur antécédent ?   (Gr. § 263)

a) 1. Parmi les sportifs, *ceux* (représentant ; antéc. : *sportifs*) qui ne savent pas souffrir ne deviendront jamais des champions. — 2. Voyager est utile et agréable : *cela* (représentant ; antéc. : *voyager*) permet notamment de constater que nos habitudes, et même parfois nos évidences, ne sont pas *celles* (représentant ; antéc. : *habitudes* et *évidences*) des autres pays. — 3. Sur *ce* (nominal), je vous quitte. — 4. Des chanteurs d'aujourd'hui, quel est *celui* (représentant ; antéc. : *quel*) que vous préférez ? — 5. Lequel de ces deux livres vous convient ? *Celui-ci* (représentant ; antéc. : *livres*) est amusant ; *celui-là* (représentant ; antéc. : *livres*) est plus instructif. — 6. Votre travail est bon, et *cela* (représentant ; antéc. : *vous avez laissé passer une grosse faute d'orthographe*) bien que vous ayez laissé passer une grosse faute d'orthographe. — 7. Vouloir, *c'* (représentant ; antéc. : *vouloir*) est pouvoir.

b) 1. L'esprit qu'on veut avoir gâte *celui* (représentant ; antéc. : *esprit*) qu'on a. (Gresset) — 2. Et s'il n'en reste qu'un, je serai *celui-là* (représentant ; antéc. : *un*) ! (Hugo.) — 3. *Ce* (représentant ; antéc. : le discours qui précède) disant, il regardait fixement le pauvre Berlaudier, comme s'il en attendait une réponse. (Pagnol.) — 4. Heureux *ceux* (nominal) qui sont morts, car ils sont retournés / Dans cette grasse argile où Dieu les modela. (Péguy.) — 5. Les Indiens harponnent le saumon, bien que *ça* (nominal) ne soit pas la saison de pêche. (Cendrars.) — 6. Le plus fort est *celui* (nominal) qui tient sa force en bride. (Hugo.)

Les pronoms démonstratifs représentants prennent le genre de leur antécédent, mais ils varient en nombre d'après les besoins de la communication : voir par ex. *a*, 5. — Les nominaux varient selon les intentions du locuteur : voir par ex. *b*, 5 et 6.

326. — Remplacer les mots en italiques par le pronom démonstratif qui convient.   (Gr. §§ 263-264)

1. Nos droits finissent là où commencent *les droits / ceux* des autres. — 2. La natation est de tous les sports *le sport / celui* que je préfère. — 3. La leçon des exemples vaut mieux que *la leçon / celle* des conseils. — 4. Préférez-vous les films qui vous font rire ou *les films / ceux* qui vous font trembler ? — 5. Il ne faut pas confondre la ciguë et le cerfeuil : *le cerfeuil / celui-ci* est comestible et *la ciguë / celle-là* est un poison.

327. — Remplacer les trois points par *c'*, ou *ç'*, ou *ça*, ou *çà*.

(Gr. §§ 263-264)

1. *Ç'*a été pour moi un grand honneur de vous recevoir. — 2. Ah ! *çà*, pour qui me prend-on ? — 3. Les choses ne se passeront pas comme *ça* ! — 4. Tout *ça* ne fait pas mon affaire. — 5. Oh ! les jolis chatons ! *ça* joue, *ça* saute ; vraiment *ça* m'amuse de les regarder. — 6. *Ç'*aurait été dommage de laisser passer cette occasion. — 7. Ah ! *çà* alors, *ça* m'étonnerait ! — 8. *C'*était admirable, ce coucher de soleil. — 9. *Çà* et là des arbustes chétifs croissent sur cette terre aride.

328. — Remplacer les trois points par un pronom démonstratif prochain ou par un pronom démonstratif lointain.   (Gr. § 265)

a) 1. Il faut distinguer les cardinaux et les ordinaux : *ceux-ci* indiquent le rang ; *ceux-là* indiquent le nombre. — 2. Dites-vous bien *ceci* : ce n'est pas en commençant à étudier la veille de l'examen que vous avez le plus de chances de réussir. — 3. La patience vient à bout de tout : *cela* est passé en proverbe. — 4. Quelle est la différence entre les coléoptères et les hyménoptères ? *Ceux-ci* ont deux paires d'ailes membraneuses ; *ceux-là* ont des ailes postérieures protégées par des élytres [6] cornés. — 5. Vos richesses et vos amis ? *Ceux-ci* peuvent vous abandonner ; *celles-là* peuvent être perdues.

b) 1. La farce est autre chose que la comédie : *celle-ci* fait rire les raffinés ; *celle-là* ne plaît qu'au gros public. — 2. Vive l'été ! vive aussi l'hiver ! *Celui-ci* m'apporte les joies du ski ; *celui-là* les baignades et le canotage. — 3. Ni les timorés ni les téméraires ne sont de bons modèles : *ceux-là* n'osent rien entreprendre ; *ceux-ci* courent

---

6. *Élytre* : aile dure des insectes, qui recouvre l'aile inférieure.

des risques inutiles. — 4. Les pays ont généralement une devise. Connaissez-vous *celle-ci,* qui est celle du Québec : « Je me souviens » ? — 5. « Tout Paris pour Chimène a les yeux de Rodrigue » : en écrivant *cela,* Boileau voulait montrer le grand succès que *Le Cid* avait obtenu malgré certaines cabales.

329. — Mettre en relief au moyen de *c'est ... qui* ou de *c'est ... que* les éléments en italiques.   (Gr. § 267)

a) 1. Nous devons éviter *les fautes d'orthographe.* / *Ce sont* les fautes d'orthographe *que* nous devons éviter. — 2. *Nous* avons gagné le match. / *C'est* nous *qui* avons gagné le match. — 3. *La cendre des morts,* dit le poète, créa la patrie. / *C'est* la cendre des morts, dit le poète, *qui* créa la patrie. — 4. Je préfère *le canotage.* / *C'est* le canotage *que* je préfère. — 5. Nous passerons nos vacances *en Suisse.* / *C'est* en Suisse *que* nous passerons nos vacances. — 6. Nous prendrons une décision *aujourd'hui même.* / *C'est* aujourd'hui même *que* nous prendrons une décision.

b) 1. *Dans l'adversité,* nous connaissons nos vrais amis. / *C'est* dans l'adversité *que* nous connaissons nos vrais amis. — 2. *La Fontaine* est le premier de nos fabulistes. / *C'est* La Fontaine *qui* est le premier de nos fabulistes. — 3. Les abeilles viennent *du séjour des dieux.* / *C'est* du séjour des dieux *que* viennent les abeilles. — 4. *À l'œuvre* on connaît l'artisan. / *C'est* à l'œuvre *qu'*on connaît l'artisan. — 5. Je vous dis cela *dans votre intérêt.* / *C'est* dans votre intérêt *que* je vous dis cela. — 6. *Tu* seras le capitaine de l'équipe. / *C'est* toi *qui* seras le capitaine de l'équipe. — 7. Que le poète se frappe le cœur : *là* est son vrai génie. / Que le poète se frappe le cœur : *c'est* là *qu'*est son vrai génie.

LES PRONOMS RELATIFS

330. — Indiquer le genre, le nombre et la fonction des pronoms relatifs en italiques.   (Gr. §§ 268-277)

La Seine à Paris, au XIIIᵉ siècle

On peut imaginer ce *qu'* (masc. sing. à valeur de neutre ; compl. d'objet direct du verbe *présentait*) une ville comme était déjà ce Paris, étroite à tout prendre, mais fortement peuplée d'une population active et entreprenante, présentait de vie et de mouvement. (...) La Seine, dans la partie *qui* (fém. sing. ; sujet du verbe *baignait*) la baignait, n'était pas encore le fleuve domestiqué *que* (masc. sing. ; compl. d'objet direct du verbe *connaissons*) nous connaissons aujourd'hui. Elle n'était pas contenue par ces puissants quais de pierre *qu'* (masc. pl. ; compl. d'objet direct du verbe *a créés*) a créés la main de l'homme. Même en pleine ville, elle n'était pas dominée par ces terrasses, ces palais, ces hautes demeures *qui* (masc. pl. ; sujet du verbe *bordent*) la bordent maintenant, dans le cadre savant *où* (masc. sing. ; compl. adverbial de lieu du verbe *a laissé*) le goût des architectes n'a laissé subsister de la nature que les masses d'un feuillage ornemental et *où* (masc. sing. ; compl. adverbial de lieu du verbe *s'affirme*) s'affirme le caractère impérieux de leur génie artistique.

Elle coulait alors plus libre et plus large, entre des rives basses, plantées d'arbustes et de touffes verdoyantes, marquées çà et là par la tache fauve d'une plage ou d'une grève. Elle s'en allait, inégale de fond, parmi des îles, *dont* (fém. pl. ; compl. du pronom *plusieurs*) plusieurs s'alignaient le long des berges *auxquelles* (fém. pl. ; compl. d'objet indirect du verbe *ont été reliées*) elles ont été depuis reliées.

E. FARAL (*La vie quotidienne au temps de saint Louis,* Hachette, édit.).

331. — Relever les pronoms relatifs et indiquer leur genre, leur nombre et leur fonction. (Gr. §§ 268-277)

a) 1. Une souris *qui* (fém. sing. ; sujet du verbe *a*) n'a qu'un trou sera bientôt prise. — 2. Le temps est l'étoffe *dont* (fém. sing. ; compl. adverbial de manière du verbe *est faite*) la vie est faite. — 3. Quel est celui de ces tableaux *que* (masc. sing. ; compl. d'objet direct du verbe *préférez*) vous préférez ? — 4. Votre ami est là *qui* (masc. sing. ; sujet du verbe *attend*) attend. — 5. Qu'ai-je dit *qui* (masc. sing. à valeur de neutre ; sujet du verbe *étonne*) vous étonne ? — 6. Tel est pris *qui* (masc. sing. ; sujet du verbe *croyait*) croyait prendre. — 7. Je connais le sentier détourné par *lequel* (masc. sing. ; compl. adverbial de lieu du verbe *êtes venu*) vous êtes venu. — 8. Nous versons une somme de dix mille francs, *laquelle* (fém. sing. ; sujet du verbe *sera remboursée*) nous sera remboursée dans cinq ans.

b) 1. *Qui* (masc. sing. ; sujet du verbe *veut*) veut voyager loin ménage sa monture. — 2. Celui-là serait bien heureux *qui* (masc. sing. ; sujet du verbe *pourrait*) pourrait chaque jour admirer quelque chose. — 3. Cet homme gagne l'estime de *qui* (masc. sing. ; sujet du verbe *connaît*) le connaît bien. — 4. J'entends, *qui* (fém. sing. ; sujet du verbe *grignote*) grignote les heures, l'horloge du salon. — 5. *Quiconque* (masc. sing. ; sujet du verbe *se sert*) se sert de l'épée périra par l'épée. — 6. Il y a eu un incendie dans la rue *où* (fém. sing. ; compl. adverbial de lieu du verbe *habite*) j'habite.

c) 1. Par sympathie pour le chien, *dont* (masc. sing. ; compl. du nom *découragement*) le découragement faisait pitié, le coq s'était mis à aboyer. (M. Aymé.) — 2. Adieu, Meuse endormeuse et douce à mon enfance, / *Qui* (fém. sing. ; sujet du verbe *demeures*) demeures aux prés *où* (masc. pl. ; compl. adverbial de lieu du verbe *coules*) tu coules tout bas. (Péguy.) — 3. L'homme *que* (masc. sing. ; attribut du sujet *je*) je suis devenu couvait déjà, de très bonne heure,

sous l'enfant *que* (masc. sing. ; attribut du sujet *j'*) j'étais. (Loti.) —
4. Il n'y a que ceux *auxquels* (masc. pl. ; compl. d'objet indirect du
verbe *a dit*) on a tout dit à *qui* (masc. pl. ; compl. d'objet indirect du
verbe *dire*) on a toujours quelque chose à dire. (Veuillot.) — 5. Le
siècle le plus poli de l'histoire avait inventé la perruque, *laquelle*
(fém. sing. ; sujet du verbe *était*) était un hommage *que* (fém. sing. ;
compl. d'objet direct du verbe *rendait*) la chevelure rendait à la calvitie. (Maurois.) — 6. Un jour vint *que* (masc. sing. ; compl. adverbial
de temps du verbe *s'assit*) le petit Ménétreau s'assit le premier sur
le banc de gauche. (Colette.) — 7. Grâce à lui ce château et ce
domaine resteraient à *qui* (masc. sing. ; sujet du verbe *méritait*) les
méritait. (R. Peyrefitte.) — 8. C'était une idée à *quoi* (masc. sing. à
valeur de neutre ; compl. d'objet indirect du verbe *pouvais faire*) je
ne pouvais pas me faire. (A. Camus.)

d) La forêt vue du train

Dehors, sous la pluie, passait la forêt de Fontainebleau, *dont*
(fém. sing. ; compl. du nom *arbres*) les arbres étaient encore garnis
de feuilles *que* (fém. pl. ; compl. d'objet direct du verbe *arrachait*) le
vent arrachait comme par touffes et *qui* (fém. pl. ; sujet du verbe
retombaient) retombaient lentement pareilles à des essaims de chauves-souris pourpres et fauves, ces arbres *qui* (masc. pl. ; sujet du
verbe *ont perdu*) en quelques jours ont perdu tout leur apparat, sur
lesquels (masc. pl. ; compl. adverbial de lieu du verbe *restait*) il ne
restait plus tout à l'heure, au bout de leurs branches sévères, que
quelques fines taches tremblantes.

M. BUTOR (*La modification,* Les Éditions de Minuit).

332. — Dans les phrases du n° précédent, rechercher les antécédents
des pronoms relatifs.   (Gr. § 268)

a) 1. Une souris *qui* (souris) n'a qu'un trou sera bientôt prise. —
2. Le temps est l'étoffe *dont* (étoffe) la vie est faite. — 3. Quel est
celui de ces tableaux *que* (celui) vous préférez ? — 4. Votre ami est
là *qui* (ami) attend. — 5. Qu'ai-je dit *qui* (qu') vous étonne ? —
6. Tel est pris *qui* (tel) croyait prendre. — 7. Je connais le sentier
détourné par *lequel* (sentier) vous êtes venu. — 8. Nous versons
une somme de dix mille francs, *laquelle* (somme) nous sera remboursée dans cinq ans.

b) 1. *Qui* (pas d'antéc.) veut voyager loin ménage sa monture.
— 2. Celui-là serait bien heureux *qui* (celui-là) pourrait chaque jour
admirer quelque chose. — 3. Cet homme gagne l'estime de *qui* (pas
d'antéc.) le connaît bien. — 4. J'entends, *qui* (horloge) grignote les
heures, l'horloge du salon. — 5. *Quiconque* (pas d'antéc.) se sert de
l'épée périra par l'épée. — 6. Il y a eu un incendie dans la rue *où*
(rue) j'habite.

c) 1. Par sympathie pour le chien, *dont* (chien) le découragement faisait pitié, le coq s'était mis à aboyer. (M. Aymé.) —

2. Adieu, Meuse endormeuse et douce à mon enfance, / *Qui* (Meuse) demeures aux prés *où* (prés) tu coules tout bas. (Péguy.) — 3. L'homme *que* (homme) je suis devenu couvait déjà, de très bonne heure, sous l'enfant *que* (enfant) j'étais. (Loti.) — 4. Il n'y a que ceux *auxquels* (ceux) on a tout dit à *qui* (ceux auxquels on a tout dit) on a toujours quelque chose à dire. (Veuillot.) — 5. Le siècle le plus poli de l'histoire avait inventé la perruque, *laquelle* (perruque) était un hommage *que* (hommage) la chevelure rendait à la calvitie. (Maurois.) — 6. Un jour vint *que* (jour) le petit Ménétreau s'assit le premier sur le banc de gauche. (Colette.) — 7. Grâce à lui ce château et ce domaine resteraient à *qui* (pas d'antéc.) les méritait. (R. Peyrefitte.) — 8. C'était une idée à *quoi* (idée) je ne pouvais pas me faire. (A. Camus.)

d) Dehors, sous la pluie, passait la forêt de Fontainebleau, *dont* (forêt) les arbres étaient encore garnis de feuilles *que* (feuilles) le vent arrachait comme par touffes et *qui* (feuilles) retombaient lentement pareilles à des essaims de chauves-souris pourpres et fauves, ces arbres *qui* (arbres) en quelques jours ont perdu tout leur apparat, sur *lesquels* (arbres) il ne restait plus tout à l'heure, au bout de leurs branches sévères, que quelques fines taches tremblantes.

333. — Faire sur les thèmes suivants une phrase avec chacun des pronoms relatifs *qui, que, dont, lequel.*   (Gr. §§ 268-276)

1. **Un bébé :** Un bébé *qui* réclame son biberon s'agite et pleure. — Le bébé, *que* nous avions calmé, s'endormit enfin. — Un bébé, *dont* je ne connais pas le nom, jouait avec son hochet. — Un bébé, avec *lequel* nous avions joué la veille, sembla nous reconnaître.

2. **La rivière :** La rivière *qui* coule au fond du jardin est polluée. — La rivière *que* tu aperçois d'ici regorge de poissons. — La rivière *dont* on découvre la courbe sinueuse est appréciée des enfants en été. — L'eau de la rivière dans *laquelle* se baignent les enfants est bien froide.

3. **Les pieds :** Les pieds *qui* sont à l'étroit dans les chaussures sont froids. — Les douze pieds *que* tu comptes dans ce vers prouvent qu'il s'agit d'un alexandrin. — Les pieds *dont* les orteils s'écartent l'un de l'autre sont disgracieux. — Les pieds sur *lesquels* repose la table sont en bois sculpté.

4. **La chasse :** La chasse, *qui* ne peut se pratiquer n'importe quand, nécessite un permis. — La chasse *que* tu me racontes t'a sûrement permis de ramener du gibier à la maison. — La chasse *dont* je te parle s'est mal terminée : un chasseur en a blessé un autre. — La chasse à *laquelle* j'ai participé était particulièrement mouvementée.

334. — Faire passer dans les phrases suivantes les éléments en italiques.   (Gr. §§ 270 et 418)

1. Il y a, dans nos musées, des tableaux *qui sont de vrais trésors.* — 2. Dans le feu de la discussion, nous donnons parfois des raisons *dont nous ne contrôlons guère la valeur.* — 3. En lisant les fables de La Fontaine, vous trouverez bien des endroits *qui vous charmeront.* — 4. Il y a de beaux villages en France, en Suisse, au Canada, ailleurs aussi, *où l'on aimerait vivre.* — 5. Pour le poète, le firmament étoilé est comme un livre *dont chaque page est remplie de merveilles.* — 6. Il y a, au cours de chacune de nos journées, beaucoup de petites choses *que nous négligeons à tort.* — 7. Nous reçûmes de tante Odile une tartelette *que nous coupâmes en deux.*

335. — Remplacer les trois points par le pronom relatif convenable, précédé, s'il y a lieu, d'une préposition.   (Gr. §§ 268-277)

1. Rapporte-moi le livre *que* je t'ai prêté. — 2. Tous les chiens *qui* aboient ne mordent pas. — 3. Ce sont là des tâches *auxquelles* il faudrait s'appliquer. — 4. L'avare se refuse même les choses *dont* il aurait besoin. — 5. Qu'est-ce que ce projet *dont* tu m'as parlé ? — 6. Malheur à ceux *par qui* le scandale arrive. — 7. Il n'est rien *à quoi* nous ne devions être disposés pour faire plaisir à nos parents. — 8. C'est une aventure *que* je me rappellerai longtemps.

336. — Remplacer les trois points par *quoique* ou par *quoi que.*
                                                              (Gr. § 272)

a) 1. Faisons notre devoir, *quoi qu'*il puisse arriver. — 2. Le bûcheron de la fable, *quoiqu'*il fût accablé de malheur, aimait mieux souffrir que mourir. — 3. L'œil du moucheron, *quoique*[7] à peine perceptible, reçoit l'image du firmament. — 4. *Quoi que* vous écriviez, évitez la bassesse, conseillait Boileau. — 5. Certains fruits, *quoique* séduisants par leur couleur, sont dangereux. — 6. La fortune, *quoi qu'*elle puisse avoir de solide, est instable.

b) 1. *Quoique* les premières violettes aient ouvert leurs corolles, le gel est encore à craindre. — 2. *Quoi que* vous puissiez dire, vous ne me convaincrez pas. — 3. *Quoique* le lièvre n'eût que quatre pas à faire, la tortue arriva la première. — 4. *Quoi que* fît le lièvre, la tortue arriva avant lui. — 5. Il était, *quoique* riche, à la justice enclin. (Hugo.) — 6. *Quoi qu'*il en soit, je ne veux pas entraîner mon lecteur à travers le labyrinthe de ces sentiments compliqués. (J. Green.) — 7. *Quoique* la ville fût de médiocre étendue, le voisinage de la

---

7. On ne comptera pas *quoiqu'* comme une faute, bien que certains grammairiens n'acceptent l'apostrophe que devant *il(s)*, *elle(s)*, *un*, *on* ; d'autres ajoutent *ainsi*, *en*. (Cf. *Le bon usage*, 12ᵉ éd., § 45, 4°.)

petite station thermale y entretenait une certaine élégance. (J. Romains.) — 8. Quelquefois des journées entières se passaient sans qu'on entendît *quoi que* ce fût qui rappelât la vie dans cette maison. (Fromentin.)

337. — Dire quelle est la fonction de *dont*.   (Gr. § 274).

a) 1. C'est une affaire *dont* (compl. du nom *importance*) je vois l'importance. — 2. Il n'est rien *dont* (compl. de l'adjectif *certain*) je sois plus certain. — 3. Je vous suis reconnaissant des faveurs *dont* (compl. d'objet indirect du verbe *comblez*) vous me comblez. — 4. Elle-même s'aidait d'une canne *dont* (compl. adverbial de manière du verbe *tâtait*) elle tâtait le sol devant elle. (H. Bosco.) — 5. Voilà un résultat *dont* (compl. de l'adjectif *content*) je suis content. — 6. Je vois là-bas la maison *dont* (compl. du nom *propriétaire*) je pense que vous êtes propriétaire. — 7. Il n'y a point de mal *dont* (compl. adverbial de lieu du verbe *naisse*) il ne naisse un bien, a dit Voltaire.

b) 1. Il n'est guère de difficultés *dont* (compl. d'objet indirect du verbe *triompher*) un travail opiniâtre ne puisse triompher. — 2. Les peupliers, *dont* (compl. du nom *image*) on voit l'image dans le fleuve, frissonnent sous la brise. — 3. Les hirondelles évoluent au-dessus du lac, *dont* (compl. du nom *eau*) elles effleurent l'eau bleue. — 4. Ils ramassèrent le héron, qui vivait encore, et *dont* (compl. du nom *gorge*) ils coupèrent la gorge. (Nerval.) — 5. Souvent ce que nous disons frappe moins que la manière *dont* (compl. adverbial de manière du verbe *disons*) nous le disons. — 6. C'est une aventure *dont* (compl. d'objet indirect du verbe *me souviendrai*) je me souviendrai longtemps. — 7. Apportez-moi les outils *dont* (compl. d'objet indirect du verbe *ai besoin*) j'ai besoin pour réparer cette serrure.

338. — Inventer trois phrases où *dont* sera complément : 1° d'un nom ; 2° d'un adjectif ; 3° d'un verbe.   (Gr. § 274)

1. Le bébé *dont* je suis fière d'être la *marraine* a aujourd'hui quatre mois. — 2. Voici des travaux *dont* je ne suis pas *contente*. — 3. J'ai égaré le stylo *dont* je *me sers* habituellement.

LES PRONOMS INTERROGATIFS

339. — Distinguer les pronoms interrogatifs et les pronoms relatifs. Indiquer le genre, le nombre et la fonction des pronoms interrogatifs.

(Gr. §§ 278-284)

1. *Qui* (interr. ; masc. sing. ; sujet du verbe *pourrait*) pourrait compter les étoiles *qui* (relat.) brillent au firmament ou les grains de sable *que* (relat.) la mer roule sur le rivage ? — 2. De *quoi* (interr. ; masc. sing. à valeur de neutre ; compl. d'agent ou compl. d'objet indirect du verbe *sera fait*) demain sera-t-il fait ? — 3. Je ne sais plus *que* (interr. ; masc. sing. à valeur de neutre ; compl. d'objet direct du verbe *faire*) faire. — 4. *Quoi* (interr. ; masc. sing. à valeur de neutre ; sujet de la phrase non verbale) de plus changeant que l'opinion publique ? *quoi* (interr. ; masc. sing. à valeur de neutre ; sujet de la phrase non verbale) de plus instable que les faveurs *qu'* (relat.) elle accorde ? — 5. Voilà bien des opinions ; *auxquelles* (interr. ; fém. pl. ; compl. d'objet indirect du verbe *arrêter*) nous arrêter ? — 6. Joies du sport, joies de la musique : dites-moi *desquelles* (interr. ; fém. pl. ; compl. du nom *amateur*) vous êtes amateur.

340. — Composer sur chacun des thèmes suivants une phrase contenant un pronom interrogatif (différent pour chaque phrase).

(Gr. §§ 278-284)

1. **Les États-Unis :** *Combien* ont déjà visité les États-Unis ? — 2. **Le dernier Tour de France :** *Qui* a gagné le dernier Tour de France ? — 3. **Les chanteurs à la mode :** Des chanteurs à la mode, *lequel* écoutez-vous le plus volontiers ? — 4. **La télévision :** *Que* regardes-tu le plus régulièrement à la télévision ?

341. — Renforcer au moyen de *est-ce qui* ou *est-ce que* les pronoms interrogatifs.

(Gr. § 279)

1. **Qu'***est-ce que* vous me dites là ? — 2. **Qui** *est-ce qui* vous a appris cette nouvelle ? — 3. De **quoi** *est-ce que* vous parlez ? — 4. Par **quoi** *est-ce que* nous commencerons ? — 5. De ces deux livres **lequel** *est-ce que* vous choisissez ? — 6. À **qui** *est-ce que* je dois m'adresser ?

LES PRONOMS INDÉFINIS

342. — Indiquer le genre, le nombre et la fonction des pronoms indéfinis en italiques. (Gr. §§ 285-289)

La récréation

Personne (masc. sing. ; sujet des verbes *criait* et *jouait*) ne criait ni ne jouait. *Certains* (masc. pl. ; sujet des verbes *fumaient* et *se promenaient*) fumaient une cigarette, cachée dans le creux de la main, au fond de leur poche, et se promenaient de long en large sous le préau ; *les autres* (masc. pl. ; sujet du verbe *s'entassaient*) s'entassaient auprès d'un portail condamné, dans une sorte de trou formé par une brusque descente qui mettait la cour de niveau avec la rue voisine. *On* (masc. sing. ; sujet du verbe *s'asseyait*) s'asseyait, les jambes pendantes, sur les parapets de ce trou, sur les crochets de fer qui condamnaient le portail. *On* (masc. sing. ; sujet du verbe *voyait*) ne voyait pas dans la rue, mais parfois, contre les battants, tout près, tout près de soi, *on* (masc. sing. ; sujet du verbe *entendait*) entendait le pas de *quelqu'un* (masc. sing. ; compl. du nom *pas*) qui s'éloignait.

ALAIN-FOURNIER (*Miracles.* © Éditions Gallimard).

343. — Relever les pronoms indéfinis, en indiquant leur genre, leur nombre et leur fonction. (Gr. §§ 285-289)

a) 1. Il ne faut dédaigner *personne* (masc. sing. ; compl. d'objet direct du verbe *dédaigner*) : *chacun* (masc. sing. ; sujet du verbe *a*) a sa dignité. — 2. *Nul* (masc. sing. ; sujet du verbe *sait*) ne sait le tout de *rien* (masc. sing. à valeur de neutre ; compl. du nom *tout*). — 3. Parmi nos réponses, *aucune* (fém. sing. ; sujet du verbe *est*) n'est vraiment bonne. — 4. *Plus d'un* (masc. sing. ; sujet du verbe *s'est senti*), qui avait visité des contrées lointaines, s'est senti heureux en rentrant au pays natal. — 5. Ne faites pas à *autrui* (masc. sing. ; compl. d'objet indirect du verbe *faites*) ce que vous ne voudriez pas qu'*on* (masc. sing. ; sujet du verbe *fît*) vous fît à vousmême. — 6. Cette musique a *je ne sais quoi* (masc. sing. à valeur de neutre ; compl. d'objet direct du verbe *a*) qui m'enchante. — 7. *Tout* (masc. sing. à valeur de neutre ; sujet du verbe *rappelle*), dans cette ville, rappelle le moyen âge. — 8. *Chacun* (masc. sing. ; sujet du verbe *est*) est l'artisan de sa propre fortune. — 9. *Tel* (masc. sing. ; sujet du verbe *est pris*) est pris qui croyait prendre.

b) 1. L'*on* (masc. sing. ; sujet du verbe *gagne*) gagne ou l'*on* (masc. sing. ; sujet du verbe *perd*) perd sur des apparences. (Saint Exupéry.) — 2. Je ne parlerai pas de chaque étape du voyage. *Certaines* (fém. pl. ; sujet du verbe *ont laissé*) n'ont laissé qu'un souvenir confus. (A. Gide.) — 3. Un mot n'est pas le *même* (masc. sing. ;

attribut du sujet *mot*) dans un écrivain et dans un autre[8]. *L'un*
(masc. sing. ; sujet du verbe *arrache*) se l'arrache du ventre. *L'autre*
(masc. sing. ; sujet du verbe *tire*) le tire de la poche de son pardessus. (Péguy.) — 4. Pourtant si *quelqu'un* (masc. sing. ; sujet du
verbe *veut*) veut m'accompagner en route, / J'accepte. *Chacun*
(masc. sing. ; sujet du verbe *a*) a *quelque chose* (masc. sing. à valeur
de neutre ; compl. d'objet direct du verbe *a*) en l'esprit ; / Chaque
fois qu'en mes mains *un* (masc. sing. ; sujet du verbe *tombe*) de ces
livres tombe, / J'y lis. (Hugo.) — 5. Il pensait que les tristesses de
tous (masc. pl. ; compl. du nom *tristesses*) ne changent *rien* (masc.
sing. à valeur de neutre ; compl. d'objet direct du verbe *changent*)
aux devoirs de *chacun* (masc. sing. ; compl. du nom *devoirs*). (Maurois.) — 6. *On* (masc. sing. ; sujet du verbe *buvait*) buvait, attablés
tous (masc. pl. ; redondance de *on,* qui explicite son extension)[9]
ensemble. (Aragon.)

c) 1. Près d'elle, il devenait muet, incapable de *rien* (masc. sing.
à valeur de neutre ; compl. d'objet direct du verbe *dire*) dire et même
de penser. (Maupassant.) — 2. Pour bien juger de *quelque chose*
(masc. sing. à valeur de neutre ; compl. d'objet indirect de *juger*) il
faut s'en éloigner un peu, après l'avoir aimé. (A. Gide.) — 3. Près de
Limeux, nous avons capturé, entre *autres* (masc. pl. ; *entre autres*
joue le rôle d'une locution adverbiale), plusieurs batteries antichars.
(De Gaulle.) — 4. De ces hommes, il n'était *pas un* (masc. sing. ;
sujet réel du verbe *était*) qui fût méchant, *d'aucuns* (masc. pl. ; sujet
du verbe *étaient*) même étaient capables de générosité. (M. Aymé.)
— 5. *Tout un chacun* (masc. sing. ; sujet du verbe *s'entend*) s'entend pour ne pas en parler. (Queneau.) — 6. Des barques, mollement, se balançaient. (...) *Plusieurs* (masc. pl. ; sujet du verbe *étaient
allongées*) étaient allongées sur les dalles huileuses, pêle-mêle avec
des charrettes à bras dételées. (E. Jaloux.)

344. — Distinguer parmi les pronoms indéfinis du n° précédent les
nominaux et les représentants.   (Gr. §§ 286-287)

N.B. — Les nominaux sont en italiques ; les représentants sont en
grasses.

a) 1. Il ne faut dédaigner *personne* : **chacun** a sa dignité. —
2. *Nul* ne sait le tout de *rien.* — 3. Parmi nos réponses, **aucune**
n'est vraiment bonne. — 4. *Plus d'un,* qui avait visité des contrées
lointaines, s'est senti heureux en rentrant au pays natal. — 5. Ne
faites pas à *autrui* ce que vous ne voudriez pas qu'*on* vous fît à
vous-même. — 6. Cette musique a *je ne sais quoi* qui m'enchante.

---

8. *Autre* doit surtout être considéré comme pronominal quand il est employé comme
nominal ou construit sans déterminant. Ici il est donc plutôt adjectif. (Cf. *Le bon usage,*
12ᵉ éd., § 712.)

9. Cf. *Le bon usage,* 12ᵉ éd., § 365, *c.*

— 7. *Tout,* dans cette ville, rappelle le moyen âge. — 8. *Chacun* est l'artisan de sa propre fortune. — 9. *Tel* est pris qui croyait prendre.

b) 1. L'*on* gagne ou l'*on* perd sur des apparences. (Saint Exupéry.) — 2. Je ne parlerai pas de chaque étape du voyage. **Certaines** n'ont laissé qu'un souvenir confus. (A. Gide.) — 3. Un mot n'est pas **le même** dans un écrivain et dans un autre. **L'un** se l'arrache du ventre. **L'autre** le tire de la poche de son pardessus. (Péguy.) — 4. Pourtant si *quelqu'un* veut m'accompagner en route, / J'accepte. *Chacun* a *quelque chose* en l'esprit ; / Chaque fois qu'en mes mains **un** de ces livres tombe, / J'y lis. (Hugo.) — 5. Il pensait que les tristesses de *tous* ne changent *rien* aux devoirs de *chacun.* (Maurois.) — 6. *On* buvait, attablés **tous** ensemble. (Aragon.)

c) 1. Près d'elle, il devenait muet, incapable de *rien* dire et même de penser. (Maupassant.) — 2. Pour bien juger de *quelque chose* il faut s'en éloigner un peu, après l'avoir aimé. (A. Gide.) — 3. Près de Limeux, nous avons capturé, entre *autres,* plusieurs batteries antichars. (De Gaulle.) — 4. De ces hommes, il n'était **pas un** qui fût méchant, **d'aucuns** même étaient capables de générosité. (M. Aymé.) — 5. *Tout un chacun* s'entend pour ne pas en parler. (Queneau.) — 6. Des barques, mollement, se balançaient. (...) **Plusieurs** étaient allongées sur les dalles huileuses, pêle-mêle avec des charrettes à bras dételées. (E. Jaloux.)

*345. — Quelle est la valeur des pronoms indéfinis dans les phrases du n° 343 ?   (Gr. §§ 286-287)

a) 1. Il ne faut dédaigner *personne* (quantité nulle, pour des personnes) : *chacun* (distributif) a sa dignité. — 2. *Nul* (quantité nulle, pour des personnes) ne sait le tout de *rien* (quantité nulle, pour des choses). — 3. Parmi nos réponses, *aucune* (quantité nulle) n'est vraiment bonne. — 4. *Plus d'un* (pluralité), qui avait visité des contrées lointaines, s'est senti heureux en rentrant au pays natal. — 5. Ne faites pas à *autrui* (équivalent de *un autre* dans une phrase sentencieuse) ce que vous ne voudriez pas qu'*on* (identification non précisée) vous fît à vous-même. — 6. Cette musique a *je ne sais quoi* (identification non précisée) qui m'enchante. — 7. *Tout* (totalité, pour des choses), dans cette ville, rappelle le moyen âge. — 8. *Chacun* (distributif, pour des personnes) est l'artisan de sa propre fortune. — 9. *Tel* (identification non précisée) est pris qui croyait prendre.

b) 1. L'*on* (identification non précisée) gagne ou l'*on* (identification non précisée) perd sur des apparences. (Saint Exupéry.) — 2. Je ne parlerai pas de chaque étape du voyage ; *certaines* (pluralité) n'ont laissé qu'un souvenir confus. (A. Gide.) — 3. Un mot n'est pas *le même* (identité) dans un écrivain et dans un autre. *L'un* (distributif) se l'arrache du ventre. *L'autre* (distributif) le tire de la

poche de son pardessus. (Péguy.) — 4. Pourtant si *quelqu'un*
(identification non précisée) veut m'accompagner en route, / J'accepte. *Chacun* (distributif, pour des personnes) a *quelque chose*
(identification non précisée) en l'esprit ; / Chaque fois qu'en mes
mains *un* (unité faisant partie d'un ensemble mentionné ensuite sous
la forme d'un complément introduit par *de*) de ces livres tombe, / J'y
lis. (Hugo.) — 5. Il pensait que les tristesses de *tous* (totalité, pour
des personnes) ne changent *rien* (quantité nulle) aux devoirs de
chacun (distributif, pour des personnes). (Maurois.) — 6. *On* (identification non précisée) buvait, attablés *tous* (totalité) ensemble.
(Aragon.)

c) 1. Près d'elle, il devenait muet, incapable de *rien* (quantité
nulle) dire et même de penser. (Maupassant.) — 2. Pour bien juger
de *quelque chose* (identification non précisée) il faut s'en éloigner
un peu, après l'avoir aimé. (A. Gide.) — 3. Près de Limeux, nous
avons capturé, entre *autres* (*autres* fait partie de la locution adverbiale *entre autres*), plusieurs batteries antichars. (De Gaulle.) —
4. De ces hommes, il n'était *pas un* (quantité nulle) qui fût
méchant, *d'aucuns* (pluralité) même étaient capables de générosité.
(M. Aymé.) — 5. *Tout un chacun* (distributif, pour des personnes)
s'entend pour ne pas en parler. (Queneau.) — 6. Des barques, mollement, se balançaient. (...) *Plusieurs* (pluralité) étaient allongées sur
les dalles huileuses, pêle-mêle avec des charrettes à bras dételées.
(E. Jaloux.)

346. — Étudier les variations en genre et en nombre que connaissent
les pronoms indéfinis des exercices n° 342 et n° 343. Quels sont les mots
qui s'accordent avec ces pronoms ?   (Gr. § 288)

(342). — *Personne* (invariable ; *criait, jouait*) ne criait ni ne
jouait. *Certains* (variable en genre et en nombre, mais le sing. est
exceptionnel ; *fumaient, se promenaient*) fumaient une cigarette,
cachée dans le creux de la main, au fond de leur poche, et se promenaient de long en large sous le préau ; *les autres* (variable en
nombre ; *s'entassaient*) s'entassaient auprès d'un portail condamné,
dans une sorte de trou formé par une brusque descente qui mettait
la cour de niveau avec la rue voisine. *On* (invariable ; *s'asseyait*)
s'asseyait, les jambes pendantes, sur les parapets de ce trou, sur les
crochets de fer qui condamnaient le portail. *On* (invariable ; *voyait*)
ne voyait pas dans la rue, mais parfois, contre les battants, tout près,
tout près de soi, *on* (invariable ; *entendait*) entendait le pas de *quelqu'un* (variable en genre et en nombre ; antécédent de *qui* qui commande l'accord de *s'éloignait*) qui s'éloignait.

(343). — **a)** 1. Il ne faut dédaigner *personne* (invariable) :
chacun (variable en genre ; *a*) a sa dignité. — 2. *Nul* (variable en
genre ; *sait*) ne sait le tout de *rien* (invariable). — 3. Parmi nos
réponses, *aucune* (variable en genre ; *est, bonne*) n'est vraiment

bonne. — 4. *Plus d'un* (variable en genre ; *s'est senti, heureux ;* antécédent de *qui* qui commande l'accord de *avait visité*), qui avait visité des contrées lointaines, s'est senti heureux en rentrant au pays natal. — 5. Ne faites pas à *autrui* (invariable) ce que vous ne voudriez pas qu'*on* (invariable ; *fît*) vous fît à vous-même. — 6. Cette musique a *je ne sais quoi* (invariable ; antécédent de *qui* qui commande l'accord de *enchante*) qui m'enchante. — 7. *Tout* (variable en genre et en nombre ; *rappelle*), dans cette ville, rappelle le moyen âge. — 8. *Chacun* (variable en genre ; *est, l'artisan*) est l'artisan de sa propre fortune. — 9. *Tel* (variable en genre et en nombre ; *est pris* ; antécédent de *qui* qui commande l'accord de *croyait*) est pris qui croyait prendre.

b) 1. L'*on* (invariable ; *gagne*) gagne ou l'*on* (invariable ; *perd*) perd sur des apparences. (Saint Exupéry.) — 2. Je ne parlerai pas de chaque étape du voyage. *Certaines* (variable en genre et en nombre ; *ont laissé*) n'ont laissé qu'un souvenir confus. (A. Gide.) — 3. Un mot n'est pas *le même* (variable en genre et en nombre) dans un écrivain et dans un autre. L'*un* (variable en genre et en nombre quand il est précédé de l'article défini et qu'il est en corrélation avec l'*autre* ; *arrache*) se l'arrache du ventre. L'*autre* (variable en nombre ; *tire, son*) le tire de la poche de son pardessus. (Péguy.) — 4. Pourtant si *quelqu'un* (variable en genre et en nombre ; *veut*) veut m'accompagner en route, / J'accepte. *Chacun* (variable en genre ; *a*) a *quelque chose* (invariable) en l'esprit ; / Chaque fois qu'en mes mains *un* (variable en genre ; *tombe*) de ces livres tombe, / J'y lis. (Hugo.) — 5. Il pensait que les tristesses de *tous* (variable en genre et en nombre) ne changent *rien* (invariable) aux devoirs de *chacun* (variable en genre). (Maurois.) — 6. *On* (invariable ; *buvait, attablés*) buvait, attablés *tous* (variable en genre et en nombre) ensemble. (Aragon.)

c) 1. Près d'elle, il devenait muet, incapable de *rien* (invariable) dire et même de penser. (Maupassant.) — 2. Pour bien juger de *quelque chose* (invariable ; *l', aimé*) il faut s'en éloigner un peu, après l'avoir aimé. (A. Gide.) — 3. Près de Limeux, nous avons capturé, entre *autres* (*autre* est variable en nombre, mais ici on a la locution adverbiale *entre autres*), plusieurs batteries antichars. (De Gaulle.) — 4. De ces hommes, il n'était *pas un* (variable en genre ; antécédent de *qui* qui commande l'accord de *fût* et de *méchant*) qui fût méchant, *d'aucuns* (variable en genre ; *étaient, capables*) même étaient capables de générosité. (M. Aymé.) — 5. *Tout un chacun* (invariable ; *s'entend*) s'entend pour ne pas en parler. (Queneau.) — 6. Des barques, mollement, se balançaient. (...) *Plusieurs* (invariable ; *étaient allongées*) étaient allongées sur les dalles huileuses, pêle-mêle avec des charrettes à bras dételées. (E. Jaloux.)

347. — Composer sur chacun des thèmes suivants une phrase contenant un pronom indéfini (différent pour chaque phrase).   (Gr. §§ 285-289)

> 1. **Le printemps.** *On* dit qu'une hirondelle ne fait pas le printemps. — 2. **La bicyclette.** *Quelqu'un* veut-il me prêter sa bicyclette ? — 3. **Les nuages.** À travers le hublot de l'avion, on ne voyait pas *grand-chose* à cause des nuages. — 4. **Le moineau.** Faites donc *quelque chose* pour les moineaux en hiver. — 5. **Les chapeaux.** Les chapeaux ne vont pas à *tout le monde*.

*348. — Étudier les valeurs du pronom *on*. Expliquer l'accord des mots qui se rapportent à *on*.   (Gr. § 289)

> 1. *On* est venu cambrioler la villa du coin dimanche dernier. / Sens vague ; *est,* sing. ; *venu,* masc. sing. — 2. Voyons, chère Madame, comment va-t-*on* ce matin ? Se sent-*on* mieux reposée ? A-t-*on* pris le médicament que j'ai prescrit ? / *On* est mis pour le *vous* de politesse ; ton familier ; les verbes *va, sent, a* sont à la 3ᵉ pers. du sing., mais l'attribut *reposée* prend le genre correspondant à la personne à laquelle on s'adresse. — 3. *On* ne peut peigner un diable qui n'a pas de cheveux. / Sens vague, général ; *peut,* sing. — 4. Les dames à qui l'*on* enlevait et remettait leurs manteaux s'écartèrent interdites. (Ph. Hériat.) / Sens vague ; *enlevait* et *remettait,* sing. — 5. *On* a toujours eu une enfance, quoi qu'*on* soit devenue [dit Marguerite]. (Dumas fils.) / *On* a un sens général, mais concernant seulement les femmes ; les verbes *a* et *soit* sont à la 3ᵉ pers. du sing., mais le part. passé *devenue* est fém. — 6. Ils m'apportent des nids de merles qu'ils ont pris, / Des albums, des crayons qui viennent de Paris ; / *On* me consulte, *on* a cent choses à me dire, / *On* parle, *on* cause, *on* rit surtout. (Hugo.) / *On* a un sens vague, mais l'extension est limitée par *ils* [les petits-enfants du poète] ; les verbes *consulte, a, parle, cause, rit* sont au sing. — 7. Je veux me réconcilier avec lui, tout de même. *On* s'était fâchés. J'ai eu des torts. (Ionesco.) / Concurrent de *nous* dans la langue familière ; *était,* sing., mais *fâchés,* masc. pl., car l'attribut se met souvent au genre et au nombre correspondant au sexe et au nombre des personnes désignées par *on.*

CHAPITRE VII

Le verbe

349. — Relever les verbes. Distinguer les verbes sans sujet et les verbes avec sujet, en indiquant celui-ci. (Gr. § 290)

N.B. — Les verbes sans sujet sont imprimés en **grasses**. (Dans le cas des participes passés employés comme épithètes, le nom auquel ils se rapportent n'est pas considéré comme un sujet ; de même, les infinitifs sont considérés comme n'ayant pas de sujet, quoique l'agent soit ordinairement exprimé dans le contexte.)

Milou veut faire une fable

Milou (...) se *dispose* (sujet : *Milou*) à **faire** « la fable » **projetée**. Mais les mots, tous les mots de la langue française *sont* (sujet : *mots*) là, **rangés** comme une armée qui lui *barre* (sujet : *qui*) la route. Bravement, il *s'élance* (sujet : *il*) sur eux et s'*attaque* (sujet : *il*, sous-entendu) d'abord à deux ou trois mots qu'il *voit* (sujet : *il*) au premier rang, et qu'il *connaît* (sujet : *il*) bien. Mais ceux-là même le *repoussent* (sujet : *ceux-là*). Et toute l'armée des mots l'*entoure* (sujet : *armée*), immobile, profonde, haute comme des murailles. Il *tente* (sujet : *il*) un dernier assaut : Oh ! se **rendre** maître d'une centaine de mots seulement et les **forcer** à **dire** cette chose très importante qu'il *a* (sujet : *il*) à **dire** ! Un dernier effort *tend* (sujet : *effort*) son esprit, cela *se gonfle* (sujet : *cela*) à **éclater**, c'*est* (sujet : *c'*) un muscle désespérément **raidi** qui *fait* (sujet : *qui*) mal... Il *succombe* (sujet : *il*) soudain, et *abandonne* (sujet : *il*, sous-entendu) l'entreprise, **accablé**, avec une sorte d'écœurement, et la sensation d'un vide immense en lui-même.

Valery LARBAUD (*Enfantines.* © Éditions Gallimard).

350. — Remplacer les périphrases suivantes par un verbe et employer celui-ci dans une phrase. (Gr. § 290)

a) 1. **Rendre plus long** : *allonger.* Tu as grandi : demande à ta maman d'allonger ta jupe. — 2. **Passer le long de** : *longer.* Il faisait si chaud que je longeais les façades pour profiter de l'ombre. — 3. **Rendre plus court** : *écourter.* Si tu écourtais ta dissertation, tu l'améliorerais. — 4. **Rendre plus tendre** : *attendrir.* Le boucher a attendri la viande. — 5. **Rendre noir** : *noircir.* Noircissez la case correspondant à la réponse correcte. — 6. **Rendre plus beau :** *embellir.* Elle voudrait embellir son salon.

b) 1. **Arracher les plumes de :** *plumer.* Le cuisinier plume les oies. — 2. **Enlever les poils de :** *épiler.* L'esthéticienne épile les sourcils. — 3. **Piquer des éperons :** *éperonner.* Le chevalier éperonne le cheval. — 4. **Apporter des nuances à :** *nuancer.* Veuillez nuancer votre réponse. — 5. **Rendre bête :** *abêtir.* Ces feuilletons abêtissent les enfants. — 6. **Devenir orgueilleux au sujet de :** *s'enorgueillir.* Elle s'enorgueillit de ses résultats. — 7. **Se poser sur la terre :** *atterrir.* À quelle heure atterrit l'avion ?

351. — Remplacer par un verbe simple les locutions verbales.

(Gr. § 290)

a) 1. Je *fais venir* (*appelle*) un ami. — 2. J'*ai à cœur* de (*désire, tiens à*) vous remercier. — 3. L'armée *tint tête* (*résista*) à l'ennemi et *fit preuve* d' (*manifesta, montra*) un grand courage. — 4. *Mettez fin* à (*Cessez*) toutes ces querelles. — 5. Cette conduite vous *fait honneur* (*honore*). — 6. On *fait grâce* au (*gracie le*) condamné.

b) 1. Je vous *sais gré* (*remercie*) de vos bontés. — 2. Il *fait montre* de (*étale*) ses talents. — 3. J'*ai envie* de (*désire, souhaite*) partir. — 4. Il ne faut *faire tort* à (*nuire à, léser*) personne. — 5. Vous *courez risque* (*risquez*) de tout perdre. — 6. Il *y a lieu* (*convient*) de sévir. — 7. Il *prend garde* de (*évite*) tomber. — 8. Je vous *rends grâce* (*remercie*) de votre obligeance.

352. — Avec chacun des verbes suivants, fabriquer deux locutions verbales et introduire celles-ci dans des phrases. (Gr. § 290)

1. **Faire.** *Faire appel.* Si tu ne comprends pas l'exercice, fais appel à ton professeur. — *Faire attention.* Si tu ne fais pas attention en conduisant, tu risques un accident.

2. **Avoir.** *Avoir raison.* Tu as raison de ne pas l'écouter. — *Avoir beau.* J'ai beau lire et relire ce texte, je ne le comprends pas.

3. **Rendre.** *Se rendre compte.* Te rends-tu compte de ton erreur ? — *Rendre l'âme.* Rendre l'âme, c'est mourir.

4. **Donner.** *Donner lieu.* Le mariage de ma cousine a donné lieu à de belles réjouissances. — *Donner sa parole.* Il a donné sa parole qu'il rentrerait avant minuit.

353. — Relever les verbes copules. (Gr. §§ 290 et 100)

1. Les cordonniers *sont* toujours les plus mal chaussés. — 2. Chaque saison a ses charmes ; quelle *est* celle qui vous *semble* la plus agréable ? — 3. Tel *était* riche qui *se trouve* pauvre tout d'un coup. — 4. Vous jouissez d'une bonne santé ; puissiez-vous *rester* toujours bien portants et ne jamais *tomber* malades. — 5. Quand on

lit un livre passionnant, on *devient* en quelque sorte le héros. —
6. Les Huns *parurent* effroyables aux barbares eux-mêmes. (Chateaubriand.) — 7. L'espoir de s'introduire dans la ville assiégée
s'avéra vain. (M. Yourcenar.)

354. — Inventer des phrases contenant les verbes suivants employés
comme copules.   (Gr. §§ 290 et 100)

1. **Paraître.** Le temps *paraissait* incertain. — 2. **Devenir.** Le
vent *devient* coupant. — 3. **Demeurer.** Malgré les premières gelées,
les feuilles *demeurent* bien vertes. — 4. **Avoir l'air.** Les branches
ont l'air poudrées de gelée blanche. — 5. **Être nommé.** Mon père
a été nommé directeur de l'usine.

355. — Indiquer le mode et le temps des verbes en italiques.

(Gr. §§ 291-292)

Le chef de famille mobilisé

Il *était* (indic. imparf.) donc mobilisé, et son départ allait *boule-
verser* (inf. prés.) tout son ménage. Que ferait Léonie, sa femme ?
Que *deviendrait* (indic. condit. prés.)-elle, lui *parti* (part. passé) ?
Ah ! qu'il *eût voulu* (subj. plus-que-parfait) préparer, pour elle, tout
l'ouvrage qu'elle aurait à faire, pour qu'elle n'*eût* (subj. imparf.)
aucun souci, aucun embarras et qu'elle pût continuer sa petite vie
tranquille ! *En attendant* (gérondif prés.), il rentra les fagots, répara
la porte du clapier, *nettoya* (indic. passé simple) l'étable de la
chèvre. Mais que de besognes encore il laisserait à faire à Léonie !
Les pommes de terre à arracher, la buanderie à reblanchir, la cuisine
à retapisser, les châssis de l'étage à repeindre...
Il scia un petit tas de bûches, revissa les charnières de la porte du
potager, *raffermit* (indic. passé simple) le pied branlant du lit du
petit Gaston.
— Tu sais, Léonie, ne te *fatigue* (impér. prés.) pas trop, cherche
quelqu'un qui *vienne* (subj. prés.) t'aider pour la lessive. Et *veille*
(impér. prés.) bien à ce que Gaston n'*aille* (subj. prés.) pas jouer
près de l'étang...

356. — Indiquer le mode et le temps des verbes.   (Gr. §§ 291-292)

a) 1. Je *travaille* : indic. prés. — 2. Je *partirais* : indic. condit.
prés. — 3. Que je *réfléchisse* : subj. prés. ou imparf. — 4. *Venir* :
infin. prés. — 5. *Prenons* : impér. prés. — 6. Que je *portasse* : subj.
imparf. — 7. J'*ai trouvé* : indic. passé comp. — 8. J'*aurais réussi* :
indic. condit. passé. — 9. Tu *auras gagné* : indic. futur antér. —
10. Quand nous *eûmes terminé* : indic. passé antér. — 11. Ils *eussent mérité* : subj. plus-que-parfait. — 12. *En forgeant* : gérondif
prés. — 13. Qu'il *marchât* : subj. imparf.

b) 1. Tu *commences* : indic. prés. — 2. Vous *êtes conduits* : indic. prés. — 3. Nous *prîmes* : indic. passé simple. — 4. *Avançons* : impér. prés. — 5. Nous *aurions chanté* : indic. condit. passé. — 6. *Avoir terminé* : infin. passé. — 7. *En travaillant* : gérondif prés. — 8. *J'eusse préféré* : subj. plus-que-parfait. — 9. Que nous *exercions* : subj. prés. — 10. *Ayons placé* : impér. passé. — 11. Que tu *gagnasses* : subj. imparf. — 12. Vous *finiriez* : indic. condit. prés.

c) 1. Chacun *récoltera* (indic. futur simple) ce qu'il *aura semé* (indic. futur antér.). — 2. On nous *avait annoncé* (indic. plus-que-parfait) que nous *rencontrerions* (indic. condit. prés.) des difficultés. — 3. Quand la pluie *eut cessé* (indic. passé antér.), nous *continuâmes* (indic. passé simple) la promenade commencée. — 4. Je me *réjouissais* (indic. imparf.) que vous *fussiez revenu* (subj. plus-que-parfait) à la santé. — 5. Comment *douterais* (indic. condit. prés.)-je de vos bonnes intentions ? — 6. *Chassons* (impér. prés.) le naturel, il *reviendra* (indic. futur simple) au galop. — 7. *Regardez* (impér. prés.) le soleil *se couchant* (part. prés.) sur la mer. — 8. Je vous *ai dit* (indic. passé comp.) que je *viendrais* (indic. condit. prés.).

357. — Mettre aux différents modes et aux différents temps de chaque mode les phrases suivantes.   (Gr. §§ 291-292)

1. **Tu ouvres la porte.** Tu as ouvert la porte. Tu ouvrais la porte. Tu avais ouvert la porte. Tu ouvris la porte. Tu eus ouvert la porte. Tu ouvriras la porte. Tu auras ouvert la porte. Tu ouvrirais la porte. Tu aurais ouvert la porte. Ouvre la porte. Aie ouvert la porte. Que tu ouvres la porte. Que tu aies ouvert la porte. Que tu ouvrisses la porte. Que tu eusses ouvert la porte.

2. **Nous lisons un livre.** Nous avons lu un livre. Nous lisions un livre. Nous avions lu un livre. Nous lûmes un livre. Nous eûmes lu un livre. Nous lirons un livre. Nous aurons lu un livre. Nous lirions un livre. Nous aurions lu un livre. Lisons un livre. Ayons lu un livre. Que nous lisions un livre. Que nous ayons lu un livre. Que nous lussions un livre. Que nous eussions lu un livre.

3. **Vous prenez courage.** Vous avez pris courage. Vous preniez courage. Vous aviez pris courage. Vous prîtes courage. Vous eûtes pris courage. Vous prendrez courage. Vous aurez pris courage. Vous prendriez courage. Vous auriez pris courage. Prenez courage. Ayez pris courage. Que vous preniez courage. Que vous ayez pris courage. Que vous prissiez courage. Que vous eussiez pris courage.

358. — Ranger en trois catégories les formes verbales : 1° temps simples ; 2° temps composés ; 3° temps surcomposés.   (Gr. §§ 292 et 299)

1. Il comprend (temps simple). — 2. J'ai vu (temps composé). — 3. Ils ont montré (temps composé). — 4. Quand j'ai eu terminé

(temps surcomposé). — 5. Que nous rendions (temps simple). —
6. Tu auras ouvert (temps composé). — 7. Tu féliciteras (temps
simple). — 8. Il a été blâmé (temps composé). — 9. Dès qu'il a eu
fini (temps surcomposé). — 10. Vous planterez (temps simple). —
11. Quand j'ai eu aperçu (temps surcomposé). — 12. Quand ils ont
eu regardé (temps surcomposé).

*359. — Montrer les ressemblances et les différences entre les phrases, du point de vue de l'aspect. Montrer aussi les moyens utilisés.

(Gr. § 293)

a) 1. Le soir tombait. Le soir tomba. Le soir est tombé. Le soir
vient de tomber. / Tous les faits se déroulent dans le passé. Dans
tombait, l'action est présentée comme non achevée. Dans *tomba*
comme achevée, mais sans rapport avec le moment de la parole.
Dans *est tombé* comme achevée par rapport au moment de la parole.
Le semi-auxiliaire *vient de* indique qu'il s'agit d'un passé récent. —
2. Il dort. Il s'endort. Il commence à dormir. / Les actions sont vues
comme contemporaines du moment de la parole ; le préfixe *en-* et le
semi-auxiliaire *commencer à* marquent le début de l'action. — 3. Il
tousse. Il toussote. / Les actions sont vues comme contemporaines
du moment de la parole. Le suffixe *-ote* marque l'itération. — 4. Le
nombre des centrales nucléaires augmentera encore. Le nombre des
centrales nucléaires va encore augmenter. Le nombre des centrales
nucléaires va en augmentant. / Action répétée dans le futur : indicatif
futur simple et adverbe *encore* ; action répétée dans un futur proche :
semi-auxiliaire *aller* et adverbe *encore* ; durée : semi-auxiliaire
aller + gérondif.

b) 1. Il exprima de nouveau sa question. Il répéta sa question. Il
reformula sa question. / Il s'agit d'une action qui s'est répétée à un
moment précis du passé. Cette répétition est exprimée par l'adverbe
de nouveau, par le sens même du verbe ou par le préfixe *re-.* — 2. Il
parle continuellement. Il ne cesse pas de parler. / L'action marque
une durée dans le présent : emploi de l'adverbe *continuellement* ou
du semi-auxiliaire *ne pas cesser de.* — 3. Il apparaît tout à coup au
coin de la rue. Il surgit au coin de la rue. / Les actions se passent
avec soudaineté : emploi de l'adverbe *tout à coup* ou d'un verbe
exprimant cet aspect. — 4. Elle va partir. Elle est sur le point de
partir. / Les actions sont imminentes ; emploi du semi-auxiliaire *aller*
ou du semi-auxiliaire *être sur le point de.*

*360. — Composer sur les thèmes suivants des phrases où seront
présentés sous des aspects différents, grâce à divers procédés : 1° des faits
futurs ; 2° des faits passés.   (Gr. § 293)

1. **L'hiver.** Je *vais balayer* la neige qui est tombée du toit. Avec
les premières gelées, l'hiver *venait de faire* son apparition. — 2. **Une**

course cycliste. Cette année, le Tour de France *s'achèvera* le 14 juillet. L'école *a organisé* une course cycliste dans le village. — 3. **Un accident de voiture.** Tu *auras bientôt* un accident de voiture si tu te montres encore si distrait. Il *parlait continuellement* d'un accident de voiture qu'il avait eu il y a deux ans.

361. — Discerner les formes actives et les formes passives. (Gr. § 294)

N.B. — Les formes actives sont en italiques ; les formes passives sont en grasses.

Une belle coupe de cheveux

Il **fut** donc **installé** sur une chaise **surmontée** d'une petite caisse. On lui *mit* la serviette au cou, exactement comme chez le coiffeur. J'**avais été chargé** d'*aller voler* à la cuisine une casserole d'une taille convenable, et pour plus de sûreté, j'en *avais pris* deux.

Je lui *mis* la plus juste comme chapeau et j'en *tins* le manche : pendant ce temps, avec une paire de ciseaux, mon père *trancha* les boucles au ras du bord ; ce **fut fait** avec une rapidité magique, mais le résultat ne fut pas très satisfaisant, car, **ôtée** la casserole, la chevelure du patient *apparut* curieusement crénelée. Comme il *réclamait* le miroir, mon père *s'écria* : « Pas encore ! »

Il *tira* alors de sa poche une tondeuse toute neuve, et *dégagea* la nuque fort habilement, comme pour un condamné à mort, sur la couverture en couleurs du « Petit Journal ». Puis avec un peigne et des ciseaux, il *tenta* d'*égaliser* les cheveux sur les deux côtés de la tête. Il y *réussit* assez bien, mais après un si grand nombre de corrections qu'elles *ramenèrent* leur longueur à zéro. Paul *se mira*, et *s'admira*, quoiqu'il ne lui restât plus qu'une frange sur le front.

Marcel PAGNOL (*Le temps des secrets*, Pastorelly, édit.).

362. — Relever les formes passives. (Gr. § 294)

1. Il *a été félicité* par le professeur. — 2. Nous sommes tombés en panne. — 3. Des progrès extraordinaires *ont été faits* en astronautique. — 4. Beaucoup de marins sont morts au cours de cette tempête soudaine. — 5. Le secret *se saura* bientôt. — 6. La nuit étant venue, nous *avons été forcés* de faire halte. — 7. *Soyez remercié* des bienfaits dont j'*ai été comblé*. — 8. J'*ai été* mal *compris*. — 9. Le journal n'est pas arrivé ce matin. — 10. Des appels *furent sifflés* à mi-voix par les pinsons. (C. Lemonnier.)

363. — Tourner par le passif les phrases suivantes. (Gr. § 294)

a) 1. Le soleil réchauffe la terre. / *La terre est réchauffée par le soleil.* — 2. Les excès usent la santé. / *La santé est usée par les excès.* — 3. L'espoir de la délivrance soutenait les prisonniers. / *Les prisonniers étaient soutenus par l'espoir de la délivrance.* — 4. Le chat attrape la souris imprudente. / *La souris imprudente est attrapée par le chat.* — 5. Une petite pluie abat un grand vent. / *Un grand vent est abattu par une petite pluie.* — 6. Le pilote conduit l'avion avec prudence à travers la tempête. / *L'avion est conduit avec prudence par le pilote à travers la tempête.* — 7. Qui nous ramènera ? / *Par qui serons-nous ramenés ?* — 8. Quelle équipe a gagné le match ? / *Par quelle équipe le match a-t-il été gagné ?*

b) 1. Un diplôme accroîtra tes chances de réussite. / *Tes chances de réussite seront accrues par un diplôme.* — 2. Notre mère a entouré notre enfance de tendres soins. / *Notre enfance a été entourée de tendres soins par notre mère.* — 3. La xénophobie avilit notre dignité d'homme. / *Notre dignité d'homme est avilie par la xénophobie.* — 4. La postérité louera les grands hommes. / *Les grands hommes seront loués par la postérité.* — 5. Les citoyens romains regardaient le commerce et les arts comme des occupations d'esclaves. / *Le commerce et les arts étaient regardés par les citoyens romains comme des occupations d'esclaves.* — 6. L'expérience nous instruit. / *Nous sommes instruits par l'expérience.* — 7. Le loup mangea la chèvre de monsieur Seguin. / *La chèvre de monsieur Seguin fut mangée par le loup.* — 8. Les mères détestent les guerres. / *Les guerres sont détestées des mères.*

364. — Inventer des phrases au passif, avec les expressions suivantes comme compléments d'agent.   (Gr. § 294)

1. Nous avons été surpris *par l'averse.* — 2. Nous avons été odieusement trompés *par nous-mêmes.* — 3. Voilà celui *par qui* le complot a été organisé. — 4. La séance a été ouverte *par le président* en personne. — 5. Les carottes que j'avais abandonnées sur la table du jardin ont été grignotées *par les lapins.* — 6. Ces anecdotes sont connues *de tout le monde.*

365. — Distinguer parmi les phrases suivantes celles qui admettent le tour passif.   (Gr. § 294)

N.B. — Elles sont en italiques.

1. *La passion altère nos jugements.* — 2. Les jours de l'homme passent comme l'ombre. — 3. Les empires s'écroulent les uns après les autres. — 4. *La peste ravagea cette région.* — 5. Je me souviens de cette aventure. — 6. *Personne n'aime les orgueilleux.* — 7. Votre simplicité me plaît. — 8. À ce signal chacun se tut. — 9. *On vous pardonnera.*

366. — Mettre à l'actif les verbes des phrases suivantes.   (Gr. § 294)

1. Le chêne fut déraciné par la tempête. / *La tempête déracina le chêne.* — 2. Pourquoi cet homme a-t-il été condamné ? / *Pourquoi*

a-t-on condamné cet homme ? — 3. Tu seras invitée par ton amie Nicole. / *Ton amie Nicole t'invitera.* — 4. Jamais il ne se sera vu un tel spectacle. / *Jamais on n'aura vu un tel spectacle.* — 5. Il était perçu un droit d'entrée de cent francs. / *On percevait un droit d'entrée de cent francs.* — 6. Si son visage n'avait pas été caché par un foulard, le voleur aurait été reconnu par le caissier. / *Le caissier aurait reconnu le voleur, si un foulard n'avait pas caché le visage de celui-ci.* (Si on laisse en tête la proposition de condition, le possessif *son* devient ambigu : *Si un foulard n'avait pas caché son visage, le caissier aurait reconnu le voleur.*)

367. — Indiquer la personne grammaticale et le nombre des verbes.

(Gr. § 295)

Un jardin de rêve

Je me *vis* (1re pers. sing.) dans un petit parc où se *prolongeaient* (3e pers. pl.) des treilles en berceaux chargées de lourdes grappes de raisins blancs et noirs ; à mesure que la dame qui me *guidait* (3e pers. sing.) s'*avançait* (3e pers. sing.) sous ces berceaux, l'ombre des treillis croisés *variait* (3e pers. sing.) encore pour mes yeux ses formes et ses vêtements. Elle en *sortit* (3e pers. sing.) enfin, et nous nous *trouvâmes* (1re pers. pl.) dans un espace découvert. On y *apercevait* (3e pers. sing.) à peine la trace d'anciennes allées qui l'*avaient* jadis *coupé* (3e pers. pl.) en croix. La culture *était négligée* (3e pers. sing.) depuis de longues années, et des plants épars de clématites, de houblon, de chèvrefeuille, de jasmin, de lierre, d'aristoloche, *étendaient* (3e pers. pl.) entre des arbres d'une croissance vigoureuse leurs longues traînées de lianes. Des branches *pliaient* (3e pers. pl.) jusqu'à terre chargées de fruits, et parmi des touffes d'herbe parasites s'*épanouissaient* (3e pers. pl.) quelques fleurs de jardin revenues à l'état sauvage.

NERVAL (*Aurélia*).

*368. — Dans les verbes de l'exercice précédent, qu'est-ce qui détermine la personne grammaticale et le nombre ? (Gr. § 295)

C'est le sujet qui détermine la personne et le nombre du verbe. Les verbes à la 1re pers. du sing. et du pl. ont des pronoms personnels comme sujets (*je ... vis, nous ... trouvâmes*). Les verbes à la 3e pers. ont comme sujets le pronom personnel (*elle ... sortit*), le pronom indéfini *on* (*On ... apercevait*), des noms (*dame, culture, plants, branches ;* parfois postposés : *treilles, fleurs*) ou le pronom relatif *qui,* dont la personne et le nombre sont révélés par l'antécédent (*la dame qui me guidait, allées qui ... avaient... coupé*).

*369. — Justifier la personne grammaticale et le nombre des verbes en italiques.   (Gr. § 295)

1. Je *suis* (sujet *je,* 1ʳᵉ pers. sing. ; renvoie au locuteur) heureux de vous revoir. — 2. Monsieur le Contrôleur, *voudriez* (sujet *vous,* 2ᵉ pers. pl., forme de politesse ; renvoie à un interlocuteur que l'on vouvoie)-vous m'accorder un délai pour payer mes impôts ? — 3. Ma sœur et moi, nous *revenons* (sujet *nous,* 1ʳᵉ pers. pl. ; renvoie à un ensemble de personnes dont le locuteur fait partie) à bicyclette. — 4. Paul, tu ne *sais* (sujet *tu,* 2ᵉ pers. sing. ; renvoie à l'interlocuteur) pas ce que tu dis. — 5. Nous, on *va* (sujet *on,* 3ᵉ pers. sing. ; s'emploie très souvent pour *nous* dans la langue familière) à la piscine. — 6. Parents, pour que vos enfants *soient* (sujet *enfants,* 3ᵉ pers. pl. ; renvoie à des êtres dont on parle) beaux, hardis, agiles, gracieux, bien portants, *faites* (l'impératif n'a pas de sujet exprimé : c'est le mot mis en apostrophe *parents* qui permet de voir que le verbe doit être à la 2ᵉ pers. du plur.) -leur apprendre la danse, dès l'âge de neuf ou dix ans ! (Apollinaire.) — 7. Nous ne *prétendons* (sujet *nous,* 1ʳᵉ pers. pl., forme de modestie ; renvoie au scripteur seul) rien établir ici de rigoureux. (Hugo, dans une préface.) — 8. Votre Altesse Royale ne *voudrait* (*Altesse* est un nom sing., donc le verbe se met à la 3ᵉ pers. sing. ; déférence vis-à-vis d'une pers. à qui on s'adresse) pas que je démentisse toute ma vie. (Chateaubriand, à la duchesse d'Orléans.)

370. — Distinguer, parmi les verbes en italiques, les verbes intransitifs et les verbes transitifs, en indiquant le complément d'objet direct de ceux-ci.   (Gr. § 296)

N.B. — Les verbes intransitifs sont en grasses ; les verbes transitifs et leur complément d'objet direct sont en italiques.

Les usines

Là, j'*ai admiré* véritablement *l'industrie.* C'est un beau et prodigieux spectacle, qui, la nuit, semble *emprunter* à la tristesse solennelle de l'heure *quelque chose* de surnaturel. Les roues, les scies, les chaudières, les laminoirs, les cylindres, les balanciers, tous ces monstres de cuivre, de tôle et d'airain *que* nous *nommons* des machines et que la vapeur fait **vivre** d'une vie effrayante et terrible, **mugissent, sifflent, grincent, râlent, reniflent, aboient, glapissent,** *déchirent le bronze, tordent le fer, mâchent le granit,* et, par moments, au milieu des ouvriers noirs et enfumés qui *les harcèlent,* **hurlent** avec douleur dans l'atmosphère ardente de l'usine.

Victor HUGO.

371. — Distinguer les verbes intransitifs et les verbes transitifs, en indiquant le complément d'objet direct de ceux-ci.   (Gr. § 296)

N.B. — Les verbes intransitifs sont en grasses ; les verbes transitifs et leur complément d'objet direct sont en italiques.

a) 1. Ce mur **penche.** — 2. Nous ne **manquerons** pas à nos promesses. — 3. Mon travail **avance.** — 4. Cette porte **ouvre** sur la rue. — 5. *Ouvrons notre cœur* à la pitié. — 6. *Baisse la tête,* fier Sicambre [1]. — 7. *J'ai avancé ma besogne.* — 8. Il *manquera son train.* — 9. Le baromètre **baisse.** — 10. *Consultez un avocat.* — 11. Vous *racontez vos voyages.* — 12. Le feu **prend** mal. — 13. Les médecins **consultent** sur sa maladie. — 14. Tu **racontes** avec agrément. — 15. *Penchez le corps* en avant. — 16. Le soir **tombe.**

b) 1. Pierre qui **roule** n'*amasse* pas *mousse.* — 2. *Que voulez-vous* pour votre dîner ? — 3. Les chiens **aboient,** la caravane **passe.** — 4. Je me *rappelle que vous êtes* déjà *venu chez nous.* — 5. *Corrigez les fautes que vous avez faites.* — 6. Le Parthénon **mesure** environ soixante-dix mètres de longueur. — 7. Le géomètre *mesure le jardin* avec des instruments de précision. — 8. Les assaillants *ont pris la ville* sans *coup férir.*

c) 1. La Chatte, au bord d'une flaque, *cueille des gouttes d'eau* dans le creux de sa petite main de chat et *les regarde* **ruisseler** [2]. (Colette.) — 2. La carpe *a* (ou **a l'air**) bien *l'air* d'une commère, avec son dos rond de vieille femme, mais elle ne *fait* pas *mille tours* avec le brochet son compère : elle *le fuit* comme un ennemi mortel. (J. Renard.) — 3. C'était une grande vache blonde et pacifique ; dès qu'elle *m'entendait* **marcher** [3], *tournant la tête,* elle **meuglait** doucement. Je *tendais la main* ; elle *avançait le museau,* **flairait,** *passait* sur mes doigts *sa langue râpeuse.* (M. Arland.)

372. — Inventer pour chacun des verbes suivants deux phrases : l'une où il est construit transitivement ; l'autre où il est construit intransitivement.   (Gr. § 296)

1. **Prendre.** *Prends* un stylo et corrige tes fautes d'orthographe. Les pompiers pensent que le feu *a pris* dans la cuisine. — 2. **Blanchir.** La neige *a blanchi* la pelouse. Ses cheveux *blanchissent.* —

---

1. Les Sicambres formaient un peuple de la Germanie ; plus tard, ils se confondirent avec les Francs. C'est par ce nom de *Sicambre* que saint Remi désigne Clovis, quand il lui ordonne de courber la tête pour recevoir l'eau baptismale.

2. On pourrait aussi considérer que le complément d'objet direct de *regarde* est la proposition infinitive *les ... ruisseler.*

3. Cf. la note précédente.

3. **Remuer.** Veux-tu *remuer* la salade ? L'oiseau blessé ne *remuait* plus. — 4. **Peser.** Voulez-vous me *peser* un kilo de pommes ? Ce bébé *pèse* près de cinq kilos. — 5. **Rafraîchir.** Je *rafraîchis* la bouteille d'eau dans le torrent. — On a mis le vin à *rafraîchir*.

373. — Relever les verbes pronominaux. (Gr. § 297)

Villages alsaciens

Comment *s'appelaient*-ils tous ces jolis villages alsaciens que nous rencontrions espacés au bord des routes ? Je ne *me rappelle* plus aucun nom maintenant, mais ils *se ressemblent* tous si bien, surtout dans le Haut-Rhin, qu'après en avoir tant traversé à différentes heures, il me semble que je n'en ai vu qu'un : la grande rue, les petits vitraux encadrés de plomb, enguirlandés de houblon et de roses, les portes à claire-voie où les vieux *s'appuyaient* en fumant leurs grosses pipes, où les femmes *se penchaient* pour appeler les enfants sur la route... Le matin, quand nous passions, tout cela dormait. À peine entendions-nous remuer la paille des étables ou le souffle haletant des chiens sous les portes. Deux lieues plus loin, le village *s'éveillait*.

Alphonse DAUDET (*Contes du lundi*).

*374. — Relever les verbes pronominaux, en distinguant les pronominaux réfléchis, les pronominaux réciproques, les pronominaux subjectifs (dont le pronom n'est pas analysable) et les pronominaux passifs.

(Gr. § 297)

a) 1. Les chameaux *se désaltérèrent* (réfléchi) dans le puits. — 2. Les membres d'une même famille doivent *s'entraider* (réciproque). — 3. Rien ne *se perd* (passif) dans une entreprise bien dirigée. — 4. Dans plusieurs régions les patois *se meurent* (subjectif). — 5. Ils *se sont promis* (réciproque) mutuellement assistance. — 6. Il est bon de savoir *se taire* (subjectif). — 7. Si une difficulté *se rencontre* (passif), vous saurez la vaincre. — 8. L'ivrogne *se nuit* (réfléchi) gravement.

b) 1. Quand j'ai remporté un succès, la joie *se lit* (passif) dans les yeux de mes parents. — 2. Il m'a dit : « Rien ne sert de *nous disputer* (réciproque) .» — 3. Je *me souviens* (subjectif) de mes dernières vacances. — 4. Les jours *se suivent* (sorte de réciproque) et ne *se ressemblent* (réciproque) pas. — 5. Perdus dans l'obscurité, nous *nous appelions* (réciproque), nous *nous cherchions* (réciproque) anxieusement. — 6. Le papillon *s'envole* (subjectif) au moment où je veux *m'*en *emparer* (subjectif). — 7. Il *s'essuya* (réfléchi) le front du revers de la main.

c) 1. Les oiseaux *se parlaient* (réciproque) dans les nids. (Hugo.) — 2. Bien des heures chargées d'événements notables en apparence *s'oublient* (passif) assez vite. (G. Duhamel.) — 3. Plusieurs *s'étonnaient* (subjectif) qu'il ne répondît pas au nom de Jacquot, puisque tous les perroquets *s'appellent* (passif) Jacquot. (Flaubert.) — 4. Jeanne crut qu'elle allait *s'évanouir* (subjectif), tant elle *se sentit* (réfléchi) émue ; et elle *s'habilla* (réfléchi) en tremblant d'émotion. (Maupassant.) — 5. Ah ! *frappe-toi* (réfléchi) le cœur, c'est là qu'est le génie. (Musset.) — 6. Moins cruels qu'Ugolin qui dévorait ses enfants pour leur conserver un père, les hommes d'aujourd'hui *se contentent* (subjectif) de ne pas avoir d'enfants pour leur conserver des parents. (A. Sauvy.)

*375. — Inventer sur les thèmes suivants quatre phrases avec des verbes pronominaux des quatre espèces.   (Gr. § 297)

1. **L'orage.** Les badauds *se rassemblaient* autour de la grange incendiée sur laquelle la foudre était tombée. Au premier coup de tonnerre, les enfants *se sont regardés* d'un air terrifié. Je *m'endormais* quand le grondement du tonnerre se fit entendre. L'orage *s'entend* parfois de très loin.

2. **Le village.** Tout le village *s'est ému* à la mort du curé. Les fermiers du village *se rendent* mutuellement de grands services. Les villageois *se doutaient* bien que la petite école fermerait bientôt ses portes. Le clocher de l'église du village *s'aperçoit* de loin.

3. **Visite au zoo.** Les enfants amusés observent un ours qui *se soumet* aux ordres de son maître. Les gorilles dans leur cage *s'observaient* méchamment. Je *me souviens* de ma première visite au zoo. Des cacahuètes *se vendaient* près de la cage réservée aux singes.

4. **À la récréation.** Je regarde les enfants qui *s'égayent* dans la cour de récréation. Les écoliers *se disputaient* l'unique ballon de la cour de récréation. Les élèves *s'étaient emparés* de l'écharpe d'un des leurs et l'avaient jetée sur le toit du préau. Les cris des enfants jouant dans la cour de récréation *s'entendent* de loin.

376. — Relever les verbes impersonnels et indiquer les sujets réels.

(Gr. § 298)

a) L'abbé Chichambre sermonne les dénicheurs

Mes enfants, nous disait-il, vous pensez bien que ce n'est pas simplement pour se donner un divertissement agréable que saint François d'Assise a parlé aux pinsons et aux bergeronnettes. Si le paradis est un jardin, il y *pousse* (*arbres*) des arbres ; et s'il y *pousse* (*arbres*) des arbres, comment voulez-vous qu'il n'y *vienne* (*oiseaux*) pas des oiseaux ? Alors est-ce que vous vous voyez là-haut en train de dénicher des roitelets à la barbe des anges ? Quel affreux scandale ! Saint Pierre aurait tôt fait de vous lancer, la tête en bas, les pieds en l'air, dans le trou le plus noir du purgatoire. S'il *en est* ainsi, pourquoi donc voulez-vous qu'un crime qui, au ciel, paraîtrait abominable, devienne un péché gros comme le doigt, sous prétexte que vous habitez à Peïrouré sous les platanes ?

Il n'*y avait* (*rien*) rien à répondre à cette question éloquente.

Henri BOSCO (*L'âne Culotte*, © Éditions Gallimard).

b) 1. Il *est arrivé* (*colis*) un colis pour vous. — 2. Il *importe* (*que vous prépariez cet examen avec méthode*) que vous prépariez cet examen avec méthode. — 3. *Est*-il *venu* (*beaucoup de monde*) beaucoup de monde aujourd'hui ? — 4. Il *convient* (*de battre le fer quand il est chaud*) de battre le fer quand il est chaud. — 5. Il *faisait* (*brouillard*) un brouillard à couper au couteau. — 6. Que *manque* (*que*)-t-il dans la boîte ? — 7. Je pense aux efforts qu'il *a fallu* (*qu'*) pour percer le tunnel sous le mont Blanc.

c) 1. Il *traînait* (*bruine*) par les bois une bruine incolore. (M. Genevoix.) — 2. Il *y avait* (*moments*) des moments où le paysage s'immobilisait dans une torpeur d'accablement. (C. Lemonnier.) — 3. Il ne *restait* (*poussière, vapeur*) plus sur la crête des montagnes qu'une poussière de soleil, une vapeur de lumière du côté du couchant. (A. Daudet.) — 4. Il ne *faut* (*tourner*) pas toujours tourner la page, il *faut* (*déchirer*) parfois la déchirer. (A. Chavée.) — 5. Il *pleut* (*livres, journaux*) des livres et des journaux partout. (Hugo.) — 6. Il me *manque* (*bruit, secousses, bandes, happement, déroulement*) le bruit du vent, ses secousses, les bandes jaunes de la route qui se croisent ou se décroisent, le happement des arbres, des paysages par la vitesse, le déroulement du ciel au-dessus de ma tête comme un grand tapis fatigué. (J. Cayrol.)

377. — Distinguer les verbes impersonnels proprement dits et les verbes personnels pris impersonnellement.   (Gr. § 298)

N.B. — Les premiers sont en italiques et les autres en grasses.

1. Il *faut* de la variété dans nos occupations. — 2. Quand il *pleut,* nous avons la ressource de lire. — 3. Il **convient** que l'on rende à César ce qui est à César. — 4. Il **monte** du sol une rosée qui noie les contours du paysage comme s'il *bruinait.* — 5. Dans les mois d'été, il **circule** parfois des souffles lourds, puis subitement il *vente,* il *éclaire* [4], il *tonne.* — 6. Vous **plairait**-il de répéter ces paroles ? — 7. Il **importe** que vous fassiez cette démarche. — 8. Qu'**adviendra**-t-il de tout cela ? — 9. Il me **revient** que vous avez mené votre équipe à la victoire.

---

4. Ce verbe est vieilli en fr. commun, mais encore vivant dans diverses régions.

378. — Modifier la tournure des phrases en mettant à la forme impersonnelle les verbes en italiques.   (Gr. § 298)

1. À travers le feuillage *descendent (il descend)* des coulées de lumière. — 2. Des souffles légers *circulent* (*Il circule* des souffles légers) dans l'air frais du matin. — 3. Une paix profonde *s'étend* (*Il s'étend* une paix profonde) sur le village. — 4. De la montagne *sortent* (*Il sort* de la montagne) plusieurs ruisseaux. — 5. Une envie me *prit* (*Il me prit* une envie) d'explorer les pièces de cette maison abandonnée. — 6. Des rafales de neige glacée *s'abattaient* sur la ville (*Il s'abattait* sur la ville des rafales de neige glacée). — 7. Mille articles *se vendent* (*Il se vend* mille articles) dans les grands magasins. — 8. Si quelque espoir nous *reste* (*S'il* nous *reste* quelque espoir), pourquoi sombrerions-nous dans le désespoir ? — 9. Une bonne nouvelle nous *arrive* (*Il* nous *arrive* une bonne nouvelle).

379. — Faire des phrases où les verbes suivants seront employés impersonnellement.   (Gr. § 298)

1. **Importer.** *Il importe* de songer à son avenir. — 2. **Tomber.** *Il tombe* de gros flocons de neige depuis ce matin. — 3. **Survenir.** *Il survint* un événement que nous n'avions nullement prévu. — 4. **Suffire.** Pour réussir la mayonnaise, *il suffit* que tu ajoutes un peu de moutarde. — 5. **Exister.** Savez-vous qu'*il existe* une bibliothèque dans le quartier ?

380. — Faire deux phrases où chacun des verbes suivants sera employé impersonnellement avec, pour sujet réel, d'abord un nom, ensuite une proposition.   (Gr. § 298)

1. **Arriver.** L'épicier m'a assuré qu'*il arrivait* chaque jour des fruits frais. *Il arrive* que même les plus savants se trompent. — 2. **Falloir.** *Il faut* du courage pour étudier une leçon le dimanche après-midi. *Il faut* que tu demandes à ta mère si tu peux m'accompagner au cinéma. — 3. **Se trouver.** *Il se trouve* de magnifiques peintures dans ce musée. *Il se trouve* que nous habitions la même ville sans le savoir. — 4. **Résulter.** *Il résulte* de fâcheuses conséquences de votre distraction. *Il résulte* de notre enquête que tous les élèves de l'école passent régulièrement la soirée devant la télévision.

381. — Tourner par le passif impersonnel les phrases suivantes.   (Gr. § 298)

1. On répète bien des niaiseries. / *Il se répète* bien des niaiseries. — 2. On distribue chaque jour quantité d'imprimés publicitaires. / *Il se distribue* chaque jour quantité d'imprimés publicitaires. — 3. De grosses difficultés se sont rencontrées. / *Il s'est rencontré* de grosses difficultés. — 4. Mille choses inutiles sont vendues. / *Il se vend* mille

choses inutiles. — 5. Des associations se sont formées. / *Il s'est formé* des associations. — 6. On engagea une vive discussion. / *Il s'engagea* une vive discussion. — 7. On rappelle que les guichets seront fermés à 18 heures. / *Il est rappelé* que les guichets seront fermés à 18 heures.

382. — Faire avec chacun des verbes suivants deux phrases, l'une où il sera verbe personnel, l'autre où il sera construit impersonnellement.

(Gr. § 298)

1. **Venir.** Tout *vient* à point à qui sait attendre. Il nous *vient* parfois des désirs de faire de grandes choses, mais nous n'avons pas la force ou l'enthousiasme qu'il faudrait pour les réaliser. — 2. **S'élever.** Les enfants observaient les ballons qui *s'élevaient* dans le ciel. Il *s'élève* des doutes sur la probité de cet homme. — 3. **Se passer.** Ses journées de vacances *se passent* dans l'oisiveté. Il *se passe* bien des choses dont nous n'apercevons pas l'importance. — 4. **Apparaître.** Après l'orage, le soleil *apparaissait* à nouveau dans le ciel. Il *apparaît* que nous nous sommes trompés. — 5. **Faire.** Nous *avons fait* de la pâtisserie. Il *fait* froid ce matin.

LA CONJUGAISON

383. — Dans les verbes en italiques, séparer du radical la désinence et indiquer la personne et le nombre. (Gr. § 299)

Le lac noir

Il *pass/ait* (3ᵉ p. sing.) ses journées à *march/er,* à se griser d'air et de soleil. Il se *baign/ait* (3ᵉ p. sing.) dans un lac qu'il *av/ait* (3ᵉ p. sing.) découvert, pur et nocturne, au milieu d'une garde de sapins. L'eau en *ét/ait* (3ᵉ p. sing.) glacée, car le soleil n'y *accéd/ait* (3ᵉ p. sing.) que difficilement, et si transparente qu'on en *voy/ait* (3ᵉ p. sing.) le fond tapissé d'herbages noirs et de mousse.

Il *nage/ait* (3ᵉ p. sing.). Son corps *fais/ait* (3ᵉ p. sing.) naître à la surface de l'eau des cercles agrandis jusqu'aux berges. En *lev/ant* la tête, il voyait les voûtes austères que *referm/aient* (3ᵉ p. pl.) devant le ciel les branches mêlées des pins. Parfois il s'amusait à pousser un cri, ce qui levait des vols d'oiseaux effrayés ou bien il demeurait étendu dans l'eau mordante, *percev/ant* en lui l'écho d'un intense recueillement.

Dominique ROLIN (*Les marais*, Denoël, édit.).

384. — Séparer la désinence du radical. (Gr. § 299)

N.B. — Dans le sentiment actuel, le futur simple et le conditionnel présent des verbes en *-er* apparaissent comme constitués, non plus de l'infinitif et des désinences -*ai*, -*ais*, mais de la 1re personne de l'indicatif présent et des désinences -*rai*, -*rais*. (Cf. *Le bon usage*, 12e éd., § 779.)

> 1. Je march/e. — 2. Nous marche/rions. — 3. March/ant. — 4. Ils ont march/é. — 5. Tu marche/ras. — 6. Nous march/âmes. — 7. Vous marche/riez. — 8. Je grand/is. — 9. Ils grand/irent. — 10. Que je puiss/e. — 11. Il apercev/ra. — 12. Pren/ons. — 13. Vous perd/rez.

385. — En variant les désinences, donner, pour chacun des radicaux suivants, trois formes verbales.   (Gr. § 299)

> 1. Plant-*ant,* vous plant-*ez,* nous plant-*âmes.* — 2. Vous trouv-*iez,* vous trouv-*âtes,* nous avons trouv-*é.* — 3. Je dorm-*ais,* que tu dorm-*es,* nous dorm-*ons.* — 4. Nous sent-*îmes,* j'ai sent-*i,* nous sent-*ions.* — 5. Ils suiv-*irent,* il suiv-*ait,* je suiv-*rai.*

386. — Indiquer les diverses valeurs (mode, temps, personne) que possèdent les formes verbales suivantes. *Comment peut-on distinguer, dans un texte écrit, à quelle valeur on a affaire ?   (Gr. § 299)

> 1. **Cherche :** indic. prés., 1re p. sing. ; indic. prés., 3e p. sing. ; impér. prés., 2e p. sing. ; subj. prés., 1re p. sing. ; subj. prés., 3e p. sing. — 2. **Sois :** subj. prés., 1re p. sing. ; subj. prés., 2e p. sing. ; impér. prés., 2e p. sing. — 3. **Guéris :** indic. prés., 1re p. sing. ; indic. prés., 2e p. sing. ; indic. passé simple, 1re p. sing. ; indic. passé simple, 2e p. sing. ; partic. passé, masc. pl. ; impér. prés., 2e p. sing.

> Dans un texte écrit, le sujet, notamment le pronom personnel, permet de voir quelle est la personne. — L'impératif se caractérise par l'absence de sujet. Le subjonctif comme prédicat de phrase est généralement introduit par *que* ; comme prédicat de proposition, on le distingue de l'indicatif par les conjonctions de subordination ou par le sens du verbe dont dépend la proposition. Le participe passé est précédé d'un auxiliaire ou s'emploie avec les fonctions d'un adjectif (surtout épithète). — On reconnaît dans *guéris* un passé simple s'il s'agit de faits appartenant au passé.

*387. — Indiquer les formes verbales qui se prononcent comme les formes suivantes. Indiquer les diverses valeurs que recouvrent toutes ces formes. Comment parvient-on, dans un discours ou une conversation, à reconnaître à quelle valeur on a affaire ?   (Gr. § 299)

> 1. **Entre :** indic. prés., 1re p. sing. ; indic. prés., 3e p. sing. ; subj. prés., 1re p. sing. ; subj. prés., 3e p. sing. ; impér. prés., 2e p. sing. *Entres :* indic. prés., 2e p. sing. ; subj. prés., 2e p. sing. *Entrent :* indic. prés., 3e p. pl. ; subj. prés., 3e p. pl.

2. **Sois** : impér. prés., 2ᵉ p. sing. ; subj. prés., 1ʳᵉ p. sing. ; subj. prés., 2ᵉ p. sing. *Soit* : subj. prés., 3ᵉ p. sing. *Soient* : subj. prés., 3ᵉ p. pl.

3. **Grossi** : partic. passé, masc. sing. *Grossis* : indic. prés., 1ʳᵉ p. sing. ; indic. prés., 2ᵉ p. sing. ; indic. passé simple, 1ʳᵉ p. sing. ; indic. passé simple, 2ᵉ p. sing. ; partic. passé, masc. pl. ; impér. prés., 2ᵉ p. sing. *Grossit* : indic. prés., 3ᵉ p. sing. ; indic. passé simple, 3ᵉ p. sing. *Grossie* [5] : partic. passé, fém. sing. *Grossies* : partic. passé, fém. pl. *Grossît* : subj. imparf., 3ᵉ p. sing.

Dans un discours ou une conversation, la consonne finale est parfois prononcée quand le mot suivant commence par une voyelle ; c'est le cas de *sois, soit, soient* devant un adjectif attribut : *Sois attentif,* etc. — Pour le reste, voir le commentaire à la fin de l'exercice précédent.

388. — Indiquer, pour chaque forme verbale, la personne et le nombre. (Gr. §§ 300-305)

a) 1. Vous *parlez* (2ᵉ p. pl.). — 2. Je *vois* (1ʳᵉ p. sing.). — 3. Il *sème* (3ᵉ p. sing.). — 4. Que tu *lises* (2ᵉ p. sing.). — 5. On *croirait* (3ᵉ p. sing.). — 6. Le soleil *brille* (3ᵉ p. sing.). — 7. Ô soleil, *brille* (2ᵉ p. sing.) sur les champs ! — 8. Mon ami *travaille* (3ᵉ p. sing.). — 9. Mon ami, *travaille* (2ᵉ p. sing.) !

b) 1. Qui *veut* (3ᵉ p. sing.) *peut* (3ᵉ p. sing.). — 2. Poète qui *chantes* (2ᵉ p. sing.) la gloire de la patrie, tu *seras* (2ᵉ p. sing.) décoré. — 3. Je t'*avertis* (1ʳᵉ p. sing.). — 4. Tous me *comprendront* (3ᵉ p. pl.). — 5. *Corrige* (2ᵉ p. sing.)-toi.

389. — Écrire la 1ʳᵉ personne du singulier des verbes suivants : 1° à l'indicatif présent ; 2° à l'indicatif imparfait ; 3° au passé simple ; 4° au futur simple ; 5° au conditionnel présent ; 6° au subjonctif présent ; 7° au subjonctif imparfait. (Gr. § 300)

a) 1. **Planter** : je plante, je plantais, je plantai, je planterai, je planterais, que je plante, que je plantasse. — 2. **Couvrir** : je couvre, je couvrais, je couvris, je couvrirai, je couvrirais, que je couvre, que je couvrisse. — 3. **Punir** : je punis, je punissais, je punis, je punirai, je punirais, que je punisse, que je punisse. — 4. **Prendre** : je prends, je prenais, je pris, je prendrai, je prendrais, que je prenne, que je prisse.

b) 1. **Bêcher** : je bêche, je bêchais, je bêchai, je bêcherai, je bêcherais, que je bêche, que je bêchasse. — 2. **Bâtir** : je bâtis, je bâtissais, je bâtis, je bâtirai, je bâtirais, que je bâtisse, que je bâtisse. — 3. **Venir** : je viens, je venais, je vins, je viendrai, je viendrais, que

---

5. L'allongement de la voyelle finale au féminin est régional. (Cf. Gr. § 165.)

je vienne, que je vinsse. — 4. **Dire :** je dis, je disais, je dis, je dirai, je dirais, que je dise, que je disse.

390. — Relever les verbes à la 2ᵉ personne du singulier, en les classant d'après leur finale.   (Gr. § 301)

Conseils

Marche deux heures tous les jours ; *dors* sept heures toutes les nuits ; *couche*-toi dès que tu *as* envie de dormir ; *lève*-toi lorsque tu t'*éveilles* ; *travaille* dès que tu *es* levé. Ne *mange* qu'à ta faim, ne *bois* qu'à ta soif. Ne *parle* que lorsqu'il le faut ; n'*écris* que ce que tu *peux* signer ; ne *fais* que ce que tu *peux* dire. N'*oublie* jamais que les autres doivent pouvoir compter sur toi. N'*estime* l'argent ni plus ni moins qu'il ne vaut ; ne *crée* pas sans bien savoir à quoi tu t'*engages,* et *détruis* le moins possible. *Pardonne* d'avance à tout le monde ; ne *méprise* pas les hommes ; ne les *hais* pas et ne les *raille* pas.

D'après Alexandre DUMAS fils.

a) Finale en -*e* : marche, couche, lève, travaille, mange, parle, oublie, estime, crée, pardonne, méprise, raille.
b) Finale en -*s* : dors, as, éveilles, es, bois, écris, fais, engages, détruis, hais.
c) Finale en -*x* : peux (deux fois).

391. — Mettre à la 2ᵉ personne du singulier de l'impératif présent les verbes en italiques.   (Gr. § 301)

a) 1. *Articule* bien quand tu parles. — 2. *Préfère* l'utile à l'agréable. — 3. En avril, n'*ôte* pas un fil. — 4. *Aide-toi,* le ciel t'aidera. — 5. *Sache* discerner le vrai du faux. — 6. *Ferme* les yeux, disait Joubert, et tu verras.

b) 1. *Veuille* bien m'envoyer les documents dont je t'ai parlé. — 2. *Paye* (ou *paie*) tes dettes ; tu t'enrichiras. — 3. Avant de t'engager dans une affaire, *pèses*-en la difficulté. — 4. La Suisse est un pays attachant : *vas*-y aux prochaines vacances. — 5. J'ai laissé ma serviette sur mon bureau ; *va* y chercher ma grammaire. — 6. L'affaire n'est pas simple : *juges*-en par ce que je vais te dire et *examine* en toute objectivité les indications que voici.

392. — Mettre à la 2ᵉ personne du singulier les phrases suivantes.
(Gr. § 301)

1. Voilà de beaux fruits : mangeons-en (*manges*-en) quelques-uns. — 2. Sachons être prudents (*Sache* être prudent), quand nous sommes (tu *es*) au volant de notre (ta) voiture. — 3. Ne vous imaginez pas (Ne t'*imagine* pas) qu'il existe des méthodes faciles pour apprendre les choses difficiles. — 4. Vous aimez (Tu *aimes*) les

poètes ? Nommez-en (*Nommes*-en) un que vous aimez (tu aimes) particulièrement. — 5. Constituons-nous (*Constitue*-toi) une bibliothèque ; plaçons-y (*places*-y) des chefs-d'œuvre de notre littérature. — 6. Ce site est charmant : plantons-y notre (*plantes*-y ta) tente. — 7. Allez-vous-en (*Va*-t'en) ; retournez-vous-en (*retourne*-t'en) d'où vous venez (tu *viens*).

393. — Remplacer les trois points par l'une des finales -*e* ou -*es*.

(Gr. § 301)

Tu *fermes* la porte.	Paul, *ferme* la porte !
Tu *avances* prudemment.	*Avance* prudemment.
Trouves-tu la solution ?	*Trouve*-moi la solution.
Tu *joues* de la guitare.	*Joue* un air de guitare.
C'est toi qui *commences*.	*Commence* bien ta journée !
Te voilà encore qui *pleures*.	Allons ! ne *pleure* plus.

394. — Donner pour les verbes suivants la 3ᵉ personne du singulier : 1° de l'indicatif présent ; 2° du subjonctif présent ; 3° du passé simple ; 4° du futur simple ; 5° de l'indicatif présent à la forme interrogative avec inversion. (Gr. § 302)

a) 1. **Nager :** il nage, qu'il nage, il nagea, il nagera, nage-t-il ? — 2. **Grandir :** il grandit, qu'il grandisse, il grandit, il grandira, grandit-il ? — 3. **Assaillir :** il assaille, qu'il assaille, il assaillit, il assaillira, assaille-t-il ? — 4. **Résoudre :** il résout, qu'il résolve, il résolut, il résoudra, résout-il ? — 5. **Vaincre :** il vainc, qu'il vainque, il vainquit, il vaincra, vainc-t-il ? — 6. **Être :** il est, qu'il soit, il fut, il sera, est-il ?

b) 1. **Bénir :** il bénit, qu'il bénisse, il bénit, il bénira, bénit-il ? — 2. **Avoir :** il a, qu'il ait, il eut, il aura, a-t-il ? — 3. **Peindre :** il peint, qu'il peigne, il peignit, il peindra, peint-il ? — 4. **Définir :** il définit, qu'il définisse, il définit, il définira, définit-il ? — 5. **Corrompre :** il corrompt, qu'il corrompe, il corrompit, il corrompra, corrompt-il ?

395. — Remplacer les trois points par l'une des finales -*a* ou -*ât* ; -*it* ou -*ît* ; -*ut* ou -*ût*. (Gr. § 302)

1. Il est entré sans qu'on le *remarquât*. — 2. On *remarqua* qu'il était étrangement accoutré. — 3. Il faudrait que chacun *donnât* de son superflu. — 4. Il se repentait : on lui *pardonna* sa faute. — 5. Ainsi *finit* la comédie. — 6. On craignait que l'aventure ne *finît* tragiquement. — 7. On nous *reçut* avec joie. — 8. Il fallait qu'on le *reçût* dignement.

396. — Donner pour les verbes suivants les trois personnes du pluriel : 1° de l'indicatif présent ; 2° de l'indicatif imparfait ; 3° du passé simple ; 4° du conditionnel présent ; 5° du subjonctif présent.

(Gr. §§ 303-305)

a) 1. **Présenter** : nous présentons, vous présentez, ils présentent ; — nous présentions, vous présentiez, ils présentaient ; — nous présentâmes, vous présentâtes, ils présentèrent ; — nous présenterions, vous présenteriez, ils présenteraient ; — que nous présentions, que vous présentiez, qu'ils présentent. — 2. **Venir** : nous venons, vous venez, ils viennent ; — nous venions, vous veniez, ils venaient ; — nous vînmes, vous vîntes, ils vinrent ; — nous viendrions, vous viendriez, ils viendraient ; — que nous venions, que vous veniez, qu'ils viennent. — 3. **Dire** : nous disons, vous dites, ils disent ; — nous disions, vous disiez, ils disaient ; — nous dîmes, vous dîtes, ils dirent ; — nous dirions, vous diriez, ils diraient ; — que nous disions, que vous disiez, qu'ils disent. — 4. **Plier** : nous plions, vous pliez, ils plient ; — nous pliions, vous pliiez, ils pliaient ; — nous pliâmes, vous pliâtes, ils plièrent ; — nous plierions, vous plieriez, ils plieraient ; — que nous pliions, que vous pliiez, qu'ils plient.

b) 1. **Croire** : nous croyons, vous croyez, ils croient ; — nous croyions, vous croyiez, ils croyaient ; — nous crûmes, vous crûtes, ils crurent ; — nous croirions, vous croiriez, ils croiraient ; — que nous croyions, que vous croyiez, qu'ils croient. — 2. **Faire** : nous faisons, vous faites, ils font ; — nous faisions, vous faisiez, ils faisaient ; — nous fîmes, vous fîtes, ils firent ; — nous ferions, vous feriez, ils feraient ; — que nous fassions, que vous fassiez, qu'ils fassent. — 3. **Plaindre** : nous plaignons, vous plaignez, ils plaignent ; — nous plaignions, vous plaigniez, ils plaignaient ; — nous plaignîmes, vous plaignîtes, ils plaignirent ; — nous plaindrions, vous plaindriez, ils plaindraient ; — que nous plaignions, que vous plaigniez, qu'ils plaignent. — 4. **Aller** : nous allons, vous allez, ils vont ; — nous allions, vous alliez, ils allaient ; — nous allâmes, vous allâtes, ils allèrent ; — nous irions, vous iriez, ils iraient ; — que nous allions, que vous alliez, qu'ils aillent.

c) 1. **Contredire** : nous contredisons, vous contredisez, ils contredisent ; — nous contredisions, vous contredisiez, ils contredisaient ; — nous contredîmes, vous contredîtes, ils contredirent ; — nous contredirions, vous contrediriez, ils contrediraient ; — que nous contredisions, que vous contredisiez, qu'ils contredisent. — 2. **Conclure** : nous concluons, vous concluez, ils concluent ; — nous concluions, vous concluiez, ils concluaient ; — nous conclûmes, vous conclûtes, ils conclurent ; — nous conclurions, vous concluriez, ils concluraient ; — que nous concluions, que vous concluiez, qu'ils concluent. — 3. **Craindre** : nous craignons, vous craignez, ils craignent ; — nous craignions, vous craigniez, ils craignaient ; — nous craignîmes, vous craignîtes, ils craignirent ; — nous craindrions, vous craindriez, ils craindraient ; — que nous craignions, que vous crai-gniez, qu'ils craignent. — 4. **Être :** nous sommes, vous êtes, ils sont ; — nous étions, vous étiez, ils étaient ; — nous fûmes, vous fûtes, ils furent ; — nous serions, vous seriez, ils seraient ; — que nous soyons, que vous soyez, qu'ils soient.

d) 1. **Avoir :** nous avons, vous avez, ils ont ; — nous avions, vous aviez, ils avaient ; — nous eûmes, vous eûtes, ils eurent ; — nous aurions, vous auriez, ils auraient ; — que nous ayons, que vous ayez, qu'ils aient. — 2. **Déplaire :** nous déplaisons, vous déplaisez, ils déplaisent ; — nous déplaisions, vous déplaisiez, ils déplaisaient ; — nous déplûmes, vous déplûtes, ils déplurent ; — nous déplairions, vous déplairiez, ils déplairaient ; — que nous déplaisions, que vous déplaisiez, qu'ils déplaisent. — 3. **Rire :** nous rions, vous riez, ils rient ; — nous riions, vous riiez, ils riaient ; — nous rîmes, vous rîtes, ils rirent ; — nous ririons, vous ririez, ils riraient ; — que nous riions, que vous riiez, qu'ils rient. — 4. **Jouer :** nous jouons, vous jouez, ils jouent ; — nous jouions, vous jouiez, ils jouaient ; — nous jouâmes, vous jouâtes, ils jouèrent ; — nous jouerions, vous joueriez, ils joue-raient ; — que nous jouions, que vous jouiez, qu'ils jouent.

e) 1. **Employer :** nous employons, vous employez, ils emploient ; — nous employions, vous employiez, ils employaient ; — nous employâmes, vous employâtes, ils employèrent ; — nous emploierions, vous emploieriez, ils emploieraient ; — que nous employions, que vous employiez, qu'ils emploient. — 2. **Travailler :** nous travaillons, vous travaillez, ils travaillent ; — nous travaillions, vous travailliez, ils travaillaient ; — nous travaillâmes, vous travaillâ-tes, ils travaillèrent ; — nous travaillerions, vous travailleriez, ils tra-vailleraient ; — que nous travaillions, que vous travailliez, qu'ils tra-vaillent. — 3. **Voir :** nous voyons, vous voyez, ils voient ; — nous voyions, vous voyiez, ils voyaient ; — nous vîmes, vous vîtes, ils virent ; — nous verrions, vous verriez, ils verraient ; — que nous voyions, que vous voyiez, qu'ils voient. — 4. **Confier :** nous con-fions, vous confiez, ils confient ; — nous confiions, vous confiiez, ils confiaient ; — nous confiâmes, vous confiâtes, ils confièrent ; — nous confierions, vous confieriez, ils confieraient ; — que nous con-fiions, que vous confiiez, qu'ils confient.

397. — Relever les verbes à un temps composé. Distinguer l'auxi-liaire *être* et l'auxiliaire *avoir*.			(Gr. §§ 306-308)

a) Plaintes d'une vieille fée

Le siècle *a marché* (*avoir*). Les chemins de fer *sont venus* (*être*). On *a creusé* (*avoir*) des tunnels, *comblé* (*a* sous-entendu ; *avoir*) les étangs, et *fait* (*a* sous-entendu ; *avoir*) tant de coupes d'arbres que bientôt nous n'*avons* plus *su* (*avoir*) où nous mettre. Peu à peu les paysans n'*ont* plus *cru* (*avoir*) à nous. Le soir, quand nous frappions à ses volets, Robin disait : « C'est le vent » et se rendormait. Les

femmes venaient faire la lessive dans nos étangs. Dès lors ç'*a été fini*
(*avoir* [*été* est l'auxiliaire du passif]) pour nous. Comme nous ne
vivions que de la croyance populaire, en la perdant, nous *avons* tout
perdu (*avoir*). La vertu de nos baguettes s'*est évanouie* (*être*), et de
puissantes reines que nous étions, nous nous *sommes trouvées*
(*être*) de vieilles femmes, ridées, méchantes comme des fées qu'on
oublie ; avec cela notre pain à gagner et des mains qui ne savaient
rien faire.

> Alphonse DAUDET (*Contes du lundi*).

b) 1. Nous *avons trouvé* (*avoir*) un entraîneur. — 2. Christophe
Colomb *a découvert* (*avoir*) l'Amérique. — 3. Je *suis venu* (*être*),
j'*ai vu* (*avoir*), j'*ai vaincu* (*avoir*), *a dit* (*avoir*) César. — 4. Quand les
chats *furent partis* (*être*), les souris dansèrent. — 5. Il *avait semé*
(*avoir*) le vent : comment n'*aurait*-il pas *récolté* (*avoir*) la tempête ?
— 6. Nous *étions sortis* (*être*) bien avant que vous arriviez. —
7. Une personne charitable, que j'*ai intéressée* (*avoir*) à votre posi-
tion, m'*a remis* (*avoir*) pour vous une somme de cinquante francs qui
sera affectée [*sera* est l'auxiliaire du passif] au payement de l'amende
à laquelle vous *avez été condamné* (*avoir* [*été* est l'auxiliaire du
passif]). (A. France.) — 8. Mon Dieu, j'*aurais* pour vous *travaillé*
(*avoir*) des images, et les tendres enfants, au retour de l'école, se
seraient extasiés (*être*) devant les rois mages qui *auraient apporté*
(*avoir*) l'encens, l'ivoire et l'or. (Fr. Jammes.)

398. — Distinguer les emplois de *être* : 1° comme auxiliaire des
temps composés ; 2° comme auxiliaire du passif ; 3° comme copule.

> (Gr. § 307)

a) 1. Certains personnages, qui *avaient été* (copule) fort riches,
sont (auxil. d'un temps comp.) morts dans la misère. — 2. Oh !
combien de marins qui *étaient* (auxil. d'un temps comp.) partis
joyeux *ont été* (auxil. du passif) engloutis par les flots ! — 3. C'*est*
(copule) l'automne : les hirondelles *sont* (auxil. d'un temps comp.)
parties ces jours derniers. — 4. Les plaisanteries les plus courtes
sont (copule) les meilleures. — 5. Quand sa tante *est* (auxil. d'un
temps comp.) entrée, Isabelle s'*est* (auxil. d'un temps comp.) jetée
à son cou.

b) 1. Nous *étions* (auxil. d'un temps comp.) restés longtemps
sans nouvelles d'un cousin qui *était* (ni auxil. ni copule) en Amérique. — 2. Si je *suis* (auxil. d'un temps comp.) tombé dans une
erreur, je me corrigerai. — 3. Ravaillac, le meurtrier d'Henri IV, *a été*
(auxil. du passif) écartelé. — 4. Quand nous *sommes* (auxil. d'un
temps comp.) convenus d'une chose, nous ne nous dédisons pas ;
nous *sommes* (copule) gens de parole. — 5. Moi aussi je *suis*
(auxil. d'un temps comp.) allé où vous *avez été* (ni auxil. ni copule).
(Alain-Fournier.) — 6. Oh ! demain c'*est* (copule) la grande chose !
De quoi demain *sera* (auxiliaire du passif)-t-il fait ? (Hugo.)

399. — Composer deux phrases avec chacune de ces valeurs de *être* : auxiliaire du passif ; auxiliaire des temps composés ; copule.

(Gr. § 307)

a) 1. Cette personne a menti si souvent qu'elle n'*est* plus crue de personne. — 2. La première dynamo *fut* construite par Zénobe Gramme en 1871.

b) 1. Ils se *sont* rendu compte de leur erreur. — 2. Ils comprirent qu'ils s'*étaient* trompés.

c) 1. Ces fleurs *sont* ravissantes. — 2. Nous *sommes* heureux de votre visite.

400. — Mettre à la forme indiquée les verbes en italiques.

(Gr. §§ 306-307)

a) 1. Nous nous félicitons d'*avoir trouvé* [inf. passé] un conseiller qui nous *a parlé* [passé comp.] sagement. — 2. Les beaux jours *étaient revenus* [indic. plus-que-parfait] : les lilas *avaient gonflé* [indic. plus-que-parfait] leurs bourgeons, les narcisses *avaient ouvert* [indic. plus-que-parfait] leurs corolles radieuses. — 3. Souvent les meilleures résolutions *ont échoué* [passé comp.] faute de persévérance. — 4. Dès que nous *eûmes appris* [passé antér.] la nouvelle, nous *sommes rentrés* [passé comp.] à la maison. — 5. L'imagination de Jules Verne nous *a représenté* [passé comp.] des inventions que la science moderne *a réalisées* [passé comp.].

b) 1. Combien de marins qui *étaient partis* [indic. plus-que-parfait] pleins d'espoir *ne sont pas revenus* [passé comp.] ! — 2. De quelle puissance sont pourvus ces engins qui *se sont lancés* [passé comp.] à la conquête de l'espace ! — 3. « Tomber de Charybde en Scylla » : cela se dit de quelqu'un qui *est sorti* [passé comp.] d'un danger et qui *est tombé* [passé comp.] dans un autre. — 4. Jamais l'idée ne nous *est venue* [passé comp.] de vous désobliger. — 5. Quelle joie nous *avons éprouvée* [passé comp.] quand nous *avons revu* [passé comp.] la maison natale !

401. — Inventer deux phrases où le verbe, au passé composé, sera employé avec l'auxiliaire *avoir*, — et deux phrases où il sera employé avec l'auxiliaire *être*.   (Gr. §§ 306-307)

a) 1. *Avez*-vous lu ce livre ? — 2. Il *a* plu toute la journée.

b) 1. Elle s'*est* blessée. — 2. L'ouvrier *est* tombé du toit.

*402. — Mettre à la forme indiquée les verbes en italiques. (Gr. § 308)

a) 1. La vie est chère ! Voyez, par exemple, comme le café *est augmenté* [passé comp.] maintenant ! — 2. Au cours de ces dernières années, la vie *a augmenté* [passé comp.] dans de notables pro-portions. — 3. Que de martyrs, condamnés pour diverses causes, *ont expiré* [passé comp.] dans les supplices ! — 4. Des gens négligents ne songent à remplir des formalités que quand les délais *sont expirés* [passé comp.] depuis longtemps. — 5. Souvent les meilleures réso-lutions *ont échoué* [passé comp.] faute de persévérance. — 6. Votre entreprise *était échouée* [ind. plus-que-parfait] depuis longtemps, et vous croyiez encore au succès !

b) 1. Ce n'est pas quand le danger *est passé* [passé comp.] depuis plusieurs heures qu'il faut chercher à s'en garder. — 2. Des bonheurs qu'on croyait durables *ont passé* [passé comp.] comme des éclairs. — 3. Depuis ce matin, l'aspect du ciel *a changé* [passé comp.] trois ou quatre fois. — 4. Notre ami, après une absence de quelques années, est revenu ; comme il *est changé* [passé comp.] à présent ! Lui aussi se dit sans doute que nous *avons changé* [passé comp.] pendant son absence. — 5. Quelle inondation ! voyez comme la rivière *est crue* [passé comp.] ! — 6. Toujours les désirs des avares *ont crû* [passé comp.] avec leur fortune. — 7. Certaine-ment, il *avait vieilli* [ind. plus-que-parfait] beaucoup ces derniers temps ; je ne sais trop si j'*aurais remarqué* [cond. passé] cela de moi-même, mais, après *avoir entendu* [inf. passé] ma mère dire à ma tante Lucile : « Ce pauvre Émile *est* bien *changé* [passé comp.] ! » aussitôt m'*était apparu* [ind. plus-que-parfait] le plissement doulou-reux de son front, l'expression inquiète et parfois harassée de son regard. (A. Gide.)

*403. — Relever les verbes qui, suivis d'un infinitif, servent de semi-auxiliaires. Indiquer quelle nuance de temps ou d'aspect ils expriment.

(Gr. §§ 309 et 293)

1. Je *vais* (futur proche) réfléchir avant de prendre ma décision. — 2. Ce n'est pas quand on *est sur le point de* (futur très pro-che) partir qu'on fait ses préparatifs. — 3. L'horizon s'abaisse : un orage *est près d'* (futur très proche) éclater. — 4. Nous *venons d'* (passé récent) échapper à un accident. — 5. Le soleil *paraissait* (simple apparence) répandre sur les feuillages une poussière dorée. — 6. Vous *devez* (probabilité) avoir fait une erreur. — 7. Tu *as manqué de* (un fait a été tout près de se produire) tomber. — 8. Quand nous *sommes en train de* (action qui dure) calculer, le tapage nous dérange. — 9. Il *vient d'* (passé récent) apercevoir un petit bois de chênes verts qui *semble* (simple apparence) lui faire signe. (A. Daudet.) — 10. Si une complication *vient à* (fait fortuit) se produire, appelez-moi.

404. — Mettre le verbe *avoir* au mode et au temps indiqués.

(Gr. § 310)

1. [*Ind. prés. ; subj. prés.*] Rouen, disait Jeanne d'Arc, j'*ai* grand-peur que tu n'*aies* à souffrir de ma mort ! — 2. [*Passé comp.*] Cet enthousiasme que vous *avez eu* au début de l'année scolaire, gardez-le. — 3. [*Subj. imparf.*] Moi, que j'*eusse* si peu de courage ! — 4. [*Indic. prés. ; impér. prés.*] Quand tu *as* tort, *aie* le courage de le reconnaître. — 5. [*Subj. imparf.*] L'empereur Caligula souhaitait que le peuple n'*eût* qu'une tête afin de pouvoir l'abattre d'un coup. — 6. [*Impér. prés.*] Mes enfants, *ayez* un peu de patience. — 7. [*Ind. plus-que-parfait ; condit. passé*] Si tu *avais eu* plus de méthode, tu *aurais eu* plus de succès. — 8. [*Part. passé comp. ; passé comp.*] *Ayant eu* moins de peines, ils *ont eu* moins de joies.

405. — Mettre le verbe *être* au mode et au temps indiqués. (Gr. § 311)

1. [*Subj. prés.*] Il convient que la puissance d'un prince ne *soit* pas absolue. — 2. [*Indic. imparf. ; passé comp.*] Votre mère *était* inquiète quand vous *avez été* malade. — 3. [*Infin. prés. ; infin. passé*] On ne peut pas *être* et *avoir été*. — 4. [*Subj. imparf.*] Il ne faudrait pas qu'un chef *fût* dans l'obligation de s'occuper de cent menues choses. — 5. [*Passé simple*] De tout temps les avares *furent* les bourreaux d'eux-mêmes. — 6. [*Cond. prés. ; indic. imparf.*] Vous *seriez* plus expérimentés si vous *étiez* plus attentifs à suivre les bons conseils. — 7. [*Fut. antér. ; fut. simple*] Quand vous *aurez été* en butte à toutes sortes de difficultés, vous *serez* plus aptes à les surmonter.

406. — Conjuguer à haute voix *être* et *avoir* au subjonctif présent.

(Gr. §§ 310-311)

Que je sois [swA]	Que j'aie [ɛ]
Que tu sois [swA]	Que tu aies [ɛ]
Qu'il soit [swA]	Qu'il ait [ɛ]
Que nous soyons [swAjɔ̃]	Que nous ayons [ɛjɔ̃]
Que vous soyez [swAje]	Que vous ayez [ɛje]
Qu'ils soient [swA]	Qu'ils aient [ɛ]

407. — Relever tous les verbes en les rangeant en trois catégories : les verbes appartenant à la 1re conjugaison, ceux qui appartiennent à la 2e conjugaison et les verbes irréguliers. (Gr. § 312)

Sortie furtive

J'*ai* (irrég.) beau *ouvrir* (irrég.) et *refermer* (1re conj.) le plus silencieusement possible ma porte, *glisser* (1re conj.) à pas de loup le long du couloir : son ouïe aussi *exercée* (1re conj.) que celle des prisonniers dans leurs cellules *capte* (1ʳᵉ conj.) aussitôt et *reconnaît* (irrég.) autour d'elle dans la maison le plus faible bruit. *Tapie* (2ᵉ conj.) dans sa chambre, elle *surveille* (1ʳᵉ conj.), elle *épie* (1ʳᵉ conj.). Parfois je me *crois* (irrég.) *sauvé* (1ʳᵉ conj.), j'*ai réussi* (2ᵉ conj.) à *franchir* (2ᵉ conj.) l'endroit le plus dangereux, le grand espace *découvert* (irrég.) du vestibule où le parquet *craque* (1ʳᵉ conj.) toujours plus fort, je *vais* (irrég.) *tirer* (1ʳᵉ conj.) le loquet de la porte d'entrée derrière laquelle je *pourrai* (irrég.) me *mettre* (irrég.) à *détaler* (1ʳᵉ conj.), quand je *sens* (irrég.) tout à coup dans mon dos, *courant* (irrég.) le long de mon échine comme une décharge électrique qui me *fait* (irrég.) *sursauter* (1ʳᵉ conj.), le son *attendu* (irrég.) de sa voix : « Ah ! vous *sortez* (irrég.) déjà ? La sieste *est terminée* (1ʳᵉ conj.) ? J'*ai* (irrég.) quelque chose à vous *dire* (irrég.). Cinq minutes seulement... J'*ai* (irrég.) à vous *parler* (1ʳᵉ conj.)... » Je *bafouille* (1ʳᵉ conj.) une vague excuse, mais sans conviction, juste pour la forme...

N. SARRAUTE (Martereau, © Gallimard).

408. — Ranger ces verbes en deux catégories : les verbes de la 2ᵉ conjugaison ; les verbes irréguliers.   (Gr. § 312)

a) 1. *Vêtir* : irrég. — 2. *Durcir* : 2ᵉ conj. — 3. *Fléchir* : 2ᵉ conj. — 4. *Courir* : irrég. — 5. *Cueillir* : irrég. — 6. *Acquérir* : irrég. — 7. *Grossir* : 2ᵉ conj. — 8. *Dormir* : irrég. — 9. *Punir* : 2ᵉ conj. — 10. *Vieillir* : 2ᵉ conj.

b) 1. *Unir* : 2ᵉ conj. — 2. *Éblouir* : 2ᵉ conj. — 3. *Fuir* : irrég. — 4. *Assortir* : 2ᵉ conj. — 5. *Venir* : irrég. — 6. *Sortir* : irrég. — 7. *Ouvrir* : irrég. — 8. *Gémir* : 2ᵉ conj. — 9. *Tenir* : irrég. — 10. *Réfléchir* : 2ᵉ conj.

409. — Donner pour les verbes *divertir* et *attribuer* les formes suivantes.   (Gr. §§ 313-314)

a) 1. Impér. prés., 2ᵉ pers. du sing. : *divertis, attribue.* — 2. Indic. prés., 1ʳᵉ pers. du plur. : *nous divertissons, nous attribuons.* — 3. Subj. imp., 3ᵉ pers. du plur. : *qu'ils divertissent, qu'ils attribuassent.* — 4. Gérondif prés. : *en divertissant, en attribuant.* — 5. Part. passé composé : *ayant diverti, ayant distribué.* — 6. Passé simple, 3ᵉ pers. du sing. : *il divertit, il attribua.*

b) 1. Subj. passé, 1ʳᵉ pers. du sing. : *que j'aie diverti, que j'aie attribué.* — 2. Cond. prés., 2ᵉ pers. du plur. : *vous divertiriez, vous attribueriez.* — 3. Futur antér., 3ᵉ pers. du plur. : *ils auront diverti, ils auront attribué.* — 4. Impér. passé, 1ʳᵉ pers. du pl. : *ayons diverti, ayons attribué.* — 5. Passé antér., 3ᵉ pers. du sing. : *il eut diverti, il eut attribué.* — 6. Subj. plus-que-p., 3ᵉ pers. du sing. : *qu'il eût diverti, qu'il eût attribué.*

410. — Mettre les expressions suivantes (verbes en *-cer* et en *-ger*) :
1° à la 1ʳᵉ personne du pluriel de l'indicatif présent ; 2° à la 1ʳᵉ personne
du singulier de l'indicatif imparfait. (Gr. § 315)

a) 1. Lancer un navire / nous *lançons* ... / je *lançais* ... —
2. Rincer un verre / nous *rinçons* ... / je *rinçais* ... — 3. Amorcer la
conversation / nous *amorçons* ... / j'*amorçais* ... — 4. Déplacer un
meuble / nous *déplaçons* ... / je *déplaçais* ... — 5. Percer un trou /
nous *perçons* ... / je *perçais* ... — 6. Effacer une ligne / nous *effa-
çons* ... / j'*effaçais* ...

b) 1. Déloger l'ennemi / nous *délogeons* ... / je *délogeais* ... —
2. Ranger ses livres / nous *rangeons* ... / je *rangeais* ... — 3. Obliger
un ami / nous *obligeons* ... / j'*obligeais* ... — 4. Ne pas négliger son
écriture / nous ne *négligeons* pas ... / je ne *négligeais* pas ... —
5. Interroger un accusé / nous *interrogeons* ... / j'*interrogeais* ... —
6. Songer à l'avenir / nous *songeons* ... / je *songeais* ...

c) 1. Renoncer à partir / nous *renonçons* ... / je *renonçais* ... —
2. Changer d'opinion / nous *changeons* ... / je *changeais* ... —
3. Allonger une robe / nous *allongeons* ... / j'*allongeais* ... —
4. Plonger dans la piscine / nous *plongeons* ... / je *plongeais* ... —
5. Bien placer le ballon / nous *plaçons* bien ... / je *plaçais* bien ...
— 6. Avancer sa besogne / nous *avançons* ... / j'*avançais* ...

411. — Mettre à la forme indiquée les verbes en italiques. (Gr. § 315)

a) 1. Nous *remplaçons* [indic. prés.] le terme impropre par le
terme propre. — 2. Ne *forçons* [impér. prés., 1ʳᵉ pers. du plur.] pas
notre talent. — 3. Cet optimiste *se forgeait* [indic. imparf.] un avenir
qui le *plongeait* [indic. imparf.] dans une grande joie. — 4. Cet
homme était fort timide : il ne *dévisageait* [indic. imparf.] jamais personne. — 5. Quand j'avais dit un mot trop rude, mon père *fronçait*
[indic. imparf.] les sourcils.

b) 1. On dit souvent que, par le travail, nous *abrégeons* [indic.
prés.] nos journées, mais nous *allongeons* [indic. prés.] notre vie. —
2. En *s'enfonçant* [gérond. prés.] dans de profondes rêveries, le
poète goûte un plaisir délicat. — 3. Déjà le soleil *lançait* [indic.
imparf.] ses premiers feux ; une lumière dorée *perçait* [indic. imparf.]
l'épaisseur des feuillages. — 4. Tout à coup la lune *émergea* [passé
simple] des nuages et *glaça* [passé simple] les toits d'une lueur
bleuâtre. — 5. En nous *exerçant* [gérond. prés.] à bien penser, nous
nous *exerçons* [indic. prés.] à bien parler et à bien écrire.

412. — Mettre à la 1re personne du singulier de l'indicatif présent et du futur simple (verbes ayant un *e* muet à l'avant-dernière syllabe).

(Gr. § 315)

1. Mener sa barque / je *mène, mènerai* ma barque. — 2. Semer le blé / je *sème, sèmerai* le blé. — 3. Achever sa tâche / j'*achève, achèverai* ma tâche. — 4. Peser ses mots / je *pèse, pèserai* mes mots. — 5. Égrener des épis / j'*égrène, égrènerai* des épis. — 6. Élever des poulets / j'*élève, élèverai* des poulets. — 7. Promener son petit frère / je *promène, promènerai* mon petit frère. — 8. Relever la tête / je *relève, relèverai* la tête.

413. — Mettre à la forme indiquée les verbes en italiques. (Gr. § 315)

a) 1. Qui *sème* [indic. prés.] le vent récolte la tempête. — 2. Ne suivez pas cette route : elle vous *mènerait* [condit. prés.] trop loin. — 3. Les petites joies quotidiennes sont les fleurs qui *parsèment* [indic. prés.] le chemin de la vie. — 4. Quand je *lève* [indic. prés.] les yeux vers la voûte étoilée, je rêve à l'infini. — 5. *Soulèveras* [fut. simple]-tu bien ce fardeau ? — 6. Aimeriez-vous faire un voyage qui vous *emmènerait* [condit. prés.] dans l'espace ?

b) 1. Si le malheur t'abat, *relève* [impér. prés.]-toi et garde l'espérance. — 2. Voilà une évidence qui *crève* [indic. prés.] les yeux. — 3. Allons ! que l'on *achève* [subj. prés.] promptement cette besogne ! — 4. Si tu étais réfléchi, tu *pèserais* [condit. prés.] les conséquences de tes actes. — 5. Des dépenses inconsidérées *grèveront* [fut. simple] le budget d'une famille. — 6. Voyons, hippogriffe de mes rêves, *promène* [impér. prés.]-moi dans les pays lointains !

414. — Mettre aux trois personnes du singulier de l'indicatif présent les verbes suivants (verbes en *-eler, -eter*). (Gr. § 315)

1. **Appeler.** J'appelle, tu appelles, il appelle. — 2. **Renouveler.** Je renouvelle, tu renouvelles, il renouvelle. — 3. **Geler.** Je gèle, tu gèles, il gèle. — 4. **Acheter.** J'achète, tu achètes, il achète. — 5. **Peler.** Je pèle, tu pèles, il pèle. — 6. **Chanceler.** Je chancelle, tu chancelles, il chancelle. — 7. **Ruisseler.** Je ruisselle, tu ruisselles, il ruisselle. — 8. **Jeter.** Je jette, tu jettes, il jette. — 9. **Celer.** Je cèle, tu cèles, il cèle.

415. — Faire une phrase avec chacun des verbes de l'exercice précédent.

(Gr. § 315)

1. Mon filleul s'*appelle* Corentin. — 2. Au printemps, les coquettes *renouvellent* leur garde-robe. — 3. Déjà les bourgeons des lilas s'ouvrent ; s'il *gèle*, résisteront-ils ? — 4. Celui qui *achète* le superflu sera peut-être obligé de vendre le nécessaire. — 5. Veux-tu que je

pèle ta pomme ? — 6. Fatigué, il marchait en *chancelant*. — 7. L'eau ruisselle sur les vitres. — 8. Le vent *jette* dans les branches son long gémissement. — 9. On lui avait *celé* la vérité pour ne pas l'effrayer.

416. — Donner, pour les expressions suivantes (verbes ayant un *é* fermé à l'avant-dernière syllabe), la 1re personne du singulier : 1° de l'indicatif présent ; 2° du futur simple ; 3° du conditionnel présent.

(Gr. § 315)

1. Céder un commerce / je *cède* ... / je *céderai* ... / je *céderais* ... — 2. Pénétrer dans la forêt / je *pénètre* ... / je *pénétrerai* ... / je *pénétrerais* ... — 3. Régler un différend / je *règle* ... / je *réglerai* ... / je *réglerais* ... — 4. Vénérer une relique / je *vénère* ... / je *vénérerai* ... / je *vénérerais* ... — 5. Suggérer une solution / je *suggère* ... / je *suggérerai* ... / je *suggérerais* ... — 6. Accélérer l'allure / j'*accélère* ... / j'*accélérerai* ... / j'*accélérerais* ... — 7. Rémunérer un ouvrier / je *rémunère* ... / je *rémunérerai* ... / je *rémunérerais* ...

417. — Mettre à la forme indiquée les verbes en italiques. (Gr. § 315)

a) 1. L'homme scrupuleux ne *révèle* [indic. prés.] pas le secret qu'on lui a confié ; il ne le *révélerait* [condit. prés.] pour rien au monde. — 2. J'espère que vous *agréerez* [fut. simple] mes hommages. — 3. Le blé *dégénère* [indic. prés.] dans un mauvais terrain. — 4. Tu ne *maugréeras* [fut. simple] pas si je te donne des conseils. — 5. Si l'on veut que cette entreprise *prospère* [subj. prés.], on *procédera* [fut. simple] par étapes. — 6. Le soleil *pénètre* [indic. prés.] dans la profondeur des feuillages et *sèche* [indic. prés.] l'humidité de la nuit. — 7. Quelle paix *régnerait* [condit. prés.] sur la terre si tous les hommes s'aimaient comme des frères !

b) 1. En toutes choses, nous *considérerons* [fut. simple] la fin. — 2. Un profane *interpréterait* [condit. prés.] mal les hurlements qui accueillent la présentation des boxeurs sur le ring. (A. Camus.) — 3. Souvent notre imagination *exagère* [indic. prés.] nos joies et nos peines. — 4. Tant que les générations *succéderont* [fut. simple] aux générations, des maux variés *assiégeront* [fut. simple] l'humanité, mais les âmes fortes ne *céderont* [fut. simple] jamais au désespoir. — 5. Tu ne *régleras* [fut. simple] pas invariablement le présent sur le passé : parfois les circonstances te *suggéreront* [fut. simple] le parti à prendre. — 6. Une légère indisposition *altère* [indic. prés.] nos jugements. — 7. L'allure s'*accélère* [indic. prés.] ; le ronflement plus aigu des rouages *révèle* [indic. prés.] une ivresse croissante. (Maeterlinck.)

418. — Mettre à la 1re personne du singulier de l'indicatif présent et du futur simple les expressions suivantes (verbes en -*yer*).   (Gr. § 315)

1. Appuyer une requête / j'*appuie* ... / j'*appuierai* ... — 2. Octroyer un avantage / j'*octroie* ... / j'*octroierai* ... — 3. Nettoyer ses chaussures / je *nettoie* ... / je *nettoierai* ... — 4. Employer le mot propre / j'*emploie* ... / j'*emploierai* ... — 5. Essuyer les vitres / j'*essuie* ... / j'*essuierai* ... — 6. Ne rudoyer personne / je ne *rudoie* ... / je ne *rudoierai* ... — 7. Ne pas grasseyer / je ne *grasseye* pas / je ne *grasseyerai* pas. — 8. Essayer une voiture / j'*essaie* (ou j'*essaye*) ... / j'*essaierai* (ou j'*essayerai*) ... — 9. Déblayer le terrain / je *déblaie* (ou je *déblaye*) ... / je *déblaierai* (ou je *déblayerai*) ... — 10. Balayer la cuisine / je *balaie* (ou je *balaye*) ... / je *balaierai* (ou je *balayerai*) ...

419. — Mettre à la forme indiquée les verbes en italiques.   (Gr. § 315)

a) 1. On ne *s'appuie* [indic. prés.] bien que sur ce qui résiste. — 2. Celui qui *essaierait* (ou *essayerait*) [condit. prés.] d'abord de bien penser serait plus apte à bien agir. — 3. Quiconque *s'emploiera* [fut. simple] à meubler ses loisirs ne *s'ennuiera* [fut. simple] jamais. — 4. La lumière que le soleil nous *envoie* [indic. prés.] nous arrive en huit minutes. — 5. Quelle féerie quand le printemps *déploie* [indic. prés.] toute sa verdure et toutes ses couleurs ! — 6. Il est difficile de rester impassible quand on *essuie* [indic. prés.] certaines injustices.

b) 1. Des chaises sont brandies, la police *se fraye* (ou *se fraie*) [indic. prés.] un chemin. (A. Camus.) — 2. Puis il *envoie* [indic. prés.] les administrés au diable, et la muse des comices agricoles n'a plus qu'à se voiler la face. (A. Daudet.) — 3. M. Seguin était ravi. « Enfin, pensait le pauvre homme, en voilà une qui ne *s'ennuiera* [fut. simple] pas chez moi ! » (Id.) — 4. S'il te venait une maladie, Monsieur te *paierait* (ou *payerait*) [condit. prés.] quand même. (A. Chamson.) — 5. Elle *essuie* [indic. prés.] aux roseaux ses pieds que l'étang mouille. (Hugo.) — 6. Ses yeux injectés de sang *flamboient* [indic. présent] comme des rubis. (Pergaud.)

420. — Mettre au présent de l'indicatif les verbes en italiques.

(Gr. § 315)

Matin d'automne

C'est un lourd matin d'automne. Le brouillard *noie* l'horizon et *délaie* (ou *délaye*) ses teintes indécises. Les branches *ploient,* dirait-on, sous les écharpes de brume qui les chargent et qui *s'appuient* de tout leur poids.

Mais bientôt un pâle soleil *déblaie* (ou *déblaye*) le ciel et *raie* (ou *raye*) les arbres de quelques traits hésitants. La lumière paraît bouder ; on dirait qu'elle *s'ennuie* de traîner sur un paysage aussi froid. Cependant un vent aigre *balaie* (ou *balaye*) la colline et *nettoie* l'air ; il *essuie* même l'humidité des feuillages et *envoie* partout son souffle un peu tiède. Subitement la lumière *déploie* sa draperie ; il semble que les arbres *flamboient* et leurs cimes *ondoient* doucement.

421. — Conjuguer à haute voix à l'indicatif présent et au subjonctif présent : 1° *créer* ; 2° *employer* ; 3° *ennuyer*. (Gr. § 315)

Je crée [kRe]	J'emploie [ɑ̃plwA]	J'ennuie [ɑ̃nɥi]
Tu crées [kRe]	Tu emploies [ɑ̃plwA]	Tu ennuies [ɑ̃nɥi]
Il crée [kRe]	Il emploie [ɑ̃plwA]	Il ennuie [ɑ̃nɥi]
Nous créons [kReɔ̃]	Nous employons [ɑ̃plwAjɔ̃]	Nous ennuyons [ɑ̃nɥijɔ̃]
Vous créez [kRee]	Vous employez [ɑ̃plwAje]	Vous ennuyez [ɑ̃nɥije]
Ils créent [kRe]	Ils emploient [ɑ̃plwA]	Ils ennuient [ɑ̃nɥi]
Que je crée [kRe]	Que j'emploie [ɑ̃plwA]	Que j'ennuie [ɑ̃nɥi]
Que tu crées [kRe]	Que tu emploies [ɑ̃plwA]	Que tu ennuies [ɑ̃nɥi]
Qu'il crée [kRe]	Qu'il emploie [ɑ̃plwA]	Qu'il ennuie [ɑ̃nɥi]
Que nous créions [kRejɔ̃]	Que nous employions [ɑ̃plwAjjɔ̃]	Que nous ennuyions [ɑ̃nɥijjɔ̃]
Que vous créiez [kReje]	Que vous employiez [ɑ̃plwAjje]	Que vous ennuyiez [ɑ̃nɥijje]
Qu'ils créent [kRe]	Qu'ils emploient [ɑ̃plwA]	Qu'ils ennuient [ɑ̃nɥi]

422. — Mettre à la forme indiquée les verbes en italiques (verbes en *-er*). (Gr. § 315)

a) 1. Le sage n'*appelle* [indic. prés.] pas tristesse les petites fatigues de la journée. — 2. Tu n'*allégueras* [fut. simple] pas de vaines excuses. — 3. Le soleil, *perçant* [part. prés.] les nuages, *jetait* [indic. imparf.] des rayons obliques et l'ombre des peupliers s'*allongeait* [indic. imparf.] sur la plaine. — 4. Les citoyens romains considéraient le commerce et les arts comme des occupations d'esclaves et ils ne les *exerçaient* [indic. imparf.] pas. — 5. Tu *essaies* (ou *essayes*) [indic. prés.] d'atteindre l'impossible et tu gaspilles des forces que tu *emploierais* [condit. prés.] mieux en te fixant un but accessible. — 6. Nous ne nous *ennuyions* [indic. imparf.] jamais.

b) 1. Et ces flammes dansaient, *changeaient*, s'*élançaient* [indic. imparf.], toujours plus hautes et plus gaies. (Loti.) — 2. L'avion avait gagné d'un seul coup, à la seconde même où il *émergeait* [indic. imparf.], un calme qui semblait extraordinaire. (Saint Exupéry.) — 3. Il rassembla ses forces, *se lança* [passé simple] et s'*allongea* [passé simple] par terre. (R. Rolland.) — 4. De temps en temps, ce gros homme enlevait sa casquette et s'*épongeait* [indic. imparf.] le front. (H. Bosco.) — 5. Il vaut mieux l'aller chercher, ce pauvre animal qui crie la faim. Il *aboie* [indic. prés.] au secours, ce misérable ; il *appelle* [indic. prés.] comme un homme en détresse. (Maupassant.) — 6. Autrefois on *envisageait* [indic. imparf.] les savants comme un petit groupe d'amateurs et de gens de loisir, entretenus aux frais des classes laborieuses. (M. Berthelot.)

423. — Remplacer les trois points par *béni* ou *bénit* et faire l'accord.
(Gr. § 316)

a) 1. Dans certaines régions, le dimanche des Rameaux, les croyants piquent une branche *bénite* sur la tombe de leurs morts. — 2. Après que le prêtre eut *béni* les cierges, la procession défila dans l'église. — 3. Je me rappelle les jours *bénis* de ma première enfance. — 4. Le prêtre a *béni* les drapeaux ; il a distribué des médailles *bénites*. — 5. C'est l'évêque qui a *béni* le mariage. — 6. Oh ! les journées *bénies* que j'ai passées dans cet asile de paix !

b) 1. Au mur blanchi à la chaux, sous un rameau de buis *bénit,* un coffre-fort était scellé. (A. France.) — 2. C'est une famille *bénie* de Dieu. (La Varende.) — 3. Oh ! de délicieuses vieilles gens, certes, à jamais *bénis* dans mon souvenir. (É. Henriot.) — 4. Une petite fille de deux ans et demi avait au cou une médaille *bénite*. (Taine.) — 5. À peine au sortir de l'École, notre double mariage *béni* par le pasteur Vautier, nous partions tous les quatre en voyage. (A. Gide.) — 6. « Soyez donc en paix, ma fille », lui dis-je. Et je l'ai *bénie*. (Bernanos.) — 7. Elle a un chapelet *bénit* accroché à son étagère. (Musset.) — 8. Il est une voix des fontaines quand il est midi, lorsque la cloche *bénite* reprend, poudrée de beau temps comme une campanule. (Fr. Jammes.) — 9. *Bénis* soient leurs troupeaux paissant dans les cytises ! (Hugo.)

424. — Mettre *fleurir* à la forme indiquée.　　　　(Gr. § 316)

1. Quel beau spectacle que celui des cerisiers *fleurissant* [part. prés.] au printemps ! — 2. Les arts *florissaient* [indic. imparf.] en Italie au XVe siècle. — 3. Partout les bruyères *fleurissaient* [indic. imparf.] sur les collines. — 4. Quand on jouit d'une santé *florissante* [adj. verbal], on possède un véritable trésor.

425. — Conjuguer le verbe *arriver* aux temps suivants : 1° avec un sujet masculin ; 2° avec un sujet féminin.　　　　(Gr. § 317)

1. Au passé antérieur. Je fus arrivé, tu fus arrivé, il fut arrivé, nous fûmes arrivés, vous fûtes arrivés, ils furent arrivés. Je fus arrivée, tu fus arrivée, elle fut arrivée, nous fûmes arrivées, vous fûtes arrivées, elles furent arrivées.

2. Au futur antérieur. Je serai arrivé, tu seras arrivé, il sera arrivé, nous serons arrivés, vous serez arrivés, ils seront arrivés. Je serai arrivée, tu seras arrivée, elle sera arrivée, nous serons arrivées, vous serez arrivées, elles seront arrivées.

3. Au subjonctif passé. Que je sois arrivé, que tu sois arrivé, qu'il soit arrivé, que nous soyons arrivés, que vous soyez arrivés, qu'ils soient arrivés. Que je sois arrivée, que tu sois arrivée, qu'elle soit arrivée, que nous soyons arrivées, que vous soyez arrivées, qu'elles soient arrivées.

4. Au subjonctif plus-que-parfait. Que je fusse arrivé, que tu fusses arrivé, qu'il fût arrivé, que nous fussions arrivés, que vous fussiez arrivés, qu'ils fussent arrivés. Que je fusse arrivée, que tu fusses arrivée, qu'elle fût arrivée, que nous fussions arrivées, que vous fussiez arrivées, qu'elles fussent arrivées.

426. — Relever les temps surcomposés. (Gr. § 318)

1. Quand j'*ai eu gagné* mon procès, sans ma mère et Bouilhet, je m'en serais tenu là. (Flaubert.) — 2. Les cinquante hommes de la barricade, depuis seize heures qu'ils étaient là, *avaient eu* vite *épuisé* les maigres provisions du cabaret. (Hugo.) — 3. Quand j'*ai eu fini,* elle m'a dit : « Alors, embrasse-moi. » (Montherlant.) — 4. Quand madame de Vernon *a été partie,* je me suis retrouvée plus mal qu'avant son arrivée. (Mme de Staël.) — 5. La barbe me venait ; et quand elle *a été venue,* je l'ai fait raser. (Diderot.) — 6. On a expulsé un de mes voisins, le père, la mère et quatre enfants jetés à la rue, après que les hommes de loi *ont eu mangé* le bétail, la terre et la maison. (Zola.)

427. — Conjuguer le verbe *finir* aux temps surcomposés de l'indicatif (« quand je... »). (Gr. § 318)

1. Passé surcomposé. Quand j'ai eu fini, quand tu as eu fini, quand il a eu fini, quand nous avons eu fini, quand vous avez eu fini, quand ils ont eu fini.

2. Plus-que-parfait surcomposé. Quand j'avais eu fini, quand tu avais eu fini, quand il avait eu fini, quand nous avions eu fini, quand vous aviez eu fini, quand ils avaient eu fini.

3. Futur antérieur surcomposé. Quand j'aurai eu fini, quand tu auras eu fini, quand il aura eu fini, quand nous aurons eu fini, quand vous aurez eu fini, quand ils auront eu fini.

4. Conditionnel passé surcomposé. Quand j'aurais eu fini, quand tu aurais eu fini, quand il aurait eu fini, quand nous aurions eu fini, quand vous auriez eu fini, quand ils auraient eu fini.

428. — Analyser les formes passives (mode, temps, personne, nombre). (Gr. § 319)

a) 1. Ils *sont protégés* (indic. prés., 3e p. pl.). — 2. Tu *étais blâmé* (indic. imp., 2e p. sing.). — 3. Que nous *soyons aidés* (subj.

prés., 1re p. pl.). — 4. Tu *aurais été admis* (indic. condit. passé, 2e p. sing.). — 5. Qu'il *eût été accompagné* (subj. plus-que-parf., 3e p. sing.). — 6. J'*eus été conduit* (indic. passé antér., 1re p. sing.). — 7. Que *tu fusses ramené* (subj. imparf., 2e p. sing.). — 8. Que tu *aies été instruit* (subj. passé, 2e p. sing.) — 9. *Avoir été trompé* (infinitif passé, sing.).

b) 1. Il *fut pris* (indic. passé simple, 3e p. sing.) en flagrant délit. — 2. Nos efforts *ont été couronnés* (indic. passé comp., 3e p. pl.) de succès. — 3. Nous sommes partis plus tôt qu'il n'*avait été prévu* (indic. plus-que-parf., 3e p. sing.) afin de ne pas *être empêchés* (infinitif prés., pl.) par le mauvais temps. — 4. Que de soins vous *ont été prodigués* (indic. passé comp., 3e p. pl.) par votre mère ! — 5. Le refrain *a été repris* (indic. passé comp., 3e p. sing.) en chœur. — 6. Dès que le signal *eut été donné* (indic. passé antér., 3e p. sing.), nous sommes entrés. — 7. Quand votre jugement *aura été* bien *formé* (indic. futur antér., 3e p. sing.), vous apprécierez plus sainement les choses. — 8. Après *avoir été séduit* (infinitif passé, sing.) par les apparences, tu *serais entraîné* (indic. condit. prés., 2e p. sing.) à prendre le faux pour le vrai. — 9. S'ils *eussent été conseillés* (subj. plus-que-parf., 3e p. pl.), ils ne seraient pas allés à la ruine.

429. — Donner, dans la voix passive, les formes indiquées entre crochets.   (Gr. § 319)

a) 1. [*Indic. imparf., 1re p. pl.*] Être élevé dignement / Nous étions élevés dignement. — 2. [*Fut. simple, 2e p. sing.*] Être récompensé / Tu seras récompensé. — 3. [*Subj. prés., 3e p. sing.*] Être vivement remercié / Qu'il soit vivement remercié. — 4. [*Passé simple, 2e p. pl.*] Être loué / Vous fûtes loués. — 5. [*Impér. prés., 2e p. sing.*] Être pardonné à cause de sa sincérité / Sois pardonné à cause de ta sincérité. — 6. [*Indic. imparf., 2e p. pl.*] Être sévèrement puni / Vous étiez sévèrement punis. — 7. [*Subj. imparf., 3e p. sing.*] Être apprécié à sa juste valeur / Qu'il fût apprécié à sa juste valeur.

b) 1. [*Passé comp., 1re p. sing.*] Être odieusement trompé / J'ai été odieusement trompé. — 2. [*Condit. passé, 3e p. sing.*] Être traité avec honneur / Il aurait été traité avec honneur. — 3. [*Subj. passé, 2e p. pl.*] Être approuvé sans réserve / Que vous ayez été approuvés sans réserve. — 4. [*Infin. passé*] Être condamné sans appel / Avoir été condamné sans appel. — 5. [*Fut. antér., 1re p. sing.*] Être cru sur parole / J'aurai été cru sur parole. — 6. [*Condit. passé, 3e p. pl.*] Être reconnu à son accent / Ils auraient été reconnus à leur accent. — 7. [*Fut. antér., 2e p. sing.*] Être mis au rang des champions / Tu auras été mis au rang des champions.

430. — Mettre au passif et à la forme indiquée les expressions suivantes. (Gr. § 319)

a) 1. [*Indic. imparf., 1ʳᵉ p. sing.*] Féliciter solennellement / J'étais félicité solennellement. — 2. [*Condit. prés., 3ᵉ p. sing.*] Choisir pour arbitre / Il serait choisi pour arbitre. — 3. [*Subj. prés., 2ᵉ p. pl.*] Rappeler au devoir / Que vous soyez rappelés au devoir. — 4. [*Impér. prés., 2ᵉ p. pl.*] Remercier chaleureusement / Soyez remerciés chaleureusement. — 5. [*Part. prés. sing.*] Trouver innocent / Étant trouvé innocent. — 6. [*Passé simple, 3ᵉ p. sing.*] Porter aux nues / Il fut porté aux nues. — 7. [*Subj. imparf., 3ᵉ p. pl.*] Contraindre de partir / Qu'ils fussent contraints de partir.

b) 1. [*Passé comp., 1ʳᵉ p. sing.*] Absoudre à l'unanimité / J'ai été absous à l'unanimité. — 2. [*Indic. p.-q.-parf., 2ᵉ p. pl.*] Obéir ponctuellement / Tu avais été obéi ponctuellement. — 3. [*Subj. passé, 3ᵉ p. pl.*] Soumettre à une épreuve / Qu'ils aient été soumis à une épreuve. — 4. [*Part. prés. pl.*] Déclarer innocent / Étant déclarés innocents. — 5. [*Subj. p.-q.-parf., 2ᵉ p. sing.*] Juger avec bienveillance / Que tu eusses été jugé avec bienveillance. — 6. [*Condit. passé, 1ʳᵉ p. sing.*] Proposer pour un emploi / J'aurais été proposé pour un emploi. — 7. [*Passé antér., 1ʳᵉ p. pl.*] Délivrer de l'oppression / Nous eûmes été délivrés de l'oppression. — 8. [*Subj. passé, 2ᵉ p. sing.*] Récompenser largement / Que tu aies été récompensé largement.

431. — Analyser les formes pronominales (mode, temps, personne, nombre). (Gr. § 320)

a) *Gardons-nous* (impér. prés., 1ʳᵉ p. pl.). — 2. Il *s'évanouira* (indic. futur simple, 3ᵉ p. sing.). — 3. Nous nous *repentirons* (indic. futur simple, 1ʳᵉ p. pl.). — 4. Qu'ils s'*emparent* (subj. prés., 3ᵉ p. pl.). — 5. Tu *te reposas* (indic. passé simple, 2ᵉ p. sing.). — 6. *En s'enorgueillissant* (gérondif prés.). — 7. Vous *vous êtes plaints* (indic. passé comp., 2ᵉ p. pl.). — 8. Qu'il se *fût persuadé* (subj. plus-queparf., 3ᵉ p. sing.). — 9. Je *me serai trompé* (indic. futur antér., 1ʳᵉ p. sing.). — 10. Il *se serait consolé* (indic. condit. passé, 3ᵉ p. sing.).

b) 1. Je voudrais que chacun de vous *s'appliquât* (subj. imparf., 3ᵉ p. sing.) davantage. — 2. En *se plaignant* (gérondif prés.), on *se console* (indic. prés., 3ᵉ p. sing.). — 3. *Souviens-toi* (impér. prés., 2ᵉ p. sing.) de *te méfier* (infin. prés.). — 4. À peine *se furent*-ils *aperçus* (indic. passé antér., 3ᵉ p. pl.) de leur erreur qu'ils *se repentirent* (indic. passé simple, 3ᵉ p. pl.) de leur légèreté. — 5. Que tu *te sois mis* (subj. passé, 2ᵉ p. sing.) dans ton tort, la chose est évidente. — 6. J'aurais souhaité qu'ils *se fussent abstenus* (subj. plus-queparf., 3ᵉ p. pl.) de toute critique.

432. — Employer à la forme indiquée les expressions suivantes.

(Gr. § 320)

a) 1. [*Indic. pr., 2ᵉ p. sing.*] Ne pas se moquer des malheureux / Tu ne te moques pas des malheureux. — 2. [*Subj. pr., 3ᵉ p. sing.*] Se dévouer sans compter / Qu'il se dévoue sans compter. — 3. [*Subj. pr., 3ᵉ p. sing.*] Ne pas s'arroger des droits excessifs / Qu'il ne s'arroge pas des droits excessifs. — 4. [*Indic. p.-q.-parf., 1ʳᵉ p. pl.*] S'acquitter de son devoir / Nous nous étions acquittés de notre devoir. — 5. [*Fut. ant., 2ᵉ p. pl.*] S'exercer à la patience / Vous vous serez exercés à la patience. — 6. [*Condit. passé, 2ᵉ p. pl.*] Se rappeler une histoire / Vous vous seriez rappelé une histoire. — 7. [*Condit. passé, 1ʳᵉ p. sing.*] Ne pas se décourager / Je ne me serais pas découragé.

b) 1. [*Passé simple, 1ʳᵉ p. pl.*] S'en aller promptement / Nous nous en allâmes promptement. — 2. [*Subj. imparf., 3ᵉ p. sing.*] Se détourner de son chemin / Qu'il se détournât de son chemin. — 3. [*Passé comp., 3ᵉ p. pl.*] Se démettre de ses fonctions / Ils se sont démis de leurs fonctions. — 4. [*Infin. passé*] Se permettre d'intervenir / S'être permis d'intervenir. — 5. [*Indic. imparf., 1ʳᵉ p. pl.*] S'exagérer la difficulté / Nous nous exagérions la difficulté. — 6. [*Passé simple, 3ᵉ p. pl.*] Se cantonner dans l'expectative / Ils se cantonnèrent dans l'expectative. — 7. [*Passé comp., 3ᵉ p. sing.*] S'adonner à la peinture / Il s'est adonné à la peinture.

433. — Donner tous les temps des verbes suivants, verbes impersonnels ou construits impersonnellement.

(Gr. § 321)

1. Pleuvoir. Il pleut, il a plu, il pleuvait, il avait plu, il plut, il eut plu, il pleuvra, il aura plu, il pleuvrait, il aurait plu, qu'il pleuve, qu'il plût, qu'il ait plu, qu'il eût plu, pleuvoir, avoir plu, pleuvant, ayant plu.

2. Falloir. Il faut, il a fallu, il fallait, il avait fallu, il fallut, il eut fallu, il faudra, il faudrait, il aura fallu, il aurait fallu, qu'il faille, qu'il fallût, qu'il ait fallu, qu'il eût fallu, falloir, avoir fallu, (pas de part. présent), ayant fallu.

3. Geler. Il gèle, il a gelé, il gelait, il avait gelé, il gela, il eut gelé, il gèlera, il aura gelé, il gèlerait, il aurait gelé, qu'il gèle, qu'il gelât, qu'il ait gelé, qu'il eût gelé, geler, avoir gelé, gelant, ayant gelé.

4. Arriver. Il arrive, il est arrivé, il arrivait, il était arrivé, il arriva, il fut arrivé, il arrivera, il sera arrivé, il arriverait, il serait arrivé, qu'il arrive, qu'il arrivât, qu'il soit arrivé, qu'il fût arrivé, arriver, être arrivé, arrivant, étant arrivé.

5. Se rencontrer. Il se rencontre, il s'est rencontré, il se rencontrait, il s'était rencontré, il se rencontra, il se fut rencontré, il se rencontrera, il se sera rencontré, il se rencontrerait, il se serait rencontré, qu'il se rencontre, qu'il se rencontrât, qu'il se soit rencontré, qu'il se fût rencontré, se rencontrer, s'être rencontré, se rencontrant, s'étant rencontré.

434. — Mettre à la forme indiquée les verbes en italiques. (Gr. § 321)

1. Il *faudrait* [condit. prés.] que chacun eût une devise. — 2. Garde-toi de t'énerver quand il *convient* [indic. prés.] de garder ton calme. — 3. Il ne *siérait* [condit. prés.] pas que vous adoptiez des façons arrogantes. — 4. Il *se fit* [passé simple] alors un grand silence. — 5. Il ne *sera* pas *dit* [fut. simple, passif impers.] que je vous refuserai ce service. — 6. Il *s'est débité* [passé comp.] bien des paroles inutiles dans cette réunion. — 7. Quand même il *pleuvrait* [condit. prés.] des hallebardes, je partirai ! — 8. À certaines époques troublées, il *a surgi* [passé comp.] des personnages clairvoyants qui ont su tirer leur pays de l'ornière.

435. — Mettre à la forme interrogative, de deux manières quand c'est possible, les formes verbales suivantes. (Gr. §§ 322 et 300, 302)

a) 1. **Je travaille.** Travaillé-je ? Est-ce que je travaille ? — 2. **Je rêve.** Rêvé-je ? Est-ce que je rêve ? — 3. **Il parlera.** Parlera-t-il ? Est-ce qu'il parlera ? — 4. **Tu mettrais.** Mettrais-tu ? Est-ce que tu mettrais ? — 5. **On commence.** Commence-t-on ? Est-ce qu'on commence ? — 6. **Il convainc.** Convainc-t-il ? Est-ce qu'il convainc ?

b) 1. **Je dis.** Dis-je ? Est-ce que je dis ? — 2. **On verra.** Verra-t-on ? Est-ce qu'on verra ? — 3. **Je cours.** Est-ce que je cours ? — 4. **Je m'endors.** Est-ce que je m'endors ? — 5. **Il avance.** Avance-t-il ? Est-ce qu'il avance ? — 6. **Elle écouta.** Écouta-t-elle ? Est-ce qu'elle écouta ?

436. — Mettre les phrases suivantes à la forme interrogative positive (deux manières). (Gr. §§ 322 et 302)

a) 1. **Tu marches posément.** Marches-tu posément ? Est-ce que tu marches posément ? — 2. **Nous n'avons rien à nous reprocher.** Avons-nous quelque chose à nous reprocher ? Est-ce que nous avons quelque chose à nous reprocher ? — 3. **Les savants atteindront les dernières limites de la science.** Les savants atteindront-ils les dernières limites de la science ? Est-ce que les savants atteindront les dernières limites de la science ? — 4. **Je sais ce que l'avenir me réserve.** Sais-je ce que l'avenir me réserve ? Est-ce que je sais ce que l'avenir me réserve ? — 5. **Je dois croire ce que vous avancez.** Dois-je croire ce que vous avancez ? Est-ce que je dois croire ce que vous avancez ? — 6. **Vous oserez dire toute la vérité.** Oserez-vous dire toute la vérité ? Est-ce que vous oserez dire toute la vérité ?

b) 1. **On devra se conformer à votre avis.** Devra-t-on se conformer à votre avis ? Est-ce qu'on devra se conformer à votre avis ? — 2. **Nous avons quelque moyen de nous tirer de ce mauvais pas.** Avons-nous quelque moyen de nous tirer de ce mauvais pas ? Est-ce que nous avons quelque moyen de nous tirer de ce mauvais pas ? — 3. **La peur se corrige.** La peur se corrige-t-elle ? Est-ce que la peur se corrige ? — 4. **Nous avons contemplé le ciel étoilé.** Avons-nous contemplé le ciel étoilé ? Est-ce que nous avons contemplé le ciel étoilé ? — 5. **J'aurais pu croire une telle affirmation.** Aurais-je pu croire une telle affirmation ? Est-ce que j'aurais pu croire une telle affirmation ?

437. — Mettre les phrases suivantes à la forme interrogative négative (deux manières). (Gr. §§ 322 et 302)

1. **Le chien est semblable au loup.** Le chien n'est-il pas semblable au loup ? Est-ce que le chien n'est pas semblable au loup ? — 2. **Les hommes sont tous frères.** Les hommes ne sont-ils pas tous frères ? Est-ce que les hommes ne sont pas tous frères ? — 3. **La science humaine est toujours courte par quelque endroit.** La science humaine n'est-elle pas toujours courte par quelque endroit ? Est-ce que la science humaine n'est pas toujours courte par quelque endroit ? — 4. **Tu dois te connaître toi-même.** Ne dois-tu pas te connaître toi-même ? Est-ce que tu ne dois pas te connaître toi-même ? — 5. **Quiconque a des droits a aussi des devoirs.** Quiconque a des droits n'a-t-il pas aussi des devoirs ? Est-ce que quiconque a des droits n'a pas aussi des devoirs ? — 6. **Prévenir vaut mieux que guérir.** Prévenir ne vaut-il pas mieux que guérir ? Est-ce que prévenir ne vaut pas mieux que guérir ? — 7. **Nos connaissances sont une vraie richesse.** Nos connaissances ne sont-elles pas une vraie richesse ? Est-ce que nos connaissances ne sont pas une vraie richesse ?

438. — Remplacer les trois points par la finale convenable : -*u* ou -*û*, et faire l'accord. (Gr. § 325)

a) 1. Le respect est *dû* à la vieillesse. — 2. Les savants de notre siècle ont prodigieusement *accru* le patrimoine des connaissances scientifiques. — 3. Devant cet affreux spectacle je sens mon âme *émue.* — 4. Les mauvaises herbes qui ont *recrû* dans un parterre sont soigneusement extirpées par le jardinier. — 5. Une faveur qui avait *crû* rapidement est tombée tout d'un coup : elle n'était pas *due* à un mérite réel. — 6. On n'estime guère ceux qui sont *mus* par l'intérêt.

b) 1. Le lieutenant Bernard a été *promu* au grade de capitaine. — 2. Il y a des gens qui se persuadent que tout leur est *dû.* — 3. La rivière a *crû* rapidement ; elle n'a *décru* que lentement. — 4. L'avare est content quand son bien s'est *accru* par quelque sordide économie. — 5. Un esprit *mû* par une passion violente n'est guère apte à juger sainement.

439. — Écrire aux trois personnes du singulier de l'indicatif présent les expressions suivantes (verbes en -*indre* et en -*soudre*). (Gr. § 325)

1. **Atteindre le but.** J'atteins le but, tu atteins le but, il atteint le but. — 2. **Éteindre le feu.** J'éteins le feu, tu éteins le feu, il éteint le feu. — 3. **Absoudre l'accusé.** J'absous l'accusé, tu absous l'accusé, il absout l'accusé. — 4. **Résoudre de partir.** Je résous de partir, tu résous de partir, il résout de partir. — 5. **Plaindre les malheureux.** Je plains les malheureux, tu plains les malheureux, il plaint les malheureux. — 6. **Dissoudre l'assemblée.** Je dissous l'assemblée, tu dissous l'assemblée, il dissout l'assemblée.

440. — Mettre à la forme indiquée les verbes en italiques. (Gr. § 325)

a) 1. On n'*enfreint* [indic. prés.] pas impunément les lois de la nature. — 2. L'amour maternel nous *absout* [indic. prés.] volontiers de nos fautes. — 3. Voici l'aube : la lumière *point* [indic. prés.] là-bas et blanchit la colline. — 4. Tu *résous* [indic. prés.] ton problème. — 5. Après la mort d'Alexandre, son empire fut *dissous* [part. passé]. — 6. Tu *te plains* [indic. présent] de ta question, mais je *crains* [indic. prés.] qu'une autre question ne te rende pas plus heureux. — 7. Certaines personnes, à quatre-vingts ans, ont encore un enthousiasme qui ne *s'éteint* [indic. prés.] pas.

b) 1. La majeure partie des grands écrivains de France ont *peint* [part. passé] les mœurs de leur temps. (G. Duhamel.) — 2. La puissante lumière de l'été s'empare, pour de tels jeux, du moindre objet, l'exhume, le glorifie, ou le *dissout* [indic. prés.]. (Colette.) — 3. Il *absout* [indic. prés.] pour la terre et j'*absous* [indic. prés.] pour le ciel. (Hugo.) — 4. L'histoire ne *résout* [indic. prés.] pas les questions, elle nous apprend à les examiner. (Fustel de Coulanges.) — 5. Le vent d'avril est si brutal et les nuages volent si vite que le soleil s'allume et *s'éteint* [indic. prés.] tour à tour, comme la lampe d'un phare. (G. Duhamel.) — 6. Il étendit un bras de bronze, une main aux doigts délicats que le soleil a *teints* [passé comp.]. (Colette.) — 7. Je sentais que la femme très belle ou très bonne *résout* [indic. prés.] complètement, pour son compte, le problème qu'avec toute notre force de tête nous ne faisons que gâcher. (Renan.)

441. — Mettre à la forme indiquée les verbes en italiques (verbes en -*dre*, *battre*, *vaincre*, etc.). (Gr. § 325)

a) 1. *Bats* [impér. prés., 2ᵉ p. du sing.] le fer quand il est chaud ; ne *remets* [impér. prés., 2ᵉ p. du sing.] pas à demain ce que tu peux faire aujourd'hui. — 2. Ce bosquet *rompt* [indic. prés.] l'uniformité du paysage. — 3. Votre argument ne me *convainc* [indic. prés.]

guère. — 4. Si tu *prétends* [indic. prés.] raisonner droit, *prends* [impér. prés.] une connaissance exacte des faits. — 5. Ne *vendons* [impér. prés., 1re p. du pl.] pas la peau de l'ours avant d'avoir tué l'animal. — 6. Celui qui *vainc* [indic. prés.] sans péril triomphe sans gloire.

b) 1. Un chien qui aboie ne *mord* [indic. prés.] pas. — 2. Je plie et ne *romps* [indic. prés] pas, dit le roseau de la fable au chêne orgueilleux. — 3. Le médecin me *défend* [indic. prés.] de fumer. — 4. Si tu *vaincs* [indic. prés.] l'adversaire que tu *combats* [indic. prés.], tu seras le champion. — 5. Je *prends* [indic. prés.] toujours le taureau par les cornes.

442. — Mettre les verbes suivants (en *-aître*, *-oître*) à la forme demandée. (Gr. § 325)

a) À l'indicatif présent : 1. Il *naît*. — 2. Tu *connais*. — 3. Je *parais*. — 4. J'*accrois*. — 5. Il *accroît*. — 6. Tu *croîs* en sagesse. — 7. Il *croît*. — 8. Ils *apparaissent*. — 9. Tu *reparais*.

b) Au futur simple : 1. Je *paraîtrai*. — 2. Nous *reconnaîtrons*. — 3. Il *croîtra*. — 4. Je *disparaîtrai*. — 5. Tu *renaîtras*. — 6. Il *se repaîtra*. — 7. Je *connaîtrai*.

443. — Mettre à la forme indiquée les verbes en italiques (verbes en *-aître*, *-oître*, *-ire*). (Gr. § 325)

a) 1. À l'œuvre on *connaît* [indic. prés.] l'artisan. — 2. On *naît* [indic. prés.] poète, on devient orateur. — 3. César *réduisit* [passé simple] la Gaule après huit années de luttes. — 4. Au XVIe siècle, notre vocabulaire *s'accrut* [passé simple] d'un grand nombre de termes italiens. — 5. Caton demandait sans cesse qu'on *détruisît* [subj. imparf.] Carthage. — 6. Plus tu *accroîtras* [fut. simple] ton capital de connaissances, plus tu augmenteras tes chances de réussir. — 7. On ne *croît* [indic. prés.] pas nécessairement en sagesse parce qu'on *croît* [indic. prés.] en âge.

b) 1. Le cœur a ses raisons, que la raison ne *connaît* [indic. prés.] point, a dit Pascal. — 2. « Il me *paraît* [indic. prés.] que la promenade est précisément un besoin des Français » : Montesquieu *écrirait-il* [cond. prés.] encore cela aujourd'hui ? — 3. Le bois qui, dans le même terrain, *croît* [indic. prés.] le plus vite est le plus fort ; celui qui *a crû* [passé comp.] lentement est plus faible que l'autre. (Buffon.) — 4. Brillat-Savarin, célèbre gastronome, *écrivait* [indic. imparf.] que l'homme mange alors que l'animal *se repaît* [indic. prés.].

444. — Mettre les verbes à la forme demandée.   (Gr. § 326, lettre A)

a) 1. *Qu'il aille,* subj. prés., 3ᵉ p. sing. — 2. *Ils assiéront* (ou *ils assoiront*), fut. simple, 3ᵉ p. pl. — 3. *Il s'abstint,* passé simple, 3ᵉ p. sing. — 4. *J'acquerrai,* fut. simple, 1ʳᵉ p. sing. — 5. *Il apparaîtrait,* condit. prés., 3ᵉ p. sing. — 6. *Qu'il absolve,* subj. prés., 3ᵉ p. sing.

b) 1. *Ils ont attendu,* passé comp., 3ᵉ p. pl. — 2. *Va-t'en,* impér. prés., 2ᵉ p. sing. — 3. *Nous accueillerons,* fut. simple, 1ʳᵉ p. pl. — 4. *Il accroît,* indic. prés., 3ᵉ p. sing. — 5. *Que nous asseyions* (ou *que nous assoyions*), subj. prés., 1ʳᵉ p. pl. — 6. *Que j'acquière,* subj. prés., 1ʳᵉ p. sing.

c) 1. Nous *absoudrons* [fut. simple] le coupable, mais pour que nous l'*absolvions* [subj. prés.], il faut qu'il se repente. — 2. Dans le doute, tu t'*abstiendras* [fut. simple]. — 3. En quelque endroit que nous *allions* [subj. présent], nous portons avec nous notre ennui. — 4. Nous n'*assiérons* (ou *assoirons*) [fut. simple] pas notre jugement sur de simples présomptions. — 5. Dans peu d'années, ce terrain *acquerra* [fut. simple] de la valeur. — 6. Les supporters encourageaient leur favori en criant : « *Vas* [impér. prés.]-y, Léon ! »

d) 1. Quand la faute *a été absoute* [passé comp., passif], il ne faut plus y revenir. — 2. Quand le malheur t'*assaillira* [fut. simple], garde l'espérance. — 3. Si un malheureux sollicite notre aide, nous l'*accueillerons* [fut. simple] avec bonté. — 4. L'avare *acquerra* [fut. simple] constamment de nouveaux biens, mais son avidité s'*accroîtra* [fut. simple] avec sa richesse. — 5. Il convient que nous *allions* [subj. prés.] des choses simples aux choses difficiles. — 6. Si tu t'*astreignais* [indic. imparf.] à faire de nouveaux efforts, tu *irais* [condit. prés.] de progrès en progrès.

445. — Mettre les verbes à la forme indiquée. (Gr. § 326, *battre-coudre*)

a) 1. *Bats* [impér. prés., 2ᵉ p. sing.] le fer quand il est chaud et ne *compromets* [id.] pas le succès de ton entreprise. — 2. Comment jugerait-on sainement quand on *bout* [indic. prés.] de colère ? — 3. Il se trouvera toujours des ânes qui *brairont* [fut. simple] contre la science. — 4. La science *a conquis* [passé comp.] bien des domaines, elle en *conquerra* [fut. simple] encore de nouveaux. — 5. Nous *connaissons* [indic. prés.]-nous bien nous-mêmes ? — 6. Je ne *conclurai* [fut. simple] pas sans avoir mûrement réfléchi.

b) 1. L'égoïste ne pense qu'à soi : peu lui *chaut* [indic. prés.] le bonheur de son entourage. — 2. Une difficulté vous arrête-t-elle ? *circonscrivez* [impér. prés., 2ᵉ p. pl.]-la exactement. — 3. *Conduisez* [impér. prés., 2ᵉ p. pl.] avec ordre vos pensées : *vous conclurez* [fut. simple] avec plus de certitude. — 4. Serait-ce un bien que nous *connaissions* [subj. prés.] l'avenir ? — 5. Dans les discussions, ne *contredisez* [impér. prés., 2ᵉ p. pl.] pas brutalement : on *convainc* [indic. prés.] mieux par la douceur que par la violence. — 6. La brise *bruissait* [indic. imparf.] dans les peupliers. — 7. Tu *couds* [indic. prés.] à trop grands points.

c) 1. *Nous bouillions* d'impatience [indic. imparf., 1re p. pl.]. — 2. *Il clôt* la lettre [indic. prés., 3e p. sing.]. — 3. *Qu'il se conquière* lui-même [subj. prés., 3e pers. sing.]. — 4. *Je conclurais* sans délai [condit. prés., 1re p. sing.]. — 5. *Je cousis* à la machine [passé simple, 1re p. sing.]. — 6. *Vous contredisez* ce témoignage [indic. prés., 2e p. pl.]. — 7. *Vous connaîtrez* le bonheur [fut. simple, 2e p. pl.]. — 8. *Il se complaît* en lui-même [indic. prés., 3e p. sing.]. — 9. *Il convainc* un contradicteur [indic. prés., 3e p. sing.]. — 10. *Que nous buvions* le calice jusqu'à la lie [subj. prés., 1re p. pl.].

446. — Mettre les verbes à la forme indiquée.

(Gr. § 326, *abattre-coudre*)

Bonjour, printemps !

Déjà une brise plus tiède *bruit* [indic. prés.] dans les jeunes feuillages et des courants nouveaux *conduisent* [indic. prés.] les mystérieuses impulsions du printemps. Mille oiseaux *accueillent* [indic. prés.] les présages des beaux jours ; ils *battent* [indic. prés.] des ailes *en attendant* [gérondif prés.] que le doux flux de l'air *accoure* [subj. prés.] de l'horizon et que le soleil *boive* [subj. prés.] les dernières humidités de l'hiver.

Tout les *convainc* [indic. prés.] que d'heureux moments *apparaîtront* [fut. simple] sans tarder. Ils *confondent* [indic. prés.] leurs ramages et *apprennent* [indic. prés.] de joyeuses ritournelles ; dans peu de jours, ils *acquerront* [fut. simple] toute leur maîtrise : ils *accroîtront* [fut. simple] d'autant leur répertoire et *concourront* [fut. simple] dans le festival des mélodies renouvelées. Ils *vont* [indic. prés.] et viennent dans les branchages et *bouillent* [indic. prés.] d'impatience en songeant aux nids qu'ils *construiront* [fut. simple] bientôt avec amour.

447. — Mettre les verbes à la forme indiquée. (Gr. § 326, *courir-dormir*)

a) 1. L'ombre *croît* [indic. prés.] et remplit peu à peu la vallée. — 2. Nous ne *courrons* [fut. simple] pas deux lièvres à la fois. — 3. Nous *craignions* [indic. imparf.] d'être surpris par l'orage. — 4. En avril, si nous en *croyions* [indic. imparf.] le dicton, nous ne nous *découvririons* [condit. prés.] pas d'un fil. — 5. On *a dissous* [passé comp.] l'assemblée ; elle *n'a été dissoute* [passé comp., passif] qu'après une longue délibération. — 6. Si vous vous *dédisez* [indic. prés.] toujours, comment *croyez* [indic. prés.]-vous que vous inspirerez confiance ?

b) 1. Si vous ne *dites* [indic. prés.] que la moitié de la vérité, vous ne *devrez* [fut. simple] pas vous étonner qu'on en *déduise* [subj. prés.] que vous êtes un demi-menteur. — 2. Un homme maître de lui ne se *départ* [indic. prés.] jamais de son calme. — 3. Elle se *disait* [indic. imparf.] qu'elle *déchoirait* [condit. prés.] si elle acceptait ce compromis. — 4. Tu ne *cueilleras* [fut. simple] pas les fleurs en bouton. — 5. Il *cuisit* [passé simple] lui-même sa côte de porc. — 6. En Allemagne, pendant les marches, à chaque halte, les soldats organisent des danses qui les *distraient* (ou *distrayent*) [indic. prés.], les reposent et les maintiennent en forme. (Apollinaire.)

c) 1. *Ils conquerront* l'espace [fut. simple, 3ᵉ p. pl.]. — 2. *Nous croyions* au succès [indic. imparf., 1ʳᵉ p. pl.]. — 3. *Qu'il dise* la vérité [subj. prés., 3ᵉ p. sing.]. — 4. *Nous devînmes* pâles [passé simple, 1ʳᵉ p. pl.]. — 5. *Ils crûrent* en importance [passé simple, 3ᵉ p. pl.]. — 6. *Nous défaillions* de terreur [indic. imparf., 1ʳᵉ p. pl.]. — 7. *Il se départ* de son arrogance [indic. prés., 3ᵉ p. sing.].

448. — Mettre les verbes à la forme indiquée.   (Gr. § 326, A-D)

Les petites vanités

Les petites vanités *croissent* [indic. prés.] à mesure que la valeur réelle *décroît* [indic. prés.] ; elles *apparaissent* [indic. prés.] d'ordinaire chez les gens qui jamais n'*acquerront* [fut. simple] aucune des qualités solides qui *convinrent* [passé simple] de tout temps aux hommes de mérite. Ah ! si ces gens ne *bouillaient* [indic. imparf.] pas d'une sorte d'impatience de paraître, on n'*apercevrait* [condit. prés.] peut-être pas leur médiocrité ; un peu de modestie *concourrait* [condit. prés.] même à leur donner un certain charme.

Mais hélas ! souvent la médiocrité *se complaît* [indic. prés.] dans l'admiration d'elle-même et *se convainc* [indic. prés.] qu'il est légitime qu'elle *acquière* [subj. prés.] une réputation.

449. — Mettre les verbes à la forme indiquée.   (Gr. § 326, E-F)

a) 1. Les savants d'aujourd'hui *envoient* [indic. prés.] dans l'espace des fusées fantastiques. — 2. Qu'il *faille* [subj. prés.] se défier des flatteurs, on en convient, mais on ne les *fuit* [indic. prés.] guère. — 3. Ne *faites* [impér. prés.] pas à autrui ce que vous ne voudriez pas qu'on vous *fît* [subj. imparf.] à vous-mêmes. — 4. Quand tu *enverras* [fut. simple] une lettre, tu la reliras avant de la mettre à la poste. — 5. Nous *exclurons* [fut. simple] cet arrangement, car il nous est trop défavorable.

b) 1. Comment nous *émouvraient* [condit. prés.]-ils s'ils ne *sont* pas *émus* [indic. prés. passif] eux-mêmes ? — 2. Il faut que vous *envoyiez* [subj. prés.] immédiatement votre approbation. — 3. Je m'*enquiers* [indic. prés.] de votre santé *en* vous *écrivant* [gérondif]. — 4. Qu'il *faille* [subj. prés.] deux heures pour faire cet exercice, je n'en crois rien. — 5. Elle *s'enfuit* [passé simple] quand elle *entrevit* [passé simple] cette voisine ennuyeuse. — 6. En dépassant les vitesses permises, il *encourra* [fut. simple] une contravention.

c) 1. *Je* ne *faillirai* pas à ma promesse [fut. simple, 1re p. sing.]. — 2. *J'éconduisais* un importun [indic. imparf., 1re p. sing.]. — 3. *Nous entrevoyions* la vérité [indic. imparf., 1re p. pl.]. — 4. *Ils s'enfuirent* au plus vite [passé simple, 3e p. pl.]. — 5. *Ils élurent* un président [passé simple, 3e p. pl.]. — 6. *Je m'enquerrai* de la vérité d'un fait [fut. simple, 1re p. sing.]. — 7. *J'entrouvris* la porte [passé simple, 1re p. sing.]. — 8. *Nous feignions* l'étonnement [indic. imparf., 1re p. pl.]. — 9. *Nous encourrions* le mépris public [condit. prés., 1re p. pl.]. — 10. *Je fleurissais* ma boutonnière [indic. imparf., 1re p. sing.].

450. — Conjuguer à haute voix à l'indicatif présent : 1° *envoyer* ; 2° *dire* ; 3° *faire*. (Gr. § 326)

1° J'envoie [-wA]	2° Je dis	3° Je fais
Tu envoies [-wA]	Tu dis	Tu fais
Il envoie [-wA]	Il dit	Il fait
Nous envoyons	Nous disons	Nous faisons [fəzɔ̃]
Vous envoyez	Vous dites	Vous faites
Ils envoient [-wA]	Ils disent	Ils font

451. — Mettre les verbes à la forme indiquée. (Gr. § 326, *geindre-paître*)

a) 1. Vous ne *médisez* [indic. prés.] de personne. — 2. Que de trésors *gisent* [indic. prés.] au fond des mers ! — 3. Certains fermiers *moulent* [indic. prés.] eux-mêmes les grains destinés à la nourriture de la volaille. — 4. J'aime à voir les troupeaux *paissant* [part. prés.] sur la colline. — 5. Balzac s'amusait de ce proverbe : « Dis-moi qui tu hantes, je te dirai qui tu *hais* [indic. prés.]. » — 6. Le malade *geignait* [indic. imparf.] quand on *mouvait* [indic. imparf.] son lit.

b) 1. Tant qu'il *naît* [indic. prés.] autant de personnes qu'il en *meurt* [indic. prés.], la population *se maintient* [indic. prés.]. — 2. Les vaches *paissaient* [indic. imparf.] tranquillement dans le pré. — 3. Vous *interdisez* [indic. prés.] aux autres d'écouter la musique que vous *haïssez* [indic. prés.]. — 4. Vous *mourrez* [fut. simple] sans *avoir nui* [infin. passé] à vos semblables. — 5. Le chien *se méprit* [passé simple] sur mes intentions et me *mordit* [passé simple] la main cruellement.

c) 1. *Ils moudraient* leur blé [condit. prés., 3e p. pl.]. — 2. *Vous interdisez* le passage [indic. prés., 2e p. pl.]. — 3. *Ils luisirent* dans l'obscurité [passé simple, 3e p. pl.]. — 4. *Qu'il maintienne* l'ordre [subj. prés., 3e p. sing.]. — 5. *Je* ne *méconnaîtrai* pas le mérite [fut. simple, 1re p. sing.]. — 6. *Nous* ne *maudissons* pas notre destinée [indic. prés., 1re p. pl.]. — 7. *Je lus* [passé simple, 1re p. sing.] le journal.

452. — Mettre les verbes à la forme indiquée.

(Gr. § 326, *paraître-reparaître*)

a) 1. Dès que le jour *point* [indic. prés.], les oiseaux commencent leur concert. — 2. Il ne faut pas que la faveur *prévale* [subj. prés.] sur le mérite. — 3. La Suisse me *plaît* [indic. prés.] beaucoup ; je *prévoirai* [fut. simple], pour les prochaines vacances, un séjour dans le Valais. — 4. Comme notre expérience est limitée, nous *recourrons* [fut. simple] à celle d'autrui. — 5. Si vous *prédisez* [indic. prés.] ce qui se produira, *prenez* [impér. prés.] soin de bien réfléchir. — 6. Le chien *perçoit* [indic. prés.] des odeurs et des sons que nous ne *pourrions* [condit. prés.] distinguer.

b) 1. L'ambitieux souhaite que les honneurs *pleuvent* [subj. prés.] sur lui. — 2. La direction *pourvoira* [fut. simple] au remplacement du professeur. — 3. Le médecin a *prescrit* [passé comp.] un long repos. — 4. Sa prévoyance *pourvut* [passé simple] à tout. — 5. J'avais craint que les Alibert ne la *pussent* [subj. imparf.] souffrir. (H. Bosco.) — 6. D'où qu'ils *provinssent* [subj. imparf.], décidément ils ne pensaient qu'à cela. (Céline.)

453. — Mettre à la forme demandée les verbes suivants.

(Gr. § 326, *paraître-reparaître*)

a) À la 3ᵉ p. du sing. de l'indic. prés. : 1. Plaire. *Il plaît.* — 2. Prévaloir. *Il prévaut.* — 3. Poindre. *Il point.* — 4. Renvoyer. *Il renvoie.* — 5. Recueillir. *Il recueille.* — 6. Se rasseoir. *Il se rassied* (ou *il se rassoit*).

b) À la 3ᵉ p. du sing. du passé simple : 1. Reparaître. *Il reparut.* — 2. Reluire. *Il reluisit.* — 3. Proscrire. *Il proscrivit.* — 4. Recoudre. *Il recousit.* — 5. Recourir. *Il recourut.* — 6. Prévoir. *Il prévit.*

c) À la 3ᵉ p. du pl. du futur simple : 1. Parcourir. *Ils parcourront.* — 2. Pourvoir. *Ils pourvoiront.* — 3. Prévaloir. *Ils prévaudront.* — 4. Prévoir. *Ils prévoiront.* — 5. Recourir. *Ils recourront.* — 6. Recoudre. *Ils recoudront.*

454. — Mettre les verbes à la forme indiquée.

(Gr. § 326, *repartir-subvenir*)

a) 1. Lorsqu'un balcon *saille* [indic. prés.] exagérément sur le mur, l'harmonie de la façade en est gâtée. — 2. Une broderie bleue *ressort* [indic. prés.] bien sur un fond gris. — 3. Des raisons littéraires n'ont pas grand-chose à voir avec des questions qui *ressortissent* [indic. prés.] à la politique. — 4. La science ne *résout* [indic. prés.]

pas tous les problèmes. — 5. Des eaux vives *saillissent*[6] [indic. prés.] de la fente de ce rocher. — 6. Je me *ressouviens* [indic. prés.] avec plaisir de mon voyage au Québec.

b) 1. Je ne *sache* [subj. prés.] pas qu'il existe des méthodes faciles pour apprendre les choses difficiles. — 2. La justice demande qu'on *répartisse* [subj. prés.] équitablement les impôts entre les citoyens. — 3. Si quelqu'un vous *repart* [indic. prés.] par des injures, gardez-vous de répliquer sur le même ton. — 4. Quand la nécessité *requiert* [indic. prés.] que vous *restreigniez* [subj. prés.] votre train de vie, *sachez* [impér. prés., 2ᵉ p. pl.] vous imposer des sacrifices. — 5. Il faudra que nous *repeignions* [subj. prés.] nos portes et que nous *revêtions* [subj. prés.] nos allées d'une couche de gravier. — 6. Les façons hautaines ne *siéent* [indic. prés.] à personne.

c) 1. *Nous secourrons* les indigents [fut. simple, 1ʳᵉ p. pl.]. — 2. *Souviens-toi* de te méfier [impér. prés., 2ᵉ p. sing.]. — 3. *Tu ressens* une grande joie [indic. prés., 2ᵉ p. sing.]. — 4. *Il résout* le problème [indic. prés., 3ᵉ p. sing.]. — 5. *Qu'il se serve* d'une équerre [subj. prés., 3ᵉ p. sing.]. — 6. *Nous riions* sous cape [indic. imparf., 1ʳᵉ p. pl.].

455. — Mettre les verbes à la forme indiquée.

(Gr. § 326, *suffire-vouloir*)

a) 1. Si la culpabilité de l'accusé restait douteuse, le tribunal *surseoirait* [condit. prés.] à l'exécution de l'arrêt. — 2. Les grands écrivains *se survécurent* [passé simple] toujours dans leurs chefs-d'œuvre. — 3. Un travail acharné *vainc* [indic. prés.] les plus grandes difficultés. — 4. Quand je suis entré dans l'étable, la femme *trayait* [indic. imparf.] les vaches. — 5. En revoyant sa maison natale, l'exilé *tressaillira* [fut. simple] d'allégresse.

b) 1. Il *a suffi* [passé comp.] de quelques minutes. — 2. Le vieillard *se vêtait* [indic. imparf.] lentement. — 3. Napoléon *vainquit* [passé simple] Blücher à Ligny. Blücher *vaincra* [fut. simple] Napoléon à Waterloo. — 4. Pour que vous *valiez* [subj. prés.] votre frère, il faut que vous *suiviez* [subj. prés.] ses traces. — 5. Des voitures roulaient sur le quai à leurs pieds sans qu'ils les *vissent* [subj. imparf.]. (Maupassant.) — 6. Lohénec avait consenti à ce que je *vécusse* [subj. imparf.] avec eux. (J. Borel.)

c) 1. *Suivons* le bon chemin [impér. prés., 1ʳᵉ p. pl.]. — 2. *Que nous valions* quelque chose [subj. prés., 1ʳᵉ p. pl.]. — 3. *Il vêtait* les indigents [indic. imparf., 3ᵉ p. sing.]. — 4. *Ils vécurent* des jours d'angoisse [passé simple, 3ᵉ p. pl.]. — 5. *Que nous voyions* bien clair [subj. prés., 1ʳᵉ p. pl.]. — 6. *Nous surseoirons* à l'exécution [fut.

---

6. *Saillent*, malgré l'avis des grammairiens, est fréquent. (Cf. *Le bon usage*, 12ᵉ éd., § 810, *a*, 1°.)

simple, 1re p. pl.]. — 7. *Tu tressaillirais* de bonheur [condit. prés., 2e p. sing.]. — 8. *Il vainc* sa timidité [indic. prés., 3e p. sing.].

456. — Mettre les verbes à la forme indiquée (récapitulation).

(Gr. § 326)

a) 1. Dans l'air du soir, les marronniers *bruissaient* [indic. imparf.] doucement. — 2. L'accent d'un homme sincère *émouvra* [fut. simple] toujours. — 3. Nous *nous assîmes* [passé simple] sur le bord d'un fossé. — 4. Il y a des difficultés qu'on ne *vainc* [indic. prés.] qu'au prix d'une énergie extrême. — 5. Que vous le *vouliez* [subj. prés.] ou non, je *ferai* [fut. simple] ce que j'*ai promis* [passé composé]. — 6. Le bois des vieilles poutres *se dissout* [indic. prés.] en poussière.

b) 1. Si nous *voyions* [indic. imparf.] bien les événements présents, nous *prévoirions* [condit. prés.] mieux l'avenir. — 2. Si vous mangez des épinards, vous *acquerrez* [fut. simple] la force de Popeye. — 3. *Permets* [impér. prés., 2e p. sing.]-moi d'attendre ici ; je ne *m'assiérai* (ou *m'assoirai*) [fut. simple] même pas. — 4. Cet échelon *se rompra* [fut. simple] sous le moindre poids. — 5. Les scouts *cuisaient* [indic. imparf.] leur repas sur un feu allumé à grand-peine. — 6. Est-il un trésor qui *vaille* [subj. prés.] une bonne santé ?

c) 1. Certains poèmes *ressortissent* [indic. prés.] à la musique. — 2. Les couleurs *ressortent* [ind. prés.] bien sur ce fond pâle. — 3. La conversation entre ces deux amis *se réduisait* [indic. imparf.] à peu de chose : ils ne *ressentaient* [indic. imparf.] pas le besoin de parler pour se comprendre. — 4. Il n'y a guère de mots qui *s'équivaillent* [subj. prés.] vraiment. — 5. Ils *vécurent* [passé simple] heureux et il leur *naquit* [passé simple] beaucoup d'enfants. — 6. Au jour *naissant* [partic. prés.], les étoiles *s'éteignirent* [passé simple].

d) 1. Il ne convient pas que leur avis *prévale* [subj. prés.] s'ils n'ont pas d'arguments qui *convainquent* [subj. prés.] les autres. — 2. Avant de partir, on *avait éteint* [indic. plus-que-parf.] le feu. — 3. Si nous *acquérons* [indic. prés.] notre indépendance, il faut aussi que nous *sachions* [subj. prés.] la gérer. — 4. Elle *perçoit* [indic. prés.] difficilement le tic-tac de l'horloge. — 5. Certaines conversations *cousent* [indic. prés.] ensemble des bribes d'idées *perçues* [partic. passé] çà et là. — 6. Il faut qu'on *exclue* [subj. prés.] du club ce membre qui ne vient jamais aux entraînements.

e) 1. Est-il honorable que tu *recoures* [subj. prés.] à la ruse pour arriver à tes fins ? — 2. Nous *acquerrons* [fut. simple] un appartement qui nous *paraîtra* [fut. simple] assez proche de notre lieu de travail. — 3. Vous *recueillerez* [fut. simple] le fruit de vos efforts. — 4. N'y a-t-il personne qui *veuille* [subj. prés.] m'accompagner ? — 5. Un homme prudent *prévoira* [fut. simple] ce genre de difficultés. — 6. Charlemagne *ceignit* [passé simple] la couronne de fer des rois lombards.

f) 1. Comment *renverrions* [condit. prés.]-nous à demain une affaire aussi agréable ? — 2. Les Nerviens *envoyèrent* [passé simple] des députés à César ; celui-ci *pourvut* [passé simple] à la sauvegarde des vaincus et *défendit* [passé simple] que les autres peuples leur *nuisissent* [subj. imparf.]. — 3. Votre ennui *dissous* [part. passé], vous *sourirez* [fut. simple] de nouveau. — 4. Le réarmement *accroît* [indic. prés.] les possibilités de guerre. Mais aucun État ne *rompt* [indic. prés.] le premier ce cercle infernal. — 5. Nous *conclurons* [fut. simple] notre réunion par la lecture du rapport que notre secrétaire *a transcrit* [passé composé]. — 6. Nous *maudissions* [indic. imparf.] ceux qui nous *avaient convaincus* [indic. plus-que-parf.] de prendre ce chemin.

g) 1. Saint Louis *défendit* [passé simple] que l'on *mît* [subj. imparf.] rien de précieux sur son tombeau. — 2. Rome *a empreint* [passé comp.] sur tous ses monuments un caractère de grandeur. — 3. En *résolvant* [gérondif] de petites difficultés, vous *parviendrez* [fut. simple] à en résoudre de grandes. — 4. Cet héritage m'*échoit* [indic. prés.] à point nommé. — 5. Dans quelques années, on *cueillera* [fut. simple] de beaux fruits sur ce pêcher.

h) 1. Nous *sortîmes* [passé simple] ; tout le village était dans les rues ; un grand coup de bise avait balayé le ciel, et le soleil *reluisait* [indic. imparf.] joyeusement sur les toits rouges mouillés de pluie. (A. Daudet.) — 2. Il *vêtit* [passé simple] alors, chaussa, *nourrit* [passé simple] la pauvre fille. (Balzac.) — 3. Des chaises *gisaient* [indic. imparf.] par terre, au milieu de la débâcle du déménagement. (Zola.) — 4. Les intrigues *bruissaient* [indic. imparf.] dans les coulisses. (De Gaulle.) — 5. Le latin classique resta donc accessible aux nouveautés, qu'elles *vinssent* [subj. imparf.] des milieux savants, de la Grèce ou même du monde des illettrés. (F. Brunot.)

i) 1. Quelque bien qu'on nous *dise* [subj. prés.] de nous, on ne nous *apprend* [indic. prés.] rien de nouveau, *a écrit* [passé comp.] La Rochefoucauld. — 2. Ô mer, nul ne *connaît* [indic. prés.] tes richesses intimes. (Baudelaire.) — 3. Il ne *se départ* [indic. prés.] jamais d'un étrange sourire. (J. Green.) — 4. Son jeu correct, luisant, glacé, *ressortissait* [indic. imparf.] plutôt à l'arithmétique qu'à l'art ; quand il se mettait au piano, on croyait voir un comptable devant sa caisse. (A. Gide.) — 5. Il semblait que les choses *eussent perdu* [subj. plus-que-parf.] chacune leur sens particulier, ne *répondissent* (subj. imparf.) plus à leur nom, *fussent* [subj. imparf.] muettes. (Bernanos.)

j) Le jardin après la pluie

Il *a plu* [passé comp.] en grosses averses sur le jardin. Les feuillages *luisent* [indic. prés.] joyeusement, maintenant que l'eau *a dissous* [passé comp.] toutes les poussières et *empreint* [part. passé] sur la verdure une fraîcheur qui la *revêt* [indic. prés.] d'une éclatante lumière.

Que le jardin est beau à voir et à respirer ! Tout y *tressaille* [indic. prés.] d'une joie qui *se résout* [indic. prés.] en une sorte de volupté végétale. Tout *sourit* [indic. prés.], tout *renaît* [indic. prés.]. Tant d'exhalaisons parfumées *se sont répandues* [passé comp.] qu'elles *bruissent* [indic. prés.] comme de vaporeux murmures. L'herbe *a atteint* [passé comp.] une magnificence incomparable ; elle *a crû* [passé comp.] curieusement et *vêt* [indic. prés.] à présent les pelouses d'un velours vert qui est pour les yeux une douce caresse. Les fleurs qui, tout à l'heure encore, *défaillaient* [indic. imparf.] sous la chaleur *revivent* [indic. prés.] toutes joyeuses et se *teignent* [indic. prés.] de couleurs délicieusement ravivées.

457. — Faire des phrases contenant les verbes suivants à la forme indiquée (le choix de la personne est libre, si elle n'est pas précisée).

(Gr. § 326)

a) 1. **Prévoir (au condit. prés.).** Si tu étais prudente, tu *prévoirais* les difficultés. — 2. **Bouillir (à l'indic. imparf.).** Nous *bouillions* de colère. — 3. **Acquérir (au subj. prés., 1ʳᵉ pers. sing.).** En attendant que j'*acquière* de l'expérience, je suis vos conseils. — 4. **Refaire (au subj. prés., 1ʳᵉ pers. pl.).** S'il arrive que nous *refassions* cette promenade, nous la trouverons sans doute plus charmante encore. — 5. **Rompre (au passé simple).** Il *rompit* les liens avec ses mauvaises habitudes.

b) 1. **Émouvoir (au futur simple).** En visitant cet hôpital, nous nous *émouvrons* devant tant de souffrance. — 2. **Pouvoir (au condit. prés.).** Sans une volonté persévérante, vous ne *pourriez* pas surmonter ces obstacles. — 3. **Se départir (à l'indic. prés.).** Cet enfant insolent *se départ* du respect qu'il doit à ses parents. — 4. **Conclure (au futur simple).** Quand vous aurez terminé votre dissertation, vous la *conclurez*. — 5. **Envoyer (à l'indic. prés., 3ᵉ pers. plur.).** S'ils *envoient* la lettre aujourd'hui, vous la recevrez peut-être demain.

EMPLOI DES MODES ET DES TEMPS

458. — Reconnaître les différents modes, puis les différents temps de chaque mode.   (Gr. §§ 327-356)

Le début d'un drame

Les enfants *passèrent* (indic. passé simple) *en courant* (gérondif prés.). Quelques minutes *s'écoulèrent* (indic. passé simple) en silence, puis soudain on *entendit* (indic. passé simple) la voix de François qui, de la maison où il *était* (indic. imparf.), invisible, *appelait* (indic. imparf.) :

— Félix !

Il y *avait* (indic. imparf.) une sonorité si étrange dans cette voix que Félix *se leva* (indic. passé simple) d'un bond et *s'éloigna* (indic. passé simple) *en courant* (gérondif prés.). Mme d'Onneville *contempla* (indic. passé simple) les fenêtres *ouvertes* (partic. passé).

— Je me *demande* (indic. prés.) ce qu'il *a* (indic. prés.)...

— Que *pourrait* (indic. condit. prés.)-il *avoir* (infin. prés.) ? *murmura* (indic. passé simple) Jeanne toujours *étendue* (part. passé), *perdue* (part. passé) dans la contemplation de la fumée de sa cigarette qui se *délayait* (indic. imparf.) dans le violet du ciel.

— On *dirait* (indic. condit. prés.) qu'on *téléphone* (indic. prés.)... Les bruits *arrivaient* (indic. imparf.) très nets de la maison. On *tournait* (indic. imparf.) en effet la manivelle du téléphone.

— Allô !... Mademoiselle, je *sais* (indic. prés.) que le bureau *est fermé* (indic. prés.), mais c'*est* (indic. prés.) urgent... *Voulez* (indic. prés.)-vous me *donner* (infin. prés.) le 1 à Ornaie... Le docteur Pinaud, oui... Vous *croyez* (indic. prés.) qu'il *est* (indic. prés.) à la pêche ?... *Appelez* (impér. prés.) quand même, *voulez* (indic. prés.)-vous... Allô !... Je *suis* (indic. prés.) chez le docteur Pinaud ?... Ici, *la Châtaigneraie*... Vous *dites* (indic. prés.) qu'il *est rentré* (indic. passé comp.) ?... Qu'il *vienne* (subj. prés.) de toute urgence ici...

G. SIMENON (*La vérité sur Bébé Donge*, © Gallimard).

459. — Reconnaître les divers temps de l'indicatif.   (Gr. §§ 327-339)

a) Souvenir d'Auteuil

Les hommes ne se *séparent* (prés.) de rien sans regret, et même les lieux, les choses et les gens qui les *rendirent* (passé simple) le plus malheureux, ils ne les *abandonnent* (prés.) point sans douleur.

C'*est* (prés.) ainsi qu'en 1912, je ne vous *quittai* (passé simple) pas sans amertume, lointain Auteuil, quartier charmant de mes grandes tristesses. Je n'y *devais* (imparf.) revenir qu'en l'an 1916 pour être trépané à la Villa Molière.

Lorsque je m'*installai* (passé simple) à Auteuil en 1909, la rue Raynouard *ressemblait* (imparf.) encore à ce qu'elle *était* (imparf.) du temps de Balzac. Elle *est* (prés.) bien laide maintenant. Il *reste* (prés.) la rue Berton, qu'*éclairent* (prés.) des lampes à pétrole, mais bientôt, sans doute, on *changera* (futur simple) cela.

C'*est* (prés.) une vieille rue située entre les quartiers de Passy et d'Auteuil. Sans la guerre elle *aurait disparu* (condit. passé) ou du moins *serait devenue* (condit. passé) méconnaissable.

La municipalité *avait décidé* (plus-que-parf.) d'en modifier l'aspect général, de l'élargir et de la rendre carrossable.

On eût supprimé ainsi un des coins les plus pittoresques de Paris.

APOLLINAIRE (*Le flâneur des deux rives*).

b) 1. Elles *viendront* (futur simple), rassurez-vous, ces vacances que vous *attendez* (prés.) avec tant d'impatience. — 2. Mes parents m'*avaient offert* (plus-que-parf.), pour mon anniversaire, la bicyclette dont j'*avais* (imparf.) grande envie. — 3. Quand vous m'*avez quitté* (passé comp.), et que je vous *ai eu perdu* (passé surcomp.) de vue, je *voulais* (imparf.) m'enfuir à pied. (Balzac.) — 4. Il me *répondit* (passé simple) qu'il *viendrait* (condit. prés.) nous voir quand nous *aurions déménagé* (condit. passé). — 5. S'il *se dépêche* (prés.), il *aura eu* bientôt *fait* (futur antér. surcomp.) cela. — 6. Il *était mort* (plus-que-parf.) au mois de mai dernier, à Tahiti où il *vivait* (imparf.) après qu'il nous *eut quittés* (passé antér.), dans des circonstances que je *connaîtrais* (condit. prés.) plus tard. (Fr. Mauriac.) — 7. Quand le printemps *sera revenu* (futur antér.), vous ne *serez* pas (futur simple) étonné de voir que le soleil *se lèvera* (futur simple) bien avant vous.

*460. — Expliquer la valeur du présent dans les verbes en italiques.

(Gr. § 328)

a) 1. Le Canada *produit* (fait valable au moment de la parole) beaucoup de blé. — 2. Courage ! dans une heure, nous *sommes* (fait situé dans un futur proche) hors de danger ! — 3. Mon père ne pourra pas vous recevoir : il *sort* (fait se situant dans un passé récent) à l'instant. — 4. Tout dormait ; tout à coup on *frappe* (présent historique) à la porte. — 5. Je *descends* (fait situé dans un futur proche) au prochain arrêt. — 6. La nuit, tous les chats *sont* (vérité générale) gris. — 7. Si tu *apportes* (fait futur, après *si* conditionnel) ton appareil photographique, nous ferons une photo de l'équipe. — 8. Quel homme ! hier, il me *promet* (fait situé dans un passé récent) de venir, et aujourd'hui le voilà loin d'ici.

b) 1. Le rôle du poète n'*est* (vérité générale)-il pas de donner la vie à ce qui se *tait* (fait intemporel) dans l'homme et dans les choses, puis de se perdre au cœur de la Parole ? (J. Tardieu.) — 2. Les pioches *s'abattent* (présent historique), les pelles *soulèvent* (id.) la terre à la volée. Là, sur la colline éventrée, une nuée d'ouvriers *peine* (id.) sous le soleil. Car il *fait* (id.) chaud, très chaud, ce 15 juin 1873 à Hissarlik. (Al. Decaux, dans un article sur la découverte des ruines de Troie.) — 3. Privé de sommeil, je ne *vaux* (fait intemporel) plus rien. (A. Gide.) — 4. Quelle est cette fièvre d'écrire qui me *prend* (fait se passant au moment de la parole), aujourd'hui, anniversaire de ma naissance ? (Fr. Mauriac.) — 5. Vous me *demandez* (fait situé dans un passé récent) dans votre dernière lettre pourquoi je ne *retourne* (fait situé dans un futur proche) pas encore à Aix. (P. Cézanne.)

*461. — Inventer des phrases où le présent de l'indicatif marquera :
1° un fait se passant au moment de la parole ; 2° un fait situé dans un
passé récent ; 3° un fait situé dans un futur prochain ; 4° un fait toujours
vrai ; 5° un fait futur, conséquence infaillible d'un autre fait ; 6° un présent « historique » ; 7° un fait futur après *si*.   (Gr. § 328)

> 1° Pour le moment, je *regarde* la télévision. — 2° La semaine
> passée, Anne *promet* de m'écrire, et je n'ai pas encore reçu sa lettre.
> — 3° Dans une heure, nous *sommes* de retour. — 4° L'avare *perd*
> tout en voulant tout gagner. — 5° Un mot de plus, et tu *sors* ! —
> 6° L'orage avait éclaté dans la montagne. Aussitôt, voilà mon petit
> frère qui *tremble, se met à pleurer*. — 7° Si tu me *prêtes* ce livre, j'en
> prendrai soin.

*462. — Expliquer les valeurs de l'imparfait dans les verbes en italiques.   (Gr. § 329)

> **a)** 1. Il *neigeait* (fait en train de se dérouler dans une portion du
> passé) au moment où ils sortirent de la réunion. — 2. Nous *ache-
> vions* (fait de peu antérieur à un fait passé, présenté comme simul-
> tané par rapport à ce dernier fait) à peine notre promenade qu'il se
> mit à pleuvoir. — 3. Une terrible nouvelle circula : dans quelques
> heures, les troupes *entraient* (fait de peu postérieur à un fait passé,
> présenté comme simultané par rapport à ce dernier fait) dans la ville.
> — 4. Si vous aviez ajouté un mot, il vous *renvoyait* (fait qui devait
> être la conséquence inévitable d'un autre fait passé, qui ne s'est pas
> produit). — 5. En pleine prospérité, au moment même de sa plus
> haute gloire, brusquement il *mourait* (imparfait narratif ; le fait a eu
> lieu à un moment précis du passé). — 6. Un seul faux pas, et je
> *tombais* (fait qui devait être la conséquence inévitable d'un autre fait
> passé, qui ne s'est pas produit) dans le précipice ! — 7. Si vous
> *reveniez* (après *si* conditionnel, pour marquer un fait hypothétique
> futur) demain, vous auriez des chances de le trouver à la maison.

> **b)** 1. Tous sortirent à la fois avec un mouvement qui *avait* (fait
> en train de se dérouler dans une portion du passé) quelque chose de
> singulier et de compassé ; et, en arrivant à la rue, tous *se mettaient*
> (imparfait narratif) à applaudir avec fureur. (Stendhal.) — 2. Je
> *venais* (imparfait d'atténuation) vous demander la place du premier
> moutardier qui vient de mourir. (A. Daudet.) — 3. Si je n'avais reçu
> dès le lendemain une lettre de Pierret, je *me mettais* (fait qui devait
> être la conséquence inévitable d'un autre fait passé, qui ne s'est pas
> produit) en route. (G. Sand.) — 4. Écoute, Caroline, avant que tu
> me quittes, je *voulais* (imparfait d'atténuation) te demander quelque
> chose. (Fr. Mauriac.)

*463. — Inventer des phrases où l'imparfait de l'indicatif marquera :
1° un fait passé en train de se dérouler ; 2° un futur proche ; 3° la conséquence infaillible d'un fait ; 4° une action présente qu'on semble rejeter
dans le passé ; 5° un fait présent après *si*.   (Gr. § 329)

> 1° Le rat de ville et le rat des champs *se régalaient* quand un bruit
> à la porte de la salle troubla leur beau festin. — 2° Aussitôt la lettre
> reçue, je partis ; une heure après, j'*arrivais* chez mon ami. — 3° Si
> vous le lui aviez demandé, il *venait* de suite. — 4° Je *venais* vous
> demander votre avis. — 5° Si tu *organisais* mieux ton travail, tu serais
> moins fatigué.

*464. — Expliquer les valeurs du passé simple et du passé composé
dans les verbes en italiques.   (Gr. §§ 330-331)

> **a)** 1. La société Citroën *construisit* (passé simple : fait complète-
> ment achevé à un moment déterminé du passé sans contact avec le
> présent) en 1934 la première voiture française dite à traction avant.
> — 2. Je *suis né* (passé composé : fait passé, achevé au moment où
> l'on parle, considéré comme en contact avec le présent) en ... . —
> 3. Attendez-moi : dans quelques minutes, j'*ai achevé* (passé com-
> posé : indique un fait futur, mais présenté comme s'il était déjà
> accompli) ma lettre. — 4. Si, dans huit jours, vous *avez pris* (passé
> composé : après *si* conditionnel, pour exprimer un fait futur, antérieur
> à un autre fait futur exprimé par le verbe principal) une décision,
> veuillez me le faire savoir. — 5. Aujourd'hui je me *suis levé* (passé
> composé : fait passé, achevé au moment où l'on parle, considéré
> comme en contact avec le présent) à sept heures. — 6. Victor Hugo
> *est né* (passé composé à valeur de passé simple) à Besançon. —
> 7. La médecine *a fait* (passé composé : fait passé, achevé au
> moment où l'on parle, considéré comme en contact avec le présent)
> de grands progrès au cours du siècle où nous sommes. — 8. La
> médecine *fit* (passé simple : fait complètement achevé à un moment
> déterminé du passé et qui est sans contact avec le présent) de
> sérieux progrès au XIXe siècle.
>
> **b)** 1. Tout à coup mes deux fenêtres *s'ouvrirent* (passé simple :
> fait complètement achevé à un moment déterminé du passé et qui
> est sans contact avec le présent) à la fois et toutes leurs vitres cas-
> sées *tombèrent* (id.) dans ma chambre avec un bruit fort joli à enten-
> dre. (Vigny.) — 2. L'hiver *fut* (passé simple : fait complètement
> achevé à un moment déterminé du passé et qui est sans contact avec
> le présent) rigoureux cette année-là. (A. Gide.) — 3. Lorsque, au
> bout d'une heure, les gens de la sous-préfecture, inquiets de leur
> maître, *sont entrés* (passé composé à valeur de passé simple) dans
> le petit bois, ils *ont vu* (id.) un spectacle qui les *a fait* (id.) reculer
> d'horreur. (A. Daudet.) — 4. M. Grubb étant au lit, grippé, nous
> *dûmes* (passé simple : fait complètement achevé à un moment déter-

miné du passé et qui est sans contact avec le présent) l'écouter debout à la porte de sa chambre. (Dans le *Monde.*)

*465. — Inventer sur chacun des thèmes suivants deux phrases, l'une avec un passé simple, l'autre avec un passé composé (en justifiant l'emploi).   (Gr. §§ 330-331)

1. Les romans. Il *lut* (passé simple : fait complètement achevé à un moment déterminé du passé et qui est sans contact avec le présent) ce gros roman en une seule après-midi. — Résume-moi le roman que tu *as lu* (passé composé : fait passé, achevé au moment où l'on parle, considéré comme en contact avec le présent) cette semaine.

2. Le mois de mai. Cette année-là, en quelques jours, les brises tièdes du mois de mai *ouvrirent* (passé simple : fait complètement achevé à un moment déterminé du passé et qui est sans contact avec le présent) mille corolles dans le jardin. — Le mois de mai *a été* (passé composé à valeur de passé simple) pluvieux l'an passé.

3. Les voyages lointains. Il y a deux ans, nous *partîmes* (passé simple : fait complètement achevé à un moment déterminé du passé et qui est sans contact avec le présent) à la découverte du continent africain. — Les voyages lointains *ont* toujours *exercé* (passé composé : fait qui a eu lieu dans une période non encore entièrement écoulée) une fascination sur l'imagination des jeunes.

4. Les jeux des enfants. Ma sœur *joua* longtemps avec ses poupées (passé simple : fait complètement achevé à un moment déterminé du passé et qui est sans contact avec le présent). — Les enfants *ont joué* (passé composé : fait passé, achevé au moment où l'on parle, considéré comme en contact avec le présent) dans le sable aujourd'hui.

*466. — Expliquer les valeurs du plus-que-parfait, du passé antérieur et des temps surcomposés dans les verbes en italiques.   (Gr. §§ 332-334)

a) 1. Quand l'orateur *eut obtenu* (passé antér. : fait accompli par rapport à un autre fait passé, le verbe principal étant au passé simple ; les faits se sont succédé immédiatement) le silence, il commença son discours. — 2. Nous *avions terminé* (plus-que-parf. : fait accompli qui a eu lieu avant un autre fait passé) notre travail dans les délais voulus. — 3. Bonjour, Monsieur. J'*étais entré* (plus-que-parf. d'atténuation : fait présent, que l'on feint en quelque sorte de rejeter dans le passé) pour vous demander un renseignement. — 3. Si l'on *avait dit* (plus-que-parf. après *si* conditionnel, pour exprimer un fait passé irréel situé dans le passé) à nos arrière-grands-parents qu'on atterrirait sur la lune, ils ne l'auraient pas cru. — 5. J'avais enfin mon petit coin de jardin ; en une demi-heure, j'*eus bêché* (passé antér. : fait accompli par rapport à un repère appartenant au passé et explicité par un complément de temps) mon terrain. — 6. Après qu'il m'*a eu dépassé* (passé surcomp. employé à la place du passé antérieur pour marquer un fait accompli ; le verbe principal est au passé composé), il m'a fait une queue de poisson. — 7. Après qu'il *avait eu dépensé* (plus-que-parf. surcomposé, marquant un fait antérieur à un fait exprimé par un plus-que-parfait) tout son argent, il ne lui était plus resté qu'à mendier.

b) 1. En quelques secondes il *eut brisé* (passé antér. : fait accompli par rapport à un repère appartenant au passé et explicité par un complément de temps) les pointes de l'ampoule. (R. Martin du Gard.) — 2. Quand je descendis de la gare, déjà les grenouilles *avaient commencé* (plus-que-parf. : fait accompli qui a eu lieu avant un autre fait passé) leur coassement. (Barrès.) — 3. Quand il *se fut assis* (passé antér. : fait accompli par rapport à un autre fait passé ; les faits se sont succédé immédiatement) sur sa chaise dans l'ombre / Et qu'on *eut* sur son front *fermé* (id.) le souterrain, / L'œil était dans la tombe et regardait Caïn. (Hugo.) — 4. Au train dont le cocher poussait ses bêtes, l'on *eut* bientôt *dépassé* (passé antér. : fait accompli par rapport à un repère appartenant au passé et explicité par un complément de temps) Chiaja. (Th. Gautier.) — 5. Comme elle *a eu* vite *fait* (passé surcomp. : s'emploie à la place du passé antérieur pour marquer un fait accompli) de ramasser toutes ses cartes et de se remettre au jeu ! (Fr. Mauriac.)

*467. — Justifier l'emploi des temps de l'indicatif.   (Gr. §§ 328-334)

a) 1. Toi qui *pâlis* (présent : fait qui se passe au moment de la parole) au nom de Vancouver / Tu n'*as* pourtant *fait* (passé composé : fait passé, achevé au moment où l'on parle, considéré comme en contact avec le présent ; le fait a des résultats dans le présent) qu'un banal voyage ; / Tu n'*as* pas *vu* (id.) les grands perroquets verts, / Les fleuves indigo ni les sauvages. / Tu t'*embarquais* (imparfait : fait en train de se dérouler dans une portion du passé, dont on ne connaît ni le début ni la fin) à bord de maints steamers / Dont par malheur pas un ne *fit* (passé simple : fait complètement achevé à un moment déterminé du passé et qui est sans contact avec le présent) naufrage. (M. Thiry.) — 2. Les barbares *sortirent* (passé simple : fait complètement achevé à un moment déterminé du passé et qui est sans contact avec le présent) en foule de leur retraite : les uns *étaient* (imparfait : fait en train de se dérouler dans une portion du passé, dont on ne connaît ni le début ni la fin) complètement armés ; les autres *portaient* (id.) une branche de chêne dans la main droite, et un flambeau dans la gauche. À la faveur de mon déguisement, je *me mêle* (présent historique) à leur troupe. (Chateaubriand.)

b) 1. Les Grecs n'*avaient* (imparfait : fait en train de se dérouler dans le passé, dont on ne connaît ni le début ni la fin) pas une idée nette de la liberté ; les droits individuels *manquèrent* (passé simple :

fait complètement achevé à un moment déterminé du passé et qui est sans contact avec le présent) toujours chez eux de garanties. (Fustel de Coulanges.) — 2. Depuis la mort du roi, Dumouriez et la Convention *sont* (présent historique) en lutte latente. Après Neerwinden, ils en *viennent* (présent historique) au choc. (...) Dumouriez réduit à la fuite, l'Assemblée *délègue* (présent historique) aux armées des commissaires munis de pleins pouvoirs. Cette disposition ne *fut* (passé simple : fait complètement achevé à un moment déterminé du passé et qui est sans contact avec le présent) pas sans avantages, favorisant l'élévation rapide d'officiers dont le mérite *était* (imparfait : fait en train de se dérouler dans une portion du passé, dont on ne connaît ni le début ni la fin) éclatant. (De Gaulle.)

468. — Inventer des phrases avec les formes suivantes.

(Gr. §§ 329-334)

1. *Il ouvrit* la porte si brusquement que tout le monde sursauta. — 2. Ce matin, *il a ouvert* la porte de l'armoire, espérant trouver du chocolat. — 3. *Il ouvrait* toujours les lettres de sa femme. — 4. *Il avait ouvert* la fenêtre et comprenait peu à peu que le printemps était là. — 5. Dès qu'il *eut ouvert* la porte, il découvrit que la villa avait été cambriolée. — 6. Dès qu'*il a eu ouvert* la lettre, il a reconnu ton écriture.

*469. — Expliquer la valeur du futur et du futur antérieur dans les verbes en italiques.   (Gr. §§ 335-336)

a) 1. Le temps *adoucira* (futur simple : fait à venir par rapport au moment de la parole) votre chagrin. — 2. En commençant cette causerie, je *réclamerai* (futur simple employé au lieu du présent, par politesse) votre indulgence. — 3. On frappe : ce *sera* (futur simple : fait présent considéré comme simplement probable) sans doute la voisine. — 4. Tu *fermeras* (futur simple employé au lieu de l'impératif) la porte en sortant. — 5. Quand vous *aurez terminé* (futur antérieur : fait futur considéré comme accompli par rapport à un autre fait futur) votre travail, prévenez-moi. — 6. Ah ! mon pauvre ami ! le funeste incendie ! en quelques heures tu *auras vu* (futur antérieur : fait passé que l'on transporte en quelque sorte dans le futur pour marquer une nuance affective) disparaître le fruit de plusieurs années de travail !

b) 1. Pour qui a-t-on sonné la cloche des morts ? Ah ! mon Dieu, ce *sera* (futur simple : fait présent considéré comme simplement probable) pour Mme Rousseau. (Proust.) — 2. Tu ne *fermeras* (futur simple employé au lieu de l'impératif) plus jamais les tiroirs d'un coup de genou : les petites mains se glissent partout. Tu *feras* (id.) toutes choses lentement, soigneusement. (G. Duhamel.) — 3. La Bretagne, le 20 mars [1790], demande que la France envoie un homme sur mille à Paris. Bordeaux a déjà demandé une fête civique pour le 14 juillet. Les deux propositions tout à l'heure n'en *feront* (futur simple : dans un exposé historique, énonce un fait futur par rapport aux événements passés que l'on vient de raconter) qu'une. La France *appellera* (id.) toute la France à cette grande fête, la première du nouveau culte. (Michelet.)

*470. — Expliquer la valeur du conditionnel dans les verbes en italiques. (Gr. §§ 337-338)

a) 1. Je t'avais écrit que je *partirais* (fait futur par rapport à un moment passé) de bonne heure. — 2. En partant ce matin, je me suis dit que le plombier *aurait fini* (fait postérieur à un fait passé [*me suis dit*] et antérieur à un autre moment du passé [*midi*]) la réparation avant midi. — 3. Si vous trouviez un portefeuille sur le trottoir, qu'en *feriez* (fait conjectural dans le futur)-vous ? — 4. Si j'étais hirondelle, je *volerais* (fait imaginaire) vers vous à tire-d'aile. — 5. Écoutez-moi : je *voudrais* (atténue une volonté) vous raconter ma dernière mésaventure.

b) 1. *Auriez* (atténue une volonté)-vous l'obligeance de m'accompagner ? — 2. On voit sur la forêt comme de longs voiles qui *flotteraient* (fait imaginaire). — 3. Des marins phéniciens, entraînés par les tempêtes, *auraient abordé* (fait conjectural dans le passé) en Amérique. — 4. Si vous étiez venu hier pour le match, nous *aurions* sûrement *gagné* (fait imaginaire dans le passé). — 5. Le président des États-Unis et le premier ministre soviétique *se seraient rencontrés* (fait conjectural dans le passé) en secret. — 6. On ne *saurait* (*savoir* au conditionnel a le sens de *pouvoir* au présent) penser à tout. — 7. Si vous articuliez plus nettement, on vous *comprendrait* (fait conjectural dans le futur) mieux.

*471. — Faire des phrases illustrant les diverses valeurs du conditionnel présent et du conditionnel passé. (Gr. §§ 337-338)

a) Conditionnel présent. 1. Fait futur par rapport à un moment passé. Il m'a promis qu'il *reviendrait* ce soir. — 2. Fait conjectural dans le futur. S'il le fallait, je *partirais* de suite. — 3. Fait imaginaire dans le futur. Si les pierres parlaient, elles nous *révéleraient* bien des secrets. — 4. Atténuation d'une volonté. Vous *devriez* travailler un peu plus. — 5. *Savoir* au conditionnel avec le sens de *pouvoir* au présent. Je ne *saurais* marcher si loin : je suis si fatiguée.

b) Conditionnel passé. 1. Fait futur par rapport à un moment du passé, mais antérieur à un autre fait exprimé par un conditionnel présent. Il répondit qu'il viendrait dès qu'on l'*aurait appelé*. — 2. Fait imaginaire concernant le passé. Si tu m'avais écouté, tu n'*aurais* pas *connu* toutes ces difficultés. — 3. Fait conjectural concernant un fait passé. Le tremblement de terre *aurait fait* trente mille victimes.

472. — Tracer pour chaque phrase une ligne coupée en deux par un trait vertical, marquant le présent (à gauche, le passé ; à droite, le futur). Situer sur cette ligne par des traits les moments où se placent les actions exprimées par les verbes en italiques.   (Gr. §§ 328-329)

1. Quand vous *avez eu terminé* votre lecture, vous *êtes allés* vous promener.

2. Il *est* midi : hier pourtant, vous m'*avez promis* que vous *arriveriez* à onze heures.

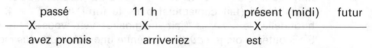

3. Quand vous *aurez déclaré* vos intentions, je vous *donnerai* mon avis.

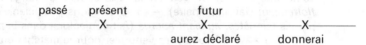

4. Ah ! je *suis* content de vous voir ; votre frère m'*a dit* ce matin que vous *partirez* demain, quand vous *aurez reçu* votre passeport.

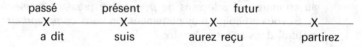

5. Mon oncle *avait promis* qu'il m'*emmènerait* après que j'*aurais lavé* sa voiture.

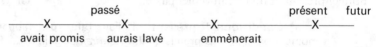

473. — Mettre les verbes en italiques à l'indicatif et au temps qui convient.   (Gr. §§ 328-329)

a) 1. On rapporte que Cincinnatus *labourait* son champ quand les envoyés du sénat de Rome lui *annoncèrent* qu'il *avait été nommé* consul. — 2. Il est évident que la paix *vaut* mieux que la guerre. — 3. Hitler était convaincu qu'il *gagnerait* la guerre. — 4. Qui sait si vous *retrouverez* jamais la belle occasion d'aujourd'hui ? — 5. Ils parvinrent à un endroit où la rue *faisait* un angle droit. — 6. Si vous *étiez* dans une île déserte, comment *feriez*-vous du feu ?

b) 1. La Fontaine a dit que la méfiance *est* la mère de la sûreté. — 2. Lorsque j'*aurai écrit* ce texte, je vous le montrerai. — 3. Mon cousin avait prévenu qu'il ne *rentrerait* que quand le garagiste *aurait réparé* la voiture. — 4. Quand j'*avais été* docile, mademoiselle de Goecklin me faisait cadeau d'une image. (A. Gide.) — 5. C'est l'instruction qui me manque. Si j'*avais lu* plus de livres, je ferais mieux encore. (Troyat.)

474. — Compléter ces débuts de phrases de cinq façons différentes (en utilisant dans la proposition cinq temps différents).   (Gr. §§ 328-339)

1. Je crois que *tu ne comprends pas ce que je veux dire.* — Je crois que *vous comprendrez mieux ce texte quand vous l'aurez relu.* — Je crois que *tu devrais te reposer.* — Je crois qu'*ils avaient beaucoup de soucis à l'époque.* — Je crois que *les voisins auront déménagé avant ton retour de vacances.*

2. Je croyais que *tu n'avais pas de frère.* — Je croyais que *tu aurais été sage en mon absence.* — Je croyais que *vous comprendriez vite.* — Je croyais qu'*il était parti dès qu'il avait eu fait ce travail soigneusement.* — Je croyais qu'*il avait été professeur.*

*475. — Mettre en discours direct (en supposant que *je* = Gaston).
(Gr. §§ 328-339 et 147-149)

Rouletabille confia au grand Fred que j'étais venu le voir de mon propre mouvement et qu'il m'avait retenu pour que je l'aidasse dans un grand travail qu'il devait livrer, cette nuit même, à l'*Époque*. Je devais repartir, disait-il, pour Paris, par le train d'onze heures, emportant sa copie, qui était une sorte de feuilleton où le jeune reporter retraçait les principaux épisodes des mystères du Glandier. (Gaston Leroux.)

Rouletabille confia au grand Fred : « Gaston est venu me voir de son propre mouvement et je l'ai retenu pour qu'il m'aidât dans un grand travail que je dois livrer, cette nuit même, à l'*Époque*. » Il disait : « Gaston doit repartir pour Paris, par le train d'onze heures, emportant ma copie, qui est une sorte de feuilleton où je retrace les principaux épisodes des mystères du Glandier. »

*476. — Dans le texte d'Apollinaire reproduit au n° 459, expliquer l'emploi des divers temps de l'indicatif.   (Gr. §§ 328-339)

Souvenir d'Auteuil

Les hommes ne *se séparent* (présent : vérité générale) de rien sans regret, et même les lieux, les choses et les gens qui les *rendirent* (passé simple : fait complètement achevé à un moment déterminé du passé et qui est sans contact avec le présent) le plus malheureux, ils ne les *abandonnent* (présent : vérité générale) point sans douleur.

C'*est* (présent : fait intemporel) ainsi qu'en 1912, je ne vous *quittai* (passé simple : fait complètement achevé à un moment déterminé du passé et qui est sans contact avec le présent) pas sans amertume, lointain Auteuil, quartier charmant de mes grandes tristesses. Je n'y *devais* (imparfait narratif ; en outre, *devais* joue le rôle d'un semi-auxiliaire indiquant un fait futur) revenir qu'en 1916 pour être trépané à la Villa Molière.

Lorsque je *m'installai* (passé simple : fait complètement achevé à un moment déterminé du passé et qui est sans contact avec le présent) à Auteuil en 1909, la rue Raynouard *ressemblait* (imparfait : fait en train de se dérouler dans le passé, dont on ne connaît ni le début ni la fin) encore à ce qu'elle *était* (id.) du temps de Balzac. Elle *est* (présent : fait qui se passe au moment de la parole) bien laide maintenant. Il *reste* (id.) la rue Berton, qu'*éclairent* (id.) des lampes à pétrole, mais bientôt, sans doute, on *changera* (futur simple : fait à venir par rapport au moment de la parole) cela.

C'*est* (présent : fait qui se passe au moment de la parole) une vieille rue située entre les quartiers de Passy et d'Auteuil. Sans la guerre elle *aurait disparu* (conditionnel passé : fait conjectural concernant le passé) ou du moins *serait devenue* (conditionnel passé : fait conjectural concernant le passé) méconnaissable.

La municipalité *avait décidé* (plus-que-parfait : fait accompli qui a eu lieu avant un autre fait passé) d'en modifier l'aspect général, de l'élargir et de la rendre carrossable.

On eût supprimé ainsi un des coins les plus pittoresques de Paris.

APOLLINAIRE (*Le flâneur des deux rives*).

477. — Relever les impératifs.   (Gr, § 340)

Conseils de T. Déome

Appréciez ce que vous avez au lieu de vous morfondre à propos de ce que vous n'avez pas. Si votre soupe vous plaît et vous rassasie, ne *louchez* pas vers l'assiette du voisin qui mange plus gras. C'est peut-être de ça qu'il mourra et bien avant vous. Ne vous *plaignez* pas trop vite, ne vous *vantez* jamais, parce que vous ferez peut-être mal à plus malheureux que vous.

Faites taire la rancune, le ressentiment, l'esprit de vengeance, parce que tout cela ronge son homme. Et si le bon Dieu vous a mis un grain de folie dans la cervelle, *dites*-vous que c'est un bienfait précieux et qu'il faut en avoir soin.

Simplifiez tout, votre genre de vie, vos problèmes, vos désirs. L'homme qui n'a pas atteint cette simplicité à l'âge mûr n'est pas digne de vivre, encore moins de mourir, parce qu'il a raté les leçons de la vie.

Arthur MASSON (*Toine, chef de tribu*, Vanderlinden, édit.).

478. — Mettre à la deuxième personne du singulier le texte du n° précédent (en supposant qu'on parle à un seul personnage, que l'on tutoie). (Gr. § 340)

Apprécie ce que tu as au lieu de te morfondre à propos de ce que tu n'as pas. Si ta soupe te plaît et te rassasie, ne *louche* pas vers l'assiette du voisin qui mange plus gras. C'est peut-être de ça qu'il mourra et bien avant toi. Ne te *plains* pas trop vite, ne te *vante* jamais, parce que tu feras peut-être mal à plus malheureux que toi.

Fais taire la rancune, le ressentiment, l'esprit de vengeance, parce que tout cela ronge son homme. Et si le bon Dieu t'a mis un grain de folie dans la cervelle, *dis*-toi que c'est un bienfait précieux et qu'il faut en avoir soin.

Simplifie tout, ton genre de vie, tes problèmes, tes désirs. L'homme qui n'a pas atteint cette simplicité à l'âge mûr n'est pas digne de vivre, encore moins de mourir, parce qu'il a raté les leçons de la vie.

*479. — Justifier l'emploi de l'impératif dans les verbes en italiques. (Gr. §§ 340-341)

1. *Prenez* (injonction) votre parapluie : il va pleuvoir. — 2. *Dis* (impératif fictif qui a la valeur d'une proposition conditionnelle)-moi qui tu hantes, je te dirai qui tu es. — 3. *Ayez lu* (injonction) ce livre pour jeudi soir. — 4. *Portez* (souhait)-vous bien. — 5. *Prenez* (impératif fictif qui a la valeur d'une proposition de condition) du vin si vous voulez, moi, je ne bois que de l'eau. — 6. *Veuillez* (injonction) me répondre par retour du courrier.

480. — Rédiger une recette de cuisine : 1° à l'impératif, 2ᵉ personne du singulier ; 2° à l'impératif, 2ᵉ personne du pluriel ; 3° en utilisant un autre mode qui conviendrait aussi. (Gr. §§ 340, 143)

481. — Relever les subjonctifs, en précisant le temps. (Gr. §§ 342-346)

a) 1. Je souhaite que tu *viennes* (prés.) avec nous. — 2. Vous ne partirez pas avant que la réparation *soit achevée* (prés.), m'avez-vous dit. — 3. Quoique tu *aimes* (prés.) le chocolat, n'en abuse pas. — 4. Pour que tu *aies eu fini* (passé surcomp.) si vite, il faut qu'on t'*ait aidé* (passé). — 5. *Puissé* (prés.)-je le revoir avant son départ ! — 6. Ne faites pas à autrui ce que vous ne voudriez pas qu'on vous *fît* (imparfait). — 7. Dieu te *protège* (prés.) ! — 8. Que je *sache* (prés.), les hirondelles ne sont pas encore reparties. — 9. Restez avec nous, ne *fût* (imparf.)-ce qu'une heure.

b) 1. Si peut-être la remarque en a déjà été faite, je ne *sache* (prés.) pas qu'on l'*ait* beaucoup *mise* (passé) en valeur. (A. Gide.) — 2. La camionnette poussive de la réquisition, malgré qu'on *eût* *chaîné* (plus-que-parf.) les pneus, après qu'elle se fut enlisée une ou deux fois dans les congères, ne se risqua plus guère à franchir les rampes verglacées de l'Éclaterie. (J. Gracq.) — 3. Pour que le conflit n'*éclatât* (imparf.) que plus d'un an après la Libération, il fallait que les organisations communistes *attachassent* (imparf.) le plus grand prix à la coopération avec le grand romancier bourgeois par excellence. (J. Lacouture.)

*482. — Quelle est la valeur du subjonctif dans ces phrases ?

(Gr. § 343)

a) 1. On dit à celui qui éternue : « Dieu te *bénisse* (souhait) ! » Des facétieux ajoutent : «... et te *rende* (souhait) le nez comme tu as la cuisse ! » — 2. Qu'on *ferme* (ordre) la porte ! — 3. Il n'est venu personne, que je *sache* (affirmation atténuée). — 4. *Fasse* (souhait) le ciel que vous n'ayez pas d'ennuis ! — 5. Que j'*accepte* (dans une phrase exclamative, exprime une hypothèse envisagée avec réprobation) une telle proposition ! Jamais de la vie.

b) 1. Que le passant *consente* (en coordination avec une phrase déclarative, exprime une supposition) à s'arrêter et M. Krauset poursuit son discours sur le même ton lamentable. (G. Duhamel.) — 2. Que tout *s'épanouisse* (souhait) en sourire vermeil ! / Que l'homme *ait* (souhait) le repos et le bœuf le sommeil ! (Hugo.) — 3. Je ne *sache* (affirmation atténuée) pas que, ce jour-là, Mao-Tsö-Tong ait à Pékin célébré la mémoire du vieux réformateur. (Étiemble.) — 4. Nous voulons d'autres miracles, *fussent* (l'imparfait du subjonctif, dans une sous-phrase ayant la valeur d'une proposition commençant par *même si,* équivaut ici à un conditionnel présent)-ils moins beaux que ceux-là. (Colette.) — 5. J'*eusse aimé* (le plus-que-parfait du subjonctif s'emploie dans la langue soignée avec la valeur du conditionnel passé) vivre auprès d'une jeune géante. (Baudelaire.) — 6. Que le vent lui *manquât* (en coordination avec une phrase déclarative, exprime une supposition), il risquait de tomber dans le gouffre. (L. Martin-Chauffier.)

483. — Justifier l'emploi du subjonctif dans ces propositions.

(Gr. § 344)

a) 1. Il importe que vous *arriviez* (après un verbe marquant la nécessité) à l'heure. — 2. Il est impossible qu'il *faille* (après un verbe marquant l'impossibilité) déjà remplacer les pneus de la voiture. — 3. Est-il certain que la fortune *fasse* (après un verbe exprimant une certitude dans une phrase interrogative) le bonheur ? — 4. Le directeur désire que vous *passiez* (après un verbe de souhait) dans son bureau. — 5. Croyez-vous qu'on *puisse* (après un verbe d'opinion dans une phrase interrogative) être toujours juste si l'on ignore la pitié ?

b) 1. Quelque savant qu'on *soit* (dans une proposition adverbiale de concession), on a toujours quelque chose à apprendre. — 2. Nous ne doutons pas qu'il ne *faille* (après un verbe exprimant le doute) se défier des flatteurs. — 3. Je cherche une maison qui *ait* (dans une proposition relative : le locuteur ne s'engage pas sur la réalité du fait) un grand jardin. — 4. Je ne crois pas qu'il *pleuve* (après un verbe d'opinion accompagné d'une négation) aujourd'hui. — 5. Le menuisier est parti sans que je l'*aie payé* (après *sans que*). — 6. Vous êtes la seule personne qui *ait vu* (dans une proposition relative introduite par un pronom dont l'antécédent est accompagné de *seule*) le voleur.

c) 1. Je dois prendre cette photo avant que le soleil *disparaisse* (après *avant que*) derrière les nuages. — 2. Je regrette que vous n'*alliez* (après un verbe exprimant un sentiment) jamais voir votre vieille tante. — 3. C'est le premier village qu'on *ait vu* (dans une proposition relative introduite par un pronom dont l'antécédent est accompagné de *premier*) depuis notre départ. — 4. Il ferait n'importe quoi pour qu'on l'*admette* (dans une proposition de but) dans notre groupe. — 5. Il n'y a pas de nuage si noir qu'on n'y *aperçoive* (dans une subordonnée corrélative indiquant la conséquence et dépendant d'une principale négative) une bordure d'argent. — 6. Que je me *sois trompé* (dans une proposition complément d'objet direct placée en tête de phrase), je le reconnais.

484. — Inventer, sur chacun des thèmes suivants, une phrase contenant une proposition au subjonctif.   (Gr. § 344)

1. **La lune.** Qu'un homme *marchât* un jour sur la lune, nos grands-parents ne se l'étaient jamais imaginé. — 2. **La sauvegarde de l'environnement.** Il convient que nous ne *cueillions* pas les fleurs protégées, lors de nos promenades en montagne. — 3. **La cour de l'école.** Quelque grande que *soit* la cour de récréation, elle paraît toujours trop petite aux élèves épris de liberté. — 4. **Votre prochain repas.** Il faut que vous *dîniez* tôt ce soir, si vous voulez arriver à temps au spectacle. — 5. **L'avion.** Il n'y a pas un seul moyen de transport qui *soit* plus pratique que l'avion. — 6. **Les cloches.** Nous voulions qu'on *réparât* les cloches de notre église.

485. — Mettre au mode convenable (indicatif ou subjonctif) les verbes en italiques.   (Gr. § 344)

a) 1. J'espère que vous n'*oublierez* pas de me rapporter un souvenir de vos vacances. — 2. Tu n'ignores pas que ma mère *est* malade. — 3. Je souhaite que tu *parviennes* à convaincre Pierre de nous accompagner. — 4. J'irai en train, non pas que cela *soit* plus rapide, mais parce que ma voiture est en panne. — 5. L'accusé prétend qu'il *a agi* seul. — 6. Le facteur sonne avant d'entrer de peur que le chien ne le *morde*.

b) 1. Il est rare qu'il *pleuve* tant de jours en juillet. — 2. Il faut nous persuader qu'il *est* utile de bien mettre l'orthographe. — 3. Que la vie ne *soit* pas toujours gaie, nous en sommes convaincus. — 4. N'est-il pas certain que le tout *est* plus grand que chacune de ses parties ? — 5. Le jardinier partira après qu'il *aura taillé* les rosiers. — 6. Puisque vous vous doutez que des difficultés *surgissent,* il convient que vous vous *prépariez* en conséquence. — 7. Quoi que vous *écriviez,* il faut que vous vous *habituiez* à écrire sans fautes.

*486. — Justifier l'emploi des temps du subjonctif. (Gr. §§ 345-346)

a) 1. Personne ne nie qu'il ne *soit* (prés. : simultanéité par rapport à *nie,* prés.) avantageux de savoir plusieurs langues étrangères. — 2. Il nous paraît surprenant que les anciens géographes *aient cru* (passé : antériorité par rapport à *paraît,* prés.) que la terre était plane. — 3. J'étais enchanté que ma grand-mère me *permît* (imparf. : simultanéité par rapport à *étais enchanté,* imparf.) de jouer avec le fabuleux mélange de boutons qu'elle gardait dans un coffret de chêne ciré. — 4. Il ne faut pas vendre la peau de l'ours qu'on n'*ait mis* (passé : antériorité par rapport à *vendre,* prés.) la bête par terre. — 5. Je doute que les hommes *fussent* (après un verbe principal au prés., on a ici un subjonctif imparf. dans une langue assez recherchée : le fait exprimé est hypothétique ; ce subj. correspond à un condit. prés. que l'on aurait si l'on transformait la proposition en phrase) plus heureux s'ils pouvaient connaître l'avenir.

b) 1. Si j'avais eu son adresse, je l'*eusse mise* (plus-que-parf. employé dans la langue soignée avec la valeur du condit. passé). (Chr. Rochefort.) — 2. La journée fut une des plus belles que j'*aie vécues* (passé : antériorité par rapport au moment de la parole). (J. Green.) — 3. La politesse voudrait que je vous *dise* (prés. : simultanéité par rapport à *voudrait,* condit. prés.) merci. (Montherlant.) — 4. Il faudrait que chacun *donnât* (imparf. : simultanéité par rapport à *faudrait,* condit. prés.) son superflu aux pauvres. (A. France.) — 5. Sauve-toi, qu'au moins ton père ne t'*ait vu* (passé : antériorité par rapport à un moment du futur) ainsi attendant comme un fou. (Proust.) — 6. Elles disparaissaient avant que j'*eusse pu* (plus-que-parfait : antériorité par rapport à *disparaissaient,* imparfait) les comprendre. (Sartre.) — 7. Régine, Pauline, Julien, Lila, ne m'ont-ils pas grignoté jour après jour, usant mes forces et ma vie, jusqu'à ce qu'enfin je *fisse* (imparfait : postériorité par rapport à *ont grignoté,* passé composé) cette chute étrange qu'on appelle dépression ? (S. Prou.)

*487. — Mettre le verbe principal à l'imparfait et mettre les verbes en italiques au temps qui convient selon la concordance appliquée dans la langue écrite très soignée.   (Gr. § 346)

1. Je veux qu'il m'avertisse. / Je *voulais* qu'il m'*avertît*. — 2. Nous ne croyons pas que cela puisse arriver. / Nous ne *croyions* pas que cela *pût* arriver. — 3. Il entre sans qu'on s'en aperçoive. / Il *entrait* sans qu'on s'en *aperçût*. — 4. Ce cheval ne cesse de ruer jusqu'à ce qu'il ait mis son cavalier à bas. / Ce cheval ne *cessait* de ruer jusqu'à ce qu'il *eût mis* son cavalier à bas. — 5. La modestie de ce savant n'empêche pas qu'il ne sente son mérite. / La modestie de ce savant n'*empêchait* pas qu'il ne *sentît* son mérite. — 6. Il est généreux, quoiqu'il soit économe. / Il *était* généreux, quoiqu'il *fût* économe. — 7. Bien qu'on l'ait averti du danger, il veut tenter l'escalade. / Bien qu'on l'*eût averti* du danger, il *voulait* tenter l'escalade.

*488. — Mettre les verbes en italiques au subjonctif, et au temps qui convient selon la concordance appliquée dans la langue écrite très soignée.   (Gr. § 346)

a) 1. Il arrive que les événements ne *répondent* pas à notre attente. — 2. Je ne crois pas que l'accusé *ait commis* le crime dont on le charge. — 3. Caligula souhaitait que le peuple romain n'*eût* qu'une tête, afin qu'il *pût* l'abattre d'un seul coup. — 4. Je doute que vous *eussiez été* mousquetaire si vous étiez né sous Louis XIII. — 5. On nous congédia sans que nous *eussions exposé* au préalable le but de notre visite. — 6. Il annonça sa venue de peur que ses hôtes ne *fussent* absents.

b) 1. Je tiens pour mauvais qu'on *fasse* dans un pays des distinctions de races. (A. France.) — 2. Il n'était pas rare qu'ils *réalisassent* des bénéfices s'élevant à plus de trois cents pour cent. (J. Verne.) — 3. L'Angleterre, quoiqu'elle *eût* par avance *controversé* ces décisions, s'en accommodait dès lors qu'elles étaient prises. (De Gaulle.) — 4. La langue française (...) est une eau pure que les écrivains maniérés n'ont jamais pu et ne pourront jamais troubler. Chaque siècle a jeté dans ce courant limpide ses modes, ses archaïsmes prétentieux et ses préciosités sans que rien *surnage* de ces tentatives inutiles, de ces efforts impuissants. (Maupassant.) — 5. Un moment après éclata un des plus beaux orages que j'*aie vus*. (Hugo.)

489. — Imaginer un bref récit appliquant les règles classiques de la concordance (il faut qu'il y ait des propositions au subjonctif).   (Gr. § 346)

a) Un combat d'Astérix contre les Romains.
b) Une promenade en voiture aux débuts de l'automobile.

c) Une chasse aux temps préhistoriques.
d) La vie quotidienne avant l'électricité.

490. — Relever les infinitifs, indiquer leur fonction.   (Gr. §§ 347-349)

Les talents de Vendredi

Vendredi a appris assez d'anglais pour *comprendre* (compl. de l'adv. *assez*) les ordres de Robinson. Il sait *défricher* (objet dir.), *labourer* (objet dir.), *semer* (objet dir.), *herser* (objet dir.), *repiquer* (objet dir.), *sarcler* (objet dir.), *faucher* (objet dir.), *moissonner* (objet dir.), *battre* (objet dir.), *moudre* (objet dir.), *bluter*[7] (objet dir.), *pétrir* (objet dir.) et *cuire* (objet dir.). Il trait les chèvres, fait *cailler* (objet dir.) le lait, ramasse les œufs de tortue, les fait *cuire* (objet dir.) mollet, creuse des rus d'irrigation, entretient les viviers, piège les bêtes puantes, calfate la pirogue, ravaude les vêtements de son maître, cire ses bottes. Le soir, il endosse une livrée de laquais et assure le service du dîner du Gouverneur. Puis il bassine son lit et l'aide à se *dévêtir* (objet indir.) avant de s'*aller* (compl. adverbial de temps) lui-même *étendre* (compl. adverbial de but) sur une litière qu'il tire contre la porte de la résidence et qu'il partage avec Tenn.

M. TOURNIER (*Vendredi ou les limbes du Pacifique*, © Gallimard).

491. — Donner, pour les infinitifs du texte précédent, la 3ᵉ personne du singulier : 1° de l'indicatif imparfait ; 2° du passé simple.

(Gr. §§ 310-314 et 326)

Il comprenait, il comprit ; il défrichait, il défricha ; il labourait, il laboura ; il semait, il sema ; il hersait, il hersa ; il repiquait, il repiqua ; il sarclait, il sarcla ; il fauchait, il faucha ; il moissonnait, il moissonna ; il battait, il battit ; il moulait, il moulut ; il blutait, il bluta ; il pétrissait, il pétrit ; il cuisait, il cuisit ; il caillait, il cailla ; il cuisait, il cuisit ; il dévêtait, il dévêtit ; il allait, il alla ; il étendait, il étendit.

492. — Quelle est la valeur des infinitifs en italiques ?   (Gr. § 348)

a) 1. Ne pas *se pencher* (prédicat d'une phrase impérative) au-dehors. — 2. Comment *arriver* (prédicat d'une phrase interrogative) à l'école quand c'est la grève des transports ? — 3. Moi, *abandonner* (prédicat d'une phrase exclamative) mon équipe ! — 4. Je regarde le soleil *descendre* (prédicat d'une proposition infinitive) à l'horizon. — 5. Tu ne laisses plus ta mère *faire* (prédicat d'une proposition infinitive) tes tartines. — 6. *Laisser* (prédicat d'une phrase impérative) refroidir avant de servir.

---

7. *Bluter* : séparer la farine des semoules et des sons à l'aide d'un tamis ou d'un blutoir.

b) 1. Le lendemain, pas de Salavin. Et, cette fois, Édouard de *s'inquiéter* (infinitif de narration, prédicat d'une phrase déclarative). (G. Duhamel.) — 2. *Peindre* (prédicat d'une phrase impérative) d'abord une cage / avec une porte ouverte / *peindre* (id.) ensuite / quelque chose de joli. (Prévert, *Pour faire le portrait d'un oiseau.*) — 3. Ce n'est pas une heure où *partir* (dans une relative où l'infinitif implique l'idée de *pouvoir*) pour pâturer dans les collines. (H. Bosco.) — 4. Voici *venir* (après l'introducteur *voici*) les temps où vibrant sur sa tige / Chaque fleur s'évapore ainsi qu'un encensoir. (Baudelaire.) — 5. Parfois il laissait ce silence *envahir* (prédicat d'une proposition infinitive) la pièce. (Vercors.) — 6. Mon chien ! *Mettre* (prédicat d'une phrase exclamative) mon chien à la porte de l'église ! (...) Un chien qui est un modèle de tenue ! Un chien qui se lève et s'assied en même temps que tous vos fidèles ! (Colette.)

493. — Indiquer la fonction des infinitifs en italiques.   (Gr. § 349)

a) 1. *Demander* (sujet du verbe *est*) des conseils est une façon de *plaire* (compl. du nom *façon*). — 2. *Aimer* (sujet du verbe *permet*) à *lire* (compl. d'objet dir. du verbe *aimer*) permet d'*échanger* (compl. d'objet dir. du verbe *permet*) des heures d'ennui contre des heures délicieuses. — 3. Il est utile de *relire* (sujet réel de *est utile*) votre lettre avant de la *mettre* (compl. adverbial de temps du verbe *relire*) sous enveloppe. — 4. Gardons-nous de *juger* (compl. d'objet indir. du verbe *gardons*) les gens sur l'apparence. — 5. *Vivre* (sujet), c'est *lutter* (attribut du sujet *vivre*). — 6. Nous sommes heureux de vous *rendre* (compl. de l'adjectif *heureux*) ce service.

b) 1. L'hôtel a appartenu au duc de Charost qui lisait un livre alors qu'on le menait à la guillotine et qui, avant de s'*aller* (compl. adverbial de temps du verbe *a corné*) faire couper la tête, a corné la page. (J. Green.) — 2. De *voir* (sujet du verbe *soulevait*) dans les cafeterias des hordes *avaler* (prédicat de la proposition infinitive objet dir.), à cinq heures de l'après-midi, des poissons frits, en buvant du chocolat, me soulevait le cœur. (L. Weiss.) — 3. Ceux qui vont mourir aiment *être bercés* (compl. d'objet direct de *aiment*) et comblés d'humbles prévenances. (Fr. Mauriac.) — 4. Il s'amuse (...) des habiletés de l'économiste à tout *faire* (compl. du nom *habiletés*) rentrer dans son système ploutocrate. (Barrès.) — 5. *Bousculer* (sujet de *avançait*) ses voisins n'avançait à rien, vu l'exiguïté et la complication du passage. (Robbe-Grillet.) — 6. Florent se rappelait vaguement s'*y être rendu* (compl. d'objet dir. de *se rappelait*) en excursion avec son père. (Hériat.) — 7. On savait qu'il ne faisait pas bon *s'approcher* (sujet réel de *faisait bon*) de Meaulnes lorsqu'il travaillait ainsi. (Alain-Fournier.) — 8. La plus adroite façon de *plaire* (complément du nom *façon*) est de *deman-*

der (sujet de *est*) [8] des conseils. (O. Pirmez.) — 9. Celui-là seul qui a éprouvé l'extrême infortune est apte à *ressentir* (complément de l'adjectif *apte*) l'extrême félicité. (Al. Dumas.)

494. — Distinguer les temps de l'infinitif et justifier leur emploi.

(Gr. § 350)

1. Il nia *être* (présent ; fait simultané à *nia*) l'auteur de cette lettre. — 2. Les suspects arrêtés nièrent *être venus* (passé ; fait antérieur à *nièrent*) à la ferme ce soir-là. — 3. Le chef de bureau demanda à *être reçu* (présent ; fait simultané à *demanda*) par le directeur. — 4. Après *avoir réparé* (passé ; fait antérieur à *remplacera*) le lavabo, le plombier remplacera les tuyaux. — 5. Le maçon est parti sans *avoir eu achevé* (passé surcomposé ; insistance sur l'idée d'accomplissement) son mur. — 6. Le voyageur, au dernier moment, avait dû *l'interpeller* (présent ; fait simultané à *avait dû*) pour *se faire* (présent ; fait simultané à *interpeller*) *reconnaître* (présent ; fait simultané à *se faire*). Après *s'être inquiété* (passé ; fait antérieur à *en était venu*) de la raison pour laquelle il avait trouvé la porte close, il en était venu à l'objet de sa visite. (Robbe-Grillet.)

495. — Distinguer le gérondif présent, le gérondif passé ; le participe présent, le participe passé, le participe passé composé. (Gr. §§ 351-356)

a) Tableau

Les flots verdâtres, les rochers violets, l'écume, le ciel bas, sont *figurés* (part. passé) indifféremment au moyen de petits coups de pinceau en forme de virgules ou de minuscules croissants. De loin, dans l'ensemble *papillotant* (part. présent) se dessinent des masses aux contours *estompés* (part. passé) cependant que les milliers de touches semblent voltiger, comme ces tempêtes *chatoyantes* (part. présent) *mêlées* (part. passé) de duvet en suspension dans un poulailler après une bataille de coqs, *s'élevant* (part. prés.), *tournoyant* (part. prés.) et *retombant* (part. prés.) *en se balançant* (gérondif prés.). De tout près on peut distinguer la matière de chacune des touches *dirigées* (part. passé) de droite à gauche, d'abord *empâtée* (part. passé), puis *s'élargissant* (part. prés.), *dérapant* (part. prés.) en même temps qu'elle se relève comme une queue. L'image de l'immobile tempête est *collée* (part. passé) sur un papier pelucheux qui l'entoure d'une marge gris vert.

Claude SIMON (*Leçon de choses*, Les Éditions de Minuit).

---

8. Voir Gr., § 99, Rem. 4, et *Le bon usage*, 12ᵉ éd., § 241. Divers grammairiens considèrent que *demander* est ici attribut. On ne pénalisera donc pas les élèves qui donnent cette réponse.

b) 1. Ouvre-moi cette porte où je frappe *en pleurant* (gérondif prés.). (Apollinaire.) — 2. Faut-il tenir les promesses *faites* (part. passé) à la légère ? — 3. *Ayant achevé* (part. passé comp.) sa tournée, le facteur rentre chez lui. — 4. Nous sommes *partis* (part. passé) en vacances, *en ayant retenu* (gérondif passé) une chambre à chaque étape. — 5. *Appliquées* (part. passé), les petites travaillaient en silence, *tirant* (part. prés.) la langue du côté où penchaient leurs têtes. (M. Aymé.)

496. — Indiquer la fonction des participes, en distinguant participe présent et participe passé. (Gr. §§ 351 et 354)

a) 1. J'ai beaucoup *aimé* (part. passé faisant partie d'un temps composé) le tableau *exposé* (part. passé ; épithète) à l'hôtel de ville. — 2. Il fut *réveillé* (part. passé faisant partie d'un passif) par le bruit sourd d'un volet qui, *détaché* (part. passé ; épithète détachée) par le vent, battait contre les ardoises du mur. — 3. Les couleurs de la boîte semblent *effacées* (part. passé ; attribut) par l'usage ou par le temps. — 4. Le coût de la vie *montant* (part. prés. ; prédicat d'une proposition participe ou absolue) sans cesse, plus d'un ménage est *contraint* (participe passé faisant partie d'un passif) de réduire ses dépenses. — 5. Un soleil *brûlant*[9] (part. prés. ; épithète) a *desséché* (part. passé faisant partie d'un temps composé) les prairies cette année-là. — 6. *Distrait* (part. passé ; épithète détachée) par le bruit, le cuisinier laissa tomber dans le potage le couteau *servant* (part. prés. ; épithète) à peler les pommes de terre.

b) 1. Elle avait de jolis yeux, vous savez, cette vipère, (...) des yeux de topaze *brûlée* (part. passé ; épithète), *piqués* (part. passé ; épithète détachée) noir au centre et tout *pétillants* (part. prés. ; épithète détachée) d'une lumière que je saurais plus tard s'appeler la haine. (H. Bazin.) — 2. Pierre est au musée de l'Homme, (...) *cataloguant* (part. prés. ; épithète détachée) les voyages des autres, *collectionnant* (part. prés. ; épithète détachée) les anecdotes, un peu *désabusé* (part. passé ; épithète détachée), *charmant* (part. prés. ; épithète détachée), petit, vif, l'œil noir. (Fr. Mallet-Joris.) — 3. *Passée* (part. passé ; prédicat d'une proposition participe ou absolue) cette journée de violence... je ne me rappelle plus grand-chose de mon petit Vincent. (Gabr. Roy.)

---

9. Dans les emplois de cette espèce, on peut considérer que l'on n'a plus affaire à un participe présent, mais à un adjectif. Cf. Gr. § 352. De même, pour *pétillants* (*b*, 1) et *charmant* (*b*, 2). On ne pénalisera donc pas les élèves qui ne reprennent pas ces cas parmi les participes présents.

497. — Relever les propositions participes en distinguant leur sujet et leur prédicat.

(Gr. § 351)

1. [*La lumière* (sujet) *baissant toujours* (prédicat)], nous avons interrompu nos recherches. — 2. [*Un rocher* (sujet) *barrant le passage* (prédicat)], les explorateurs ont rebroussé chemin. — 3. [*L'air* (sujet) *devenu serein* (prédicat)], le pigeon continua son voyage. — 4. Le moissonneur, [*la journée* (sujet) *terminée* (prédicat)], contemple les gerbes dressées sur le champ. — 5. [*Avril* (sujet) *venu* (prédicat)], la verdure nouvelle déploie sa fraîcheur.

498. — Distinguer si les participes en italiques sont des épithètes détachées ou des prédicats de propositions participes.

(Gr. § 351)

1. Le temps *s'enfuyant* (prédicat) rapidement, nous emploierons de notre mieux toutes nos journées. — 2. Le temps, *s'enfuyant* (épithète détachée) rapidement, emporte beaucoup de nos projets. — 3. La crainte le *tenaillant* (prédicat), l'avare mène une existence bien triste. — 4. César *ayant rallié* (prédicat) ses soldats, la bataille bientôt changea de face. — 5. Les cloches du village, *carillonnant* (épithète détachée) à toute volée, disent la joie de Pâques. — 6. Quelque diable me *poussant* (prédicat), dit l'âne de la fable, je tondis de ce pré la largeur de ma langue. — 7. La cigale, *ayant chanté* (épithète détachée) tout l'été, n'avait rien amassé ; la bise *venue* (prédicat), elle souffrit cruellement de la faim. — 8. Les premiers feux *étant tombés* (prédicat), tous les paysans vaquaient à leurs cultures. (Ph. Hériat.)

499. — Remplacer par une proposition participe les mots en italiques.

(Gr. § 351)

1. *Quand les chats sont partis* (Les chats partis), les souris dansent. — 2. *Si les circonstances vous aident* (Les circonstances aidant), vos projets pourront réussir. — 3. *Quand le printemps est revenu* (Le printemps revenu), tout chante dans la nature. — 4. *Après la prise de la ville* (La ville prise), on fit le siège des maisons. — 5. *Lorsque la tempête fut apaisée* (La tempête apaisée), Panurge retrouva tout son courage. — 6. *Le soir approchait* (Le soir approchant), nous cherchâmes un asile pour la nuit. — 7. *Comme l'avenir ne nous appartient pas* (L'avenir ne nous appartenant pas), nous ne formerons pas de projets inconsidérés. — 8. *Parce que notre amour-propre est susceptible* (Notre amour-propre étant susceptible), nous réagissons vivement quand on critique notre conduite.

500. — Remplacer les trois points par une proposition participe.

(Gr. § 351)

1. Le merle, *les premières rumeurs du printemps vibrant déjà dans l'air,* jette du haut d'un marronnier son sifflement joyeux. — 2. *L'expérience nous manquant,* nous nous garderons de porter des jugements téméraires. — 3. *Mon orthographe étant un peu chancelante,* je ne manquerai pas de relire attentivement mon texte. — 4. *Un orage menaçant,* le cultivateur se hâte de rentrer sa moisson. — 5. *Les premiers froids s'annonçant,* les oiseaux migrateurs s'en vont vers les régions chaudes. — 6. Tout est encore assoupi dans la forêt, mais, *les premiers rayons du soleil caressant la cime des arbres,* mille rumeurs circulent dans les branches.

501. — Dire si les formes en *-ant* sont des participes présents [10] ou des adjectifs verbaux ; à quel signe les reconnaît-on ? (Gr. §§ 352-353)

a) 1. Comment se fierait-on à un homme *changeant* (adj. verbal ; exprime un état) ? — 2. Déjà le premier coq, *lançant* (part. prés. ; a un objet direct : *cocorico*) un *vibrant* (adj. verbal ; exprime un état) cocorico, salue le jour *naissant* (adj. verbal ; exprime un état). — 3. On aime un caractère ferme, n'*hésitant* (part. prés. ; précédé de *ne*) jamais à obéir au devoir. — 4. Ce n'est pas en *gémissant* (part. prés. ; précédé de la préposition *en*) qu'il faut affronter les difficultés. — 5. Un silence *apaisant* (adj. verbal ; exprime un état) descend sur la vallée, *enveloppant* (part. prés. ; a un objet direct : *choses*) toutes choses d'un voile de douceur.

b) 1. Le coche de la fable gravissait un chemin *montant* (adjectif verbal ; exprime un état). — 2. Dieu *aidant* (participe présent dans une proposition absolue), nous sortirons d'embarras. — 3. L'égoïste, ne *pensant* (participe présent ; précédé de *ne*) qu'à son bien-être ou à son intérêt, *se repliant* (participe présent ; appartient à un verbe pronominal) constamment sur lui-même, s'aliène les sympathies. — 4. Un bon livre, en nous *enseignant* (participe présent ; précédé de la préposition *en*) un idéal, peut allumer en nous le désir *brûlant* (adjectif verbal ; exprime un état) de devenir meilleurs. — 5. Un homme avide de louanges, *affectant* (participe présent ; a un objet direct : *modestie*) une modestie outrée, ajoute l'orgueil à l'hypocrisie.

502. — Faire entrer chacun dans une petite phrase le participe présent et l'adjectif verbal correspondant aux verbes suivants. (Gr. §§ 352-353)

a) 1. **Adhérer.** C'est un homme sceptique, n'*adhérant* à aucune doctrine. L'écorce de l'arbre est *adhérente* au bois. — 2. **Communi-**

---

10. Dans cet exercice et dans les suivants, on n'a pas distingué les gérondifs des participes présents.

quer. *Communiquant* entre eux par un code de coups frappés contre la paroi de leurs cellules, ces prisonniers ont pu concerter leur évasion. La physique nous parle des vases *communicants.* — 3. **Convaincre.** On n'aime guère les orgueilleux, se *convainquant* sans cesse de leur supériorité. Une seule raison *convaincante* vaut mieux qu'un long discours rempli de probabilités. — 4. **Différer.** Ces deux frères, quoique *différant* profondément entre eux par le caractère, s'entendent à merveille. Certaines personnes, quoique fort *différentes* d'humeur, restent liées par une solide amitié. — 5. **Équivaloir.** Il y a des diplomates si adroits qu'ils savent envelopper leurs refus dans des formules doucereuses, mais n'*équivalant* jamais à un refus formel. Il est rare qu'une expression soit strictement *équivalente* à une autre.

b) 1. **Exceller.** Ces élèves, n'*excellant* pas dans leurs études, deviendront peut-être des inventeurs. Ce vin est *excellent.* — 2. **Fatiguer.** En nous *fatiguant* avec excès, nous nuisons à notre santé. Les besognes légères même sont *fatigantes* pour le paresseux. — 3. **Intriguer.** On voit dans l'orbite des personnages puissants, des ambitieux *intriguant* sans cesse. Pour les gens *intrigants,* tous les moyens de réussir sont bons. — 4. **Provoquer.** Dans une discussion publique, certaines reparties, *provoquant* l'hilarité, peuvent désarçonner le contradicteur. Abstenez-vous de paroles *provocantes.* — 5. **Négliger.** Il y a des gens qui, *négligeant* l'essentiel, se perdent dans les détails. J'écris avec soin : je ne veux pas qu'on me reproche d'être *négligent.*

503. — Employer, selon le sens, le participe présent ou l'adjectif verbal correspondant aux verbes en italiques.   (Gr. §§ 352-353)

a) 1. Ne nous croyons pas *excellents* en toutes choses. — 2. Dans le paysage chargé de neige, tout est ouaté ; les bruits même sont *différents* des bruits ordinaires. — 3. On n'aime pas les personnages infatués d'eux-mêmes, *fatiguant* la compagnie du récit de leurs exploits. — 4. Même les travaux *fatigants* deviennent agréables quand on les accomplit avec cœur. — 5. Certains gens d'affaires, *différant* toujours de mettre à jour leur comptabilité, aboutissent à la faillite.

b) 1. En vous *communiquant* ces renseignements, j'espère vous être utile. — 2. Dans des vases *communicants,* toutes les surfaces libres d'un liquide sont dans un même plan horizontal. — 3. Une parole *provocante* engendre parfois de terribles querelles. — 4. C'est une odieuse politique que celle qui intervient dans un État voisin en y *provoquant* des troubles et en *intriguant.* — 5. Mettons-nous en garde contre les menées des personnages *intrigants.*

c) 1. Les Phéniciens, en *excellant* dans la navigation, restèrent longtemps le principal peuple marchand du monde ; *négligeant* la culture intellectuelle et artistique, ils s'occupaient surtout de travaux d'utilité publique. — 2. On a vu fleurir à toutes les époques des modes *extravagantes*. — 3. Certains personnages, en *bouffonnant* et en *extravaguant,* ne sont que ridicules. — 4. Dans les compagnies de transport par avion, le personnel *navigant* est choisi avec grand soin. — 5. Les Phéniciens, *naviguant* jusque dans la mer du Nord, tenaient secrètes les routes découvertes par leurs vaisseaux. — 6. Tel professeur est *exigeant,* mais en *exigeant* de vous beaucoup de travail, il n'a en vue que vos progrès.

504. — Compléter, en faisant l'accord quand il y a lieu, les participes présents et les adjectifs verbaux. (Gr. §§ 352-353)

a) 1. Le soleil descend entre les nuages *flottant* à l'horizon ; bientôt l'ombre *s'épaississant* étend sur la vallée ses plis *mouvants*. — 2. L'exemple des grands hommes est comme une lumière *éclatante, éclairant* notre chemin. — 3. *Confiants* dans leur forteresse, les Aduatiques poussaient des clameurs *méprisantes* en *regardant* les Romains approcher leurs machines de siège. — 4. Que les bénéfices soient équitablement répartis entre les *ayants* droit. — 5. Quelle variété *charmante* dans le chant du rossignol ! Tantôt ce sont des modulations *languissantes,* tantôt ce sont des airs *précipitant* les notes comme une cascade *éparpillant* des gouttes irisées.

b) 1. La route s'étalait, nue et *grésillante,* au soleil. (Troyat.) — 2. Ses cheveux étaient blonds et souples, jetés en arrière, *brillant* soyeusement sous la lumière du lustre. (Vercors.) — 3. Il se récréait à humer la brise du soir, en compagnie de quelques serins qu'il élevait, *becquetant, voletant* à ses côtés. (Töpffer.) — 4. Alors, retentit le bruit saccadé des voitures *sautant* sur les plaques *tournantes.* (Huysmans.) — 5. Il réveilla ses fils *dormant,* sa femme lasse / Et se remit à fuir sinistre dans l'espace. (Hugo.) — 6. Voici maintenant les cimetières *s'étageant* au flanc de la montagne. (Loti.) — 7. Nous avancions par habitude, *patinant* dans la glaise, *glissant* dans les ornières. (Dorgelès.) — 8. Un cercle de petites vieilles *médisantes* tricotaient à l'aise sur la pierre froide du foyer. (Troyat.) — 9. Le pré est vénéneux mais joli en automne / Les vaches y *paissant* / Lentement s'empoisonnent. (Apollinaire.)

505. — Transformer les phrases suivantes de telle sorte que, dans chaque cas, le participe ou le gérondif se rapportent au sujet du verbe principal. (Gr. §§ 351 et 356)

a) 1. J'espère que vous accueillerez favorablement ma demande ; daignez agréer l'assurance de mon profond respect. / *Espérant que* vous accueillerez favorablement ma demande, je vous prie d'agréer l'assurance de mon profond respect. — 2. Vous avez examiné cette affaire à la hâte : je ne pense pas que vous ayez pu en démêler la complexité. / *Ayant examiné* cette affaire à la hâte, vous ne pouvez pas en avoir démêlé la complexité. — 3. Je souhaite gagner le gros lot d'un million : faites-moi donc parvenir un carnet de dix billets de votre tombola. / *Souhaitant* gagner le gros lot d'un million, je vous demande de me faire parvenir un carnet de dix billets de votre tombola. — 4. Comme j'ai été reçu à mon examen, mes parents m'ont offert une guitare. / *Ayant été reçu* à mon examen, je me suis vu offrir une guitare par mes parents. — 5. Tu travailles sans méthode ; il me semble que tu ne saurais réussir. / *Travaillant* sans méthode, tu ne saurais réussir, me semble-t-il. — 6. J'ai reçu une tuile sur la tête ; mon médecin m'a mis en observation. / *Ayant reçu* une tuile sur la tête, j'ai été mis en observation par mon médecin.

b) 1. Tandis qu'il disait ces mots, des sanglots entrecoupaient sa voix. / *En disant* ces mots, il avait la voix entrecoupée de sanglots. — 2. Parce que nous sommes absorbés par les soucis matériels, le sort des autres hommes ne nous occupe guère. / *Absorbés* par les soucis matériels, nous ne sommes guère occupés par le sort des autres hommes. — 3. J'avais oublié mon livre ; mon ami m'a prêté le sien. / *Ayant oublié* mon livre, j'ai reçu en prêt celui de mon ami. — 4. Quand vous entrerez dans la vie, bien des difficultés vont se dresser devant vous. / *En entrant* dans la vie, vous verrez bien des difficultés se dresser devant vous. — 5. Si vous êtes armés d'une volonté puissante, bien des difficultés seront aplanies. / *Armés* d'une volonté puissante, vous aplanirez bien des difficultés. — 6. Nous nous occupons trop des devoirs des autres, et nos propres devoirs se trouvent négligés. / *Trop occupés* des devoirs des autres, nous négligeons nos propres devoirs.

506. — Compléter les phrases suivantes.　　　　(Gr. §§ 351 et 356)

a) 1. Ayant peu d'expérience, *je fais appel à vos conseils.* — 2. Comprenant l'importance de cette affaire, *nous y consacrerons tout le temps nécessaire.* — 3. En voyant une telle misère, *nous ne pouvons rester insensibles.* — 4. Méprisé de tout le monde, *le clochard s'était réfugié dans le bois.* — 5. Entouré de tant de soins, *le malade guérira vite.*

b) 1. En espérant que vous ne refuserez pas d'examiner ma requête, *je vous remercie de l'attention que vous y porterez.* — 2. Ayant reçu votre précieux encouragement, *je me suis remis courageusement au travail.* — 3. Ne pouvant me rendre à votre aimable invitation, *je propose que nous nous rencontrions ce samedi.* — 4. Étant empêché de participer à la cérémonie, *je vous prie de bien vouloir m'excuser.* — 5. Ayant couru deux lièvres à la fois, *je n'ai terminé aucune recherche.*

ACCORD DU VERBE

507. — Justifier l'accord des verbes en italiques (un seul sujet, règle générale).   (Gr. § 357)

1. Les bons comptes *font* (sujet : *comptes,* 3ᵉ p. pl.) les bons amis. — 2. Qui court après les souliers d'un mort *risque* (sujet : *qui court après les souliers d'un mort,* 3ᵉ p. sing.) d'aller nu-pieds. — 3. Que de satisfactions m'*a données* (sujet : *voiture,* 3ᵉ p. sing.) cette voiture ! — 4. Qui *pourrait* (sujet : *qui,* 3ᵉ p. sing.) compter les étoiles ? — 5. Dans l'air attiédi *flottent* (sujet : *senteurs,* 3ᵉ p. pl.) mille senteurs subtiles. — 6. Chacun de nous *a pris* (sujet : *chacun,* 3ᵉ p. sing.) ses provisions. — 7. Le temps, c'est de l'argent, *disent* (sujet : *Anglais,* 3ᵉ p. pl.) les Anglais. — 8. *Va* (sujet non exprimé ; 2ᵉ p. sing.) me chercher du pain. — 9. Les chiens du voisin me *réveillent* (sujet : *chiens,* 3ᵉ p. pl.) souvent.

508. — Inventer des phrases ayant pour sujet les mots ou expressions suivantes.   (Gr. § 357)

1. *Je* comprends votre déception. — 2. *Les routes de montagne* sont souvent dangereuses en hiver. — 3. *Aucun de nous* n'avait lu le roman dont le professeur nous parlait. — 4. *Tu* ne sembles pas content. — 5. *Vous* devriez être plus attentifs. — 6. *On* vous téléphonera dans quelques jours.

509. — Faire l'accord des verbes en italiques.   (Gr. § 357)

1. Les yeux *sont* [indic. prés.] le miroir de l'âme. — 2. Dans le lointain *vibraient* [indic. imparf.] les appels de la cloche du soir ; déjà *s'allument* [indic. prés.] les premières étoiles. — 3. L'un de vous *a pris* [passé composé] ma gomme. — 4. Dans quelques semaines *reviendront* [fut. simple] les beaux jours. — 5. Toi seule *es* [indic. prés.] mon trésor et toi seule *es* [id.] mon bien. (Hugo.)

510. — Justifier l'accord des verbes en italiques (collectif ; indéfini occasionnel).   (Gr. §§ 358-359)

a) 1. Une longue file de candidats spectateurs *ondulait* (accord avec le collectif *file* : on considère les candidats spectateurs en bloc) devant l'entrée du cinéma. — 2. Une foule de gens *acceptent* (accord avec le complément, qui est l'élément essentiel ; *une foule de* équivaut à un déterminant indéfini comme *beaucoup de*) les yeux fermés ce qu'ils lisent dans les journaux. — 3. La plupart des magasins *ont* (le sujet est un nom accompagné d'un déterminant indéfini occasionnel : accord avec le nom *magasins*) deux jours de fermeture. — 4. Cette pile de livres *risque* (accord avec le collectif *pile* : on considère les livres en bloc) de s'écrouler. — 5. Une multitude de sauterelles *ravagèrent* (accord avec le complément, qui est l'élément essentiel ; *une multitude de* équivaut à un déterminant indéfini) la région. — 6. La multitude des étoiles *étonne* (accord avec le collectif *multitude* : on considère les étoiles en bloc) notre imagination. — 7. Ma collection de timbres *est* (accord avec le collectif *collection* : on considère les timbres en bloc) enrichie grâce à des échanges.

b) 1. Le peu d'efforts que vous faites *mérite* (accord avec *le peu,* ce mot dominant dans la pensée) une sanction. — 2. Le peu d'efforts que vous faites *méritent* (accord avec *efforts ; le peu* équivaut à un déterminant indéfini) un encouragement. — 3. Un triangle de canards sauvages *pointe* (accord avec le collectif *triangle* : on considère les canards sauvages en bloc) vers le sud. — 4. Une série de difficultés, les unes graves, les autres bénignes, *ont* (accord avec le complément, qui est l'élément essentiel ; *une série de* équivaut à un déterminant indéfini) retardé l'achèvement des travaux. — 5. Un grand nombre d'amis *ont* (accord avec le complément, qui est l'élément essentiel ; *un grand nombre de* équivaut à un déterminant indéfini comme *beaucoup de*) félicité le lauréat. — 6. Un troupeau d'oies, indignées, *piaillaient* (accord avec le complément, qui est l'élément essentiel ; *un troupeau d'* équivaut à un déterminant indéfini) insolemment. (M. Arland.)

511. — Accorder les verbes en italiques.　　　　(Gr. §§ 358-359)

a) 1. Un rideau de peupliers *masque* [indic. prés.] de ce côté le paysage. — 2. Combien de livres *paraissent* [indic. prés.] chaque année ! — 3. Un essaim d'abeilles *s'est suspendu* [passé comp.] à une branche du pommier. — 4. La plupart des enfants *aiment* [indic. prés.] beaucoup les histoires. — 5. Beaucoup de gens *laissent* [indic. prés.] échapper de belles occasions d'agir.

b) 1. La plupart *se font* [indic. prés.] des illusions jusque dans la vieillesse. — 2. Moins de deux semaines *s'étaient passées* [indic. p.-q.-parf.] et déjà le petit malade se promenait dans le jardin ; un groupe de camarades *venaient* [indic. imparf.] l'un après l'autre lui tenir compagnie. — 3. Beaucoup ne *remarquent* [indic. prés.] pas qu'une quantité de petits bonheurs *sont* [indic. prés.] tous les jours à leur portée. — 4. Plus d'un roman et plus d'un film qu'un certain engouement porte aux nues *tomberont* [fut. simple] dans l'oubli. — 5. Le peu de paroles que prononce mon frère *marque* [indic. prés.] un caractère pondéré. — 6. La plupart *se laissent* [indic. prés.] séduire par de belles apparences ; pourtant une foule de choses *brillent* [indic. prés.] qui ne sont pas de l'or.

c) 1. Une foule de ménagères *se bousculaient* [indic. imparf.] autour des étalages. (Troyat.) — 2. Déjà plus d'une feuille sèche / *Parsème* [indic. prés.] les gazons jaunis. (Th. Gautier.) — 3. Les Suisses eurent trois ou quatre soldats tués ou blessés ; ce peu de morts *s'est changé* [passé comp.] en une formidable tuerie. (Chateaubriand.) — 4. Une file d'hommes *attendaient* [indic. imparf.] sur des chaises, l'air ennuyé. (Zola.) — 5. Le peu de cheveux qu'il avait *étaient* [indic. imparf.] gris. (Hugo.) — 6. Une douzaine de chefs *sont accroupis* [indic. prés.] dans leur burnous, tout autour de la salle. (A. Daudet.)

512. — Justifier l'accord des verbes en italiques (*il* impersonnel ; *ce*).

(Gr. §§ 360-361)

1. Il *vient* (verbe impersonnel ; accord avec le sujet apparent *il*) des appels de cloche dans l'air frais du matin. — 2. C'*étaient* (*ce* + *être* ; accord avec l'attribut *hommes*) des hommes géants sur des chevaux colosses. (Hugo.) — 3. Il y *a* (verbe impersonnel ; accord avec le sujet apparent *il*) deux tropiques : le tropique du Capricorne et le tropique du Cancer. — 4. Ce *sont* (*ce* + *être* ; accord avec l'attribut *tonneaux*) les tonneaux vides qui font le plus de bruit. — 5. Ma mère n'a plus de famille, si ce n'*est* (*ce* + *être* dans l'expression *si ce n'est* signifiant « excepté » ; verbe au singulier) des cousins éloignés. — 6. Il se *présente* (verbe impersonnel ; accord avec le sujet apparent *il*) des circonstances où il nous *faut* (id.) des consolateurs. — 7. Ce *furent* (*ce* + *être* ; accord avec l'attribut *orateurs*) de magnifiques orateurs que Démosthène et Cicéron. — 8. C'*est* (*ce* + *être* ; deux attributs au sing. : le verbe se met le plus souvent au sing.) la patience et la persévérance qui assurent le succès. — 9. C'*est* (*ce* + *être* ; l'attribut exprime une certaine heure : verbe au sing.) dix heures que j'entends sonner.

513. — Accorder les verbes en italiques.   (Gr. §§ 360-361)

a) 1. Il *arriva* [passé simple] des visiteurs qu'on n'attendait pas. — 2. C'*est* [indic. prés.] des illusions perdues qu'est faite l'expérience de beaucoup de gens. — 3. Qu'*est* [indic. prés.]-ce que les beaux vers, si ce n'*est* [id.] les sons ou les parfums de l'âme ? — 4. La dépense est considérable : c'*est* [indic. prés.] cent mille francs qu'il va falloir débourser. — 5. Ces personnes, *était* (ou *étaient*) [11] [indic. imparf.]-ce vos tantes ? — 6. Mes meilleures joies, ç'*ont été* (ou *ç'a été*) [12] [passé comp.] les vacances que j'ai passées en Italie. — 7. Écrivez-moi, ne *serait* [condit. présent]-ce que quelques mots. — 8. Oui, ce *sont* [indic. prés.] là des affaires sérieuses ; c'*est* [indic. prés.] d'elles que nous avons à parler.

---

11. Quand le verbe *être* est suivi du pronom *ce* et que le singulier et le pluriel sont identiques pour l'oreille, le choix est libre, mais le singulier paraît plus fréquent. (Cf. *Le bon usage*, 12ᵉ éd., § 899, *b*.)

12. *Ç'ont été* passe pour peu euphonique, et des grammairiens recommandent le singulier. (Cf. *Le bon usage*, 12ᵉ éd., § 899, *a*, Rem. 1.)

b) 1. Il entendit un cri sec auprès de lui : c'*étaient* [indic. imparf.] deux hussards qui tombaient. (Stendhal.) — 2. Jésus leur défend de rien emporter, si ce n'*est* [indic. prés.] des sandales et un bâton. (Flaubert.) — 3. Ce *fut* (ou *furent*) [passé simple] le silence et l'immobilité qui la tirèrent de son sommeil. — 4. *Était* (ou *étaient*) [indic. imparf.]-ce deux amis ou deux frères ? (Th. Gautier.) — 5. Ce *sont* [indic. prés.] les poètes qui finalement ont raison, parce que c'est l'idéal qui est la vérité. (Dumas fils.) — 6. Ce *devaient* (ou *devait*) [indic. imparf.] être des yeux d'infirme. (Cocteau.)

514. — Expliquer l'accord des verbes en italiques (*qui* sujet).

(Gr. § 362)

Piqûre d'églantier

À ce point de ses réflexions, Emmanuel éprouvait une cruelle piqûre au bras gauche. C'était un églantier qui *poussait* (sujet : *qui,* c.-à-d. l'églantier, 3ᵉ pers. sing.) là, au bord de la haie, et qui *venait* (sujet : *qui,* c.-à-d. l'églantier, 3ᵉ pers. sing.) de lui marquer sa présence. « Pourquoi, disait Emmanuel avec l'accent du reproche, pourquoi me piques-tu, moi qui ne t'*ai* rien *fait* (sujet : *qui,* c.-à-d. moi, 1ʳᵉ pers. sing.), moi qui même *admirais* (sujet : *qui,* c.-à-d. moi, 1ʳᵉ pers. sing.) encore, la semaine passée, tes belles petites fleurs plus délicates que des porcelaines de rêve ?

— Excuse-moi, maître, disait l'églantier en jouant la confusion, mais moi, je ne bouge pas. C'est toi qui te *déplaces* (sujet : *qui,* c.-à-d. toi, 2ᵉ pers. sing.), c'est toi qui *es venu* (sujet : *qui,* c.-à-d. toi, 2ᵉ pers. sing.) t'aventurer dans mon espace vital. Si le créateur m'a donné des épines, c'est quand même pour faire respecter mon domaine... »

Georges DUHAMEL (*Les voyageurs de l'Espérance*, Gedalge, édit.).

515. — Remplacer les trois points par la forme verbale convenable.

(Gr. § 362)

1. Je suis le chef ; c'est moi qui *suis* le chef. — 2. Tu es responsable ; c'est toi qui *es* responsable. — 3. Nous ferons ce travail ; c'est nous qui *ferons* ce travail. — 4. Vous prendrez la photo ; c'est vous qui *prendrez* la photo. — 5. Je parlerai au professeur ; c'est moi qui *parlerai* au professeur. — 6. Mon frère et moi partirons les premiers ; c'est mon frère et moi qui *partirons* les premiers. — 7. Tu chantes le mieux ; c'est toi qui *chantes* le mieux. — 8. Tu ouvriras la porte ; c'est toi qui *ouvriras* la porte.

516. — Accorder les verbes en italiques.

(Gr. § 362)

a) 1. C'est moi qui *suis* [indic. prés.] le capitaine de l'équipe. — 2. C'est toi qui *donneras* [fut. simple] le signal du départ. —

3. C'est nous qui *réglerons* [fut. simple] cette affaire. — 4. Étoile du soir, qui *brilles* [indic. prés.] au firmament, que regardes-tu ? — 5. Une foule de gens, qui ne *font* [indic. prés.] réflexion sur rien, s'étonnent de la quantité de soucis qui les *accable* (on acceptera aussi *accablent*) [indic. prés.]. — 6. La multitude des grains de sable qui *brillent* [indic. prés.] au soleil de midi sur la plage nous fait cligner des yeux. — 7. La patience est une des qualités qui *assurent* [indic. prés.] le succès.

b) 1. C'était moi qui *portais* [indic. imparf.] le drapeau. — 2. C'est vous qui *avez trouvé* [passé comp.] la bonne réponse. — 3. Toi qui *parles* [indic. prés.] si bien, as-tu pesé tes mots ? — 4. Le peu de joies qui me *sont venues* [passé comp.] m'ont rendu le courage. — 5. Je ne vois que toi et ton frère qui *puissiez* [subj. prés.] exécuter une telle besogne. — 6. Ne sois pas un de ces ingrats qui *perdent* [indic. prés.] le souvenir des bienfaits reçus. — 7. Vous êtes ici plusieurs qui, plus tard, *occuperez* [fut. simple] des postes de confiance.

c) 1. À moi qui *suis* [indic. prés.] innocent, on a fait cent reproches. — 2. Nous sommes des aveugles qui *marchent* (ou *marchons*) [indic. prés.] en tâtonnant dans le chemin de la vérité. — 3. Ce n'est pas toi qui *devais* [indic. imparf.] passer le premier. — 4. Te voilà encore qui *cherches* [indic. prés.] à brouiller les cartes. — 5. Ô fantôme muet, qui nous *suis* [indic. prés.] en silence, toi qui t'*appelles* [indic. prés.] demain, que nous réserves-tu ? — 6. C'est moi qui *suis chargé* [indic. prés.] d'organiser l'excursion. — 7. N'es-tu pas cet élève qui *désirerait* [condit. prés.] subir un examen en vue de passer dans la classe supérieure ?

d) 1. J'ai une voiture pour eux bien plus que pour moi qui ne *m'en sers* [indic. prés.] point. (Chateaubriand.) — 2. Ah ! passe avec le vent, mélancolique feuille, / Qui *donnais* [indic. imparf.] ton ombre au jardin ! (Moréas.) — 3. Adieu, Meuse endormeuse et douce à mon enfance, / Qui *demeures* [indic. prés.] aux prés, où tu coules tout bas. (Péguy.) — 4. Le maintien est l'un des devoirs qui *s'imposent* [indic. prés.] à nous, l'autre étant la création de valeurs nouvelles. (Fr. Ponge.) — 5. Adieu saison qui *finissez* [indic. prés.] / Vous nous reviendrez aussi tendre. (Apollinaire.) — 6. Elle est à toi cette chanson / Toi l'hôtesse qui sans façon / M'*as donné* [passé comp.] quatre bouts de pain / Quand dans ma vie il faisait faim. (Brassens.)

517. — Justifier l'accord des verbes en italiques (plusieurs sujets, règle générale).   (Gr. § 363)

1. Le furet, le vison, l'hermine et la belette *appartiennent* (verbe au pluriel : plusieurs sujets coordonnés) à la famille des putois. — 2. Toi et moi *sommes* (deux sujets : *toi,* 2ᵉ pers. et *moi,* 1ʳᵉ pers. ; verbe au pluriel, à la 1ʳᵉ pers., qui l'emporte) de vieux amis. — 3. Lui

et moi *sommes* (deux sujets : *lui*, 3ᵉ pers. et *moi*, 1ʳᵉ pers. ; verbe au pluriel, à la 1ʳᵉ pers., qui l'emporte) de vieux amis. — 4. Elle et toi *êtes* (deux sujets : *elle*, 3ᵉ pers. et *toi*, 2ᵉ pers. ; verbe au pluriel, à la 2ᵉ pers., qui l'emporte) de vieilles amies.

518. — Inventer des phrases ayant pour sujets les syntagmes suivants.   (Gr. § 363)

1. *La lune et le soleil* sont visibles de la terre. — 2. *Ma famille et moi* ne sommes pas d'accord sur le lieu de nos prochaines vacances. — 3. *Ta sœur et toi* vous ressemblez beaucoup. — 4. *La pharmacie et la boucherie* ont été cambriolées la même semaine.

519. — Accorder les verbes en italiques.   (Gr. § 363)

1. Mes amis et moi *avons* [indic. prés.] le projet d'aller faire une grande promenade dans les bois. — 2. Le berger rassemble son troupeau quand *s'étendent* [indic. prés.] dans la vallée la brume et l'ombre des collines. — 3. Ton chien et toi *formez* [indic. prés.] une paire d'amis inséparables. — 4. Je t'adresse donc ce récit, tel que Denis, Daniel et moi l'*entendîmes* [passé simple]. (A. Gide.) — 5. Mes grands-parents repartis, *restaient* [indic. imparf.] seulement avec nous Millie et mon père. (Alain-Fournier.) — 6. Un orgueil monstrueux et une affectation incessante *gâtent* [indic. prés.] le caractère de Napoléon. (Chateaubriand.)

520. — Expliquer l'accord des verbes en italiques (plusieurs sujets, règles particulières).   (Gr. §§ 364-368)

a) 1. La gloire, la fortune, les honneurs, tout *périra* (sing. : les sujets sont rappelés par *tout*). — 2. Une parole tendre, un geste, un regard *peut* (sing. : accord avec *regard*, les sujets formant une gradation) nous rendre du courage. — 3. Souffrir et se taire *est* (sing. : les sujets sont des infinitifs unis étroitement : *souffrir en se taisant*) une grande vertu. — 4. Que *pouvait* (sing. : accord avec *fermeté*, les sujets étant synonymes) faire la fermeté, la force d'âme pour résister à de telles épreuves ? — 5. Le cœur autant que la raison *protestent* (plur. : deux sujets joints par *autant que*, simple équivalent de *et*) contre la cruauté envers les animaux. — 6. Pierre ou Étienne *sera* (sing. : accord avec *Étienne*, un seul des deux sujets pouvant réaliser ce qu'exprime le prédicat) le capitaine de notre équipe.

b) 1. Le murmure des sources avec le hennissement des licornes *se mêlent* (plur. : deux sujets joints par *avec*, considéré comme simple équivalent de *et*) à leurs voix. (Flaubert.) — 2. Et c'est pourquoi ce juste et ce preux *s'est levé* (sing. : les éléments coordonnés représentent un être unique). (Hugo.) — 3. Ni les bois ni la plaine / Ne *poussaient* (plur. : deux sujets joints par *ni*, avec valeur d'addition) un soupir dans les airs. (Vigny.) — 4. L'un et l'autre *trottèrent* (plur. après *l'un et l'autre*) pour accomplir ce qu'on leur demandait. (Jammes.) — 5. L'une et l'autre circonstance ne *se ressemblaient* (plur. après un sujet déterminé par *l'une et l'autre*) pas. (J. Romains.) — 6. Mais l'un comme l'autre *évitaient* (plur. après *l'un comme l'autre, comme* ayant ici une valeur d'addition) de parler. (Troyat.) — 7. Le manque d'air ici, autant que l'ennui, *fait* (sing. : accord avec *manque d'air ; autant que* exprime une comparaison) bâiller. (A. Gide.) — 8. Gémir, pleurer, prier *est* (sing. : les sujets sont des infinitifs) également lâche. (Vigny.)

521. — Faire l'accord des verbes en italiques.   (Gr. §§ 364-368)

a) 1. Chacun, riche, pauvre, savant, ignorant, *va* [indic. prés.] du même pas vers la mort. — 2. Pas une phrase amère, pas un reproche, pas un soupir ne *sortit* [passé simple] de sa bouche. — 3. L'éclat, le rayonnement du soleil levant *se réfléchissait* [indic. imparf.] dans l'eau claire de l'étang. — 4. Ni la société ni l'individu ne *sauraient* [condit. prés.] prospérer dans des régions ravagées par des cataclysmes continuels. — 5. Lorsque le chagrin ou le découragement *s'empareront* [fut. simple] de vous, ne vous laissez pas abattre : l'homme, ainsi que le roseau, *peut* [indic. prés.] se relever quand la tempête est apaisée. — 6. Ni un Français ni un Belge ne *sera* [fut. simple] le vainqueur du prochain Tour de France.

b) 1. Attitudes, manières, démarche, tout en cet homme *attestait* [indic. imparf.] une grande assurance. — 2. La douceur, plutôt que les menaces, *ramènera* [fut. simple] dans la bonne voie celui qui s'en est écarté. — 3. Le timide craint de se mettre en avant ; le pusillanime est démonté par la moindre difficulté ; ni l'un ni l'autre ne *sauraient* (plus fréquent que *saurait*) [condit. prés.] dominer les événements. — 4. Ni vous ni moi n'*aurons* [fut. simple] une existence exempte de soucis. — 5. Pierre a résolu ce problème par l'arithmétique ; Alain l'a résolu par l'algèbre ; l'une et l'autre méthode *peuvent* (plus fréquent que *peut*) [indic. prés.] se justifier. — 6. La réflexion, plus que les conseils d'autrui, *a aplani* [passé comp.] la difficulté qui m'arrêtait. — 7. Votre visage, non moins que vos paroles, *peut* [indic. prés.] révéler vos sentiments.

c) 1. Il semble bien que ni eux ni moi ne *fûmes* [passé simple] sincères en cette occasion. (Mirbeau.) — 2. Lorsque le chagrin ou le découragement *s'approcheront* [fut. simple] de vous, pensez au solitaire de la cité d'Aoste. (X. de Maistre.) — 3. Cette ignorance, cette candeur *renforce* [indic. prés.] encore le pouvoir exorcisant des paroles qu'il articule avec netteté. (N. Sarraute.) — 4. Admirer la pensée de Proust et blâmer son style *serait* [condit. prés.] absurde. (Cocteau.) — 5. Une femme ou une jeune fille, un grand manteau marron jeté sur ses épaules, *tournait* [indic. imparf.] le dos. (Alain-Fournier.) — 6. Jamais ni les halliers, ni le taillis, ni la futaie n'*avaient pépié* et *sifflé* [indic. plus-que-parf.] de cette manière. (B. Clavel.)

d) 1. Ni vous ni moi ne *prétendons* [indic. prés.] faire des économies. (Stendhal.) — 2. Il y a là une mission à laquelle ni moi, ni vous, ni lui, ne *pouvons nous dérober* [indic. prés.] ! (R. Martin du Gard.) — 3. Un homme, un pèlerin, un mendiant, n'importe, / *Est* [indic. prés.] là qui vous demande asile. (Hugo.) — 4. Brusquement une plaisanterie, un mot, un geste me *glace* [indic. prés.]. (M. Arland.) — 5. Se chercher et se fuir *est* [indic. prés.] également insensé. (Malraux.) — 6. Si cette religion, si cette culture, si cette échelle des valeurs, si cette forme d'activité et non telles autres, *favorisent* [indic. prés.] dans l'homme cette plénitude, *délivrent* [id.] en lui un grand seigneur qui s'ignorait, c'est que cette échelle des valeurs, cette culture, cette forme d'activité, *sont* [id.] la vérité de l'homme. (Saint Exupéry.)

522. — Accorder les verbes en italiques (récapitulation).

(Gr. §§ 357-368)

a) 1. La plupart *croient* [indic. prés.] que le bonheur est dans la richesse. — 2. Légèreté, rapidité, prestesse, riche parure, tout *appartient* [indic. prés.] à l'oiseau-mouche. — 3. Il y a un excès de biens et de maux qui *dépasse* [indic. prés.] notre sensibilité. — 4. Douze ans *est* [indic. prés.] un bel âge. — 5. Nul penseur, nul artiste, nul écrivain, personne ne *prétendra* [fut. simple] que la solitude a jamais étouffé le génie. — 6. La moitié de nos soucis se *dissiperaient* (ou *dissiperait*) [condit. prés.] si nous étions maîtres de nous-mêmes.

b) 1. Cinq heures *sonnent* [indic. prés.] au clocher du village ; déjà *résonnent* [indic. prés.], dans la cour de la ferme, les premiers appels. — 2. La peur ou le besoin *causent* [indic. prés.] tous les mouvements de la souris. — 3. C'*est* [indic. prés.] nous-mêmes qui *tenons* [indic. prés.] notre avenir dans nos mains. — 4. Bien faire et laisser dire *suppose* [indic. prés.] une grande fermeté d'âme. — 5. Si vous prenez l'un des sentiers qui *mènent* [indic. prés.] au sommet de la colline, vous découvrirez un beau paysage. — 6. Onze heures et demie *sonnaient* [indic. imparf.] à l'hôtel de ville. — 7. Plus d'un *s'imagine* [indic. prés.] que l'argent est le meilleur remède aux maux dont *souffrent* [indic. prés.] la plupart des hommes.

c) La forêt s'endort

La vapeur du crépuscule, non moins que la brume matinale, *veloute* [indic. prés.] la forêt de teintes adoucies. Plus d'une rumeur indécise *circule* [indic. prés.] dans les sentiers, plus d'une vague d'ombre, plus d'un frisson obscur *s'insinuent* [indic. prés.] entre les arbres, *montent* [indic. prés.] vers les cimes où il *flotte* [indic. prés.] encore des tiédeurs qu'y *a laissées* [passé comp.] le caprice du soleil. Une bande de corbeaux, un à un, *regagnent* [indic. prés.] l'abri des hautes branches. Cette série d'appels qui *tombent* [indic. prés.] à intervalles dans le silence, ce *doit* (beaucoup moins fréquent : *doivent*) [indic. prés.] être les ululements du hibou, cet hôte invisible dont la tristesse, l'anxiété *s'exhale* [indic. prés.] avec une résonance si lugubre. Il *traîne* [indic. prés.] encore çà et là quelques murmures, mais bientôt ce peu de murmures *s'évanouira* (ou *s'évanouiront*) [fut. simple] dans les voiles de la nuit.

d) 1. Créature d'un jour qui *t'agites* [indic. prés.] une heure, / De quoi viens-tu te plaindre et qui te fait gémir ? (Musset.) — 2. La Finlande, comme la Belgique, *comporte* [indic. prés.] deux éléments ethniques différents et l'on y parle deux langues : le finnois et le suédois. (G. Duhamel.) — 3. Ni vous ni moi ne *collaborerons* [fut. simple] à un crime. (Cocteau.) — 4. Adieu, consolatrice de mes beaux jours, toi qui *partageas* [passé simple] mes plaisirs et bien souvent mes douleurs ! (Chateaubriand.) — 5. Ce paresseux, ce pleutre, ce parasite *se fait* [indic. prés.] passer pour un « connaisseur ». (N. Sarraute.) — 6. S'agiter et blesser *est* [indic. prés.] l'instinct des vipères. (Vigny.) — 7. Pour la dernière fois, je verrai la façade bête et blanche, ce cube que soleil ni pluie n'*arrivent* [indic. prés.] à fondre. (Bernanos.)

523. — Justifier l'accord des verbes en italiques. (Gr. §§ 357-368)

1. La littérature, comme tous les beaux-arts, *doit* (accord avec *littérature* ; *comme* indique la comparaison) traiter du beau, non de l'utile. (Veuillot.) — 2. Quelles que *soient* (accord avec *habileté* et *opportunité* ; *ou* a une valeur d'addition) l'habileté ou l'opportunité avec lesquelles on essaye de poser le problème (...), l'Art ne saurait avoir d'autre but que lui-même. (L.-P. Fargue.) — 3. Un dégoût, une tristesse immense l'*envahit* (sujets synonymes ; accord avec le dernier). (Flaubert.) — 4. Blaise devait songer avec amertume que l'utilité et non la tendresse *retenait* (accord avec *utilité* ; *tendresse* est exclu des donneurs par la négation) Jacqueline auprès de lui. (Fr. Mauriac.) — 5. Sentir, aimer, souffrir, se dévouer, *sera* (singulier : les sujets sont des infinitifs) toujours le texte de la vie des femmes. (Balzac.) — 6. Toute sa prudence, toute sa lâcheté *frissonnait* (sujets considérés comme synonymes ; accord avec le dernier). (Zola.)

ACCORD DU PARTICIPE PASSÉ

524. — Justifier l'accord du participe passé (conjugué avec *être*).

(Gr. § 369)

1. Ne sommes-nous pas *remplis* (accord avec *nous,* sujet, masc. pl.) d'une douce joie quand nous revoyons, après une longue absence, les lieux où sont *restés* (accord avec *ceux*, sujet, masc. pl.) ceux que nous aimons ? — 2. Bienheureux ceux qui ont faim et soif de la justice, car ils seront *rassasiés* (accord avec *ils*, sujet, masc. pl.).

— 3. Quand ils sont *arrivés* (accord avec *ils*, sujet, masc. pl.) là où ils voulaient parvenir, les ambitieux sont *dévorés* (accord avec *ambitieux*, sujet, masc. pl.) du désir de monter plus haut encore. — 4. Notre expérience étant *limitée* (accord avec *expérience*, sujet, fém. sing.), il convient que nous soyons *aidés* (accord avec *nous*, sujet, masc. pl.) par ceux qui sont sages et prévoyants. — 5. Quand les chats sont *partis* (accord avec *chats*, sujet, masc. pl.), les souris dansent.

525. — Accorder, quand il y a lieu, les participes passés.　(Gr. § 369)

a) 1. Bien des difficultés seraient *résolues* si nous étions méthodiques. — 2. Des souvenirs précieux s'attachent aux lieux où nous sommes *nés* et où nous avons passé notre enfance. — 3. Quand le renard et le bouc de la fable furent *descendus* dans le puits, ils se désaltérèrent. — 4. Après être *convenus* de leurs torts, il faut encore qu'ils se tirent du désordre où ils sont *tombés*. — 5. Le jour paraît ; déjà la colline et le bosquet là-bas sont *sortis* de la pénombre.

b) 1. Ta tombe et ton berceau sont *couverts* d'un nuage. (Lamartine.) — 2. Des villages, des villes entières, étaient *laissés* sous la garde de la foi publique. (Michelet.) — 3. Ce pas et cette voix me sont bien *connus*. (A. Daudet.) — 4. Craignant d'être *submergés*, nous nous hâtâmes de gagner le bord du fleuve. (Chateaubriand.) — 5. Le café et les liqueurs furent *servis* au grand salon. (J. Romains.) — 6. À peine fis-je attention que ma main et le bas de ma manche étaient tout *souillés* du sang coagulé du chevreuil égorgé. (Constantin-Weyer.) — 7. Ce ne sont pas tant les mots qui mentent que la façon dont ils sont *prononcés*. (Fr. Mallet-Joris.)

526. — Dire avec quoi s'accordent les participes passés en italiques (sans auxiliaire).　(Gr. § 369)

La cour du vieux château

La voiture entra dans une grande cour presque carrée et *fermée* (*cour*) par les rives abruptes des étangs. Ces berges sauvages, *baignées* (*berges*) par des eaux *couvertes* (*eaux*) de grandes taches vertes, avaient pour tout ornement des arbres aquatiques *dépouillés* (*arbres*) de feuilles, dont les troncs *rabougris* (*troncs*), les têtes énormes et chenues, *élevées* (*têtes*) au-dessus des roseaux et des broussailles, ressemblaient à des marmousets grotesques. Ces haies disgracieuses parurent s'animer et parler quand les grenouilles les désertèrent en coassant, et que des poules d'eau, *réveillées* (*poules d'eau*) par le bruit de la voiture, volèrent en barbotant sur la surface des étangs. La cour, *entourée* (*cour*) d'herbes hautes et *flétries* (*herbes*), d'ajoncs, d'arbustes nains ou parasites, excluait toute idée d'ordre et de splendeur.

BALZAC (*Les Chouans*).

527. — Justifier l'accord des participes passés.   (Gr. § 369)

N.B. — Tous les participes passés sont ici employés sans auxiliaire.

1. Les bienfaits *reprochés* (se rapp. à *bienfaits* : masc. pl.) sont des bienfaits *perdus* (se rapp. à *bienfaits* : masc. pl.). — 2. Une heure *consacrée* (se rapp. à *heure* : fém. sing.) à un travail *soutenu* (se rapp. à *travail* : masc. sing.) vaut mieux qu'une journée *passée* (se rapp. à *journée* : fém. sing.) dans l'ennui. — 3. Voici le mois de mai : que de corolles *épanouies* (se rapp. à *corolles* ; fém. pl.) ! que de parfums *répandus* (se rapp. à *parfums* : masc. pl.) dans l'air *attiédi* (se rapp. à *air* : masc. sing.) ! que de mélodies *répétées* (se rapp. à *mélodies* : fém. pl.) cent fois dans les buissons *habillés* (se rapp. à *buissons* : masc. pl.) de verdure nouvelle ! — 4. Il faut, dans bien des circonstances, une patience et un courage toujours *renouvelés* (se rapp. à *patience* et à *courage,* deux noms de genres différents : part. au masc. pl.). — 5. Quel beau spectacle qu'un père et une mère *entourés* (se rapp. à *père* et à *mère,* deux noms de genres différents : part. au masc. pl.) de l'affection de leurs enfants ! — 6. J'éprouvais chaque soir une joie, un enivrement *renouvelé* (se rapp. à *enivrement,* masc. sing. ; *joie* et *enivrement* sont en gradation) en feuilletant mon livre d'images.

528. — Accorder, s'il y a lieu, les participes passés en italiques.

(Gr. § 369)

a) 1. Ô vallons *aimés* de mon enfance ! Je me plais à me rappeler vos sites *baignés* de douceur et *parés* de grâces aussi *variées* que les journées de chaque saison. — 2. La terre *abandonnée* à sa fertilité naturelle et *couverte* de forêts immenses offre, dans certaines régions peu *explorées,* des tableaux *empreints* d'une grandeur imposante. — 3. Certaines gens, *absorbés* par leurs affaires ou *entraînés* par les plaisirs, négligent de descendre en eux-mêmes. — 4. Y a-t-il des gens si *éclairés* que rien n'échappe à leur intelligence ? — 5. Un jour, une heure, une minute même, *donnée* au bien ou au mal, décide parfois de toute une vie.

b) 1. Toutes les voiles *ouvertes* tombaient *collées* aux mâts comme des ballons vides. (Vigny.) — 2. Sur le rectangle obscur du tableau, voici qu'il distingue des lignes blanches, *tracées* à la craie d'une écriture bien *moulée.* (M. Genevoix.) — 3. On avait, suivant la couleur et la forme *consacrées,* apporté à Aziyadé son café turc dans une tasse bleue *posée* sur un pied de cuivre. (Loti.) — 4. *Renversée* dans son fauteuil, tante Liline tamponna de son mouchoir ses yeux sans larmes. (Hériat.) — 5. Nous laissions *ouverte,* en nous déshabillant, la porte de la cuisine, afin de jouir encore de la lueur de la lampe. (M. Arland.)

c) L'hiver et le printemps

L'hiver, saison *engourdie,* est le temps où la nature, comme *frappée* de paralysie, s'enferme dans la mélancolie. Les insectes *cachés* dans le sol, les végétaux *dépouillés* de leur verdure, les oiseaux *réduits* à un régime de famine ou *disparus* dans des régions lointaines, les habitants des eaux *renfermés* dans des prisons de glace : tout présente les apparences d'un sommeil qui fait songer à la mort.

Mais voici avril et ses brises *attiédies ;* les eaux vives courent, *mêlées* de lumière et de frissons ; les oiseaux *réjouis* poussent à l'envi des appels et des roulades cent fois *répétés ;* partout les branches, *couvertes* d'une verdure nouvelle, s'agitent doucement sous les effluves *embaumés* de la jeune saison.

529. — Inventer, sur chacun des thèmes suivants, une phrase contenant un ou plusieurs participes employés sans auxiliaire. (Gr. § 369)

1. **Les nuages.** Les nuages *alourdis* rendaient le ciel menaçant. — 2. **Les vaches.** Les vaches *amaigries* par la disette ne produisaient plus de lait. — 3. **La cave.** La cave, *visitée* par des cambrioleurs, était dans un grand désordre. — 4. **La locomotive.** La locomotive, autrefois *alimentée* par du charbon, est aujourd'hui mue par l'électricité. — 5. **Les yeux.** Ses yeux, *brûlés* par le soleil, piquaient.

530. — Accorder, s'il y a lieu, les participes passés en italiques (prédicats d'une proposition absolue ; *ci-joint,* etc.). (Gr. § 370)

a) 1. L'adversité, dit le poète, peut tout chasser d'une âme, *excepté* la bonté. — 2. On a dû renoncer à cette entreprise, *attendu* les difficultés financières auxquelles on s'est heurté. — 3. *Vu* les bons antécédents de l'accusé, on lui a pardonné sa faute. — 4. *Passé* (ou *Passés*) ces délais, aucune réclamation ne sera admise. — 5. Lisez la lettre *ci-incluse* et les pièces *ci-annexées.*

b) 1. *Ci-inclus* les pièces que vous m'avez demandées. — 2. *Exceptés* de la loi commune de l'oubli, les grands hommes continuent à vivre dans la mémoire de la postérité. — 3. Ce vieillard a cinquante mille francs de revenu, *non compris* une petite pension. — 4. Je vous envoie *ci-incluse* (ou *ci-inclus*) une lettre de votre père. — 5. Certains ont tout prévu, leur mort *exceptée.* — 6. *Non comprises* au compte précédent, ces sommes ont dû figurer dans les relevés que vous trouverez *ci-joints* (ou *ci-joint*).

c) 1. La devanture, à cause de son manque de largeur, ne pouvait admettre que deux fenêtres de front et une chambre par étage, *y compris* la cage de l'escalier. (Th. Gautier.) — 2. De toute la maisonnée, cuisinière *y comprise,* c'est lui qui s'y reconnaît le mieux dans les tickets d'alimentation. (Montherlant.) — 3. Bousculer ses voisins n'avançait à rien, *vu* l'exiguïté du passage. (Robbe-Grillet.) — 4. Tout était gris et blanc, *excepté* les sentiers que Quantin avait tracés. (B. Clavel.) — 5. Tout ce qui était sur le pont, nous *exceptés*, avait été balayé par-dessus bord. (Baudelaire.) — 6. Je ne saurais voyager sans un cortège considérable, *attendu* ma naissance et ma fortune. (Musset.) — 7. *Ci-joint* deux coupures de journaux me concernant. (Al. David-Néel.) — 8. Vous devinez pour qui est la lettre *ci-incluse*. (B. Constant.)

531. — Justifier l'accord des participes passés en italiques (avec *avoir*, règle générale).   (Gr. § 371)

a) Le message

La porte que quelqu'un a *ouverte* (accord avec le compl. objet dir. *que*, c.-à-d. *la porte*, fém. sing., qui précède le part.)
La porte que quelqu'un a *refermée* (accord avec le compl. objet dir. *que*, c.-à-d. *la porte*, fém. sing., qui précède le part.)
La chaise où quelqu'un s'est assis
Le chat que quelqu'un a *caressé* (accord avec le compl. objet dir. *que*, c.-à-d. *le chat*, masc. sing., qui précède le part.)
Le fruit que quelqu'un a *mordu* (accord avec le compl. objet dir. *que*, c.-à-d. *le fruit*, masc. sing., qui précède le part.)
La lettre que quelqu'un a *lue* (accord avec le compl. objet dir. *que*, c.-à-d. *la lettre*, fém. sing., qui précède le part.)
La chaise que quelqu'un a *renversée* (accord avec le compl. objet dir. *que*, c.-à-d. *la chaise*, fém. sing., qui précède le part.)
La porte que quelqu'un a *ouverte* (accord avec le compl. objet dir. *que*, c.-à-d. *la porte*, fém. sing., qui précède le part.)
La route où quelqu'un court encore
Le bois que quelqu'un traverse
La rivière où quelqu'un se jette
L'hôpital où quelqu'un est mort.

                              J. PRÉVERT (*Paroles*, © Gallimard).

b) 1. Nous sommes heureux quand nous avons *fait* (invar. : le compl. objet dir. *progrès* suit le part.) des progrès. — 2. Je n'ai pas toujours *retenu* (invar. : le compl. objet dir. *choses* suit le part.) toutes les choses que j'ai *étudiées* (accord avec le compl. objet dir. *que*, c.-à-d. *les choses*, fém. pl., qui précède le part.). — 3. Nous avons *marché* (invar. : pas de compl. objet dir.) trois heures. — 4. Les petits États ont souvent *prospéré* (invar. : pas de compl. objet dir.) plus facilement que les grands. — 4. On vous a tous *avertis* (accord avec le compl. objet dir. *vous*, masc. pl., qui précède le part.) des dangers que vous n'aviez pas *aperçus* (accord avec le compl. objet dir. *que*, c.-à-d. *les dangers*, masc. pl., qui précède le part.). — 6. L'avare a-t-il jamais *joui* (pas de compl. objet dir.) des trésors qu'il a *accumulés* (accord avec le compl. objet dir. *que*, c.-à-d. *les trésors*, masc. pl., qui précède le part.) ? — 7. Comment Jean-Marie a-t-il *cassé* (invar. : le compl. objet dir. *montre* suit le part.) la montre que son parrain lui avait *offerte* (accord avec le compl. objet dir. *que,* c.-à-d. *la montre,* fém. sing., qui précède le part.) ?

532. — Accorder, quand il y a lieu, les participes passés en italiques.
(Gr. § 371)

a) 1. De tous les pays que j'ai *visités,* la Suisse m'a *paru* le plus pittoresque. — 2. Certaines gens s'imaginent que les maux qu'ils ont *endurés* étaient les plus cruels qu'on eût jamais *soufferts.* — 3. Je vous rapporte les livres et les revues que vous m'avez *prêtés.* — 4. Avez-vous *suivi* les conseils que je vous ai *donnés*? — 5. Les chrysanthèmes que vous avez *apportés,* je les ai *déposés* sur la tombe de mes grands-parents. — 6. L'expérience que nous avons *acquise* résulte, pour une part, des erreurs que nous avons *commises.* — 7. La beauté, le charme du printemps, jamais je ne l'ai mieux *goûté* que dans ma région natale.

b) 1. Tous les marronniers ont *ouvert* leurs feuilles comme des petites ombrelles d'un soir. (J. Renard.) — 2. Les choses que l'on sait le mieux sont celles qu'on n'a pas *apprises.* (Vauvenargues.) — 3. Une odeur de gazon écrasé traîne sur la pelouse, non fauchée, épaisse, que les jeux, comme une lourde grêle, ont *versée* en tous sens. Des petits talons furieux ont *fouillé* les allées, *rejeté* le gravier sur les plates-bandes. (Colette.) — 4. Tous les présents d'avril, je les ai *dissipés,* / Et je n'ai pas *cueilli* la grappe de l'automne, / Et mes riches épis, d'autres les ont *coupés.* (Moréas.) — 5. Les ancêtres nous ont *faits* ce que nous sommes. (Barrès.)

533. — Composer, sur chacun des thèmes suivants, une phrase contenant un participe passé avec *avoir.*
(Gr. § 371)

1. **Les abeilles.** L'essaim que les abeilles *ont formé* dans le fond du jardin intrigue les enfants. — 2. **Les automobilistes.** Les imprudences que les automobilistes *ont commises* pendant les fêtes sont innombrables. — 3. **Les Alpes.** Nous avons *voyagé* dans les Alpes cet été. — 4. **Le crépuscule.** Le soir s'étend sur les champs que le crépuscule a *teintés.*

534. — Accorder, quand il y a lieu, les participes passés en italiques (*coûté,* etc. ; verbes impersonnels).
(Gr. §§ 372-373)

a) 1. Cette maison ne vaut pas les deux millions qu'elle a *coûté.* — 2. Que d'années de travail il a *fallu* à certains savants, pour voir aboutir leurs recherches ! — 3. Beaucoup mettent Pasteur au rang des plus grands bienfaiteurs de l'humanité qu'il y ait jamais *eu.* — 4. Que de guerres durant les cinquante-quatre ans que Louis XIV a *régné* ! — 5. Après les trois heures que nous avions *marché,* nous nous sentions un peu fatigués. — 6. Ces caisses, les a-t-on soigneusement *pesées* ? — 7. Les huit heures que nous avons *dormi* ont

réparé nos forces épuisées par cette longue randonnée et par la chaleur torride qu'il a *fait* toute la journée.

b) 1. Les événements que je cherchais ne vinrent pas aussi
grands qu'il me les eût *fallu*. (Vigny.) — 2. Je lui gardais rancune
des mauvais instants que la solitude et ma timidité m'avaient *coûtés*.
(E. Jaloux.) — 3. C'était énorme pour ton père, qui n'avait pas
encore la situation que son travail lui a *value* plus tard. (J. Green.)
— 4. La rente viagère n'est acquise au propriétaire que dans la pro-
portion du nombre de jours qu'il a *vécu*. (Code civil.) — 5. Dans le
souvenir de ceux qui les ont *vécues,* les journées terribles de la peste
n'apparaissent pas comme de grandes flammes interminables et
cruelles, mais plutôt comme un interminable piétinement.
(A. Camus.)

535. — Justifier l'accord ou l'invariabilité des participes passés en
italiques (*dit, dû,* etc. ; participe précédé de *l'*, ou d'un collectif, ou d'un
adverbe de quantité). (Gr. §§ 374-376)

1. L'entreprise n'a pas été aussi difficile qu'on l'avait *dit* (le
compl. d'objet dir. *l'*, qui précède le part. passé, représente la propos.
« que l'entreprise était difficile » : part. passé invar.) ; elle a été pourtant moins facile que nous ne l'avions *pensé* (le compl. d'objet dir.
l', qui précède le part., représente la propos. « qu'elle était facile » :
part. passé invar.). — 2. Nous avons fait tous les efforts que nous
avons *pu* (le compl. d'objet dir. est l'infinitif *faire,* à sous-entendre
après *pu* : part. passé invar.), mais nous n'avons pas obtenu les
résultats qu'on aurait *cru* (le compl. d'objet dir. est l'infinitif « obtenir » à sous-entendre après *cru* : part. passé invar.). — 3. Ah ! que de
bonnes actions nous n'avons pas *faites* (le compl. d'objet dir. est
bonnes actions précédé de *que de* servant de déterminant indéfini :
ce compl. précède le part. passé, qui s'accorde donc avec lui et se
met au fém. pl.) ! et combien de choses inutiles nous avons *accom-
plies* (le compl. d'objet dir. est *choses* précédé de *combien de* servant de déterminant indéfini : ce compl. précède le part. passé, qui
s'accorde donc avec lui et se met au fém. pl.) ! — 4. Combien les
astronomes modernes ont *découvert* (le compl. d'objet dir. est *astres*
précédé de *combien de* servant de déterminant indéfini : ce compl.
suit le part. passé, qui reste donc invar.) d'astres dont les anciens
n'ont jamais soupçonné l'existence ! — 5. La géométrie est-elle
aussi rebutante que certains l'ont *prétendu* (le compl. d'objet dir. *l'*,
qui précède le part. passé, représente la propos. « qu'elle était rebutante » : part. passé invar.) ? — 6. Je vis s'abattre une bande d'étour-
neaux que mon coup de fusil eut bientôt *dispersée* (le compl. d'objet
direct *que,* qui précède le part. passé, a pour antécédent le collectif
bande qui commande l'accord : part. passé au fém. sing.). — 7. Le
jardinier me présenta une corbeille de poires qu'il avait *cueillies* (le
compl. d'objet direct *que,* qui précède le part. passé, a pour antécédent *poires* : part. passé au fém. pl.) une à une.

536. — Accorder, quand il y a lieu, les participes passés en italiques.
(Gr. §§ 374-376)

a) 1. L'étude de la grammaire est-elle aussi difficile que vous l'aviez *cru* ? — 2. Que d'énergie vous avez *dépensée* en pure perte et que d'échecs vous avez *subis* par votre propre faute ! — 3. Une pile de livres que j'avais maladroitement *dressée* dans un coin s'écroula tout à coup. — 4. Ma passion de la lecture est plus forte encore que vous ne l'aviez *pensé* : voyez, dans le coin de ma chambre, cette pile de livres que j'ai *lus* en quelques semaines. — 5. Autant de résolutions nous avons *prises,* autant de victoires nous avons *remportées.* — 6. Il n'a pas obtenu la place qu'il avait *annoncé* qu'il obtiendrait.

b) 1. Le grand nombre de fautes que vous avez *fait* dans votre dictée me donne à penser que vous n'avez pas eu, en écrivant, toute l'attention que j'aurais *cru.* — 2. Le peu de joies que nous avons *goûté* [13] ne doit pas nous faire sombrer dans le désespoir. — 3. Il est impossible de trouver de la main-d'œuvre dans cette ville, à cause du peu d'habitants que les bombardements y ont *laissé.* — 4. C'est le peu d'efforts que vous avez *fait* qui a causé votre échec. — 5. C'est le peu d'efforts que vous avez *faits* qui expliquent votre succès. — 6. Voici deux livres qu'on m'a *assuré* qui vous plairaient.

537. — Justifier l'accord ou l'invariabilité des participes passés (suivis d'un infinitif) en italiques.   (Gr. § 377)

N.B. — Pour les deux premiers participes, on donne ici une justification détaillée ; — pour les autres, on ne donne qu'une justification abrégée.

a) 1. Les artistes que j'ai *entendus* (j'ai entendu *que,* c.-à-d. *les artistes,* chantant [14] ; cela indique que le compl. d'objet direct du part. passé est *que,* qui précède ; part. passé au masc. pl.) chanter. — 2. Les personnes que j'ai *vues* (j'ai vu *que,* c.-à-d. *les personnes,* venant ; cela indique que le compl. d'objet direct du part. passé est *que,* qui précède ; part. passé au fém. pl.) venir. — 3. Les orchestres que j'ai *entendu* (j'ai entendu *que,* c.-à-d. *les orchestres,* *applaudissant : tournure impossible ; part. passé invar.) applaudir. — 4. Les occasions que nous avons *laissées* (nous avons laissé *que,* c.-à-d. *les occasions,* échappant : tournure possible ; le part. passé s'accorde : fém. pl.) échapper [15]. — 5. Les fautes que vous avez *vu*

---

13. L'attention se porte sur *le peu* : voir le verbe principal *doit*. Mais on ne considérera pas *goûtées* comme une faute. De même dans la phrase 4.

14. Selon les aptitudes de la classe, on se fondera sur une justification un peu mécanique, comme celle donnée ci-dessus, ou sur une observation plus fine : *que* peut-il être considéré ou non comme l'objet direct de l'infinitif ?

15. *Échapper* est mis ici pour *s'échapper.* (Cf. *Le bon usage,* 12ᵉ éd., § 751.)

(nous avons vu *que,* c.-à-d. *les fautes,* *commettant : tournure impossible ; part. passé invar.) commettre. — 6. Les habitudes que nous avons *laissées* (nous avons laissé *que,* c.-à-d. *les habitudes,* s'établissant : tournure possible ; le part. passé s'accorde : fém. pl.) s'établir.

b) 1. Nos amis, nous les avons *vus* (nous avons vu *les,* c.-à-d. *les amis,* partant : tournure possible ; le part. passé s'accorde : masc. pl.) partir. — 2. Elle s'est *laissée* (elle a laissé *s',* c.-à-d. *elle,* mourant : tournure possible ; le part. passé s'accorde : fém. sing.) mourir. — 3. Ces violonistes, je les ai *écoutés* (j'ai écouté *les,* c.-à-d. *les violonistes,* jouant : tournure possible ; le part. passé s'accorde : masc. pl.) jouer. — 4. Les ouvriers que j'ai *envoyé* (j'ai envoyé *que,* c.-à-d. *les ouvriers,* *cherchant : tournure impossible ; part. passé invar.) chercher. — 5. La matière que j'ai *cherché* (j'ai cherché *que,* c.-à-d. *la matière,* *pétrissant : tournure impossible ; part. passé invar.) à pétrir. — 6. Elle s'est *laissé* (elle a laissé *s',* c.-à-d. *elle,* *surprenant : tournure impossible ; part. passé invariable) surprendre. — 7. L'émotion que j'ai *sentie* (j'ai senti *que,* c.-à-d. *l'émotion,* grandissant : tournure possible ; le part. passé s'accorde : fém. sing.) grandir. — 8. Les maçons que j'ai *regardés* (j'ai regardé *que,* c.-à-d. les maçons, travaillant : tournure possible ; le part. passé s'accorde : masc. pl.) travailler. — 9. La méthode que j'ai *préféré* (j'ai préféré *que,* c.-à-d. la méthode, *suivant : tournure impossible ; part. passé invar.) suivre.

538. — Accorder, quand il y a lieu, les participes passés en italiques.
(Gr. § 377)

a) 1. Tous ces arbres, que j'avais *vus* reverdir au printemps, je les ai *vu* abattre. — 2. Il y a des mélodies que nous avons *entendu* chanter des dizaines de fois sans jamais nous lasser. — 3. La colère sourde que j'avais *sentie* monter en moi, je ne l'ai pas *laissée* (*laissé* ne serait pas fautif) éclater. — 4. Voici la première hirondelle ; l'avez-vous *vue* tourner autour du clocher ? — 5. Ma mère est rentrée ; je l'ai *entendue* marcher.

b) 1. J'admire les vapeurs légères que le matin d'avril a *fait* descendre dans la vallée. — 2. Un grand-père s'émeut de tout ce qui atteint ses petits-enfants : il s'attriste quand il les a *vus* pleurer ou quand il les a *entendu* réprimander. — 3. Qu'ils étaient vifs, les pinsons que j'ai *regardés* construire leur nid ! — 4. Notre équipe n'a pas obtenu toutes les victoires qu'elle aurait *souhaité* remporter. — 5. Certains hommes tombent d'une haute situation par les mêmes défauts qui les y avaient *fait* monter. — 6. Même les difficultés que nous avons *appris* à résoudre nous laissent parfois dans l'embarras. — 7. Elle les a *exhortés* à se résigner.

c) 1. Les démarches qu'ils ont *tenté* de faire sont restées sans résultat. — 2. Vous rappelez-vous la première lettre que vous avez *eu* (*eue* ne serait pas fautif) à écrire ? — 3. Cette personne est compatissante : je l'ai *vue* faire l'aumône. — 4. Cette personne, je lui [16] ai *vu* faire l'aumône. — 5. Avez-vous pris la route qu'on vous a *affirmé* être la plus courte ? — 6. Elle réfléchit longuement à l'état dans lequel elle venait de trouver sa mère et aux singulières paroles qu'elle lui avait *entendu* prononcer. (J. Green.) — 7. Ceux qui meurent à l'ombre des arbres qui les ont *vus* naître sont-ils donc si à plaindre ? (Chateaubriand.)

539. — Inventer des phrases dans lesquelles les mots en italiques sont les antécédents d'un pronom relatif *que*, en mettant le verbe de la relative à un temps composé.

(Gr. § 377)

1. Mon père a fait réparer *la tuyauterie* / *que l'eau a rouillée.* — 2. Nous regardons passer *les avions* / *que nous avons vus décoler.* — 3. Les badauds regardent dépaver *la rue* / *que le gel a abîmée cet hiver.* — 4. J'ai envoyé chercher *les journaux* / *que j'ai commandés hier.*

540. — Accorder, s'il y a lieu, les participes passés (précédés de *en*) en italiques.

(Gr. § 378)

a) 1. Des joies, qui n'en a pas *goûté* ? Des souffrances, qui n'en a pas *enduré* ? — 2. Des efforts persévérants, en avez-vous *fait* ? — 3. Des projets, nous en avons tant *formé* ! mais combien en avons-nous *exécuté* ? — 4. Michel est un être fantasque : il aime les aventures et il en a *eu* beaucoup ; il est de tous les pays : combien n'en a-t-il pas *visité* ? — 5. La lecture est utile : songez aux profits que vous en avez *retirés.* — 6. Autant de batailles il a livrées, autant il en a *gagné.* — 7. La crainte qu'ils éprouvaient, un peu de réflexion les en a *libérés.*

b) 1. J'ai peu d'aventures à vous raconter, mais j'en ai *entendu* beaucoup. (Vigny.) — 2. Et des mouches ! des mouches ! jamais je n'en avais tant *vu*. (A. Daudet.) — 3. Des hommes admirables ! Il y en a. J'en ai *connu*. (G. Duhamel.) — 4. Des chardons bleus... j'en ai *vu* dans un vase de cuivre chez Mme Dalleray. (Colette.) — 5. D'économies, il n'en avait pas *fait* non plus. (Loti.) — 6. Il avait apporté de son jardin des pêches énormes, parfumées, juteuses, comme Puyloubiers n'en avait jamais *vu* sur ses terres. (H. Bosco.)

---

16. *Lui* ne peut être considéré comme un complément d'objet direct. De même dans le n° 6.

541. — Dire quel est le complément d'objet direct (participe passé des verbes pronominaux). (Gr. § 379)

1. Ils *se* sont blessés à la jambe. — 2. Elles *se* sont couvertes de gloire. — 3. Elles se sont couvert *la tête*. — 4. Ils se sont donné *de la peine*. — 5. Ils *se* sont donnés tout entiers à leur travail. — 6. Elles se sont frotté *le visage*. — 7. Ils *se* sont accoutumés à cette besogne. — 8. Elle s'est coupée au doigt. — 9. Elle s'est coupé *les ongles*. — 10. Elles se sont promis *de s'écrire*.

542. — Justifier l'accord ou l'invariabilité des participes passés en italiques. (Gr. § 379)

a) 1. Ils se sont *redressés* (verbe pron. réfléchi ; ils ont redressé qui ? — *se* ; accord du part. passé : masc. pl.). — 2. Ils se sont *heurtés* (verbe pron. réfléchi ; ils ont heurté qui ? — *se* ; accord du part. passé : masc. pl.) à mille difficultés. — 3. Ces hommes s'étaient *livrés* (verbe pron. réfléchi ; ils avaient livré qui ? — *s'* ; accord du part. passé : masc. pl.) au jeu. — 4. Ils s'étaient *livré* (verbe pron. réfléchi ; ils avaient livré quoi ? — *une guerre* ; part. passé invar.) une guerre cruelle. — 5. Ils se sont *querellés* (verbe pron. récipr. ; ils ont querellé qui ? — *se* ; accord du part. passé : masc. pl.), ils se sont *dit* (verbe pron. récipr. ; ils ont dit quoi ? — *des gros mots* ; part. passé invar.) des gros mots, puis ils se sont *réconciliés* (verbe pron. récipr. ; ils ont réconcilié qui ? — *se* ; accord du part. passé : masc. pl.). — 6. Cette besogne, je me la suis *imposée* (verbe pron. réfléchi ; j'ai imposé quoi ? — *la,* c.-à-d. la besogne ; accord du part. passé : fém. sing.). — 7. Ils se sont *confié* (verbe pron. réciproque ; ils ont confié quoi ? — *leurs peines* ; part. passé invariable) mutuellement leurs peines. — 8. Voilà la tâche que je me suis *assignée* (verbe pron. réfléchi ; je me suis assigné quoi ? — *que,* c.-à-d. *la tâche* ; accord du part. passé : fém. sing.) — 9. Ils se sont *nui* (verbe pron. réfléchi ; *nuire* est intransitif ; part. passé invar.) à eux-mêmes. — 10. Que de choses ils se sont *imaginées* (verbe pron. réfléchi ; ils ont imaginé quoi ? — *choses* précédé du déterminant indéfini *que de* ; accord du part. passé : fém. pl.) ! — 11. Ils se sont *imaginé* (verbe pron. réfléchi ; ils ont imaginé quoi ? — *qu'on les persécutait* ; part. passé invar.) qu'on les persécutait.

b) 1. Les grands hommes se sont toujours *survécu* (verbe pron. réfléchi ; *survivre* est intransitif ; part. passé invar.) à eux-mêmes. — 2. Rarement deux enfants se sont *ressemblé* (verbe pron. réciproque ; *ressembler* est intransitif ; part. passé invar.) comme ces deux-là. — 3. Ma joie s'est *évanouie* (verbe pron. dont le pronom est sans fonction logique ; accord du part. passé avec le sujet *joie* : fém. sing.) tout d'un coup. — 4. Ils se sont *ri* (part. d'un des quatre verbes faisant exception à la règle des part. passés dont le pronom est sans fonction logique ; part. passé invar.) de la difficulté. — 5. Ces personnes se sont *plaintes* (verbe pron. dont le pronom est sans fonction logique ; accord du part. passé avec le sujet *personnes,* fém. pl.) de votre négligence. — 6. Ils se sont *doutés* (verbe pron. dont le pronom est sans fonction logique ; accord du part. passé avec le sujet *ils,* masc. pl.) de quelque chose. — 7. Ma mère s'est toujours *plu* (« se plaire » a ici le sens de « se trouver bien » ; part. d'un des quatre verbes faisant exception à la règle des part. passés dont le pronom est sans fonction logique ; part. passé invar.) dans son village. — 8. Songez aux buts qu'ils s'étaient *fixés* (verbe pron. réfléchi ; ils avaient fixé quoi ? — *qu',* c.-à-d. *les buts* ; accord du part. passé : masc. pl.) et aux résultats qu'ils se sont *efforcés* (verbe pron. dont le pron. est sans fonction logique ; accord du part. passé avec le sujet *ils*) d'obtenir. — 9. Ces meubles se sont *vendus* (verbe pron. passif ; accord du part. passé avec le sujet *meubles* : masc. pl.) fort cher.

543. — Indiquer la fonction du pronom de forme réfléchie.

(Gr. § 379)

1. Elles *se* (compl. d'objet indir.) sont téléphoné. — 2. Nous *nous* (compl. d'objet dir.) sommes habillés. — 3. Vous *vous* (compl. d'objet indir.) êtes serré la main. — 4. Ils *se* (pronom sans fonction logique) sont enfuis. — 5. Elles *s'* (compl. d'objet dir.) étaient rencontrées. — 6. Les oiseaux *se* (pronom sans fonction logique) sont envolés. — 7. Nous *nous* (compl. d'objet indir.) sommes croisé les bras. — 8. Vous *vous* (compl. d'objet indir.) êtes frayé un chemin. — 9. Ils *se* (compl. d'objet dir.) sont blessés. — 10. Elles *se* (pronom sans fonction logique) sont aperçues de leur erreur.

544. — Accorder, quand il y a lieu, les participes passés en italiques.

(Gr. § 379)

a) 1. Les buissons se sont *habillés* d'une fraîche verdure, les corolles se sont *ouvertes,* les oiseaux se sont *donné* la joie de chanter le renouveau. — 2. Ces sportifs se sont *imposé* des sacrifices pour arriver à la victoire. Ils s'étaient *juré* de vaincre, en effet. — 3. Les croisés se sont *emparés* de Jérusalem le 15 juillet 1099.— 4. La langue gauloise s'est *parlée* en Gaule pendant plusieurs siècles après la conquête romaine. — 5. Heureusement que la passante s'est *écartée* quand l'automobiliste a klaxonné.

b) 1. Des vagues de crainte et d'espoir se sont *succédé* dans son esprit. — 2. Ils se sont *réconciliés* et ils se sont *donné* une poignée de main. — 3. Valentine s'est *imaginé* que les deux oiseaux s'étaient *enfuis* de leur cage. — 4. Nous nous sommes *demandé* quel profit nous retirerions de la peine que nous nous étions *donnée.* — 5. Votre mère s'est *plainte* du désordre qui règne dans votre chambre. — 6. Cette petite fille s'est toujours *tenue* à l'écart et ne s'est jamais *mêlée* aux autres. Elle s'est même *laissé* battre par une compagne agressive.

c) 1. Ils s'étaient *vus* forcés, eux qui s'étaient *crus* la France, de devenir Anglais eux-mêmes. (Michelet.) — 2. La presse catholique s'est *faite* l'écho, à plusieurs reprises, de rumeurs sur un voyage de Paul VI à Zagreb. (Dans le *Monde.*) — 3. Ils ne s'étaient pas même *rendu* compte qu'ils marchaient depuis un bout de temps appréciable. (Giono.) — 4. Elle s'est *plu* à se figurer sous l'apparence d'un papillon. (A. Breton.) — 5. Nous nous sommes *donné* pour tâche d'expliquer le monde. (G. Duhamel.) — 6. Les jours se sont *enfuis* d'un vol mystérieux. (Banville.) — 7. Trois médecins se sont *succédé* à Yonville sans pouvoir y réussir. (Flaubert.)

545. — Faire des phrases où les verbes suivants seront employés à un temps composé et avec un sujet féminin ou pluriel.   (Gr. § 379)

a) 1. **Se réjouir.** Nous nous sommes *réjouis* des succès que vous avez remportés. — 2. **Se plaire.** Ces enfants se sont *plu* à la mer. — 3. **Se succéder.** Les jours se sont *succédé* à une vitesse folle. — 4. **Se tromper.** Elle s'était *trompée* et avait eu le courage de reconnaître son erreur. — 5. **Se laver.** Vous êtes-vous *lavé* les mains avant le repas ? — 6. **Se suicider.** On raconte que cette malheureuse s'est *suicidée*.

b) 1. **Se rire.** Ceux qui ont du caractère se sont *ri* de bien des difficultés. — 2. **Se complaire.** Comment est-il possible qu'ils se soient *complu* dans un tel désordre ? — 3. **S'arroger.** Au nom de quoi se sont-ils *arrogé* tous ces droits ? — 4. **Se rendre compte.** Quand elle se fut *rendu* compte qu'elle était perdue, elle pleura. — 5. **S'expliquer.** Elles ne se sont jamais *expliqué* son comportement. — 6. **Se mêler.** Elles s'étaient toujours *mêlées* de ce qui ne les regardait pas.

546. — Accorder, quand il y a lieu, les participes passés en italiques (récapitulation).   (Gr. §§ 369-379)

a) 1. Que de bonnes heures j'ai *passées* tête à tête avec mes auteurs préférés ! — 2. Nous nous sommes parfois *exagéré* certaines difficultés ; elles auraient été facilement *résolues* si nous nous étions *donné* la peine de les examiner. — 3. Des personnages qui s'étaient *érigés* en détenteurs de la vérité ont été *convaincus* d'erreur. — 4. Les hommes meurent d'ordinaire comme ils ont *vécu*. — 5. Que de merveilles le microscope a *révélées* aux yeux des naturalistes et des biologistes !

b) 1. Le peu de patience que nous avons *montré* nous a *empêchés* d'attendre l'occasion favorable. — 2. *Passé* (ou *Passée*) la Chandeleur, l'hiver finit ou prend vigueur, si l'on en croit le dicton. — 3. Nous nous sommes *parlé* à voix basse. — 4. Les hommes se sont parfois *imaginé* qu'ils s'étaient *rendus* maîtres des événements, alors qu'ils étaient *entraînés* par eux. — 5. Les choses que nous avons *appris* à faire dans notre enfance nous semblent toujours faciles. — 6. Bien des gens se sont *laissé* prendre à des apparences séduisantes ; des personnages qu'ils avaient *crus* savants n'étaient que de prétentieux bavards.

c) 1. *Étant donné* (ou *donnée*) l'heure tardive, nous avons *fait* halte ; après les dix heures que nous avions *marché*, il fallait prendre du repos. — 2. Combien de petites victoires nous aurions *remportées* si nous avions *fait* tous les efforts que nous aurions *dû* ! — 3. Je vous renvoie *ci-joint* (ou *ci-joints*) les document que vous m'avez *prêtés*. — 4. Que de renseignements j'ai *tirés* des livres que vous m'avez *donné* (ou *donnés*) à lire ! — 5. Un livre, une page, une phrase que nous avons *lue,* c'est assez parfois pour nous faire rêver. — 6. Le peu d'assurance que vous avez *montré* a *produit* la plus fâcheuse impression. — 7. Voilà les questions que je me suis *posées*.

d) Au cimetière du village

Ils dorment leur dernier sommeil, *entourés* de pieux souvenirs, les morts qu'on a *enterrés* dans ce petit cimetière. C'étaient tous de bonnes gens ; la vie tout unie qu'ils ont *menée* au village s'est *écoulée* dans le monotone accomplissement des tâches dont ils avaient été *chargés.* Des figures familières, ils n'en ont *connu* qu'un petit nombre : leurs ambitions, simples et mesurées comme leurs moyens généralement, ne les ont pas *entraînés* à d'audacieuses entreprises ; ils se sont *satisfaits* des humbles devoirs quotidiens dont ils s'étaient *fait* une règle. Leurs jours se sont *succédé* tranquilles et se sont tous *ressemblé,* dans ces paysages agrestes, à l'ombre des arbres qu'ils ont *vus* refleurir à chaque printemps, dans ces champs qu'ils ont *cultivés* avec amour. C'est dans ce village qu'ils sont *nés,* qu'ils ont *aimé,* qu'ils ont *peiné,* toujours *attachés* aux lieux qui les avaient *vus* naître. Et c'est ici qu'ils reposent, dans ce champ de silence et de paix où leurs familles les ont religieusement *couchés*.

e) 1. Certains personnages se sont *prévalus* de leurs vastes connaissances ; ils ont *étudié* mille choses et les ont *scrutées*; ils ont *exploré* tout, leur conscience *exceptée.* — 2. *Ci-inclus* les pièces que vous m'avez *réclamées.* — 3. Plusieurs se sont *demandé* comment cette mère de famille s'y est *prise* pour habiller si joliment les cinq enfants qu'elle a *eu* (ou *eus*) à élever. — 4. On dirait que toutes les mouettes du littoral se sont *donné* rendez-vous sur la plage. — 5. Les vieilles gens sont naturellement *portés* à trouver préférables aux méthodes récentes celles qu'on leur a *appris* à suivre dans leur jeune âge. — 6. Souvent les événements ont *démenti* des prévisions que notre naïveté avait *crues* infaillibles : les faits que nous avions *dit* qui arriveraient ne se sont pas *produits* et il s'en est passé d'autres que nous n'avions pas prévus. — 7. Que de victoires Napoléon a *remportées* pendant les vingt ans que ses armées ont *parcouru* l'Europe !

f) 1. La nuit vient : une à une les rumeurs se sont *tues* ; je contemple en rêvant les étoiles que j'ai *regardées* s'allumer dans le ciel pur. — 2. Depuis des milliers d'années, des générations se sont *succédé* sur la terre ; elles se sont toutes *proposé* la conquête du bonheur. — 3. Quelle somme de travail il a *fallu* pour édifier les pyramides d'Égypte ! — 4. La machine arithmétique qu'avait *imaginée* Pascal a *émerveillé* les savants de l'époque ; combien plus admirables sont les ordinateurs électroniques qu'ont *inventés* les savants de notre temps ! — 5. Cette fable que j'ai *récitée* un jour pour la fête de ma grand-mère, je me la suis *rappelée* avec émotion. — 6. Que de malhonnêtetés se sont *commises* que la justice humaine n'a pas *punies* !

g) 1. Ces arbres-ci ont *donné* des fruits. Ceux-là n'en ont pas *donné* ; ils seront *abattus* et *jetés* au feu. — 2. Comme s'ils s'étaient *donné* le mot, les moineaux se sont *abattus* sur les semis que j'ai *faits*. — 3. Le peu de persévérance que vous avez *montré* m'attriste. — 4. *Ci-inclus* les pièces que vous avez *souhaité* recevoir. — 5. *Vu* la difficulté du voyage, nous avons *décidé* de remettre la visite que nous avions *promise*. — 6. Autant de démarches nous avons *faites*, autant de rebuffades nous avons *essuyées*. — 7. Quel est le chasseur qui a *tué* tous les lièvres qu'il a *courus* ? — 8. La gloire est la dette *due* par l'humanité aux génies ; c'est le prix des services qu'elle reconnaît en avoir *reçus*.

h) Tradition

J'aime ce coin de terre où je suis né ; j'aime les visages familiers de ces bonnes gens que j'ai *vus,* depuis mon enfance, vivre ici cette vie simple qu'ils y ont toujours *vécue.* Nous sommes, eux et moi, comme d'une même famille. De nombreux événements se sont *succédé* où nous avons été *mêlés* et où je retrouve les joies et les malheurs que nous avons *éprouvés* ensemble.

Des ancêtres communs ont *passé* là comme nous y passons. Ils se sont *survécu* en nous ; les usages et les traditions que nous nous sommes *plu* à suivre, ce sont eux qui nous les ont *laissés* avec les souvenirs et les croyances qu'ils nous ont *légués.* Nous labourons les champs qu'ils ont *labourés,* les maisons qu'ils ont *bâties* nous abritent ; voici les arbres qu'il ont *plantés,* voici l'église où ils se sont *recueillis,* et voici le cimetière où notre piété filiale les a *ensevelis.*

i) 1. Quand elle se fut bien *rendu* compte qu'il était réel et vivant, elle demeura un peu *ahurie.* (Pergaud.) — 2. Vers ces pâles lueurs éparses dans la forêt, il avait *couru* tout le jour. L'une après l'autre, ils les avait *vues* s'éteindre. (Genevoix.) — 3. Elle n'accueillit pas cet espoir avec autant de joie qu'il l'avait *imaginé.* (Flaubert.) — 4. Nous nous étions *exagéré* les dangers d'une désertion. (Barrès.) — 5. Deux femmes montaient l'escalier en courant. On les avait *laissées* (*laissé* ne serait pas fautif) entrer, quoique l'heure des visites fût *passée.* (Daudet.) — 6. Nous avons *survécu* à trop d'arbres pour ne pas nous être *aperçus* que les sites meurent comme les hommes. (Fr.

Mauriac.) — 7. Les visions qui s'étaient *succédé* pendant mon sommeil m'avaient réduit à un tel désespoir que je pouvais à peine parler. (Nerval.)

547. — Justifier la forme des participes passés en italiques.

(Gr. §§ 369-379)

a) 1. Ma sœur s'est souvent *plainte* (verbe pron. dont le pronom est sans fonction logique ; accord du part. passé avec le sujet *sœur,* fém. sing.) d'être *née* (part. passé employé avec *être* ; accord avec le sujet sous-entendu *elle,* fém. sing.) un 29 février et de n'être *fêtée* (id.) que tous les quatre ans. Je ne l'ai pas *convaincue* (part. passé employé avec *avoir* ; accord du part. passé avec le compl. d'objet dir. *l',* c.-à-d. *ma sœur* [17], qui précède : fém. sing.) qu'elle avait sur les autres l'avantage de vieillir quatre fois moins vite. — 2. *Vue* (part. passé employé sans auxil. ; épithète détachée de *ville,* fém. sing.) de loin, cette ville paraît *recroquevillée* (part. passé employé sans auxil. ; attribut du sujet *ville,* fém. sing.) entre les collines qui l'enserrent. — 3. Nous n'entrions jamais sans nous être *essuyé* (verbe pron. réfléchi ; le compl. d'objet dir. *les chaussures* suit ; part. passé invar.) les chaussures soigneusement, de peur d'être *grondés* (part. passé employé avec *être* ; accord avec le sujet sous-entendu *nous,* masc. pl.). — 4. Les quatre détonations s'étaient *succédé* (verbe pron. réfléchi ; *succéder* est intransitif : part. passé invar.) si rapidement qu'elles m'avaient *paru* (part. passé employé avec *avoir* ; *paraître* est intransitif : part. passé invar.) n'en faire qu'une seule. — 5. Suzanne s'était *mise* (verbe pron. réfléchi ; accord du part. passé avec le compl. d'objet dir. *s',* c.-à-d. *Suzanne,* qui précède : fém. sing.) en colère quand elle avait *vu* (part. passé employé avec *avoir* ; le compl. d'objet dir. est la propos. qui suit : part. passé invar.) qu'elle ne pouvait récupérer la balle dont sa petite sœur s'était *emparée* (verbe pron. dont le pronom est sans fonction logique ; accord du part. passé avec le sujet *sœur* : fém. sing.). — 6. La vérité ne s'est *fait* jour (verbe pron. réfléchi ; le compl. d'objet dir. *jour* suit le verbe : part. passé invar.) que lentement, et bien souvent les erreurs qu'on a *crues* (part. passé employé avec *avoir* ; accord avec le compl. d'objet dir. *qu',* c.-à-d. *les erreurs,* qui précède : fém. pl.) *extirpées* (part. passé employé sans auxil. ; attribut du compl. d'objet direct *qu',* c.-à-d. *les erreurs,* avec lequel il s'accorde : fém. pl.) ont reparu après qu'on les a *eu* (premier part. passé d'un temps surcomposé : invar.) *combattues* (part. passé employé avec *avoir* ; accord du part. passé avec le compl. d'objet direct *les,* c.-à-d. *les erreurs,* qui précède : fém. pl.)

b) 1. Quand tu nous auras tous *entendus* (on pourrait tourner ainsi : tu auras entendu *nous* exposant et défendant ; cela indique

---

17. On peut procéder d'une manière plus explicite : Je n'ai pas convaincu qui ? — *l',* c.-à-d. *ma sœur...*

que le compl. d'objet direct du part. passé est *nous,* qui précède :
part. passé au masc. pl.) exposer et défendre notre opinion, tu choi-
siras paisiblement la tienne. (Maupassant.) — 2. Des années entières s'étaient *passées* (verbe pron. dont le pronom est sans fonction
logique ; accord du part. passé avec le sujet *années :* fém. pl.) et je
les avais *vécues* (part. passé employé avec *avoir;* accord du part.
passé avec le compl. d'objet direct *les,* c.-à-d. *des années,* qui précède : fém. pl.) comme si mon oncle devait vivre éternellement. (J.
Green.) — 3. Les deux femmes se rapprochaient à nouveau et repre-
naient la vieille amitié qu'avaient *liée* (part. passé employé avec
avoir; accord du part. passé avec le compl. d'objet direct *qu',* c.-à-d.
l'amitié, qui précède : fém. sing.) leurs espérances communes.
(Chamson.) — 4. *Ci-joint* (attribut en tête d'une phrase non verbale,
ci-joint est traité comme un adverbe et reste invariable) la liste des
personnes et des journaux à qui je voudrais que l'on fît le service de
l'Otage. (Claudel.) — 5. Certainement un hôpital de province, *étant
donné* (dans une proposition absolue constituée par un sujet et un
participe, le part. passé reste souvent invar. lorsqu'il précède) la hauteur de plafond, le bruit du tram et cette odeur de magnolia.
(Cayrol.) — 6. Peut-être cependant la fête serait-elle légèrement
écourtée, *étant données* (dans une proposition absolue constituée
par un sujet et un participe, le part. reste souvent invar. lorsqu'il précède ; mais pour *étant donné,* l'accord reste possible) les circonstances. (Robbe-Grillet.) — 7. Des diplomates arabes détachés au Caire
se sont, à cet égard, *faits* l'écho (verbe pron. réfléchi ; accord du part.
passé avec le compl. d'objet direct *se,* c.-à-d. *des diplomates,* qui
précède : masc. pl.) de l'opinion des princes saoudites. (Dans le
Monde.) — 8. Qui vous a *laissé* (*laissé* suivi d'un infinitif peut rester
invariable) venir ici, maman ? (Bernanos.)

CHAPITRE VIII

Les catégories invariables

548. — Dans le texte suivant, indiquer si les mots en italiques sont des adverbes, des prépositions, des conjonctions de coordination, des conjonctions de subordination ou des introducteurs. (Gr. §§ 380-410)

Solange a-t-elle vraiment froid ?

Voici (introducteur) ce que Solange m'écrit. Ce sont des farces, je suppose. *À* (prépos.) l'en croire, la pension serait la Sibérie. Il *ne* faut *pas* (adv.) montrer cela *à* (préposition) Mme Bascans, *mais* (conj. de coordin.) vous qui pouvez mettre à la petite fille ses mensonges *sous* (prép.) le nez, chargez-vous *de* (prép.) lui en faire un peu honte. Ce n'est pas bien de sa part de chercher à m'inquiéter, *et* (conj. de coordin.) cela m'attriste *parce que* (conj. de subordin.) j'y vois *toujours* (adv.) le besoin *d'* (prép.) en conter. Informez-vous *auprès des* (prép.) autres petites filles *de* (prép.) ce froid et de ces glaçons, *et* (conj. de coordin.) de ces lits humides. Il me semble *qu'* (conj. de subordin.) elles seraient toutes mortes *ou bien* (conj. de coordin.) près de l'être, *si* (conj. de subordin.) c'était la vérité. *Quand* (conj. de subordin.) Solange est venue m'embrasser *aujourd'hui* (adv.), elle était brûlante, ce qui ne cadrait pas avec le froid dont elle me fait une *si* (adv.) belle description.

George SAND (*Correspondance*).

L'ADVERBE

549. — À quoi les adverbes (ou les locutions adverbiales) en italiques servent-ils de compléments ? (Gr. § 380)

Arrière-saison

L'été s'attarda *longtemps* (*s'attarda*) ; *même* (*dans l'arrière-saison*) dans l'arrière-saison les jours étaient interminables, *de plus en plus* (*chauds, clairs, immobiles*) chauds, clairs, immobiles. Cet excès rendait mélancolique. Les bêtes languissaient ; *même* Louiset, allongé dans l'herbe. Il taillait un bout de bois ; après l'avoir taillé il le jetait ; il en prenait un autre ; ou alors il regardait *fixement* (*regardait*) la lame de son couteau.

Heureusement, il y eut un coucher de soleil *particulièrement* (*effrayant*) effrayant qui ruisselait de sang. *Tout de suite après* (*s'arrondirent*) les jours s'arrondirent, avec des matins et des soirs. La lumière de l'après-midi perdit *enfin* (*perdit*) l'éclat pur de la craie ; elle se teinta d'un petit jaune citron. Des pointes de vent apportèrent des bruits oubliés *en bas* (*oubliés*) et les lointains apparurent, jusqu'au roulement d'un train.

J. GIONO (*L'iris de Suse,* © Gallimard).

550. — Relever les adverbes (et les locutions adverbiales) en indiquant à quoi ils servent de compléments.   (Gr. § 380)

a) Un matin de décembre

Quantin cessa de regarder l'horizon pour suivre le vol des merles qui, *à présent* (*étaient à se disputer*), étaient à se disputer quelques grains tombés de la réserve. Les merles s'envolèrent, et, lorsque Quantin reporta son regard vers le bois, il remarqua un point sombre, *à peine* (*mobile*) mobile, et qui semblait suspendu entre ciel et neige. Quantin s'approcha de la vitre. Il était impossible de reconnaître l'homme qui montait le chemin, mais Quantin comprit *tout de suite* (*comprit*) qu'il s'agissait de l'instituteur. L'heure du facteur était *encore* (*loin*) loin (*était*), et seul l'instituteur pouvait monter par ce temps. Quantin l'observa quelques minutes, *puis*[1] (*se retourna*) avant *même* (*avant que*) que ne fût reconnaissable la longue silhouette efflanquée du garçon, sans *bien* (*savoir*) savoir *pourquoi* (*se retourna et s'éloigna* sous-entendus), il se retourna *lentement* (*se retourna*) et s'éloigna de la fenêtre.

Bernard CLAVEL (*Le voyage du père,* Laffont, édit.).

b) 1. *Où* (*sont*) sont *maintenant* (*sont*) tous ces grands personnages qui ont étonné *longtemps* (*ont étonné*) le monde du bruit de leurs exploits ? — 2. Le soleil *doucement* (*va plonger*) va plonger dans les flots, dont la surface paraît *tout* (*enflammée*) enflammée. — 3. Ne remets pas à *demain* (*remets*) ce que tu peux faire *aujourd'hui* (*faire*). — 4. Qui va *doucement* (*va*) va *longtemps* (*va*). — 5. Nous nous trouvons *si* (*bien*) bien (*nous trouvons*) *ici* (*nous trouvons*) ! *Pourquoi* (*irions*) *donc* (*irions*) irions-nous *ailleurs* (*irions*) ?

c) 1. Les impatients arrivent *toujours* (*arrivent*) *trop* (*tard*) tard (*arrivent*). (J. Dutourd.) — 2. Le docteur poussa la porte de l'étroit jardin, qu'une haie vive *très* (*élevée*) élevée entourait. *Là* (*fumait*), à

---

1. *Puis* est un adverbe de temps. Cependant, comme il s'emploie toujours, en français commun, dans le contexte d'une coordination et qu'il se place entre les éléments coordonnés, on le range souvent parmi les conjonctions de coordination. (Cf. *Le bon usage,* 12ᵉ éd., § 966, *e.*)

l'ombre d'un pan de mur, Jeanbernat, redressant sa haute taille, fumait *tranquillement* (*fumait*) sa pipe, dans le grand silence, en regardant pousser ses légumes. (Zola.) — 3. *Presque* [2] (*tous*) tous les écrivains français qui prétendent aujourd'hui parler au nom du prolétariat sont nés de parents aisés ou fortunés. (A. Camus.) — 4. Si tu souffrais, *que* (*ouvrais*) n'ouvrais-tu ton âme ? (Musset.)

551. — Dire si les mots en italiques sont adjectifs ou adverbes.

(Gr. § 380)

1. Ce bahut coûte *cher* (adv.). / Ce meuble est trop *cher* (adj.). — 2. Votre devoir est *bon* (adj.). / Voilà un bouquet qui sent *bon* (adv.). / 3. Il s'élèvera au plus *haut* (adj.) rang. / C'est un personnage *haut* (adv.) placé. — 4. Tu parles trop *bas* (adv.). / Vous faites là un *bas* (adj.) calcul. — 5. Cet homme a toujours été *juste* (adj.). / Ce chasseur n'a pas visé *juste* (adv.). — 6. Vous n'avez pas vu *clair* (adv.). / Voici le *clair* (adj.) matin.

552. — Employer comme adverbes, chacun dans une phrase, les adjectifs suivants.   (Gr. § 380)

1. Je lui ai dit tout *net* ce que je pensais de cette affaire. — 2. Quand la bourrasque souffle *fort,* on se sent bien au coin du feu. — 3. Il est difficile de faire chanter juste des enfants qui chantent *faux.* — 4. Parfois des boiteux reprochent aux autres de ne pas marcher *droit.* — 5. Quand les hirondelles volent *haut,* disent les campagnards, on peut prévoir qu'il fera beau.

553. — Trouver, éventuellement à l'aide d'un dictionnaire, cinq locutions adverbiales où entre le mot *temps.* Utiliser chacune d'elles dans une phrase.   (Gr. § 380)

1. *De temps en temps,* le soleil fait une timide apparition et nous en profitons pour prendre l'air. — 2. Cet homme est *en même temps* avocat et professeur. — 3. Nous arrivâmes *à temps* pour voir décoller l'avion. — 4. *De temps à autre,* mon oncle vient nous rendre visite. — 5. *De tout temps,* l'homme a cherché à améliorer ses conditions de vie.

N.B. — *Tout un temps, un petit temps* sont des tours régionaux.

---

2. Les adverbes marquant l'approximation, comme *presque*, peuvent s'employer avec des déterminants ou des pronoms indiquant la quantité. (Cf. *Le bon usage,* 12ᵉ éd., § 918, *c.*)

554. — Dire à quelle catégorie appartient chacun des adverbes en italiques.   (Gr. § 381)

1. L'air est *très* (degré) léger, par un matin de mai. C'est *alors* (temps) que j'aime à faire une promenade dans la campagne. — 2. Le vrai *quelquefois* (temps) n'est *pas* (négation) vraisemblable. — 3. Il a neigé *abondamment* (manière) ; irez-vous *quand même* (relation logique) à la réunion ? — 4. Par ces temps de crise, *partout* (lieu) les affaires vont *cahin-caha* (manière). — 5. Le paon tourna *lentement* (manière) sur lui-même en prenant des poses, pour que chacun pût le voir *tout* (degré) à son aise. (M. Aymé.)

*555. — Dire à quelles catégories appartiennent les adverbes figurant dans les textes du n° 550.   (Gr. § 381)

a) Un matin de décembre

Quantin cessa de regarder l'horizon pour suivre le vol des merles qui, *à présent* (temps), étaient à se disputer quelques grains tombés de la réserve. Les merles s'envolèrent, et, lorsque Quantin reporta son regard vers le bois, il remarqua un point sombre, *à peine* (degré) mobile, et qui semblait suspendu entre ciel et neige. Quantin s'approcha de la vitre. Il était impossible de reconnaître l'homme qui montait le chemin, mais Quantin comprit *tout de suite* (aspect) qu'il s'agissait de l'instituteur. L'heure du facteur était *encore* (temps) *loin* (lieu), et seul l'instituteur pouvait monter par ce temps. Quantin l'observa quelques minutes *puis* (temps), avant *même* (relation logique) que ne fût reconnaissable la longue silhouette efflanquée du garçon, sans *bien* (degré) savoir *pourquoi* (relation logique), il se retourna *lentement* (manière) et s'éloigna de la fenêtre.

Bernard CLAVEL (*Le voyage du père*, Laffont, édit.).

b) 1. *Où* (lieu) sont *maintenant* (temps) tous ces grands personnages qui ont étonné *longtemps* (aspect) le monde du bruit de leurs exploits ? — 2. Le soleil *doucement* (manière) va plonger dans les flots, dont la surface paraît *tout* (degré) enflammée. — 3. Ne remets pas à *demain* (temps) ce que tu peux faire *aujourd'hui* (temps). — 4. Qui va *doucement* (manière) va *longtemps* (aspect). — 5. Nous nous trouvons *si* (degré) *bien* (manière) *ici* (lieu). *Pourquoi* (relation logique) *donc* (relation logique) irions-nous *ailleurs* (lieu) ?

c) 1. Les impatients arrivent *toujours* (aspect) *trop* (degré) *tard* (temps). (J. Dutourd.) — 2. Le docteur poussa la porte de l'étroit jardin, qu'une haie vive *très* (degré) élevée entourait. *Là* (lieu), à l'ombre d'un pan de mur, Jeanbernat, redressant sa haute taille, fumait *tranquillement* (manière) sa pipe, dans le grand silence, en regardant pousser ses légumes. (Zola.) — 3. *Presque* (degré) tous les écrivains français qui prétendent *aujourd'hui* (temps) parler au nom du prolétariat sont nés de parents aisés ou fortunés. (A. Camus.) — 4. Si tu souffrais, *que* (relation logique) n'ouvrais-tu ton âme ? (Musset.)

556. — Quels sont les adverbes en *-ment* correspondant aux adjectifs suivants ?

(Gr. 382)

a) Rapidement   Lourdement   Hautement   Merveilleusement
   Convenablement   Gravement [3]   Bassement   Faussement
   Lisiblement   Fortement   Lentement   Courageusement

b) Joliment   Gaiement [4]   Traîtreusement [5] Entièrement
   Exactement   Profondément   Hardiment   Immensément
   Assidûment   Précisément   Crûment   Impunément [6]

c) Élégamment   Excellemment   Étonnamment   Brillamment
   Récemment   Pesamment   Patiemment   Méchamment
   Savamment   Violemment   Évidemment   Apparemment

557. — Remplacer les mots en italiques par les adverbes en *-ment* qui y correspondent.

(Gr. § 382)

a) 1. La pluie qui tombe *lent / lentement* du ciel gris frappe mes vitres à petits coups ; elle frappe *léger / légèrement* et pourtant la chute de chaque goutte retentit *triste / tristement* dans mon cœur. — 2. Qui se jugerait *équitable / équitablement* soi-même sentirait qu'il n'a le droit de juger personne *sévère / sévèrement*. — 3. Faisons *gai / gaiement* et *vaillant / vaillamment* notre devoir.

b) 1. Si vous travaillez *assidu / assidûment* et *continu / continûment,* vous ferez des progrès. — 2. On ne viole pas *impuni / impunément* les lois de la nature. — 3. Quand on est jeune, on dort *profond / profondément*. — 4. Cet enfant vient *gentil / gentiment* caresser sa mère et lui raconter *ingénu / ingénument* sa peine. — 5. Il ne faut pas agir *précipitant / précipitamment* ni s'attacher *obstiné / obstinément* à une opinion reconnue fausse.

558. — Remplacer par un adverbe en *-ment* les mots en italiques.

(Gr. § 382)

a) 1. Réfléchir *d'une manière profonde / profondément*. — 2. Répondre *d'une façon polie / poliment*. — 3. Vivre *d'une manière conforme / conformément* à son état. — 4. Parler *d'une manière*

---

3. Le synonyme *grièvement*, qui ne s'emploie plus guère que dans l'expression *grièvement blessé*, dérive d'un ancien adjectif *grief*.

4. L'ancienne forme *gaîment* ne peut être considérée comme fautive.

5. *Traîtreusement* dérive de l'ancien adjectif *traîtreux*. (Cf. *Le bon usage*, 12ᵉ éd., § 931, *e*.)

6. *Impunément* ne dérive pas d'*impuni*, mais lui sert d'adverbe. (Cf. *Le bon usage*, 12ᵉ éd., § 931, *f*.)

congrue / congrûment. — 5. Voir *d'une manière confuse / confusé-ment.* — 6. Défendre *d'une manière expresse / expressément.* — 7. Ne pas parler *d'une manière crue / crûment.* — 8. Une chose constatée *en due forme / dûment.* — 9. Tourner *d'une manière gen-tille / gentiment* un compliment.

b) 1. Cela m'a été dit *d'une manière confidentielle / confiden-tiellement.* — 2. S'agiter *d'une façon éperdue / éperdument.* — 3. S'asseoir *d'une manière commode / commodément.* — 4. Racon-ter *en peu de mots / brièvement.* — 5. Heurter quelqu'un *avec inten-tion / intentionnellement.* — 6. S'en aller *de nuit / nuitamment.* — 7. Mentir *d'une façon effrontée / effrontément* et *avec connaissance de ce qu'on fait / sciemment.* — 8. Attaquer *d'une manière résolue / résolument.* — 9. Travailler *d'une manière opiniâtre / opiniâtre-ment*[7]. — 10. Demander *d'une manière instante / instamment.*

559. — Remplacer chacune des expressions suivantes par un adverbe en -*ment* et le joindre à un infinitif.   (Gr. § 382)

a) 1. **Avec passion.** Souhaiter *passionnément.* — 2. **Avec dili-gence.** Travailler *diligemment.* — 3. **Sans prudence.** Agir *impru-demment.* — 4. **Sans mesure.** Grandir *démesurément.* — 5. **En hâte.** Partir *hâtivement.* — 6. **Avec véhémence.** Parler *véhémen-tement.* — 7. **Avec fougue.** Attaquer *fougueusement.* — 8. **Avec sobriété.** Manger *sobrement.* — 9. **En même temps.** Se produire *simultanément.* — 10. **Sans pitié.** Réprimer *impitoyablement.* — 11. **Sans délai.** Arriver *incessamment* (ou *immédiatement*). — 12. **Sans en avoir conscience.** Nuire *inconsciemment.*

b) 1. **À part l'un de l'autre.** Vivre *séparément.* — 2. **En vain.** Essayer *vainement.* — 3. **Avec éloquence.** Discourir *éloquemment.* — 4. **Avec bruit.** Marcher *bruyamment.* — 5. **De nuit.** Travailler *nuitamment.* — 6. **Par un devoir indispensable.** S'engager *indis-pensablement.* — 7. **Avec avidité.** Boire *avidement.* — 8. **Avec franchise.** Avouer *franchement.* — 9. **Avec impunité.** Voler *impu-nément.* — 10. **Avec impétuosité.** Parler *impétueusement.* — 11. **À la dérobée.** Entrer *furtivement.*

560. — De chacun des adjectifs suivants former un adverbe en -*ment* et employer celui-ci dans une phrase.   (Gr. § 382)

a) 1. **Élégant.** Même âgée, ma grand-mère se vêtait encore *élé-gamment.* — 2. **Méchant.** Le chien des voisins a *méchamment* attaqué le facteur. — 3. **Diligent.** Cet élève studieux se met *dili-gemment* au travail. — 4. **Excellent.** Ce savant écrit *excellemment*

_____

7. *Opiniâtrement* ne peut être considéré comme fautif. (Cf. *Le bon usage*, 12ᵉ éd., § 931, *c*.)

sur une matière pourtant complexe. — 5. **Nonchalant**. Les paresseux accomplissent *nonchalamment* leur tâche. — 6. **Puissant**. Cet
homme influent a agi *puissamment* dans l'affaire.

b) 1. **Ardent**. Je souhaite *ardemment* votre succès. —
2. **Savant**. Ces illustres médecins discourent *savamment*. —
3. **Intelligent**. Cet étudiant raisonne *intelligemment*. — 4. **Indiffé-
rent**. Ce parfait bilingue parle *indifféremment* le français et l'anglais.
— 5. **Violent**. Le vent souffle parfois *violemment* en automne. —
6. **Incessant**. Il est pénible d'écouter quelqu'un parler *incessamment* de ses problèmes.

561. — Mettre les adverbes en italiques au comparatif de supériorité
et compléter la phrase (*que...*).   (Gr. §§ 383, 386)

1. Cet homme vit *sobrement / plus sobrement qu'un chameau*. —
2. L'expérience nous instruit *bien / mieux que les livres*. — 3. Les
patriarches de la Bible vivaient *longtemps / plus longtemps que
nous*. — 4. Le bonheur de ses enfants préoccupe *beaucoup / plus*
une mère *que le sien propre*. — 5. Nous nous avancerons *loin / plus
loin que vous*. — 6. J'aime *peu / moins* les salsifis *que les épinards*.

562. — Remplacer les trois points par *pire* ou *pis*.   (Gr. § 383)

1. Il n'y a *pire* eau que l'eau qui dort. — 2. Tout va de mal en
pis, disent les pessimistes. — 3. C'est bien la *pire* peine / De ne
savoir pourquoi / Sans amour et sans haine / Mon cœur a tant de
peine. (Verlaine.) — 4. La concierge disait d'elle *pis* que pendre.
(Zola.) — 5. Cet homme est négligent et, qui *pis* est, incompétent.
— 6. Un coup de langue, dit-on, est parfois *pire* qu'un coup de
lance. — 7. C'est vous-même qui avez pris cette déplorable décision,
et c'est tant *pis* pour vous !

563. — Inventer des phrases contenant les adverbes (ou locutions
adverbiales) suivants, en examinant s'il est possible de déplacer ces adverbes.
                                                           (Gr. § 384)

a) 1. Il est *très* sévèrement puni de son erreur. — 2. Elle pense
réussir en travaillant *peu*. — 3. *Tout à coup,* une porte claqua et tout
le monde sursauta. — 4. Cette couleur est employée *à dessein* pour
attirer l'attention. — 5. Je n'aime *pas* trop le chocolat.

b) 1. *Où* la Meuse prend-elle sa source ? — 2. *Demain,* on y
verra plus clair. — 3. Vous êtes *moins* tôt que les jours précédents.
— 4. Des livres traînaient *çà et là* dans la chambre. — 5. Elle court
presque aussi vite que son frère.

c) 1. Je reprendrais *volontiers* un morceau de gâteau. — 2. En
apprenant la bonne nouvelle, elle se précipita *dare-dare* chez sa
sœur. — 3. On dit aux enfants qu'il *ne* faut *jamais* mentir. —

4. Cette personne parle si *doucement* qu'on l'entend à peine. —
5. Allons *ailleurs*: nous sommes mal ici.

Tout à coup (*a*, 1) pourrait être mis après *claqua*; *demain* (*b*, 2)
pourrait être mis après *clair*; *ça et là* (*b*, 4) pourrait être mis en tête
de phrase; *dare-dare* (*c*, 2) pourrait être mis devant *elle*. — *Où* (*b*,
1) pourrait être mis à la fin de la phrase dans la langue parlée familière.

564. — Relever les adverbes exprimant le degré et préciser de quel
degré il s'agit (degré absolu ou degré relatif).   (Gr. §§ 385-386)

a) 1. J'aime *trop* (degré abs.) le chocolat. — 2. Ma maison est
plus (degré rel.) éloignée que la tienne. — 3. L'agriculteur doit se
lever *très* (degré abs.) tôt. — 4. *Que* (degré abs.) vous avez de
grands yeux ! — 5. Cette voiture marche *épatamment* (degré abs.).
— 6. Pierre court *aussi* (degré rel.) vite que moi. — 7. Les pièces de
cette maison sont *tellement* (degré abs.) hautes qu'il est difficile de
les chauffer. — 8. Sylvie ne travaille pas *si* (degré rel.) longtemps
que moi.

b) 1. Le comment intéresse ces savants *davantage* (degré rel.)
que le pourquoi. (A. Béguin.) — 2. Il se dégageait de cette femme,
qui était peut-être une *fort* (degré abs.) brave femme, quelque chose
de décourageant qui parvenait à rendre terne, *quasi* (degré abs.)
lugubre, jusqu'au soleil qui pénétrait par la fenêtre. (Simenon.) —
3. Je ne me rappelle plus trop (degré abs.). C'est *si* (degré abs.)
vieux. (Maupassant.) — 4. Un bon antiquaire doit avoir *pas mal*
(degré abs.) voyagé. (R. Peyrefitte.)

c) 1. Je ne me vante pas *excessivement* (degré abs.) en me donnant pour doué de plus de raison que la plupart de mes semblables.
(A. France.) — 2. Alcibiade avait l'air pensif, moi *tout à fait* (degré
abs.) à l'aise, Rosette *excessivement* (degré abs.) contrariée.
(Th. Gautier.) — 3. Elle fit une halte *assez* (degré abs.) longue
devant une ferme isolée. (M. Aymé.) — 4. Au milieu des ronces,
dont l'épaisseur montre *assez* (degré abs.) que jamais personne n'y
vient, je me fraye (à pied) un passage aux sources. (Barrès.) —
5. Toutes les mères, en principe, ne souhaitent rien *tant* (degré rel.)
pour leurs fils que le mariage, mais désapprouvent la femme qu'ils
choisissent. (Radiguet.) — 6. Oh ! la vie d'aventures qui existe dans
les livres des enfants, pour me récompenser, j'ai *tant* (degré abs.)
souffert, me la donneras-tu ? (Rimbaud.)

*565. — Préciser la valeur sémantique des adverbes de degré du n°
précédent.   (Gr. §§ 385-386)

a) 1. J'aime *trop* (excès) le chocolat. — 2. Ma maison est *plus*
(supériorité) éloignée que la tienne. — 3. L'agriculteur doit se lever
très (haut degré) tôt. — 4. *Que* (exclamation) vous avez de grands

yeux ! — 5. Cette voiture marche *épatamment* (haut degré). — 6. Pierre court *aussi* (égalité) vite que moi. — 7. Les pièces de cette maison sont *tellement* (degré impliquant une conséquence) hautes qu'il est difficile de les chauffer. — 8. Sylvie ne travaille pas *si* (égalité) longtemps que moi.

b) 1. Le comment intéresse ces savants *davantage* (supériorité) que le pourquoi. (A. Béguin.) — 2. Il se dégageait de cette femme, qui était peut-être une *fort* (haut degré) brave femme, quelque chose de décourageant qui parvenait à rendre terne, *quasi* (caractère incomplet) lugubre, jusqu'au soleil qui pénétrait par la fenêtre. (Simenon.) — 3. Je ne me rappelle plus *trop* (excès). C'est *si* (degré impliquant une conséquence, ici non exprimée) vieux. (Maupassant.) — 4. Un bon antiquaire doit avoir *pas mal* (degré moyen) voyagé. (R. Peyrefitte.)

c) 1. Je ne me vante pas *excessivement* (excès ou haut degré) en me donnant pour doué de plus de raison que la plupart de mes semblables. (A. France.) — 2. Alcibiade avait l'air pensif, moi *tout à fait* (caractère complet) à l'aise, Rosette *excessivement* (haut degré) contrariée. (Th. Gautier). — 3. Elle fit une halte *assez* (degré moyen) longue devant une ferme isolée. (M. Aymé.) — 4. Au milieu des ronces, dont l'épaisseur montre *assez* (degré moyen) que jamais personne n'y vient, je me fraye (à pied) un passage aux sources. (Barrès.) — 5. Toutes les mères, en principe, ne souhaitent rien *tant* (égalité) pour leurs fils que le mariage, mais désapprouvent la femme qu'ils choisissent. (Radiguet.) — 6. Oh ! la vie d'aventures qui existe dans les livres des enfants, pour me récompenser, j'ai *tant* (degré impliquant une conséquence, ici non exprimée) souffert, me la donneras-tu ? (Rimbaud.)

566. — Remplacer les trois points par une des expressions en italiques.   (Gr. §§ 385-386)

a) *Si* ou *aussi* : 1. L'écureuil a les ongles si pointus qu'il grimpe aisément sur les arbres dont l'écorce est fort lisse. — 2. La gloire de Virgile est *aussi* solide que celle de Napoléon. — 3. Il y a, dit La Rochefoucauld, des personnes *si* légères et *si* frivoles qu'elles sont *aussi* éloignées d'avoir de véritables défauts que des qualités solides. — 4. L'âne est *aussi* humble, *aussi* patient que le cheval est fier et impétueux.

b) *Tant* ou *autant* : 1. Rien ne réjouit *autant* (ou *tant*) le cœur d'une mère que l'affection de ses enfants. — 2. Cet enfant a *tant* grandi que je le reconnais à peine. — 3. Une guitare me plairait *autant* qu'un appareil photographique. — 4. Nul fabuliste ne nous charme *autant* (ou *tant*) que La Fontaine. — 5. Nous sommes parfois versatiles : *autant* une chose nous a plu hier, *autant* elle nous déplaît aujourd'hui. — 6. Il y a *tant* d'occasions de s'instruire !

c) *Aussi* ou *autant* : 1. Napoléon fut *aussi* audacieux qu'Annibal ; il a fait *autant* de bruit que les conquérants de l'antiquité. — 2. Un bon chien se montre *aussi* fidèle qu'obéissant ; il est affectueux *autant* que docile. — 3. Il y a *autant* d'éloquence dans le ton de la voix que dans le choix des paroles. — 4. Vous ne travaillez plus *aussi* (ou *si*) bien qu'autrefois.

d) *Si* ou *tant* : 1. Rien n'est *si* rare que l'amitié ; rien n'est *tant* (ou *si*) [8] profané que son nom. — 2. Certains livres que nous avons *tant* relus et qui étaient *tant* vantés par nos amis ne nous intéressent plus ; nous estimons que ces ouvrages ne sont pas *aussi* (ou *si*) beaux qu'on le prétendait.

e) *Aussi* ou *non plus* : 1. Vos parents désirent votre bonheur ; vos amis *aussi*. — 2. Ne prenez pas ce chemin-ci ; ne prenez pas *non plus* celui-là. — 3. On ne peut pas vivre sans pain ; / On ne peut pas *non plus* vivre sans la patrie. (Hugo.) — 4. Ce que tel et tel ont fait, vous pouvez *aussi* le faire. — 5. Vous n'avez pas lu ce livre ? Moi *non plus*.

567. — Analyser les divers adverbes de négation, en distinguant 1° ceux qui portent sur un verbe et ceux qui portent sur un mot ou un syntagme autre que le verbe ; 2° les négations qui sont constituées d'un seul élément et celles qui sont constituées de deux éléments.   (Gr. §§ 387-390)

N.B. — Dans les négations complexes, un des deux éléments peut ne pas être un adverbe.

a) 1. Je *ne* vous comprends *pas* (porte sur le verbe *comprends* ; deux éléments). — 2. *N'* (porte sur le verbe *ayez* ; un élément) ayez crainte, il reviendra. — 3. Les bagages *non* (porte sur l'adjectif *indispensables* ; un élément) indispensables *ne* seront *plus* (porte sur le verbe *seront acceptés* ; deux éléments) acceptés. — 4. *Aucune* personne raisonnable *ne* (porte sur le verbe *prend* ; deux éléments) prend plaisir à faire souffrir les animaux. — 5. Le dentiste a extrait, *non* (porte sur la prép. *sans* ; un élément) sans effort, la dent malade.

b) 1. Il s'arrête ; *non pas* (porte sur l'adjectif *inquiet* ; deux éléments) inquiet, mais curieux. (Bernanos.) — 2. C'était une bonne dame très simple et *pas* (porte sur l'adverbe *très* ; un élément) très heureuse. (A. France.) — 3. Pour bien arriver, il faut d'abord arriver soi-même, puis, que les autres *n'*arrivent *pas* (porte sur le verbe *arrivent* ; deux éléments). (J. Renard.) — 4. Le repos du wagon *n'*est interrompu *que* (porte sur le verbe *est interrompu* ; deux éléments) par l'apparition d'un personnage à la barbe *pas* (porte sur le participe passé *faite* ; un élément) faite. (Montherlant.) — 5. On *ne* peut *rien* (porte sur le verbe *peut* ; deux éléments) connaître avec précision si

---

8. *Tant profané* : on considère dans *profané* sa valeur verbale ; mais si l'on considère sa valeur adjective, on peut dire : *si profané*.

l'on *n'* (porte sur le verbe *a su* ; un élément) a su, dans son examen, faire totalement abstraction de ses sentiments et de ses préférences subjectives. (A. Martinet.)

568. — Relever les auxiliaires de la négation, en indiquant leur nature et leur fonction. (Gr. § 389)

a) 1. Il n'y a *pas* (adv. ; compl. du verbe *a*) de fumée sans feu. — 2. *Nul* (pronom indéf. ; sujet du verbe *est*) n'est prophète en son pays. — 3. Beau parler n'écorche *point* (adv. ; compl. du verbe *écorche*) la langue. — 4. Bien mal acquis ne profite *jamais* (adv. ; compl. du verbe *profite*). — 5. Il faut que le vent soit bien mauvais pour n'être bon à *personne* (pronom indéf. ; compl. de l'adj. *bon*) . — 6. Qui ne dit *mot* (nom ; compl. d'objet direct du verbe *dit*) consent. — 7. Qui ne hasarde *rien* (pronom indéf. ; compl. d'objet direct du verbe *hasarde*) n'a *rien* (pronom indéf. ; compl. d'objet direct du verbe *a*).

b) 1. L'ascenseur ne fonctionne *plus* (adv. ; compl. du verbe *fonctionne*). — 2. On n'y voit *goutte* (adv. ; compl. du verbe *voit*) dans cette cave. — 3. Je n'ai *nullement* (adv. ; compl. du verbe *ai*) l'intention de céder à vos exigences. — 4. Vous n'aurez *aucune* (déterminant indéf. ; détermine le nom *peine*) peine à trouver le chemin. — 5. Cette échelle n'est *guère* (adv. ; compl. de l'adj. *solide*) solide. — 6. Nous n'avons *nul* (déterminant indéf. ; détermine le nom *besoin*) besoin de votre intervention. — 7. Je vous assure qu'il n'est *aucunement* (adv. ; compl. de l'adjectif *responsable*) responsable. — 8. Aussi le vent ne soufflait-il *mie* (adv. ; compl. du verbe *soufflait*) sans que ce fût sur la contrée grande joie. (A. de Châteaubriant.)

*569. — Dans les phrases suivantes, les auxiliaires de la négation sont employés sans *ne*. Préciser dans quelles circonstances, en indiquant le niveau de langue auquel ces phrases appartiennent. (Gr. § 390)

1. À bon vin *point* (phrase non verbale ; proverbe) d'enseigne. — 2. L'ordre et la méthode s'enseignent ; le génie *pas* (phrase non verbale). (Daniel-Rops.) — 3. Qui vient ? qui m'appelle ? *Personne* (phrase non verbale). (Musset.) — 4. Suis-je *pas* (phrase interrogative ayant la valeur de déclarative ; langue littéraire) fondé à penser qu'un gouvernement qui se respecte ne permet pas longtemps qu'on manque ainsi de respect au français ? (Étiemble.) — 5. Comment s'attendrir sur une ville où rien ne sollicite l'esprit, où la laideur même est anonyme, où le passé est réduit à *rien* (*rien* a pris une valeur négative même parfois dans les phrases déclaratives) ? (A. Camus.) — 6. Si j'étais *pas* (omission du *ne* dans la langue populaire ou familière) tellement contraint, obligé pour gagner ma vie, je vous le dis tout de suite, je supprimerais tout. (L.-F. Céline.)

570. — Remplacer, quand il y a lieu, les trois points par *n'*.

(Gr. § 390)

a) 1. On *n'*a souvent besoin que d'un léger encouragement. — 2. On a souvent besoin d'un plus petit que soi. — 3. On aperçoit là-bas un petit toit rouge. — 4. On *n'*aperçoit ce toit rouge que par un temps bien clair. — 5. On *n'*a pas toujours l'énergie qu'il faudrait pour rester fidèle à une résolution qu'on a prise. — 6. Quand on *n'*a pas ce qu'on aime, il faut aimer ce qu'on a. — 7. On *n'*arrive au succès qu'au prix de patients efforts. — 8. On *n'*a rien sans peine.

b) 1. Désirer plus de bonheur qu'on *n'*en saurait posséder, c'est se condamner à être malheureux. — 2. Sans un peu de travail, on *n'*a point de plaisir. — 3. On *n'*est jamais si bien servi que par soi-même. — 4. On est grand par l'esprit, on *n'*est sublime que par le cœur. — 5. On avance dans ces régions inconnues avec un ravissement continuel. — 6. On *n'*avance, dans ces régions inconnues, qu'avec d'infinies précautions. — 7. On *n'*a jamais fini de faire son devoir.

*571. — Distinguer les *ne* explétifs et les *ne* vraiment négatifs. Préciser les circonstances dans lesquelles sont employés les uns et les autres.

(Gr. §§ 388, 391)

a) 1. On *ne* (négatif ; avec *savoir* au conditionnel pour *pouvoir*) saurait sonner les cloches et aller à la procession. — 2. Prenez votre parapluie : je crains qu'il *ne* (explétif ; dans une propos. dépendant d'un verbe exprimant la crainte et construit sans négation) pleuve. — 3. Ne prenez pas sur vos épaules plus que vous *ne* (explétif ; dans une propos. corrélative appelée par un adverbe d'inégalité) pouvez porter. — 4. Vous *ne* (négatif ; avec *pouvoir* conjugué à un temps simple) pourriez arriver à temps, à moins que vous *ne* (explétif ; après *à moins que*) dépassiez la vitesse permise. — 5. Si je *ne* (négatif ; avec *si* conditionnel) me trompe, votre sœur habite au Québec. — 6. Ni les conseils ni les recherches *ne* (négatif ; avec *ni* répété) l'ont influencé.

b) 1. *N'* (négatif ; dans une phrase sentencieuse) aille au bois qui a peur des feuilles. — 2. Il *n'* (négatif ; dans une expression toute faite) est de couple si uni soit-il, où il *n'* (négatif ; dans une proposition au subj. dépendant d'un verbe négatif) y ait parfois des désaccords. (R. Escarpit.) — 3. On se rend mal compte de ce que la mort emporte avant qu'elle *ne* (explétif ; après *avant que*) soit là. (H. Bazin.) — 4. Tu *n'* (négatif ; devant *autre* suivi de *que*) as d'ailleurs d'autre rôle que de prendre soin d'Andrès. (Fr. Mauriac.) — 5. De sa vie on *ne* (négatif ; avec un verbe dont le compl. de temps est introduit par *de*) le vit entrer dans une église. (Stendhal.) — 6. Votre premier mouvement, comme vous ouvriez les yeux, ç'a été d'étendre le bras pour empêcher que *ne* (explétif ; après *empêcher que*) se déclenche la sonnerie. (M. Butor.) — 7. Il n'est pas jusqu'au mouvement de la rue qui *ne* (négatif ; dans une proposition relative de conséquence, le verbe principal étant négatif) m'étourdisse. (Bernanos.) — 8. Je ne doutais pas (...) que la Vierge *ne* (explétif ; dans une proposition dépendant d'un verbe exprimant le doute et construit négativement) fût apparue à Bernadette. (S. de Beauvoir.)

572. — Remplacer les trois points par l'une des expressions en italiques.   (Gr. § 392)

a) *Plutôt* ou *plus tôt* : 1. Ma mère fait ses provisions à l'épicerie du village *plutôt* que dans un grand magasin. — 2. Si le lièvre de la fable s'était décidé *plus tôt* à prendre son élan, il aurait battu la tortue à la course. — 3. *Plutôt* souffrir que mourir : c'est la devise des hommes, a dit La Fontaine. — 4. Quand on se lève *plus tôt,* on a la chance de ne rencontrer personne sur les routes. — 5. L'ambitieux n'a pas *plus tôt* [9] obtenu un avantage qu'il en désire un autre.

b) *Jadis* ou *naguère* : 1. Bruges était *jadis* le premier port de l'Occident. — 2. L'électronique, *naguère* encore hésitante, a fait de surprenants progrès. — 3. La fortune est changeante : tel qui *naguère* était puissant se trouve aujourd'hui sans ressources. — 4. Des astronautes *naguère* ont marché sur la lune. — 5. Les druides *jadis* coupaient le gui, plante sacrée. — 6. Le percement de l'isthme de Suez a eu la même portée que *jadis* la découverte de la route maritime des Indes.

LA PRÉPOSITION

573. — Relever les prépositions (ou locutions prépositives), les conjonctions de coordination et les conjonctions de subordination.

(Gr. §§ 394, 401, 405)

N.B. — Parmi les prépositions, nous n'avons pas retenu celles qui sont incluses dans les articles contractés. Mais on peut naturellement les prendre en considération.

Une exploratrice

C'était une femme *de* (prép.) haute taille, veuve *depuis* (prép.) quinze ans, que la passion des voyages entraînait incessamment *à travers* (prép.) des pays inconnus. Sa tête, encadrée *dans* (prép.) de longs bandeaux, déjà blanchis *par* (prép.) place, dénotait une réelle énergie. Ses yeux, un peu myopes, se dérobaient *derrière* (prép.) un

9. L'Académie écrit : *ne ... pas plus tôt que.* Cependant, l'usage est hésitant et des auteurs écrivent aussi : *ne ... pas plutôt que.* (Cf. *Le bon usage,* 12e éd., § 927, N.B.)

lorgnon *à* (prép.) monture *d'* (prép.) argent, qui prenait son point *d'* (prép.) appui *sur* (prép.) un nez long, droit, dont les narines mobiles semblaient aspirer l'espace. Sa démarche, il faut l'avouer, était tant soit peu masculine, *et* (conj. de coord.) toute sa personne respirait moins la grâce *que* (conj. de subord.) la force morale. C'était une Anglaise du comté *d'* (prép.) York, pourvue *d'* (prép.) une certaine fortune, dont le plus clair se dépensait *en* (prép.) expéditions aventureuses. *Et* (conj. de coord.) *si* (conj. de subord.), *en* (prép.) ce moment, elle se trouvait au fort Reliance, c'est *que* (conj. de subord.) quelque exploration nouvelle l'avait conduite *en* (prép.) ce poste lointain.

J. VERNE (Le pays des fourrures).

574. — Indiquer le rôle des prépositions (ou locutions prépositives) en italiques.   (Gr. § 394)

a) L'atelier de bricolage

Nous scellâmes, *dans* (unit le compl. adverbial de lieu *mur* au verbe *scellâmes*) le mur *de* (unit le compl. *cave* au nom *mur*) la cave, deux bouts de fer, reliés *par* (unit le compl. d'agent [10] *vis* au participe *reliés*) quatre vis *à* (unit le compl. d'objet indirect *table* au participe *reliés*) une flageolante table, dont ils assurèrent la stabilité, et qui fut ainsi promue au rang d'établi. Nous y installâmes un étau criard, apaisé d'une goutte *d'* (unit le compl. *huile* au nom *goutte*) huile. Puis nous fîmes le classement de l'outillage : une scie, un marteau, une paire de tenailles, des clous de tailles différentes, mais également tordus *par* (unit le compl. d'agent *extractions* au participe *tordus*) de précédentes extractions, des vis, un tournevis, un rabot, un ciseau à bois.

J'admirais ces trésors, ces machines, que le petit Paul n'osait pas toucher, car il croyait *à* (unit le compl. d'objet indirect *méchanceté* au verbe *croyait*) la méchanceté active des outils pointus ou tranchants, et faisait peu de différence *entre* (unit les compl. *scie* et *crocodile* au nom *différence*) une scie et un crocodile.

Marcel PAGNOL (La gloire de mon père. Pastorelly, édit.).

b) 1. Qui a dit : « Quand on court *après* (unit le compl. objet indirect *esprit* au verbe *courir*) l'esprit, on attrape la sottise » ? — 2. J'aime entendre le murmure *de* (unit le compl. *brise* au nom *murmure*) la brise, le soir, *dans* (unit le compl. adverbial de lieu *campagne* au verbe *entendre*) la campagne. — 3. *Au-delà de* (unit le compl. adverbial de lieu *bouquet* au verbe *se profilent*) ce bouquet de chênes, les collines se profilent *sur* (unit le compl. adverbial de lieu *ciel* au verbe *se profilent*) le ciel bleu. — 4. *En face de* (unit le compl. adverbial de lieu *maison* au verbe *se dresse*) ma maison se

---

10. On acceptera d'autres étiquettes : compl. adverbial de moyen, compl. adverbial de manière.

dresse, *entre* (unit les compl. adverbiaux de lieu *marronniers* et *tilleuls* au verbe *se dresse*) les marronniers et les tilleuls, le clocher *de* (unit le compl. *chapelle* au nom *clocher*) la chapelle. — 5. Le soleil descend *derrière* (unit le compl. adverbial de lieu *coteaux* au verbe *descend*) les coteaux. — 6. L'avare entasse *pour* (unit le compl. adverbial de but *entasser* au verbe *entasse*) entasser. — 7. Clovis a été baptisé *à* (unit le compl. adverbial de lieu *Reims* au verbe *a été baptisé*) Reims *par* (unit le compl. d'agent *saint Remi* au verbe *a été baptisé*) saint Remi.

575. — Relever les prépositions et les locutions prépositives et indiquer leur rôle.   (Gr. §§ 394-396)

N.B. — Dans l'exercice suivant, nous n'avons pas retenu les prépositions incluses dans les articles contractés. Mais on peut naturellemnt les prendre en considération.

a) 1. Il vient, *par* (unit le compl. adverbial de lieu *fenêtre* au verbe *vient*) ma fenêtre ouverte, une douce fraîcheur ; *dans* (unit le compl. adverbial de lieu *jardin* au verbe *montent*) le jardin montent, *parmi* (unit le compl. adverbial de lieu *senteurs* au verbe *montent*) les senteurs mêlées, les premiers effluves *de* (unit le compl. du nom *nuit* au nom *effluves*) la nuit. — 2. *Durant* (unit le compl. adverbial de temps *jours* au verbe *avons vécu*) quatre jours, nous avons vécu *dans* (unit le compl. adverbial de lieu *brouillard* au verbe *avons vécu*) un brouillard intense. — 3. Asseyez-vous *près de* (unit le compl. adverbial de lieu *moi* au verbe *asseyez-vous*) moi. — 4. N'oubliez pas *de* (introduit l'infinitif *fermer*, compl. d'objet direct du verbe *oubliez*) fermer la fenêtre *de* (unit le compl. *chambre* au nom *fenêtre*) votre chambre *avant de* (unit le compl. adverbial de temps *partir* au verbe *oubliez*) partir. — 5. Le hérisson passe le jour *dans* (unit le compl. adverbial de lieu *terrier* au verbe *passe*) son terrier. *Pendant* (unit le compl. adverbial de temps *nuit* au verbe *se livre*) la nuit, il se livre *à* (unit le compl. d'objet indirect *chasse* au verbe *se livre*) la chasse *de* (unit le compl. *animaux* au nom *chasse*) divers animaux nuisibles aux cultures : cela va du hanneton *à* (unit le compl. d'objet indirect [11] *souris* au verbe *va*) la souris. Malheureusement, beaucoup de hérissons meurent écrasés *sur* (unit le compl. adverbial de lieu *routes* au verbe *meurent*) les routes *par* (unit le compl. d'agent *voitures* au participe passé *écrasés*) les voitures.

b) 1. Sachez écouter. Malheur *à* (unit le compl. *celui* au mot-phrase *malheur*) celui qui, *sans* (unit le compl. adverbial de manière [12] *ramasser* au verbe *laisse tomber*) la ramasser, laisse tomber une parole *d'* (unit le complément du nom *or* au nom *parole*)

---

11. On acceptera aussi : compl. adverbial de lieu (métaphoriquement).

12. Ce qui est important, c'est compl. adverbial. La précision sémantique est secondaire et, dans ce cas-ci, fort discutable.

or *de* (unit le complément adverbial de lieu *bouche* au verbe *laisse tomber*) la bouche *d'* (unit le complément du nom *autrui* au nom *bouche*) autrui. (J. Renard.) — 2. Un oncle, qui avait pris *en* (unit le compl. adverbial de manière *charge* au verbe *avait pris*) charge une partie *de* (unit le compl. *éducation* au nom *partie*) mon éducation, me donnait parfois des livres. Boucher *de* (unit le compl. *état* au nom *boucher*) son état, et bien achalandé, il n'avait de vraie passion que *pour* (unit les compl. *lecture* et *idées* au nom *passion*) la lecture et les idées. Il consacrait ses matinées au commerce *de* (unit le compl. *viande* au nom *commerce*) la viande, le reste *de* (unit le compl. *journée* au nom *reste*) la journée *à* (unit le compl. d'objet indirect *bibliothèque* au verbe *consacrait*) sa bibliothèque, aux gazettes et *à* (unit le compl. d'objet indirect *discussions* au verbe *consacrait*) des discussions interminables *dans* (unit le compl. *cafés* au nom *discussions*) les cafés *de* (unit le compl. *quartier* au nom *cafés*) son quartier. (A. Camus.)

576. — Composer des phrases avec les prépositions ou locutions prépositives suivantes.   (Gr. §§ 394-396)

a) 1. Il faudra prendre ce médicament *avant* chaque repas. — 2. On doit pouvoir faire sans témoin ce qu'on serait capable de faire *devant* tout le monde. — 3. Notre grand-mère va toujours *au-devant* de nos désirs. — 4. Soyons bons *envers* les animaux. — 5. *Malgré* ses échecs, il ne se décourage pas.

b) 1. Il est urgent de prendre des décisions *concernant* la circulation dans la rue. — 2. *Outre* la piscine, cette villa luxueuse possède aussi un terrain de tennis. — 3. Je connais tout le cours *sauf* les cinq dernières pages. — 4. *Grâce à* son intervention, j'ai pu obtenir un emploi intéressant. — 5. *Avant de* partir, il faut vérifier si les portes sont fermées à clef. — 6. *Faute de* grives, on mange des merles.

c) 1. Les maisons sont disséminées *parmi* les arbres. — 2. *Depuis* dimanche, nous ne l'avons plus vu. — 3. Tes cheveux sont longs ; tu devrais aller *chez* le coiffeur. — 4. Pourquoi as-tu agi *en dépit de* mes conseils ? — 5. Il a les nerfs *à fleur de* peau. — 6. J'ai fini mon devoir ; *quant à* ma leçon, je l'étudierai plus tard.

577. — Distinguer les articles contractés des articles indéfinis ou partitifs. Quelle est la préposition incluse dans ces articles contractés ? Quel est son rôle ?   (Gr. §§ 394, 217, 219)

a) 1. On propose *des* (art. indéf.) remèdes variés et peu efficaces contre la chute *des* (art. contr. ; la prép. incluse *de* unit le compl. *cheveux* au nom *chute*) cheveux. — 2. *Des* (art. indéf.) élèves ont demandé *au* (art. contr. ; la prép. incluse *à* unit le compl. d'objet indirect *directeur* au verbe *ont demandé*) directeur le déplacement *du* (art. contr. ; la prép. incluse *de* unit le compl. *congé* au nom *déplacement*) congé. — 3. *Au* (art. contr. ; la prép. incluse *à* unit le compl. adverbial de temps *début* au verbe *se lasse*) début *du* (art. contr. ; la prép. incluse *de* unit le compl. *printemps* au nom *début*) printemps, on ne se lasse pas *du* (art. contr. ; la prép. incluse *de* unit le compl. d'objet indirect *chant* au verbe *se lasse*) chant *des* (art. contr. ; la prép. incluse *de* unit le compl. *oiseaux* au nom *chant*) oiseaux. — 4. *Des* (art. indéf.) sangliers ont ravagé les champs proches *du* (art. contr. ; la prép. incluse *de* unit le compl. *bois* à l'adjectif *proches*) bois. — 5. Il y avait *du* (art. part.) monde dans la rue autour *du* (art. contr. ; la prép. incluse *de* fait partie de la locution prépos. *autour de*) camion qui s'était écrasé contre le mur *du* (art. contr. ; la prép. incluse *de* unit le compl. *presbytère* au nom *mur*) presbytère.

b) 1. C'est un peintre animalier, spécialiste *des* (art. contr. ; la prép. incluse *de* unit le compl. *bruyères* au nom ou à l'adj. *spécialiste*) bruyères et *des* (art. contr. ; la prép. incluse *de* unit le compl. *troupeaux* au nom ou à l'adj. *spécialiste*) troupeaux. Il invente *des* (art. indéf.) paysages violet rose ou *des* (art. indéf.) intérieurs d'églises avec les reflets multicolores *des* (art. contr. ; la prép. incluse *de* unit le compl. *vitraux* au nom *reflets*) vitraux sur le sol de pierre. (J. Cayrol.) — 2. Au-dessus *des* (art. contr. ; la prép. incluse *de* fait partie de la locution prépos. *au-dessus de*) étangs, au-dessus *des* (art. contr. ; id.) vallées, / (...) / Par-delà les confins *des* (art. contr. ; la prép. incluse *de* unit le compl. *sphères* au nom *confins*) sphères étoilées, / Mon esprit, tu te meus avec agilité. (Baudelaire.) — 3. Soyez béni, mon Dieu, qui m'avez délivré *des* (art. contr. ; la prép. incluse *de* unit le compl. d'objet indirect *idoles* au verbe *avez délivré*) idoles. (Claudel.) — 4. Le poète existait dans l'homme *des* (art. contr. ; la prép. incluse *de* unit le compl. *cavernes* au nom *homme*) cavernes, il existera dans l'homme *des* (art. contr. ; la prép. incluse *de* unit le compl. *âges* au nom *homme*) âges atomiques. (Saint-John Perse.)

578. — Distinguer *de* préposition et *de* article ou partie d'article.

(Gr. §§ 394, 219)

1. La pipe *de* (prép.) l'oncle Jules fait *de* (partie d'art.) la fumée comme une locomotive à vapeur. — 2. Il n'y a pas *de* (art.) fumée sans feu ! — 3. Celui qui n'a pas *de* (art.) patience essuiera *de* (art.) nombreux mécomptes. — 4. Yachts : bateaux *de* (prép.) plaisance possédés par *de* (art.) riches amis qui parlent souvent *de* (prép.) vous inviter à bord. Le mauvais temps peut permettre *d'* (prép.) échapper à ce genre *d'* (prép.) invitation. Mais le plus souvent le mauvais temps ne survient qu'une fois la haute mer atteinte. (Daninos.)

579. — Répéter, quand il y a lieu, la préposition en italiques.

(Gr. § 398)

1. *Dans* les difficultés et les ennuis, nous avons besoin d'aide et d'affection. — 2. Bayard reçut le surnom de Chevalier *sans* peur et *sans* reproche. — 3. Persévérer *contre* vents et marées, c'est poursuivre ce qu'on a commencé, *malgré* les difficultés et les obstacles. — 4. *En* suivant la rivière et *en* traversant au premier pont, vous arriverez tout de suite à la clinique. — 5. *Dans* « Le rouge et le noir », Stendhal s'est inspiré d'un procès ayant eu lieu à Grenoble en 1827. — 6. Il convient de se conformer *aux*[13] us et coutumes des régions où l'on vit. — 7. Ève Curie a consacré *à* sa mère, Marie Curie, un livre tout pénétré de piété filiale.

580. — Justifier la répétition ou la non-répétition des prépositions en italiques.

(Gr. § 398)

1. Les conviés arrivèrent de bonne heure *dans* (les prép. autres que *à, de* et *en* ne se répètent pas, surtout lorsque les différents membres du régime sont intimement liés par le sens) des voitures, carrioles à un cheval, chars à bancs à deux roues, vieux cabriolets sans capote, tapissières à rideaux de cuir. (Flaubert.) — 2. *De* ton cœur ou *de* (la prép. *de* se répète ordinairement) toi lequel est le poète ? (Musset.) — 3. En même temps, *dans* les villages, *dans* (la répétition de la prép. donne à chacun des régimes un relief particulier) les fermes, quelques cheminées se mirent à fumer. (Fromentin.) — 4. Elle achetait des pots, les rangeait *sur* (les prép. autres que *à, de* et *en* ne se répètent pas, surtout lorsque les différents membres du régime sont intimement liés par le sens) les appuis des fenêtres, l'armoire, le couvercle de la machine à coudre. (C. Detrez.) — 5. *Entre* (*entre* ne se répète pas) une heure et quatre heures, M. Jérôme Péloueyre exigeait un silence solennel. (Fr. Mauriac.)

581. — Remplacer les trois points par la préposition convenable.

(Gr. § 400)

1. Se proposer *de* traiter un sujet *à* fond. — 2. Ne pas déroger *à* la règle générale. — 3. Chercher *à* faire des progrès. — 4. Être sujet *à* l'insomnie. — 5. Garder des documents *sous* clef. — 6. Le son parcourt 337 mètres *par* seconde. — 7. Depuis votre départ, je m'ennuie *de* vous. — 8. Je cause volontiers *avec* mon ami. — 9. Il a fait ce travail *en* deux heures. — 10. Allez jouer *dans* la cour. — 11. Emprunter une somme à cinq *pour* cent. — 12. J'ai lu cette nouvelle *dans* le journal. — 13. Nous nous sommes rencontrés *dans*

---

13. La préposition est incluse dans l'article contracté.

la rue. — 14. Il est fâché [= en colère] *contre* moi. — 15. Il est fâché [= brouillé] *avec* moi. — 16. Revenez *de*[14] demain en huit.

582. — Là où il le faut, remplacer les trois points par la préposition convenable.   (Gr. § 400)

> **N.B.** — Nous avons laissé les trois points du livre de l'élève là où il ne faut rien introduire.
>
> **a)** 1. Quand vous avez mal *à* la tête, vos raisonnements ont moins de clarté. — 2. Je cherche ... mon stylo que j'ai perdu. — 3. Quels progrès la science n'aura-t-elle pas faits dans cinquante ans ? Mais d'ici ... là les hommes seront-ils plus heureux ? — 4. Dans votre chambre, rangez chaque chose *à* sa place. — 5. Remettez ce tableau *en* place. — 6. La plupart des petits garçons aiment ...[15] jouer *au* soldat.
>
> **b)** 1. Le directeur s'est fâché *contre* ses employés ; il fera *de* demain en huit un examen minutieux de la comptabilité. — 2. Les courtisans aspiraient *à* l'honneur d'assister au lever de Louis XIV. — 3. Un bon capitaine associe le courage *à* la prudence. — 4. Une petite brouille ne doit pas rompre l'amitié : si votre ami est fâché *avec*[16] vous, faites les avances et réconciliez-vous avec lui. — 5. Alfred de Musset a écrit : « Rien ne nous rend si grands qu'une grande douleur » ; c'est encore ...[17] Musset qui a dit : « L'homme est un apprenti ; la douleur est son maître. »

583. — Remplacer les trois points par *jusque,* sans omettre d'y joindre *à,* quand cette dernière préposition est requise.   (Gr. § 400)

> **a)** 1. Une mère va *jusqu'à* l'extrême limite de l'indulgence ; elle pardonne *jusqu'à* l'ingratitude de ses enfants. — 2. Les albatros ont *jusqu'à* quatre mètres d'envergure. — 3. J'ai différé *jusqu'*aujourd'hui (ou *jusqu'à* aujourd'hui) de vous écrire. — 4. *Jusqu'à* (ou *jusques à quand,* tour littéraire) quand, Catilina, abuseras-tu de notre patience ? — 5. Je vous ai attendu *jusqu'à* avant-hier ; j'ai même veillé *jusque* fort tard dans la nuit ; je vous attendrai demain *jusqu'à* dix heures.

---

14. *Revenez demain en huit* serait de la langue familière. (Cf. *Le bon usage,* 12ᵉ éd., § 998, *c.*)

15. *Aimer à* est fréquent aussi dans la langue soignée. *Aimer de,* tour classique, subsiste dans la langue littéraire (et aussi dans l'usage courant de certaines régions). (Cf. *Le bon usage,* 12ᵉ éd., § 875.)

16. *Contre* est possible, mais le sens est différent : cf. l'exercice 581, 14 et 15.

17. Le *de* nobiliaire ne se maintient normalement que pour unir le nom au prénom, au titre de noblesse ou aux titres de *monsieur, madame, mademoiselle, cardinal,* etc., — au mot *famille,* aux noms de parenté (*frère, oncle, tante,* etc.). (Cf. *Le bon usage,* 12ᵉ éd., § 1004, *b.*)

b) 1. L'homme charitable aime *jusqu'à* ses ennemis. — 2. *Jusqu'où* une volonté énergique ne peut-elle pas aller ? — 3. Napoléon, en 1812, s'avança *jusqu'à* Moscou. Il dut se résoudre à la retraite. Ce fut le désastre : la température descendit *jusqu'à* 28 degrés au-dessous de zéro. Au passage de la Bérésina, la Grande Armée perdit *jusqu'à* 35 000 hommes ; elle n'avait pas *jusqu'*alors subi d'échec aussi cuisant. — 4. Peu d'hommes vivent *jusqu'à* cent ans.

584. — Inventer de petites phrases où *jusque* ou *jusqu'à* introduiront les compléments suivants.   (Gr. § 400)

1. **Maintenant** : *Jusqu'à maintenant,* nous n'avons pas eu de grands soucis. — 2. **Près de dix heures** : Je vous ai attendu *jusqu'à près de dix heures.* — 3. **Là** : Oseriez-vous aller *jusque-là ?* — 4. **Très loin** : Tout en bavardant, nous nous sommes avancés *jusque très loin* dans le parc. — 5. **Aujourd'hui** : Vous étiez appliquée *jusqu'aujourd'hui* (ou *jusqu'à aujourd'hui*). Que se passe-t-il ? — 6. **Après-demain** : J'attendrai votre réponse *jusqu'à après-demain.* — 7. **Très avant dans la nuit** : La fête s'est prolongée *jusque très avant dans la nuit.* — 8. **Quatre-vingts ans** : Il y a des personnes qui conservent *jusqu'à quatre-vingts ans* une mémoire excellente.

585. — Remplacer les trois points par *près de* ou par *prêt à* (et accorder l'adjectif *prêt*).   (Gr. § 400)

1. Ma tante était toujours *prête à* rendre service. — 2. Parfois le succès nous échappe quand nos efforts sont *près d'*aboutir ; soyons alors *prêts à* faire une nouvelle tentative. — 3. Ma grand-mère est si indulgente qu'elle est toujours *prête à* me pardonner. — 4. Déjà le soleil est *près de* se lever. — 5. J'ai vu le temps où ma jeunesse / Sur mes lèvres était sans cesse / *Prête à* chanter comme un oiseau. (Musset.) — 6. Un courtisan réduit à se nourrir de vérités est bien *près de* mourir de faim. (Chateaubriand.) — 7. La calomnie, monsieur ! J'ai vu les plus honnêtes gens *près d'*en être accablés. (Beaumarchais.) — 8. La mule était au bas de l'escalier, toute harnachée et *prête à* partir pour la vigne. (A. Daudet.)

LA CONJONCTION DE SUBORDINATION

586. — Parmi les mots en italiques, distinguer les conjonctions de coordination et les conjonctions (ou locutions conjonctives) de subordination. Isoler les propositions qui sont introduites par les conjonctions de subordination.   (Gr. §§ 401-403, 405)

Le jeune paon

Quand (conj. de subord.) *je suis venu au monde,* je n'avais qu'un maigre duvet sur la peau *et* (conj. de coord.) rien ne permettait d'espérer *qu'* (conj. de subord.) *il en serait un jour autrement.* Ce n'est que peu à peu que je me suis transformé au point d'être où vous me voyez à présent, *et* (conj. de coord.) il m'a fallu des soins.
Je ne pouvais rien faire *sans que* (loc. conj. de subord.) *ma mère me reprenne aussitôt* : « Ne mange pas de vers de terre, ça empêche la huppe de pousser. Ne saute pas à cloche-pied, tu auras la traîne de travers. Ne mange pas trop. Ne bois pas pendant les repas. Ne marche pas dans les flaques... » C'était sans fin. *Et* (conj. de coord.) je n'avais pas le droit de fréquenter les poulets *ni* (conj. de coord.) les autres espèces [18] du château. *Car* (conj. de coord.) vous savez *que* (conj. de subord.) *j'habite ce château qu'on aperçoit là-bas.*

Marcel AYMÉ (*Les contes du chat perché.* © Éditions Gallimard).

587. — Relever les conjonctions et les locutions conjonctives de subordination. Isoler les propositions introduites ; préciser leur fonction.
(Gr. §§ 401-403)

a) 1. J'espère *que* (conj. de subord.) *vous viendrez bientôt* (compl. d'objet direct du verbe *espère*). — 2. *Quand* (conj. de subord.) *on n'a pas ce que l'on aime* (compl. adverbial de temps du verbe *faut*), il faut aimer ce que l'on a. — 3. Nous sommes heureux *que* (conj. de subord.) *vous ayez trouvé l'emploi que vous cherchiez* (compl. de l'adjectif *heureux*). — 4. Il faut *que* (conj. de subord.) *vous respectiez les opinions d'autrui* (sujet réel du verbe *faut*), même *si* (conj. de subord.) *elles sont fort différentes des vôtres* (compl. adverbial de condition). — 5. Je ne sais pas *si* (conj. de subord.) *vous arriverez à temps* (compl. d'objet direct du verbe *sait*). — 6. Le train est parti *avant que* (loc. conj. de subord.) *le chef de gare ait sifflé* (compl. adverbial de temps du verbe *est parti*).

b) 1. Sa mère veillait *à ce que* (loc. conj. de subord.), *dans son armoire, un coffret restât toujours plein de friandises* (compl. d'objet indirect du verbe *veillait*). (A. Gide.) — 2. Elle vivait dans une peur

---

18. *Espèces* a ici un sens péjoratif (vieilli) : « Personne sans mérite, pour laquelle on n'a pas de considération » (Robert). Les animaux de Marcel Aymé agissent et raisonnent comme des humains.

constante *qu'* (conj. de subord.) *il ne tombât* (compl. du nom *peur*), *qu'* (conj. de subord.) *il n'eût froid* (compl. du nom *peur*). (Maupassant.) — 3. Nous trouvions le moyen de manger en courant, en jouant à la marelle, *sans qu'* (loc. conj. de subord.) *aucune de nous en meure étouffée* (compl. adverbial de manière du verbe *manger*). (Colette.) — 4. *Que* (conj. de subord.) *Jacques fût vivant* (sujet du verbe *surprenait*) ne le surprenait guère. (R. Martin du Gard.) — 5. Les parents se plaignaient *de ce qu'* (loc. conj. de subord.) *il n'accompagnait plus les enfants sur le terrain de football* (compl. d'objet indirect du verbe *se plaignaient*). (Fr. Mauriac.) — 6. *Comme* (conj. de subord.) *le maître était absent* (compl. adverbial de cause des verbes *mangeaient* et *buvaient*) et *qu'* (conj. de subord.) *ils se trouvaient nombreux* (compl. adverbial de cause des verbes *mangeaient* et *buvaient*), ils mangeaient et buvaient en pleine liberté. (Flaubert.)

588. — Inventer des phrases dans lesquelles se trouvent les conjonctions (ou locutions conjonctives) de subordination suivantes.

(Gr. §§ 401-403)

a) 1. On dit *que* l'argent ne fait pas le bonheur. — 2. *Quand* vous aurez terminé votre rédaction, relisez-la. — 3. *Après qu'*il aura terminé son livre, il ira se promener. — 4. *Si* tu n'écris pas plus lisiblement, on n'arrivera pas à te lire. — 5. Il tremble *parce qu'*il a froid. — 6. *Quoiqu'*il pleuve, je sortirai quand même.

b) 1. *Bien qu'*il prétende étudier, il ne réussit pas ses examens. — 2. Préparez-vous tout de suite *afin que* vous soyez prêts à temps. — 3. *Puisque* tu ne veux pas écouter mes conseils, débrouille-toi tout seul. — 4. Veux-tu me prêter le journal *lorsque* tu l'auras lu ? — 5. Il faut te soigner *avant que* le mal n'empire. — 6. *Comme* on fait son lit on se couche.

589. — Indiquer la nature de *que* (conjonction de subordination, élément de conjonction de subordination, pronom relatif ou interrogatif, adverbe, élément d'un déterminant).

(Gr. §§ 401-403, 272, 283, 385, 386)

a) 1. Je souhaite *que* (conj. de subord.) vous réussissiez. — 2. *Que* (élément d'un déterm.) [19] de gens suivent la mode comme des moutons ! — 3. *Que* (adv.) vous êtes agaçants ! — 4. Je ne sais plus *que* (pronom interr.) penser de cette étrange affaire. — 5. *Que* (pronom interr.) voulez-vous *que* (conj. de subord.) nous fassions ? — 6. Lorsque la bise souffle et *que* (conj. de subord.) les feuilles tombent, nous pensons aux beaux jours *que* (pronom rel.)

---

19. On peut ranger parmi les déterminants exclamatifs *combien de* et *que de*, qui concernent tous deux le nombre. (Cf. *Le bon usage*, 12ᵉ éd., § 604, *b*.)

nous allons retrouver dans quelques mois. — 7. Avant *que* (élément de conj. de subord.) vous partiez, je vous rappelle la route *que* (pronom rel.) vous devez suivre.

b) 1. Je ne fais pas de vers, parce *que* (élément de conj. de subord.) j'aime tant les phrases courtes *qu'* (conj. de subord.) un vers me semble déjà trop long. (J. Renard.) — 2. Confortablement installée dans mon rôle d'aînée, je ne me targuais d'aucune autre supériorité *que* (conj. de subord.) celle *que* (pronom rel.) me donnait mon âge. (S. de Beauvoir.) — 3. *Que* (pronom interr.) me sert de reprendre ce journal ? (A. Gide.) — 4. *Que* (adv.) j'ai honte de nous, débiles *que* (pronom rel.) nous sommes ! (Musset.) — 5. Pourquoi lui ai-je prêté l'oreille ce jour-là, au moment *qu'* (élément de conj. de subord. ou pronom rel.) elle mentait le plus délibérément ? (Sartre.)

590. — Inventer des phrases où *que* sera :   (Gr. §§ 402, 272, 283, 385)

1. **Conjonction de subordination** : Convenons *que* nous nous écrirons avant la fin du mois. — 2. **Pronom relatif** : Les tableaux *que* tu m'as montrés étaient des chefs-d'œuvre. — 3. **Pronom interrogatif** : *Que* veux-tu ? — 4. **Adverbe de degré** : *Que* je suis content !

591. — Indiquer la nature de *si* (conjonction de subordination, adverbe de degré, mot-phrase, nom).   (Gr. §§ 402, 385, 413, 81)

1. *Si* (conj. de subord.) tu sèmes le vent, tu récolteras la tempête. — 2. Avec des *si* (nom) on mettrait Paris en bouteille. — 3. Le coucher de soleil était *si* (adv. de degré) beau que nous nous sommes arrêtés pour le regarder. — 4. On ne sait jamais d'avance *si* (conj. de subord.) on trouvera le médecin chez lui. — 5. Qui te rend *si* (adv. de degré) hardi de troubler mon breuvage ? disait le loup à l'agneau. — Sire, répondit l'agneau, *si* (conj. de subord.) votre Majesté veut bien considérer que je bois plus de vingt pas au-dessous d'elle, elle comprendra que je ne puis troubler sa boisson. — *Si* (mot-phrase), tu la troubles, reprit le loup.

LA CONJONCTION DE COORDINATION

592. — Relever les conjonctions de coordination, en indiquant ce qu'elles unissent.   (Gr. §§ 405-406)

a) 1. Tu n'oublieras pas de passer chez l'épicier *et* (unit les deux compléments adverbiaux de lieu *chez l'épicier* et *chez le boucher*) chez le boucher. — 2. *Ou bien* vous refaites ce devoir, *ou bien* (unissent les deux phrases ou sous-phrases *vous refaites ce devoir* et *vous avez zéro*) vous avez zéro. — 3. Je prendrai *soit* l'autobus, *soit* (unissent les deux compl. d'objet directs *l'autobus* et *le métro*) le métro. — 4. Ne mangez jamais des champignons que vous ne connaissez pas, *car* (unit les deux phrases ou sous-phrases *Ne mangez jamais des champignons que vous ne connaissez pas* et *certains sont incomestibles*) certains sont incomestibles, *voire* (unit les deux attributs *incomestibles* et *dangereux*) très dangereux. — 5. *Ni* le tabac *ni* (unissent les deux sujets *le tabac* et *l'alcool*) l'alcool ne sont recommandés aux sportifs. — 6. Les invités ne sont pas encore là, *mais* (unit les deux phrases ou sous-phrases *Les invités ne sont pas encore là* et *il n'est pas tout à fait huit heures*) il n'est pas tout à fait huit heures.

b) 1. La lune était sereine *et* (unit les deux phrases ou sous-phrases *La lune était sereine* et *jouait sur les flots*) jouait sur les flots. (Hugo.) — 2. Mon verre n'est pas grand, *mais* (unit les deux phrases ou sous-phrases *Mon verre n'est pas grand* et *je bois dans mon verre*) je bois dans mon verre. (Musset.) — 3. Ce n'est pas n'importe qui, qui a fait ça. *Et* (unit les deux phrases *Ce n'est pas n'importe qui, qui a fait ça* et *on ne fait pas ça pour n'importe qui*) on ne fait pas ça pour n'importe qui. *Or* (unit les deux phrases *on ne fait pas ça pour n'importe qui* et *Tremblet aurait pu s'appeler N'importe-Qui*) Tremblet aurait pu s'appeler N'importe-Qui ! (Simenon.) — 4. Personne n'ignore qu'il dirige une des plus grandes sociétés de machines électroniques du monde, *ni* (unit les deux compléments d'objet directs *qu'il dirige une des plus grandes sociétés de machines électroniques du monde* et *son rôle dans la création du Marché commun*) son rôle dans la création du Marché commun. (S. de Beauvoir.) .

593. — Composer des phrases dans lesquelles les conjonctions de coordination sont employées pour unir : 1° des mots ; 2° des syntagmes.

(Gr. §§ 405-406)

1. **Et** : Molière, Corneille *et* Racine sont des dramaturges du XVII⁰ siècle. — La gloire *et* les richesses séduisent beaucoup d'hommes. — 2. **Ou** : Veux-tu boire *ou* manger ? — Veux-tu un gâteau au chocolat *ou* un flan au caramel ? — 3. **Ni** : On n'invitera *ni* toi *ni* moi. — Je ne comprends *ni* la question *ni* la réponse. — 4. **Mais** : Cet exercice est court, *mais* compliqué. — Pierre n'est pas le frère de Paul, *mais* son cousin.

594. — Remplacer les trois points par *ou* ou bien par *où*.

(Gr. §§ 406, 381, 275)

1. L'onagre *ou* âne sauvage vit dans les régions du nord de l'Inde. — 2. *Où* sont les neiges d'antan ? se demandait Villon. — 3. La peur *ou* le besoin causent tous les mouvements de la souris.

— 4. La flatterie sait nous prendre par *où* nous sommes sensibles. — 5. D'*où* vient que tant de personnes âgées sont délaissées par leur famille ? — 6. Notre échec *ou* notre succès dépend de l'opiniâtreté que nous mettrons dans notre action. — 7. Pour Renan, la France a commis un suicide le jour *où* elle a coupé la tête à son roi.

L'INTRODUCTEUR

595. — Relever les introducteurs.   (Gr. §§ 408-409)

1. *Voici* le livre que vous m'avez prêté. — 2. *Si* nous allions au cinéma ? — 3. *Est-ce que* tu connais l'auteur d'*Eugénie Grandet* ? — 4. *Que* tout le monde sorte immédiatement ! — 5. *Aux* armes, citoyens ! — 6. Ah ! *de* t'avoir parlé m'a fait du bien. (A. Gide.) — 7. *Ô* Mort, vieux capitaine, il est temps ! levons l'ancre ! / Ce pays nous ennuie, *ô* mort ! Appareillons ! (Baudelaire.)

596. — Remplacer les trois points par un des introducteurs *voici* ou *voilà*.   (Gr. § 410)

1. *Voici* une excellente maxime : Faites bien ce que vous faites. — 2. Vous m'avez fait appeler ? Me *voici*. — 3. L'importance de la faute et les intentions de celui qui l'a commise : *voilà* ce qu'il faut considérer. — 4. Si l'on me demande des raisons, *voici* ce que je répondrai : « J'ai agi selon ma conscience. » — 5. L'ordre, la méthode, la persévérance : *voilà* trois conditions du succès.

LE MOT-PHRASE

597. — Relever les mots-phrases.   (Gr. §§ 411-413)

a) Auto-stop

Qu'est-ce que c'est que votre voiture ? *Ah ! ah !* c'est une Citroën... Moi, si j'avais une voiture, j'aimerais mieux une Bugatti. Au moins les Bugatti, ça marche. *Dame,* ça coûte assez cher. Ce n'est pas de la camelote. J'ai un beau-frère qui possède une belle voiture. Lui, c'est une Rolls, pour le moins. Lui, il conduit bien. C'est pas pour dire... *Non. Ah !* Mais il est prudent. Je ne parle pas rapport à...

Attention ! L'auto, ça fait gagner du temps, surtout maintenant qu'on arrive sur le plateau. Mon beau-frère, lui, il va vite. Il est prudent, mais il va vite. C'est un gars qui sait conduire. Qu'est-ce qui fait ce petit bruit-là ? Comme c'est drôle, ces voitures d'aujourd'hui : on ne sait pas où mettre ses jambes. Vaut mieux que rien, bien évidemment [20]. Vous êtes sûr de ne pas vous tromper de route ? Moi, d'ordinaire, je prends les raccourcis. C'est plus agréable. M'y voilà. *Oh !* Ne vous donnez pas la peine. Pourvu seulement que je n'oublie rien.

Georges DUHAMEL (*Fables de mon jardin,* Mercure de France, édit.).

b) 1. *Allô,* John ? Quelles nouvelles ? [21] — 2. Quand un méridional vous dit : « *Adieu* », ne prenez pas cela au tragique. C'est la même chose que quand vous dites : « *Bonjour* ». Il y a aussi des régions où l'on vous quitte en lançant : « *Bonsoir* » en pleine matinée. — 3. « *Pouce !* » est le cri des enfants pour demander une trêve dans leurs jeux. — 4. Vous avez vos raisons, *soit !* Mais vous devez comprendre que j'ai aussi les miennes.

c) 1. *Miséricorde,* si mes paroissiens m'entendaient ! (A. Daudet.) — 2. Dites donc, Ors'Anton', quand j'ai entendu d'abord *pif ! pif !* je me suis dit : *Sacrebleu !* ils escofient mon lieutenant. Puis j'entends *boum ! boum ! Ah !* je dis, voilà le fusil anglais qui parle : il riposte. (Mérimée.) — 3. Est-ce un de ces endroits où l'on distribue de la musique ? *Non.* Est-ce une salle de spectacle ? *Point.* Et quel spectacle ? Un gigantesque salon de décrottage et de cirage ? *Voire !* C'est un restaurant. (G. Duhamel.)

598. — Par quel mot-phrase ou quelle locution-phrase exprime-t-on les messages suivants :   (Gr. §§ 411-412)

1. Nier une phrase négative prononcée par l'interlocuteur ? *Si.* — 2. Manifester sa gratitude ? *Merci.* — 3. Manifester son admiration pour ce que vient de faire quelqu'un ? *Bravo.* — 4. Enjoindre à quelqu'un de s'arrêter ? *Stop.* — 5. Prier un chanteur de reprendre la chanson qu'il vient d'exécuter ? *Bis.* — 6. Exprimer le regret ? *Hélas* (ou *Pardon*).

599. — Remplacer les trois points par le mot-phrase convenable (suivi, éventuellement, d'un signe de ponctuation).   (Gr. §§ 411-412)

1. *Stop !* (ou *Halte !*) Le passage est interdit. — 2. *Aïe !* S'il escalade ce pic, il va se rompre le cou ! — 3. Vous jouez avec le feu : *gare aux* conséquences [22] ! — 4. Soyez discret ! et sur ce que je vous ai dit, *motus.* — 5. *Holà !* venez vite à mon secours ! — 6. Il faut bien convenir, *hélas !* qu'il reste fort peu d'espoir. — 7. Vous avez manqué à votre promesse, *hein !* — 8. *Bravo !* Voilà un succès qui vous honore. — 9. *Hourra !* C'est notre équipe qui l'emporte ! — 10. *Ouf !* Me voilà enfin débarrassé de ce fardeau.

---

20. *Évidemment* pourrait aussi être considéré comme un mot-phrase.

21. *Quelles nouvelles ?* est une locution-phrase.

22. L'Académie laisse le choix entre *gare aux conséquences* et *gare les conséquences.* Ce dernier tour ne s'emploie plus guère. (Cf. *Le bon usage,* 12ᵉ éd., § 361, *a.*)

600. — Relever dans une bande dessinée quinze mots-phrases en indiquant leur signification.   (Gr. §§ 411-412)

> 1. *Brr* : le froid. — 2. *Pouah* : le dédain. — 3. *Aïe* : la douleur. — 4. *Miam miam* : la gourmandise, la grande faim. — 5. *Grrr* : le grognement d'un chien. — 6. *Atchoum* : l'éternuement. — 7. *Dong* : la vibration d'un gong. — 8. *Vroum* : le vrombissement d'une automobile. — 9. *Paf* : un coup, une chute, un coup de poing, une gifle. — 10. *Ouf* : le soulagement. — 12. *Plouf* : un objet tombant dans l'eau. — 13. *Bang* : un éclatement, un choc violent, une collision. — 14. *Boum* : une chute, un choc. — 15. *Hic* : le hoquet.

*601. — Expliquer la valeur de *non*.   (Gr. § 413)

> 1. Comprends-tu ce que cela veut dire ? — *Non* (négation d'une phrase affirmative). — 2. *Non* (confirmation d'une phrase négative), l'avenir n'est à personne ! / Sire ! l'avenir est à Dieu. (Hugo.) — 3. Les riches sont moralement tenus d'être probes ; les pauvres, *non* (négation d'une phrase affirmative). (A. France.) — 4. Viendrez-vous avec nous ? — Pourquoi *non* (négation d'une phrase affirmative) ? — 5. Tu ne comprends pas le français, *non* (équivalent de *n'est-ce pas*) ? (Daninos.)

CHAPITRE IX

La phrase complexe

602. — Reconnaître les divers types de propositions (conjonctives, relatives, interrogations et exclamations indirectes ; infinitives, participes). (Gr. § 415)

a) Le poète et les enfants

Je sors. J'entre en passant chez des amis *que j'ai* (prop. rel.).
On prend le frais, au fond du jardin, en famille.
Le serein [1] mouille un peu les bancs sous la charmille ;
N'importe ! je m'assieds et je ne sais *pourquoi*
Tous les petits enfants viennent autour de moi (interr. indir.).
Dès que je suis assis (prop. conj.), les voilà tous *qui viennent* (prop. rel.).
C'est *qu'ils savent* (prop. conj.) *que j'ai leurs goûts* (prop. conj.) ; ils se souviennent
Que j'aime comme eux l'air, les fleurs, les papillons
Et les bêtes (prop. conj.) *qu'on voit courir dans les sillons* (prop. relative).
Ils savent *que je suis un homme* (prop. conj.) *qui les aime* (prop. rel.).

Victor HUGO (*Les contemplations*).

b) 1. Avez-vous déjà observé *que les feuilles de hêtre sont entourées d'une bordure de cils* (prop. conj.) ? — 2. *Qui sème le vent* (prop. rel.) récolte la tempête. — 3. *Le moment venu* (prop. part.), vous ouvrirez la porte et vous crierez : « Bonne fête, Maman ! » — 4. Par la fenêtre ouverte, on voit *la route se profiler jusqu'à l'horizon* (prop. infin.). — 5. Je me demande *si vous avez réfléchi avant de refuser cette proposition* (interr. indir.). — 6. *Quand les souris sont parties* (prop. conj.), le chat jeûne. — 7. L'homme *que j'avais vu dans la rue* (prop. rel.) était plus âgé *que je ne l'avais cru d'abord* (prop. conj.).

c) 1. L'amitié est un jeu sans pareil *où, si on ne gagne pas à deux* (prop. conj.), *on perd à deux* (prop. rel.). (A. Stil.) — 2. Elle est à toi cette chanson / Toi l'étranger / *qui sans façon / D'un air malheureux m'as souri* (prop. rel.) / *Lorsque les gendarmes m'ont*

---

1. L'humidité du soir.

pris (prop. conj.). (Brassens.) — 3. Le trajet jusqu'au monastère lui fut si facile et tout le secteur était si calme, sauf le bruit éloigné de la fusillade toujours aussi nourrie et de temps en temps, assez proche, l'explosion d'un shrapnel [2] *dont on ne voyait pas le nuage* (prop. rel.), *qu'il pensa retourner sur ses pas, satisfait de sa reconnaissance et jugeant* (prop. conj.) *que l'algarade* [3] *n'intéressait pas cette partie de la ville* (prop. conj.). (M. Thiry.) — 4. La fleur de l'églantier sent *ses bourgeons éclore* (prop. infin.). / Le printemps naît ce soir. (Musset.)

603. — Dans les exemples du n° précédent, indiquer la fonction des propositions (sujet de ..., complément de ..., etc.).

(Gr. §§ 417, 422, 425, 427, 444)

a) Le poète et les enfants

Je sors. J'entre en passant chez des amis *que j'ai* (complément de *amis*).
On prend le frais, au fond du jardin, en famille.
Le serein mouille un peu les bancs sous la charmille ;
N'importe ! je m'assieds, et je ne sais *pourquoi*
Tous les petits enfants viennent autour de moi (compl. de *sais*).
Dès que je suis assis (compl. de *viennent*), les voilà tous *qui viennent* (compl. de *les*).
C'est *qu'ils savent* (compl. de *c'est*) *que j'ai leurs goûts* (compl. de *savent*) ; ils se souviennent
Que j'aime comme eux l'air, les fleurs, les papillons
Et les bêtes (compl. de *se souviennent*) *qu'on voit courir dans les sillons* (compl. de *bêtes*).
Ils savent *que je suis un homme* (compl. de *savent*) *qui les aime* (compl. d'*homme*).

Victor HUGO (*Les contemplations*).

b) 1. Avez-vous déjà observé *que les feuilles de hêtre sont entourées d'une bordure de cils* (compl. de *avez observé*) ? — 2. *Qui sème le vent* (sujet de *récolte*) récolte la tempête. — 3. *Le moment venu* (compl. de *ouvrirez*), vous ouvrirez la porte et vous crierez : « Bonne fête, Maman ! » — 4. Par la fenêtre ouverte, on voit *la route se profiler jusqu'à l'horizon* (compl. de *voit*). — 5. Je me demande *si vous avez réfléchi avant de refuser cette proposition* (compl. de *demande*). — 6. *Quand les souris sont parties* (compl. de *jeûne*), le chat jeûne. — 7. L'homme *que j'avais vu dans la rue* (compl. de *homme*) était plus âgé *que je ne l'avais cru d'abord* (compl. de *plus*).

c) 1. L'amitié est un jeu sans pareil *où, si l'on ne gagne pas à deux* (compl. de *perd*), *on perd à deux* (compl. de *jeu*). (A. Stil.) — 2. Elle est à toi cette chanson / Toi l'étranger *qui sans façon / D'un air malheureux m'as souri* (compl. de *étranger*) / *Lorsque les gendarmes m'ont pris* (compl. de *as souri*). (Brassens.) — 3. Le

---

2. *Shrapnel* ou *shrapnell* : obus rempli de balles, qu'il projette en éclatant.
3. *Algarade* : incursion militaire (sens vieilli).

trajet jusqu'au monastère lui fut si facile et tout le secteur était si calme, sauf le bruit éloigné de la fusillade toujours aussi nourrie et de temps en temps, assez proche, l'explosion d'un shrapnel *dont on ne voyait pas le nuage* (compl. de *shrapnel*), *qu'il pensa retourner sur ses pas, satisfait de sa reconnaissance et jugeant* (compl. des deux *si*) *que l'algarade n'intéressait pas cette partie de la ville* (compl. de *jugeant*). (M. Thiry.) — 4. La fleur de l'églantier sent *ses bourgeons éclore* (compl. de *sent*). / Le printemps naît ce soir. (Musset.)

LA PROPOSITION RELATIVE

604. — Relever les propositions relatives et indiquer leur fonction.
(Gr. §§ 416-417)

a) 1. *Qui ne dit mot* (sujet du verbe *consent*) consent. — 2. Puissiez-vous trouver le bonheur *auquel vous aspirez* (compl. du nom *bonheur*). — 3. La maison *où tu vis* (compl. du nom *maison*), les choses familières *dont elle est remplie* (compl. du nom *choses*) : voilà le cadre d'un bonheur *que tu te rappelleras longtemps* (compl. du nom *bonheur*). — 4. C'est la poule *qui chante* (compl. du nom *poule*) *qui a fait l'œuf* (complément du nom *poule* [4]). — 5. Dans son désarroi, il ne trouvait plus rien *à quoi se raccrocher* (compl. du pronom *rien*). — 6. Les honneurs ne sont pas toujours obtenus *par qui les a mérités* (compl. d'agent du verbe *sont obtenus*).

b) 1. Pour La Rochefoucauld, observateur impitoyable, nous aimons toujours ceux *qui nous admirent* (compl. du pronom *ceux*), et nous n'aimons pas toujours ceux *que nous admirons* (compl. du pronom *ceux*). — 2. J'ai conservé ainsi un peu de cette sagesse paysanne *sans quoi le blé pousse de travers et le meilleur raisin de vendange s'aigrit dans les tonneaux* (compl. du nom *sagesse*). (H. Bosco.) — 3. Je m'appelle Zangra et je suis lieutenant / Au fort de Belonzio *qui domine la plaine* (compl. du nom *fort*) / D'où l'ennemi viendra (compl. du nom *plaine*) *qui me fera héros* (complément du nom *ennemi*). (J. Brel.) — 4. Là se creuse un détroit entre le cap et la terre de Cockburn, *lequel détroit (...) ne présenta au capitaine Parry qu'une masse solide de glace* (compl. du nom *détroit*). (Chateaubriand.) — 5. On ouvrit la porte *à qui voulait* (compl. d'objet indirect du verbe *ouvrit*). (Barrès.)

c) 1. Les souvenirs sont cors de chasse / *Dont meurt le bruit parmi le vent* (compl. du nom *cors*). (Apollinaire.) — 2. *Pour quiconque tient un salon* (compl. d'objet indirect du verbe *importe*), il importe de pouvoir montrer des célébrités. (Maupassant.) — 3. Ô soleil ! toi *sans qui les choses / Ne seraient pas ce* (compl. du pronom *toi*)

---

4. Le second *qui* fait partie de l'introducteur *c'est ... qui* et on pourrait penser qu'il ne s'agit pas d'une véritable propos. relative.

qu'elles sont (compl. du pronom *ce*) ! (E. Rostand.) — 4. Les arbres à fruits, cette année, s'aident de béquilles, accablés *qu'ils sont* (compl. de l'adjectif *accablés*) de pêches et de prunes. (Fr. Mauriac.) — 5. Il est pareil à cette femme *qui n'a point de repos à cause de cette pièce d'argent* (compl. du nom *femme*) *qu'elle sait qu'elle a perdue* (compl. du nom *pièce*). (Claudel.) — 6. Nous avons eu des bals masqués, *dont quatre charmants* (compl. du nom *bals*). (Stendhal.)

605. — Distinguer les relatives déterminatives et les relatives non déterminatives (appelées aussi explicatives).   (Gr. § 417)

1. L'adversité, *qui abat les âmes faibles* (explic.), grandit les âmes fortes. — 2. Les victoires *dont nous nous souvenons le plus volontiers* (déterm.) sont celles *qui nous ont coûté le plus de peine* (détermin.). — 3. Les jeunes gens, *qui voient la vie devant eux* (explic.), considèrent leurs beaux espoirs ; les vieillards, *qui la voient derrière eux* (explic.), remuent leurs souvenirs. — 4. Les amitiés *que l'on noue au cours des vacances* (détermin.) ne durent guère. — 5. Les maisons *qui terminent le village* (détermin.) sont fort écartées l'une de l'autre. — 6. Ma mère, *qui a passé son enfance dans les Ardennes* (explic.), connaît encore bien le dialecte.

606. — Former sur chacun des thèmes suivants deux phrases, l'une avec une relative déterminative et l'autre avec une relative non déterminative.   (Gr. § 417)

1. **Les livres.** Les livres *que tu me conseilles* me plaisent toujours. — Ces livres, *qui traînaient sur la table,* ont été égarés. — 2. **Le printemps.** Le printemps *que j'ai passé au Canada* était bien frais. — Le printemps, *qui était doux cette année-là,* nous annonçait un bel été. — 3. **Le sport.** Le sport *dont tu me parles* ne peut se pratiquer qu'en plein air. — Le sport, *dont on connaît les bienfaits sur la santé,* est souvent conseillé par les médecins. — 4. **Les étoiles.** Les étoiles *que tu aperçois dans ce coin du ciel* forment la constellation de la Pléiade. — Les étoiles, *dont on ignore le nombre,* ont toujours fait rêver les poètes. — 5. **La forêt.** La forêt *que nous traversons* est une des plus belles de France. — La forêt, *dont on avait abattu un grand nombre d'arbres,* paraissait triste.

607. — Transformer les propositions conjonctives (en italiques) en propositions relatives.   (Gr. §§ 416-417)

1. Un homme, *s'il sait plusieurs langues,* comprend mieux la civilisation des autres pays. / *...qui sait...* — 2. Ne te fie pas aux apparences, *parce qu'elles sont souvent trompeuses.* / *...qui sont...* — 3. Notre équipe, *bien qu'elle eût conquis la première place de sa série,* s'est fait battre sur son terrain. / *...qui avait pourtant conquis...* — 4. Il n'est pas bien difficile de berner les hommes, *parce qu'ils se nourrissent volontiers de chimères.* / *...qui se nourrissent...*

608. — Pourquoi les phrases suivantes ne sont-elles pas parfaitement claires ? Comment y remédier ? (Gr. § 418)

1. Notre affaire n'est pas de prouver aux badauds qu'on peut vivre sans manger, comme ce fameux âne du père Mathieu qui mourut le jour même où il allait démontrer la chose. (Bernanos.) (La relative est séparée de l'antécédent ; il faut reprendre l'antécédent : *lequel âne mourut ...*) — 2. J'ai donc fermé mon trentième cahier vert avec la mélancolie du photographe qui a pris un dernier cliché d'un personne chère, atteinte de quelque mal qui ne pardonne pas, et dont on veut garder les traits. (Dans le *Français moderne*.) (La deuxième relative est séparée de l'antécédent ; il faut écrire : « (...) dernier cliché d'une personne chère, dont on veut garder les traits, parce qu'elle est atteinte d'un mal qui ne pardonne pas. ») — 3. Elle boit son café à petites gorgées, une goutte tombant sur son corsage de laine verte, qu'elle écrase du doigt avec une suprême nonchalance. (Fr. Mallet-Joris.) (La relative est séparée de l'antécédent ; il faut l'en rapprocher : « (...) à petites gorgées, laissant tomber sur son corsage de laine verte une goutte qu'elle écrase (...). » — 4. L'heure est venue (...) de rechercher ce qui a été écrit de la nouvelle chanson d'un Roland aux mille têtes que François la Colère entendait monter des bagnes [pendant la dernière guerre]. (P. Daix.) (La relative est séparée de son antécédent ; il faut reprendre cet antécédent : « rechercher ce qui a été écrit de la nouvelle chanson d'un Roland aux mille têtes, chanson que François la Colère entendait monter des bagnes.)

*609.** — Justifier l'emploi du mode. (Gr. § 419)

1. L'honnête homme qui *dit* (indic. : la relative exprime un fait considéré dans sa réalité) oui ou non mérite d'être cru. — 2. Faites-vous des amis en qui vous *puissiez* (subj. : la relative exprime un but à atteindre) avoir confiance. — 3. Nous avons des amis en qui nous *pouvons* (indic. : la relative exprime un fait considéré dans sa réalité) avoir confiance. — 4. Est-il un homme qui *puisse* (subj. lorsque la phrase est interrogative) se vanter de n'avoir nul besoin de l'aide d'autrui ? — 5. C'est le seul poste que vous *puissiez* (subj. : l'antécédent est accompagné de *le seul*) remplir. — 6. C'est le seul poste que vous *pouvez* (indic. : l'antécédent est accompagné de *le seul,* mais la relative exprime un fait dont on veut marquer la réalité) remplir. — 7. Cherchez le mot propre, qui *convienne* (subj. : on ne s'engage pas sur la réalité du fait exprimé par la relative) exactement à l'idée à exprimer. — 8. Ce malheureux n'a pas une pierre où *reposer* (infinitif : la relative implique l'idée de *pouvoir*) sa tête.

LA PROPOSITION CONJONCTIVE

610. — Distinguer les trois espèces de propositions conjonctives (essentielles, corrélatives, adverbiales). (Gr. § 420)

a) 1. Il a crié si fort *que les verres dans l'armoire se sont mis à tinter* (corr.). — 2. *Que votre souhait se réalise* (ess.) reste bien douteux. — 3. Il faut *que tu arrives à temps à l'école* (ess.). — 4. J'espère *que tu ne m'en voudras pas* (ess.) *si je m'occupe d'abord de nos invités* (adv.). — 5. *Après que la langue gauloise a disparu* (adv.), les habitants de la Gaule ont continué à parler le latin avec un accent gaulois et avec quelques mots gaulois.

b) Le derviche

Le derviche parut se recueillir fortement ; sa bouche se serra à tel point, *que ses lèvres paraissaient soudées l'une à l'autre* (corr.) ; ses yeux s'enfoncèrent plus encore dans leurs orbites ; des gouttes de sueur perlèrent sur son front, ses joues se tirèrent, et, sous le hâle, devinrent livides ; tout à coup, il étendit le bras, *comme si un ressort était parti* (adv.), et le posa juste au milieu des charbons, où il enfonça son poing fermé ; Mirza-Kassem poussa un cri d'épouvante ; mais le thaumaturge sourit, et maintint sa main crispée au milieu du feu. Deux ou trois minutes s'écoulèrent ; il retira sa main, la montra à son hôte, et celui-ci vit *qu'il n'y avait ni brûlure ni blessure* (ess.).

GOBINEAU (*Nouvelles asiatiques*).

611. — Relever les propositions conjonctives essentielles et indiquer leur fonction. (Gr. §§ 421-422)

a) 1. Caton répétait à tout propos *que Carthage devait être détruite* (compl. d'objet dir. du verbe *répétait*). — 2. Fier *de ce que Maman l'a chargé d'une responsabilité* (compl. de l'adj. *fier*), mon petit frère guette l'arrivée du facteur. — 3. Voilà *qu'il pleut* (compl. de l'introducteur *voilà*), maintenant ! — 4. L'espoir *que l'on retrouve des survivants de cette catastrophe aérienne* (compl. du nom *espoir*) diminue de jour en jour. — 5. Notre intention est *que la salle à manger soit retapissée avant l'hiver* (attribut du sujet [5] *intention*). — 6. Je doute *que votre voiture résiste encore un an* (compl. d'objet indir. du verbe *doute*). — 7. Il faut *qu'une porte soit ouverte ou fermée* (sujet réel du verbe *faut*).

b) 1. Peut-être aurais-je du mal à faire croire à un jeune lecteur *qu'à douze ans je considérais les oranges comme un fruit prestigieux et rare* (compl. d'objet dir. du verbe *faire croire*). (P. Gaxotte.) — 2. On s'attendait *que le congrès travailliste de Blackpool fût marqué par de vifs affrontements* (compl. d'objet indir. du verbe *s'attendait*).

---

5. On doit aussi accepter que la proposition soit considérée comme sujet. (Cf. Gr., § 99, Rem. 4.)

(Dans le *Monde.*) — 3. En s'éveillant, Sibylle entend le chien de Cangouine aboyer au loin, et ce cri lui apprend *qu'il a neigé toute la nuit* (compl. d'objet dir. du verbe *apprend*) : il est mat, bref, à la fois proche et lointain comme les gens qu'on regarde à la lorgnette. (Cesbron.) — 4. À cela s'ajoutait *que M. Octave avait reçu la visite de Beauprêtre* (sujet du verbe *s'ajoutait*). (Montherlant.) — 5. Il me fallait m'attendre *à ce qu'un jour se posent sur moi les projecteurs de la vie publique* (compl. d'objet indir. du verbe *m'attendre*). (De Gaulle.)

612. — Justifier l'emploi du mode dans les propositions conjonctives essentielles.   (Gr. §§ 423-424)

a) 1. Il est évident que la lecture *est* (indic. après un verbe marquant la certitude) le meilleur moyen pour enrichir son vocabulaire. — 2. Que vous *fassiez* (subj. dans une propos. sujet placée en tête de phrase) si peu d'efforts me donne des inquiétudes au sujet de votre réussite. — 3. Nous savons que le temps *s'en va* (indic., mode ordinaire des propositions essentielles ; le verbe principal indique une constatation), mais nous oublions que nous *passons* (indic., mode ordinaire des propos. essentielles ; le verbe principal indique une constatation) avec lui. — 4. Croyez-vous que notre équipe *doive* (subj. après un verbe d'opinion, dans une phrase interrog.) gagner ? — 5. Il n'est pas sûr que nous *puissions* (subj. après un verbe exprimant une certitude et accompagné d'une négation) compter sur leur présence. — 6. Je me réjouis que votre frère *soit* (subj. après un verbe exprimant un sentiment) guéri.

b) 1. Il est possible que la rivière *sorte* (subj. après un verbe marquant la possibilité) de son lit s'il continue à pleuvoir comme cela. — 2. Je désire que le poste de télévision *soit* (subj. après un verbe exprimant une volonté) réparé aujourd'hui même. — 3. Que le sport pratiqué sans aucune mesure *puisse* (subj. dans une propos. compl. d'objet dir. placée en tête de phrase) être dangereux, tous les gens raisonnables le reconnaissent. — 4. Je préfère que vous *partiez* (subj. après un verbe exprimant une volonté) avant moi. — 5. Il ne doutait pas que son équipe l'*emporterait* (indic. après un verbe exprimant le doute et accompagné d'une négation : on insiste sur la réalité du fait) facilement. — 6. Dites-lui qu'il *vienne* (subj. dans un discours indirect, où la prop. transpose une phrase impérative) nous voir avant de partir. — 7. Dites-lui que j'*irai* (indic. après un verbe exprimant une opinion) le voir avant de partir. — 8. C'est dommage que personne n'*ait* rien *remarqué* (subj. après une formule exprimant un sentiment).

c) 1. Dieu nous garde de cette pensée que nous *vaudrions* (indic. après un nom exprimant une opinion) mieux que les autres. (Péguy.) — 2. Auriez-vous quelque objection à ce que M. Sorel *prît* (subj. après un verbe exprimant une volonté) des leçons de danse ? (Stendhal.) — 3. J'ordonne qu'une gratification de 20 sous *sera donnée* (indic. après un verbe exprimant un ordre, parce que dans le style direct cet ordre serait à l'indicatif) à chaque sous-officier et soldat. (Napoléon.) — 4. Il semblait que ce *fût* (subj. après *il semble*; l'indic. est possible aussi) une armée en marche qui s'approchât. (Malraux.) — 5. Il me semble que ce ne *serait* (indic. après *il semble*, accompagné d'un compl. objet indirect) pas trop tard pour recommencer notre vie. (Fr. Mauriac.) — 6. Tout cela n'empêche pas que je n'*aie* (subj. après un verbe exprimant l'empêchement) faim. (G. Sand.) — 7. Comme tous les enfants, je ne doutais pas que les grandes personnes *fussent* (subj. après un verbe exprimant le doute) timbrées. (J. Green.) — 8. Est-il bien nécessaire que vous l'*essayiez* (subj. après un verbe exprimant la nécessité) sur vous-même, ce terrible élixir? (A. Daudet.)

613. — Mettre au mode convenable les verbes en italiques.

(Gr. §§ 423-424)

a) 1. Il faut que vous *rapportiez* demain le livre que je vous ai prêté. — 2. Il semble aux vieilles gens que tout *allait* mieux quand ils étaient jeunes. — 3. Que le travail *soit* un trésor, le laboureur de la fable le fit voir à ses enfants. — 4. La crainte naturelle d'une mère est que quelque danger n'*atteigne* son enfant. — 5. Rebroussez chemin dès que vous vous apercevrez que vous *faites* fausse route. — 6. Les gens se plaignent que la vie *est* (ou *soit*) chère.

b) 1. L'important est qu'au terme de l'année scolaire, vous *soyez* reçu à l'examen. — 2. Supposons que vous *soyez* un chanteur célèbre : comment organiseriez-vous votre vie ? — 3. Il est possible que vous *deveniez* riche, mais est-il sûr que vous *soyez* pour cela plus heureux ? — 4. Que de fois nous nous sommes fâchés que les événements *étaient* contraires à nos désirs ! — 5. Je suis certain qu'il *neigera* avant demain. — 6. À ceux qui aiment les vieilles choses il semble qu'elles *ont* une âme.

c) 1. N'est-il pas sûr que notre science *est* peu de choses auprès de ce que nous ignorons ? — 2. Ma conviction est que la paix *régnerait* si les hommes le voulaient vraiment. — 3. Il réussira difficilement : ce n'est pas qu'il *soit* dépourvu de moyens, mais il se désintéresse de ses études. — 4. Que l'affaire *soit* sur le point d'échouer, cela n'est pas douteux. — 5. Je m'apprêtais à sortir, et voilà qu'il *se mit* à pleuvoir ! — 6. Il est possible que ma voiture *soit* réparée cette semaine. — 7. Je m'étonne que vous *arriviez* si tard.

614. — Compléter les phrases.   (Gr. §§ 423-424)

a) 1. Je nie que *le seul bonheur possible soit dans la possession des richesses.* — 2. Il me semble que *les beaux jours sont proches.* — 3. Je crois qu'il *va neiger.* — 4. Je ne crois pas qu'*il soit accusé à tort.* — 5. Il est impossible que *vous croyiez ses histoires fantastiques.*

b) 1. Il ne faut pas que *vous vous tracassiez inutilement.* — 2. Je souhaite que *vos difficultés se résolvent d'elles-mêmes.* — 3. Il n'est pas certain que *vous n'ayez rien à vous reprocher.* — 4. Je me suis aperçu que *je n'avais pas de projet.* — 5. Il est douteux qu'*il guérisse.*

c) 1. D'où vient que *tu sois toujours en retard?* — 2. Que *tu te sois trompé,* cela ne fait pas de doute. — 3. Mon vœu est que *vous retrouviez au plus tôt un emploi.* — 4. Mon père paraît soucieux de ce que *mon projet ne prend pas la tournure souhaitée.* — 5. La première condition du bonheur est *que l'on y croie.*

615. — Changer la tournure des phrases en mettant en tête de la phrase la proposition complément d'objet.   (Gr. § 424)

1. Le proverbe affirme que l'occasion fait le larron. / *Que l'occasion fasse le larron, le proverbe l'affirme.* — 2. Ceux qui aiment la flânerie savent que les petites routes sont bien plus charmantes que les autoroutes. / *Que les petites routes soient bien plus charmantes que les autoroutes, ceux qui aiment la flânerie le savent.* — 3. On a dit avec raison qu'on prend plus de mouches avec une cuillerée de miel qu'avec cent barils de vinaigre. / *Qu'on prenne plus de mouches avec une cuillerée de miel qu'avec cent barils de vinaigre, on l'a dit avec raison.* — 4. Tout le monde admet que la persévérance vainc bien des obstacles. / *Que la persévérance vainque bien des obstacles, tout le monde l'admet.*

616. — Relever les propositions conjonctives corrélatives (sans oublier les propositions non verbales) en indiquant les termes qui les appellent.   (Gr. § 425)

N.B. — Ces termes sont en caractères gras.

a) 1. Il a supporté son chagrin **mieux** *qu'on ne le craignait.* — 2. Il a fait un **tel** bruit en rentrant *qu'il a réveillé toute la maison.* — 3. Nathalie a mangé **tant** de gâteaux *qu'elle en est dégoûtée au moins pour huit jours.* — 4. Le professeur de gymnastique était tout **autre** *que je ne me l'imaginais.* — 5. Le coffre de la voiture est **assez** grand *pour qu'on puisse y mettre tous les bagages.* — 6. Ce remède est **pire** *que le mal.* — 7. Votre résultat est **meilleur** *que je ne m'y attendais.*

b) 1. **Aussi** pénétrée de ses responsabilités *que papa en était dégagé,* elle prit à cœur sa tâche d'éducatrice. (S. de Beauvoir.) — 2. J'ai les yeux **plus** grands *que le ventre,* et le ventre **si** petit *qu'il me suffit d'être propriétaire par les yeux.* (J. Renard.) — 3. Chez les singes, dans leur rotonde **si** fâcheusement aménagée *que les vitres épaisses des cellules reflètent le visiteur* **davantage** *qu'elles révèlent les `pensionnaires,* je m'attarde devant les gorilles. (Audiberti.) — 4. La radio aime **tellement** les mots anglo-saxons *que, non contente de les prononcer tout de travers (...), elle a décidé d'américani-*

ser l'accent de tous les mots de quelque langue *que ce soit*. (Étiemble.) — 5. Le mystère, dans la poésie, n'est peut-être pas **moins** légitime *que la clarté*. (Apollinaire.)

617. — Justifier le mode des verbes dans les propositions corrélatives.   (Gr. § 426)

1. Le temps a été pire que la météo ne l'*avait annoncé* (indic., car le mot corrélatif *pire* exprime un degré avec comparaison explicite). — 2. Il ne faut pas arranger les faits au point que personne ne les *reconnaisse* (subj., car le verbe principal est négatif). — 3. Il est si corpulent qu'il *doit* (indic., car la proposition exprime la conséquence) s'habiller sur mesure. — 4. Nous devons construire une maison assez grande pour que chacun y *ait* (subj. après *assez...pour que*) sa chambre. — 5. Le professeur n'est pas si sévère qu'on ne *puisse* (subj., car le verbe principal est négatif) le dérider. — 6. Nous construirons une tour si haute qu'elle *soit* (subjonctif dans une proposition qui exprime à la fois une conséquence et un but à atteindre) inaccessible.

618. — Relever les propositions conjonctives adverbiales, en indiquant la catégorie à laquelle elles appartiennent.   (Gr. § 428)

a) 1. *Comme il longeait la Seine* (temps), son attention fut attirée par une gravure suspendue à la boîte d'un bouquiniste. — 2. Notre équipe sera championne, *bien que ses adversaires soient redoutables* (concession). — 3. Tout s'est passé *comme nous l'avions prévu* (manière). — 4. *Si vous suivez ma voiture* (condition), je vous conduirai jusqu'au garage, *afin qu'on puisse vérifier votre moteur* (but). — 5. Fermez la porte, *de peur que le chien ne sorte encore* (but). — 6. *Comme le magasin est fermé aujourd'hui* (cause), il faut que nous nous contentions de ce qu'il y a à la maison.

b) 1. Je serais un autre, *si je n'avais pas tant aimé la comtesse de Ségur* (condition). On est assuré de n'être pas complètement malheureux *quand on a découvert très tôt le bonheur de lire* (temps). (J. Cabanis.) — 2. Hourdequin, fatigué, ayant à la ferme de grands soucis, se désintéressait des séances, laissait agir son adjoint ; *de telle sorte que le conseil, gagné par celui-ci, vota les fonds nécessaires à l'érection de la commune en paroisse* (conséquence). (Zola.) — 3. Elle admirait Françoise, lui faisant compliment d'un chapeau et d'un manteau qu'elle ne reconnaissait pas, *bien qu'ils eussent jadis excité son horreur* (concession) *quand elle les avait vus neufs sur ma grand-tante* (temps). (Proust.)

619. — Relever les propositions adverbiales de temps et indiquer le verbe auquel elles se rapportent.   (Gr. § 429)

N.B. — Les verbes auxquels se rapportent les propositions sont en caractères gras.

a) Napoléon II

[*Quand tout fut préparé par les mains paternelles*
Pour doter l'humble enfant de splendeurs éternelles ;]
[*Lorsqu'on eut de sa vie assuré les relais*] ;
[*Quand, pour loger un jour ce maître héréditaire,*
On eut enraciné bien avant dans la terre
  Les pieds de marbre des palais] ;

[*Lorsqu'on eut pour sa soif posé devant la France*
Un vase tout rempli du vin de l'espérance],
[*Avant qu'il eût goûté de ce poison doré*],
[*Avant que de sa lèvre il eût touché la coupe*],
Un cosaque **survint** qui prit l'enfant en croupe
  Et l'emporta tout effaré !

Victor HUGO (Les chants du crépuscule).

b) 1. *Dès que les beaux jours arrivent,* les hirondelles nous **reviennent.** — 2. La file des voitures se **trouva** bloquée *jusqu'à ce que la procession eût tourné le coin de la rue.* — 3. *Pendant que tu dormais,* j'**ai achevé** de rédiger mon rapport. — 4. Vous **partirez** *après que vous aurez fait la vaisselle.* — 5. *Comme le train pénétrait en gare,* la fanfare **se mit à exécuter** la Marseillaise en l'honneur du président.

c) 1. [*Quand il se fut présenté au lieutenant*], [*qu'il lui eut demandé en vain de valider sa permission pour une heure seulement*], il **descendit** de fort laide humeur dans la longue galerie devenue chambrée. (M. Thiry.) — 2. Tu ne **bougeras** d'ici *que tu n'aies demandé pardon.* (G. Sand.) — 3. Voilà la pensée mortifiante qui le **taraudait** *durant qu'il redescendait vers Porto Manacore.* (R. Vailland.) — 4. Ce soir-là, *après qu'ils eurent mangé leurs pommes de terre et terminé leur chétif dîner,* les trois frères **demeurèrent** réunis. (Barrès.)

620. — Justifier les modes employés dans les propositions adverbiales de temps qui ont été relevées dans l'exercice précédent.   (Gr. § 430)

a) Napoléon II

Quand tout *fut préparé* (indic. : postériorité de *survint* par rapport à *fut préparé*) par les mains paternelles
  Pour doter l'humble enfant de splendeurs éternelles ;
Lorsqu'on *eut* de sa vie *assuré* (indic. : postériorité de *survint* par rapport à *eut assuré*) les relais ;
Quand, pour loger un jour ce maître héréditaire,
  On *eut enraciné* (indic. : postériorité de *survint* par rapport à *eut enraciné*) bien avant dans la terre
    Les pieds de marbre des palais ;

Lorsqu'on *eut* pour sa soif *posé* (indic. : postériorité de *survint* par rapport à *eut posé*) devant la France
  Un vase tout rempli du vin de l'espérance,

Avant qu'il *eût goûté* (subj. : antériorité de *survint* par rapport à *eût goûté*) de ce poison doré,
Avant que de sa lèvre il *eût touché* (subj. : antériorité de *survint* par rapport à *eût touché*) la coupe,
Un cosaque survint qui prit l'enfant en croupe
Et l'emporta tout effaré !

Victor Hugo (Les chants du crépuscule).

b) 1. Dès que les beaux jours *arrivent* (indic. : postériorité de *reviennent* par rapport à *arrivent*), les hirondelles nous reviennent. — 2. La file des voitures se trouva bloquée jusqu'à ce que la procession *eût tourné* (subj. : antériorité de *se trouva* par rapport à *eût tourné*) le coin de la rue. — 3. Pendant que tu *dormais* (indic. : simultanéité de *ai achevé* par rapport à *dormais*), j'ai achevé de rédiger mon rapport. — 4. Vous partirez après que vous *aurez fait* (indic. : postériorité de *partirez* par rapport à *aurez fait*) la vaisselle. — 5. Comme le train *pénétrait* (indic. : simultanéité de *se mit à exécuter* par rapport à *pénétrait*) en gare , la fanfare se mit à exécuter la Marseillaise en l'honneur du président.

c) 1. Quand il *se fut présenté* (indic. : postériorité de *descendit* par rapport à *se fut présenté*) au lieutenant, qu'il lui *eut demandé* (indic. : postériorité de *descendit* par rapport à *eut demandé*) en vain de valider sa permission pour une heure seulement, il descendit de fort laide humeur dans la longue galerie devenue chambrée. (M. Thiry.) — 2. Tu ne bougeras d'ici que tu n'*aies demandé* (subj. : antériorité de *bougeras* par rapport à *aies demandé*) pardon. (G. Sand.) — 3. Voilà la pensée mortifiante qui le taraudait durant qu'il *redescendait* (indic. : simultanéité de *taraudait* par rapport à *redescendait*) vers Porto Manacore. (R. Vailland.) — 4. Ce soir-là, après qu'ils *eurent mangé* leurs pommes de terre et *terminé* (indic. : postériorité de *demeurèrent* par rapport à *eurent mangé et terminé*) leur chétif dîner, les trois frères demeurèrent réunis. (Barrès.)

621. — Modifier la tournure des textes suivants de façon que chacun se présente sous la forme d'une phrase contenant une proposition adverbiale de temps. (Gr. §§ 429-430)

1. Faites-vous un plan ; après vous vous mettrez à écrire. / *Après que vous vous serez fait un plan,* vous vous mettrez à écrire. — 2. Le printemps s'annonce ; aussitôt les pâquerettes éclosent. / *Aussitôt que le printemps s'annonce,* les pâquerettes éclosent. — 3. La fourmi amassait des provisions ; pendant ce temps, la cigale chantait. / *Pendant que la fourmi amassait des provisions,* la cigale chantait. — 4. Je vous appellerai ; à ce moment-là, venez. / Venez *quand je vous appellerai.* — 5. Vous entrerez dans la vie ; en attendant, apprenez votre métier. — *En attendant que vous entriez dans la vie,* apprenez votre métier. — 6. François Ier fut battu à Pavie ; alors il écrivit à sa mère : « Tout est perdu, fors l'honneur. » / *Après que*

François Ier eut été battu à Pavie, il écrivit à sa mère : « Tout est perdu, fors l'honneur. »

622. — Composer sur chacun des thèmes suivants une phrase contenant une proposition adverbiale de temps. (Gr. §§ 429-430)

a) 1. **La rentrée des classes.** *Quand vient la rentrée des classes,* les écoliers sont pleins de bonnes résolutions. — 2. **La première neige.** *Dès que la première neige apparaît,* les enfants sortent leur traîneau. — 3. **Le médecin.** *Depuis que le médecin m'a prescrit ce traitement,* je me sens mieux. — 4. **Un accident de voiture.** *Après qu'il a eu son accident de voiture,* mon frère est resté deux mois alité. — 5. **La dernière guerre mondiale.** *Chaque fois que mes grands-parents évoquent la dernière guerre mondiale,* ils rappellent qu'ils ont eu faim.

b) 1. **La découverte de l'Amérique.** *Quand Christophe Colomb débarqua en Amérique,* il crut qu'il était en Inde. — 2. **Un spectacle de la télévision.** *Chaque fois qu'il y a une émission sportive à la télévision,* mon père et mes frères ne la manquent sous aucun prétexte. — 3. **L'empire romain.** *Après que Constantinople a été prise par les Turcs,* l'empire romain s'est effondré. — 4. **Le chien.** *Comme j'approchais de la propriété,* un chien menaçant se mit à aboyer. — 5. **L'avion.** *Depuis qu'elle a pris l'avion,* Chantal est persuadée que c'est le moyen de locomotion le plus agréable.

623. — Mettre au mode et au temps convenables les verbes en italiques. (Gr. § 430)

1. Quand on *court* après l'esprit, on attrape la sottise. — 2. Les hommes, dit Vauvenargues, ont la volonté de rendre service jusqu'à ce qu'ils en *aient* le pouvoir. — 3. La sagesse antique enseigne qu'il ne faut proclamer nul homme heureux avant qu'il *soit* mort. — 4. Maintenant que les pouvoirs publics *ont décrété* l'instruction obligatoire, les illettrés sont assez rares. — 5. Après qu'un homme *a* tout *perdu,* il lui reste encore l'espérance. — 6. Redoublez de courage jusqu'à ce que vous *ayez vaincu* les difficultés. — 7. Après qu'il *a plu,* si nous en croyons le dicton, le beau temps vient.

624. — Relever les propositions adverbiales de cause, en indiquant à quel verbe elles se rapportent. (Gr. § 431)

N.B. — Les verbes auxquels se rapportent les propositions sont en caractères gras.

a) 1. *Puisque vous n'êtes pas bien portant,* il **faut** aller voir un médecin. — 2. J'**ai été obligé** de monter les quatre étages à pied, *parce que l'ascenseur était en panne.* — 3. *Comme je m'étais levé de bonne heure,* j'**ai entendu** les oiseaux saluer de leurs cris l'apparition du soleil. — 4. *Vu que votre grand-père avait la même fonction que le mien,* ils **ont dû** se connaître.

b) 1. Notre pays a été romanisé. Mais quand et comment ? Nul ne saurait répondre avec certitude, car c'est là de l'histoire la plus délicate, que vingt et cent textes ne **suffiraient** pas à élucider, *attendu qu'en pareille matière on n'est que très rarement autorisé à généraliser,* et l'état d'une région, même attesté, ne signifierait rien pour une autre région. (F. Brunot.) — 2. Je ne peux pas arriver à faire (...) l'article que M. Walter m'a demandé sur l'Algérie. Ça n'est pas bien étonnant, *étant donné que je n'ai jamais écrit.* (Maupassant.) — 3. Il faut qu'on me **laisse traiter** chaque scène amplement, sereinement, sans hâte, *d'autant qu'on ne gagnerait rien à passer au tableau suivant* : je ne prépare aucune surprise. (Barrès.) — 4. L'eau n'**allait** pas **chauffer** d'un coup, *surtout qu'il n'avait pas de couvercle.* (M. Butor.)

625. — Faire des phrases où les verbes suivants seront accompagnés d'une proposition adverbiale de cause, en variant les conjonctions.

(Gr. § 431)

1. **Se hâter.** Hâtez-vous, *parce que le temps presse.* — 2. **Avoir soif.** *Étant donné qu'il fait chaud,* vous devez avoir soif. — 3. **Déménager.** *Vu que la famille s'est agrandie,* il faudra penser à déménager. — 4. **Pleurer.** *Comme les enfants s'étaient perdus,* ils se mirent à pleurer. — 5. **Se réveiller.** Il faudra se réveiller de bonne heure, *surtout que la journée sera riche en événements.*

626. — Relever les propositions adverbiales de manière (sans oublier les propositions non verbales), en indiquant à quel verbe elles se rapportent.

(Gr. § 433)

N.B. — Les verbes auxquels se rapportent les propositions sont en caractères gras.

a) 1. *Comme on fait son lit* on **se couche.** — 2. L'adversité **éprouve** l'homme courageux *de même que le feu éprouve l'or.* — 3. L'homme **fait** sa vie *comme le limaçon sa coquille.* — 4. *Au fur et à mesure que la route montait,* on **découvrait** un paysage qui avait l'air sans limite. — 5. Tout **s'est passé** *de manière que les plus difficiles étaient contents.* — 6. Un apéritif sera offert après la réunion, *ainsi qu'il avait été prévu.*

b) 1. La voile **tombe** *comme une aile se replie.* (Chamson.) — 2. *À mesure que l'on sait mieux voir,* un spectacle quelconque **renferme** des joies inépuisables. (Alain.) — 3. Ce même soir, il **retrouva** *comme convenu* Jeanne Gris à la sortie du métro *Italie.* (R. Vailland.) — 4. *Sans qu'ils vissent rien,* un tumulte **emplit** d'un coup la rue, fait de cris emmêlés, de coups de fusils, de hennissements furieux, de chutes. (Malraux.) — 5. Il ne **se passait** pas de jour *que quelque incident surprenant ou sinistre ne ravive l'angoisse qui était née en lui.* (M. Tournier.)

627. — Justifier les modes employés dans les propositions adverbiales de manière qui ont été relevées dans l'exercice précédent. (Gr. § 433)

a) 1. Comme on *fait* (indic. avec *comme*) son lit on se couche. — 2. L'adversité éprouve l'homme courageux de même que le feu *éprouve* (indic. après *de même que*) l'or. — 3. L'homme fait sa vie comme le limaçon sa coquille. — 4. Au fur et à mesure que la route *montait* (indic. après *au fur et à mesure que*), on découvrait un paysage qui avait l'air sans limite. — 5. Tout s'est passé de manière que les plus difficiles *étaient* (indic. après *de manière que* indiquant simplement la manière) contents. — 6. Un apéritif sera offert après la réunion, ainsi qu'il *avait été prévu* (indic. après *ainsi que*).

b) 1. La voile tombe comme une aile *se replie* (indic. après *comme*). (Chamson.) — 2. À mesure que l'on *sait* (indic. après *à mesure que*) mieux voir, un spectacle quelconque renferme des joies inépuisables. (Alain.) — 3. Ce même soir, il retrouva comme convenu Jeanne Gris à la sortie du métro *Italie*. (R. Vailland.) — 4. Sans qu'ils *vissent* (subj. après *sans que*) rien, un tumulte emplit d'un coup la rue, fait de cris emmêlés, de coups de fusils, de hennissements furieux, de chutes. (Malraux.) — 5. Il ne se passait pas de jour que quelque incident surprenant ou sinistre ne *ravive* (subj. avec *que...ne,* après un verbe construit négativement) l'angoisse qui était née en lui. (M. Tournier.)

628. — Transformer les textes suivants de façon qu'ils contiennent une proposition adverbiale de manière. (Gr. § 433)

1. Ils se sont élancés contre l'ennemi ; tels les flots se ruent sur les falaises. / *Comme les flots se ruent sur les falaise,* ils se sont élancés contre l'ennemi. — 2. La mer monte ; la bande de sable sec se rétrécit. / *Au fur et à mesure que la mer monte,* la bande de sable sec se rétrécit. — 3. Les abeilles construisent maintenant leurs alvéoles ; au temps de Virgile, elles les construisaient de la même manière. / Les abeilles construisent maintenant leurs alvéoles *de la même manière qu'au temps de Virgile.* — 4. Tel père, tel fils. / Le fils est *comme son père.*

629. — Composer sur les thèmes suivants des phrases contenant une proposition adverbiale de manière. (Gr. § 433)

1. **Un épouvantail.** Les agriculteurs placent des épouvantails dans les champs *de manière que les oiseaux sont effrayés.* — 2. **Un avion dans le ciel la nuit.** — *Au fur et à mesure que l'avion descendait,* il se distinguait du noir du ciel. — 3. **La fenêtre givrée.** *À mesure que la pièce se réchauffait,* on remarquait de fines gouttelettes d'eau qui glissaient sur les fenêtres givrées. — 4. **L'odeur des crêpes.** *Au fur et à mesure que* l'odeur des crêpes envahissait la cuisine, nous manifestions notre impatience de nous mettre à table. — 5. **Le clocher dans le lointain.** Il observait l'horizon *sans qu'il voie le clocher perdu dans le lointain.*

630. — Relever les propositions adverbiales de conséquence.

(Gr. § 434)

1. La photo est tout à fait ratée, *au point qu'on ne reconnaît même pas les gens du deuxième rang.* — 2. La maison n'avait pas de porte sur l'arrière, *si bien qu'il fallait faire le tour du bâtiment pour se rendre dans le jardin.* — 3. Sa voiture a été détruite dans un accident, *de sorte qu'il doit se rendre en train à son travail.* — 4. Il a traîné en chemin à regarder les vitrines, *tant et si bien que son ami, lassé de l'attendre, est parti tout seul.* — 5. Les piécettes d'or fondaient *que c'était un plaisir.* (A. Daudet.)

631. — Relever les propositions adverbiales de but, en indiquant le verbe dont elles dépendent.

(Gr. § 436)

N.B. — Les verbes dont dépendent les propositions sont en caractères gras.

a) 1. **Montrez**-moi vos mains, *que je voie si elles sont propres.* — 2. N'**achetons** pas le superflu, *de peur que nous soyons obligés de nous priver du nécessaire.* — 3. Elle **a passé** la commande par téléphone *pour que son frère puisse prendre les marchandises en rentrant.* — 4. Ne **jugez** pas, *afin que vous ne soyez pas jugés.* — 5. Le jardinier **a entouré** de paille les arbustes, *de façon qu'ils soient à l'abri du gel.*

b) 1. Elle n'**avait** pas **montré** cette lettre à Mme Dandillot, *crainte que celle-ci n'en prît une mauvaise impression de Costals.* (Montherlant.) — 2. Vous l'**avez avili** à dessein et fort habilement, *de manière qu'on ne s'y pût méprendre.* (A. Gide.) — 3. Cet homme (...) demanda pour moi à un de ses confrères parisiens de bien vouloir m'**accepter** près de lui pour quelques semaines *à seule fin que j'aie une idée de la manière dont se traitaient les affaires dans une grande étude de Paris.* (P.-A. Lesort.) — 4. La Teuse dut aider Vincent à fixer la chasuble, qu'elle **attacha** à l'aide de minces cordons, *de façon à ce qu'elle ne retombât pas en arrière.* (Zola.)

632. — Transformer les textes suivants de façon qu'ils contiennent une proposition adverbiale de but.

(Gr. § 436)

1. Si vous êtes aveugle, ne vous faites pas conduire par un autre aveugle : il faut craindre que vous ne tombiez tous deux dans un fossé. / *...de crainte que vous ne tombiez tous deux dans un fossé.* — 2. Certaines gens étalent leurs connaissances : ils veulent qu'on les admire. / *...dans le but qu'on les admire.* — 3. Approchez : je vous verrai mieux. / Approchez, *que je vous voie mieux.* — 4. Un bon conducteur respecte le Code de la route : il désire que ses passagers soient en sécurité et que les autres automobilistes ne soient pas gênés. / *...afin que ses passagers soient en sécurité et que les autres automobilistes ne soient pas gênés.*

633. — Compléter chacune des phrases suivantes par une proposition adverbiale de but.   (Gr. § 436)

1. Il se dépêche, *afin que sa lettre puisse partir aujourd'hui.* — 2. L'avare enfouit son trésor, *de peur qu'on ne le lui dérobe.* — 3. La poule couvre ses poussins de ses ailes, *pour qu'ils n'aient pas froid.* — 4. J'ai baissé le store, *pour que le soleil ne vous dérange pas.* — 5. On défend aux enfants de jouer avec les allumettes, *de peur qu'ils ne se brûlent.* — 6. Elle a fermé la porte à clé, *de crainte que des cambrioleurs ne profitent de son absence.*

634. — Relever les propositions adverbiales de concession, en indiquant à quel verbe elles se rapportent.   (Gr. §§ 438-439)

N.B. — Les verbes auxquels se rapportent ces propositions sont en caractères gras.

a) 1. Il ne **fait** pas très froid, *quoique le vent souffle assez fort.* — 2. *Si grand que soit votre désir d'avoir une voiture,* il **faut** encore patienter. — 3. *Quoi que vous disiez,* ce chanteur ne me **paraît** pas génial. — 4. **Attendez**-moi patiemment, *quelle que soit l'heure.*

b) 1. Avec ce système qui consiste, avant d'entrer dans un cinéma, à ne jamais consulter le programme (...) je **cours** évidemment le risque de plus « mal tomber » qu'un autre, *bien qu'ici je doive confesser mon faible pour les films français les plus complètement idiots.* (A. Breton.) — 2. *Quoiqu'il fût Normand,* son visage avisé n'**était** pas rusé. (Barbey d'Aurevilly.) — 3. Jamais Noé ne **put** si bien **voir** le monde que de l'arche, *malgré qu'elle fût close et qu'il fît nuit sur terre.* (Proust.) — 4. Je ne me sentis à mon aise que lorsque la lumière, *toute faible qu'elle était,* **se mit à briller** autour de nous. (J. Green.) — 5. *Tout belliqueux qu'ils fussent,* les Gaulois **acceptèrent** si bien la conquête que, moins d'un siècle après, 1 200 hommes établis à Lyon formaient, dit-on, toutes les garnisons de l'intérieur. (F. Brunot.) — 6. Il **y a** donc bien un type d'humanité primitive, *encore que l'espèce humaine ait pu se constituer par plusieurs sauts convergents accomplis de divers points.* (Bergson.)

635. — Transformer les textes suivants de manière qu'ils contiennent une proposition adverbiale de concession.   (Gr. §§ 438-440)

a) 1. On a beau être savant : on ne peut pas tout savoir. / *Tout savant qu'on soit,* on ne peut ... — 2. Vous direz ce que vous voudrez : je n'admettrai pas que la fin justifie les moyens. / *Quoi que vous disiez,* je n'admettrai pas ... — 3. Vercingétorix combattit avec courage ; pourtant il ne put résister à César. / *Bien que Vercingétorix combattît avec courage,* il ne put ... — 4. La maison de Socrate était petite ; elle lui paraissait pourtant trop grande pour être remplie de vrais amis. / *Toute petite qu'était la maison de Socrate,* elle lui paraissait trop grande ... — 5. Agissez de la façon que vous voudrez, il y aura toujours des gens pour vous critiquer. / *Quelle que soit la façon dont vous agirez* (ou *agissiez*), il y aura toujours ...

b) 1. Certaines personnes ont un grand courage, malgré leur faible santé. / *Toute faible que soit leur santé,* certaines personnes ... — 2. En dépit des calomnies, il n'a pas perdu courage. / *Bien qu'il fût calomnié,* il n'a pas ... — 3. Très jeune encore, Condé remporta à Rocroi, en 1643, une éclatante victoire. / *Quoique que très jeune encore,* Condé remporta ... — 4. Je concède que l'argent est utile ; il ne fait pas le bonheur. / *Pour utile qu'il soit,* l'argent ne fait pas le bonheur.

636. — Composer sur les thèmes suivants des phrases contenant des propositions adverbiales de concession.   (Gr. §§ 438-439)

1. **Les rigueurs de l'hiver.** *Quoique l'hiver fût rigoureux,* il neigeait peu cette année-là. — 2. **L'énergie nucléaire.** *Si décriée que soit l'énergie nucléaire,* elle a ses partisans. — 3. **Les animaux nuisibles.** *Quelque nuisibles que soient certains animaux,* ils ont aussi leur utilité. — 4. **Votre avenir.** *Bien que le présent soit très sombre,* ne désespérez pas de votre avenir. — 5. **La télévision.** *Si envahissants que soient les programmes de télévision,* ils ont parfois leur intérêt.

637. — Mettre au mode convenable les verbes en italiques. (Gr. § 440)

1. Pour brillant que *soit* le soleil, il a ses taches. — 2. Quoi que vous *fassiez,* faites-le consciencieusement. — 3. Encore qu'on *puisse* préférer la beauté du printemps, on ne saurait rester insensible aux charmes apaisants et menacés de l'automne. — 4. Tout bavard qu'il *soit* (ou *est*), François ne lasse pas ceux qui l'écoutent. — 5. Il l'appelait Tante, bien qu'il ne *fût* pas son neveu. — 6. Quelques injustices que vous *subissiez,* ne vous vengez pas en étant injuste à votre tour. — 7. Quoiqu'il *fasse* froid et qu'il y *ait* encore de la neige, on devine que le printemps est proche.

638. — Relever les propositions adverbiales de condition et dire de quel verbe elles dépendent.
          (Gr. § 441)

N.B. — Les verbes dont dépendent les propositions sont en caractères gras.

a) La ronde autour du monde[6]

Si toutes les filles du monde voulaient s' donner la main, tout autour de la mer, elles **pourraient faire** une ronde.

Si tous les gars du monde voulaient bien êtr' marins, ils **f'raient** avec leurs barques un joli pont sur l'onde.

Alors on **pourrait faire** une ronde autour du monde, *si tous les gens du monde voulaient s' donner la main.*

Paul FORT (*Ballades françaises,* Flammarion, édit.).

---

6. Les *e* muets ne s'élident pas d'habitude en poésie, sauf à la fin du vers. Paul Fort a indiqué par l'apostrophe les élisions qu'il souhaitait que l'on fasse.

b) 1. *Pour autant qu'un premier examen permette d'en juger,* cette affaire **a l'air** parfaitement gérée. (F. Marceau.) — 2. La pluie, la neige, la gelée, le soleil, **devinrent** ses ennemis ou ses complices, *selon qu'ils nuisaient ou qu'ils aidaient à sa fortune.* (Fr. Mauriac.) — 3. Il lui demandait des interviews que le professeur **consentait** *moyennant qu'on tût son nom.* (Barrès.) — 4. *Que si l'étude appro-fondie de la vie rurale a été si délaissée, pendant si longtemps,* c'**est** précisément qu'elle n'intéressait pas les milieux dits supérieurs. (A. van Gennep.) — 5. Chaque larve royale [des abeilles], *si l'on changeait sa nourriture et qu'on réduisît sa cellule,* **serait transfor-mée** en ouvrière. (Maeterlinck.)

639. — Justifier le mode du verbe dans les propositions de condition relevées dans le n° précédent.   (Gr. §§ 442-443)

a) La ronde autour du monde

Si toutes les filles du monde *voulaient* (indic. après *si*) s' donner la main, tout autour de la mer, elles pourraient faire une ronde.

Si tous les gars du monde *voulaient* (indic. après *si*) bien êtr' marins, ils f'raient avec leurs barques un joli pont sur l'onde.

Alors on pourrait faire une ronde autour du monde, si tous les gens du monde *voulaient* (indic. après *si*) s' donner la main.

Paul FORT (*Ballades françaises,* Flammarion, édit.).

b) 1. Pour autant qu'un premier examen *permette* (subj. après *pour autant que*) d'en juger, cette affaire a l'air parfaitement gérée. (F. Marceau.) — 2. La pluie, la neige, la gelée, le soleil, devinrent ses ennemis ou ses complices, selon qu'ils *nuisaient* (indic. après *selon que*) ou qu'ils *aidaient* (indic. après *que* mis pour *selon que*) à sa fortune. (Fr. Mauriac.) — 3. Il lui demandait des interviews que le professeur consentait moyennant qu'on *tût* (subj. après *moyen-nant que*) son nom. (Barrès.) — 4. Que si l'étude approfondie de la vie rurale *a été* si *délaissée* (indic. après *si*), pendant si longtemps, c'est précisément qu'elle n'intéressait pas les milieux dits supérieurs. (A. van Gennep.) — 5. Chaque larve royale [des abeilles], si l'on *changeait* (indic. après *si*) sa nourriture et qu'on *réduisît* (subj. après *que,* remplaçant *si* au début d'une proposition coordonnée) sa cel-lule, serait transformée en ouvrière. (Maeterlinck.)

640. — Transformer les textes suivants de façon qu'ils contiennent une proposition adverbiale de condition.   (Gr. §§ 441-443)

1. Tu veux qu'on t'épargne ? épargne aussi les autres. / *Si tu veux qu'on t'épargne,* épargne ... — 2. Je vous pardonne, mais à une condition : promettez-moi de ne plus recommencer. / Je vous pardonne, *à condition que vous me promettiez* (ou *promettrez*) de ne plus recommencer. — 3. À vaincre sans péril, on triomphe sans gloire. / *Pour peu qu'on vainque sans péril,* on triomphe ... — 4. Moyennant quelques modifications, votre plan serait approuvé. / *Pour autant que vous y apportiez quelques modifications,* votre plan

... — 5. Il suffira de mieux ordonner vos calculs : vous résoudrez le problème. / *Pourvu que vous ordonniez mieux vos calculs,* vous résoudrez ... — 6. On peut me blâmer, on peut me louer, je n'en ferai qu'à ma tête, dit le meunier de la fable. / *Qu'on me blâme, qu'on me loue,* je n'en ferai qu'à ma tête, dit le meunier de la fable.

641. — Compléter les phrases suivantes en ajoutant une proposition adverbiale de condition.   (Gr. §§ 441-443)

1. Nous irons nous promener *si le temps le permet.* — 2. Vous obtiendrez la victoire *pourvu que vous vous entraîniez suffisamment.* — 3. J'aurais appris plus tôt à nager *s'il y avait une piscine dans mon quartier.* — 4. Tu risquerais d'être malade *pour peu que tu sortes sans manteau.* — 5. J'achèterais une voiture *au cas où nous devrions habiter à la campagne.*

642. — Distinguer parmi les propositions de condition s'il s'agit d'une simple condition ou s'il s'agit d'une condition imaginaire ou irréelle.   (Gr. § 442)

1. *Si tu oublies de rendre ce livre à temps* (simple condition), tu devras payer une amende. — 2. *Si mon chien parlait* (condition irréelle), il me dirait sûrement des choses surprenantes. — 3. *Si Paris n'était pas plus gros que mon petit doigt* (condition irréelle), je pourrais le mettre dans une bouteille. — 4. *Si tu acceptes ce cadeau* (simple condition), tu dois dire merci. — 5. *Si je te demandais de m'aider* (condition imaginaire), l'accepterais-tu ? — 6. *Si notre ouïe était mille fois plus fine qu'elle n'est* (condition irréelle), que d'harmonies merveilleuses elle percevrait !

643. — Mettre au mode et au temps convenables les verbes en italiques.   (Gr. §§ 442-443)

a) 1. Si les hommes *parvenaient* à s'entendre, ils vivraient plus heureux. — 2. À moins qu'un homme ne *soit* un monstre, l'amour maternel l'émeut toujours. — 3. Pour peu que vous *réfléchissiez,* vous reconnaîtrez votre erreur. — 4. Au cas où votre méthode vous *paraîtrait* mauvaise, il faut en suivre une autre. — 5. Si cet homme *tombe* malade et qu'il *vienne* à mourir, que deviendra sa famille ?

b) 1. Comme dit Pascal, si tous les hommes *savaient* ce qu'ils disent les uns des autres, il n'y aurait pas quatre amis dans le monde. — 2. Demande aux forêts et aux pierres ce qu'elles *diraient* si elles pouvaient parler. (Musset.) — 3. Que vous sert d'avoir de l'esprit si vous ne l'employez pas et que vous ne vous *occupiez* pas de vos études ? — 4. Paul, si vous *étiez parti* un peu plus tôt, vous n'auriez pas raté votre train. — 5. Vous aurez une récolte différente selon que vous *aurez semé* en avril ou en mai.

L'INTERROGATION ET L'EXCLAMATION INDIRECTES

644. — Relever les interrogations indirectes et les exclamations indirectes. (Gr. §§ 444-445)

a) 1. Je me demande *si le temps sec va se maintenir* (interr.
indir.). — 2. Dis-moi *où tu vas* (interr. indir.). — 3. Je ne sais pas
où aller (interr. indir.). — 4. Tu comprendras *combien ta façon de
faire me peine* (exclam. indir.). — 5. Je voudrais savoir *quelle route
vous comptez prendre* (interrog. indir.). — 6. Je me demande *à
quelle heure il reviendra* (interrog. indir.). — 7. Dis-moi *combien tu
as payé cette robe* (interrog. indir.).

b) 1. On pouvait voir à travers sa barbe *combien il eût été laid
sans barbe* (exclam. indir.). (J. Renard.) — 2. Je ne savais *où j'allais*
(interrog. indir.), j'étais trop absorbé. (Sartre.) — 3. Il fallait regarder
attentivement pour distinguer *où se terminait la mer* (interr. indir.).
(Fromentin.) — 4. Je me demandais *si j'irais ramasser ma canne, qui
avait roulé à mes pieds dans le fossé* (interrog. indir.). (Hugo.) —
5. On devine alors *combien il serait facile à un vêtement de devenir
ridicule* (exclam. indir.). (Bergson.)

RÉCAPITULATION

645. — Justifier le mode des verbes en italiques. (Gr. §§ 419-445)

a) 1. Il faut que vous *alliez* (subj. dans une prop. conj. essentielle après un verbe marquant la nécessité) voir votre grand-mère. —
2. Quoique ce film *soit* (subj. dans une prop. adverbiale de concession) amusant, je le trouve un peu superficiel. — 3. Je me demande
s'il ne *faudrait* (indic. dans une interrog. indir., où l'on garde le mode
qui se trouverait dans l'interrog. dir. correspondante) pas prévoir un
délai plus long. — 4. À mesure que le soir *tombait* (indic. dans une
prop. adverbiale de manière introduite par *à mesure que*), le brouillard devenait plus dense. — 5. Le train part après que le chef de gare
a sifflé (indic. dans une prop. adverbiale de temps introduite par
après que : il y a postériorité du verbe principal). — 6. Que votre travail *soit* (subj. dans une prop. conj. essentielle après un verbe exprimant le doute) parfait, vous en doutez vous-même. — 7. Je
m'étonne que vous *aimiez* (subj. dans une prop. conj. essentielle
après un verbe exprimant un sentiment) ce chanteur. — 8. Il me
semble que le basket-ball *a* (indic. après *il semble,* accompagné d'un
complément d'objet indirect) de plus en plus de succès.

b) 1. Les convives quittaient la table, sans que j'*eusse avalé*
(subj. dans une prop. adverbiale de manière introduite par *sans que*)
une bouchée. (A. France.) — 2. Je l'ai installé dans la chambre à
côté de la mienne, de sorte que je *puisse* (subj. dans une prop.

adverbiale de but) recevoir des visites sans le déranger. (A. Gide.) — 3. Un des premiers plaisirs que j'*aie goûtés* (subj. dans une prop. relative introduite par un relatif dont l'antécédent est accompagné de *premiers*) était de lutter contre les orages. (Chateaubriand.) — 4. Tout bien doué qu'il *était* (indic. dans une prop. adverbiale de concession introduite par *tout...que*), ce garçon restait insensible aux choses de l'Art. (R. Peyrefitte.) — 5. Si on la [une route] laisse sur la droite et que l'on *suive* (subj. dans une prop. adverbiale de condition introduite par *que*, remplaçant *si* au début d'une prop. coordonnée) le bas de la côte Saint-Jean, bientôt on arrive au cimetière. (Flaubert.) — 6. Il ouvrit sa porte de façon à ce qu'une masse de clarté *se projetât* (subj. dans une prop. adverbiale de but) sur la muraille opposée du corridor. (Th. Gautier.) — 7. Si madame *fût arrivée* (subj. plus-que-parfait à valeur de condit. passé) une minute plus tôt, elle aurait entendu le coup. (Mérimée.)

646. — Mettre les verbes en italiques au mode et au temps qui conviennent.

(Gr. §§ 419-445)

a) 1. Je crains que vous ne vous *enrhumiez*. — 2. Ne partez pas avant que je vous *aie remis* la lettre destinée à votre père. — 3. Je regardais le jardinier pendant qu'il *taillait* la haie. — 4. Il est douteux que vous *gagniez* ce match. — 5. Nous espérons que votre santé *se maintiendra*. — 6. Nous mangerons après que tu *auras débarrassé* la table de tes livres.

b) 1. Quoiqu'il *soit* déjà âgé, mon grand-père n'a jamais été malade. — 2. Je me lève dès que j'*entends* mon réveil. — 3. Attendez ici jusqu'à ce que je *revienne*. — 4. Je m'étonne que vous ne *voyiez* pas cet oiseau. — 5. J'aime la ville où j'habite ; non qu'elle *soit* particulièrement pittoresque, mais j'y ai vécu depuis que je *suis né*.

647. — Inventer des phrases où interviennent les formules suivantes.

(Gr. §§ 419-445)

a) 1. Il serait prudent de manger *avant que nous* nous mettions en route. — 2. *Après que nous* aurons fait un plan, nous nous mettrons à rédiger. — 3. *Il convient que nous* n'achetions pas le superflu. — 4. *Je constate que vous* perdez un temps précieux. — 5. *Il est certain que nous* nous perdons en vains bavardages.

b) 1. *Je crains que vous* ne soyez pas de retour avant une semaine. — 2. Le temps avait passé *sans que vous* vous en soyez rendu compte. — 3. Le professeur reprendra ses explications *jusqu'à ce que vous* ayez compris. — 4. *Il est douteux que vous* fassiez des progrès si vous travaillez si peu. — 5. *Je doute que vous* ratiez vos examens.

Index

Les chiffres renvoient aux numéros des exercices.

Table des matières